HET EINDE VAN DE WAANZIN

JORGE VOLPI BIJ DE BEZIGE BIJ

De zoektocht naar Klingsor

Jorge Volpi

Het einde van de waanzin

Vertaling Mariolein Sabarte Belacortu

2005

DE BEZIGE BIJ

AMSTERDAM

De vertaler ontving voor deze vertaling een werkbeurs van het Fonds voor de Letteren

Voor mijn vader en mijn moeder

'Je crois plutôt à la sottise du peuple [...] De même, par le fait seul de la foule, les germes de bêtise qu'elle contient se développent et il en résulte des effets incalculables.'
'Ton scepticisme m'épouvante!' dit Pécuchet.

FLAUBERT, *Bouvard et Pécuchet*

'Ach, lieve beste heer, gaat Uwe Genade niet dood!' antwoordde Sancho in tranen. 'Neemt u mijn raad aan en leeft u nog vele jaren; de grootste dwaasheid die een mens kan begaan in dit leven, is immers zomaar dood te gaan, zonder dat iemand hem vermoordt of andere handen dan die van de zwaarmoedigheid hem wurgen.'

CERVANTES, *Don Quijote de la Mancha*, II, hoofdstuk 74

Dit boek is een werk van de verbeelding.
Elke overeenkomst met de werkelijkheid
komt op het conto van die werkelijkheid.

Voorwoord

Mexico-Stad, 10 november 1989

Ik weet niet eens tot wie ik deze woorden moet richten. Tot jou? Tot mezelf? Tot de illusie die we het nageslacht noemen? Ik wacht je komst af met het vergeefse gevoel van berouw van de zondaar die aan zijn straf probeert te ontkomen en zijn schuld zo alleen maar vergroot. Voor een fout als de mijne is volgens jou geen vergiffenis mogelijk. Wat zou ik ter verdediging kunnen aanvoeren als er geen kans op redding is en, erger nog, als alles erop wijst dat ik zelf verantwoordelijk ben voor mijn tegenspoed? In deze omstandigheden rest me slechts tot op het laatst de schijn van een koppige trots op te houden: mijn fouten worden misschien niet ongedaan gemaakt, maar deze houding staat me wel toe te geloven dat ik geen slachtoffer ben van mijn eigen onbeholpenheid, maar van een wreed en meedogenloos lot.

Het lijkt me geen toeval dat mijn televisietoestel, vastbesloten mijn onfortuinlijke toestand weer te geven, me op dit moment de beelden toont van jongeren die met blijmoedige en geheugenloze geweldadigheid bezig zijn de Berlijnse Muur af te breken. Je zult je afvragen wat het me in godsnaam kan schelen dat het symbool van de communistische tirannie omver wordt gehaald, nu ikzelf ook in ongenade ben gevallen. Ik beken dat het misschien door mijn leeftijd komt – of door de tragikomedie die ik opvoer – dat die stenen me plotseling een gevoel van heimwee bezorgen; en hoewel ik de scherpste kritiek op die jongeren heb geleverd, kan ik de stenen nu alleen maar als simpele metafoor van mijn eigen broosheid zien. Uitgeput schakel ik het toestel uit, streel mijn vaders revolver en lees voor de zoveelste keer de brief die jij harteloos op mijn bureau hebt achtergelaten.

Om me te dwingen de balans van mijn leven op te maken, haal je de herinnering op aan de eerste keer dat onze wegen elkaar kruisten, in mei '68 in Parijs, voor het huis waar dokter Lacan zijn patiënten ontving. Natuurlijk herinner ik me dat! Het heeft geen enkele zin te vragen of we al die jaren van elkaar hebben gehouden of elkaar hebben gehaat; wat ik niet begrijp is waarom jij nu zo ijverig probeert me te gronde te richten. Mijn psychoanalytische ervaring helpt me nauwelijks om jouw motieven te ontrafelen: de simpelste conclusie zou zijn dat jij me straft omdat ik de belichaming ben van jouw gefnuikte illusies, maar dit is niet genoeg om jouw verbetenheid te verklaren. Waarom vertrouw je me niet? Waarom verlaat je me op het moment dat ik je het meest nodig heb? Ik kan je antwoord raden: Omdat je me niet de hele waarheid hebt verteld. De waarheid? Heeft het ergens toe gediend dat je het einde van de revolutie, de moeizame weg van deze eeuw en het wrede verouderingsproces van onze zaak hebt aanschouwd? Als we in dit tijdperk van dictators en profeten, slagers en Messiassen iets hebben geleerd is het wel dat de waarheid niet bestaat: die is verpletterd tussen beloften en woorden.

Toen jij aankondigde dat je naar Mexico zou komen, nadat we zoveel jaar van elkaar gescheiden waren geweest, koesterde ik niet al te veel hoop voor ons – ik heb altijd geweten dat onze geesten zo waren gemodelleerd dat ze elkaar moesten tegenspreken –, maar ik dacht dat onze betrokkenheid ondanks onze meningsverschillen tenminste zou blijven bestaan. Ik heb me dubbel vergist: in de eerste plaats omdat ik dacht dat onafhankelijkheid en engagement met elkaar in overeenstemming te brengen waren, en in de tweede plaats omdat ik ervan uitging dat jij ons gemeenschappelijke verleden zou laten prevaleren boven je idealen. Of misschien kan ik beter zeggen dat we ons allebei vergist hebben of verward zijn geraakt in deze tijd, die overheerst wordt door het gebrek aan zekerheden. Hoeveel van onze *compagnons de route* lijden niet onder hetzelfde dilemma? Hoevelen van hen beklagen zich niet, rechtvaardigen zich of hebben spijt wanneer ze de vluchtigheid van hun verlangens en de omvang van hun misdaden inzien? Ons geval is even tragisch en illusoir, banaal en grotesk als de twintigste eeuw zelf.

Dus waarom ga jij ervan uit dat je beter bent dan ik? Jij hebt me overgehaald me aan te sluiten bij die reusachtige fata morgana die revolutionair links was, en nu matig je je een integriteit aan die je, het spijt me dat ik het zeggen moet, niet bezit. Waar ben je op uit? Wil je bewijzen dat ik een verrader of een bedrieger ben? Me aanklagen wegens omgang met de macht? Mijn zwakte, mijn dwaasheid of mijn gierigheid onthullen? Misschien is het moment aangebroken om terug te keren naar het gezonde verstand. Maar als het in onze tijd nou eens onmogelijk was te strijden zonder een grens te overschrijden? Zou jouw verlangen naar zuiverheid geen ambitie verbergen die nog groter is dan de mijne? Vertel me eens: wie is de leugenaar: ik die eeuwig door twijfels word gekweld of jij die nooit aan je geloof hebt getwijfeld?

Geef me antwoord: waarom heb je deze brief geschreven? En als je inderdaad van plan was me voorgoed te verlaten, waarom stem je er dan mee in me vandaag toch te zien? Kun je de verleiding niet weerstaan te zien wat voor totale puinhoop ik geworden ben? Of hoop je dat ik je vermoedens bevestig? De grootste grap: de waarheid, waarnaar je zo verlangt, zal alleen bestaan als ik die zelf in jouw bijzijn aanvaard en als ik tijdens een seculier en onverhoeds gewetensonderzoek toegeef: *Ja, ik heb het gedaan.* Om mijn wandaden te bewijzen heb jij er behoefte aan dat ik jou gelijk geef. Misschien is dat volstrekt logisch: de woorden hebben me ter dood veroordeeld en nu geven de woorden me deze laatste kans om mezelf te redden. Ik weet in ieder geval dat je zult komen. Terwijl aan de andere kant van de wereld de Berlijnse Muur instort, maak ik me op om getuigenis af te leggen tijdens het proces dat jij voor me in petto hebt. Ik kijk naar de revolver van mijn vader, die op het schrijfbureau ligt, en zie reikhalzend uit naar het moment dat je aanbelt. Je zult enkele uren de mijne zijn en dan kan ik je mijn laatste wil dicteren.

Je zult naar me moeten luisteren.

ANÍBAL QUEVEDO

Deel een

I

Liefhebben is geven wat je niet hebt
aan iemand die het niet wil

Als u denkt dat u het heeft begrepen, vergist u zich
ongetwijfeld.

LACAN, *Séminaires*, boek I

'Stop die herrie!'

De kamermuren behoedden me voor hun woede, maar niet voor
hun jammerklachten; het geschreeuw doorboorde mijn trommelvlie-
zen als een pistoolschot van heel dichtbij. Verdwaasd liep ik naar het
raam en wachtte af. Ik onderging eerst alleen een lichte schok, maar de
stuiptrekkingen werden steeds luidruchtiger naarmate een stroom
mieren – of die andere plaag, mensen – met grote haast mijn schuilplaats naderde. Het gestamel veranderde in gegil dat zowel het gevolg
kon zijn van genot als van woede: onze soort maakt nauwelijks een onderscheid tussen de geluiden van de doodsstrijd en die van een orgasme. Terwijl ik mijn handen tegen mijn oren drukte en naar een snelle
doofheid verlangde, merkte ik dat ik de expansieve golven niet kon tegenhouden; hoewel die rebellen een hekel hadden aan regels, was hun
gebrul eenstemmig. De menigte bestond uit een vloedgolf van lastige
kinderen: dat was de enige verklaring voor hun kinderachtige leuzen
en hun onhandige euforie. Wat wilden ze? Waarom schreeuwden ze zo
woest? Wilden ze me redden, lynchen of vervloeken? Ik zag hun vertrokken gezichten – hun open monden, hun hoektanden, hun losge-
slagen tongen – heel dichtbij op de stoep aan de overkant. Het zou niet
lang duren voor die brutale apen me vonden en op me inbeukten met
dezelfde razernij als waarmee ze bumpers en ruiten kapotsloegen.
Hun mars gaf me het gevoel dat ik gevangenzat in een tijdbom of in
een kapot horloge: een, twee, drie, twintig stappen... Vijftig, honderd,

duizend... Hun halsstarrigheid reduceerde het universum tot de krampachtige aardschok die de dood van de uren voorspelde. Ik hield het niet meer uit. Weldra zouden ze de trappen op komen, de deur intrappen en mij tot een van de vele slachtoffers van hun hoon maken. Niet in staat weerstand te bieden, onderwierp ik me aan hun stemmen. Dit was, wee mij, de revolutie.

Ik werd niet wakker van het geschreeuw maar van een smerige stank die deed denken aan een insecticide. Ik opende mijn ogen en was omringd door de stank die in het schemerduister hing en waarvan ik niet wist waar hij vandaan kwam. Het was zo'n sterke, weerzinwekkende geur met een onweerstaanbare aantrekkingskracht, vergelijkbaar met die van stinkkaas, benzine of verse verf. Door het branderige gevoel op mijn netvlies kon ik amper de omtrek van mijn lichaam, het vage glanzen van de lakens of het silhouet van de lamp zien. Leonora lag niet naast me te slapen: ik werd niet in slaap gewiegd door haar haperende ademhaling of haar warme dijen. Ze had de stank ongetwijfeld eerder opgemerkt dan ik – ze slaapt altijd lichter dan ik – en zou nu wel op zoek zijn naar de oorzaak. Een dode muis onder het bed? Wellicht. Sandra had me gezegd dat ze een jonkie onder in haar kast had gevonden; ik moest bijna overgeven toen ik me het lijkje van het knaagdier voorstelde, dat al zwart geworden zou zijn en vol maden zou zitten. Ik kwam een beetje versuft en op de kussens steunend overeind en reikte naar de wekker; ik had geen idee hoe laat het was, maar het moest laat zijn, misschien al twaalf uur, want er kwam een streepje licht onder de deur door, alsof een chirurg een smalle incisie had gemaakt in de duisternis.

Toen ik overeind kwam, werd de stank zo sterk dat het me bijna duizelde. Het duurde een paar seconden voor ik de contour zag van het raam dat onhandig was afgedekt met een smerige, geruite deken. Ik herkende geen enkele vorm om me heen! Ik ontspande en probeerde op te staan. Dat had ik nooit moeten doen: de vloerkleden waren verdwenen en zodra ik de koude vloer raakte, liet ik me in bed terugvallen. Het lukte me niet me in mijn eigen huis te oriënteren, als een zeeman die zijn kompas kwijt is. Hoe was dit te verklaren? Ik verging van de dorst, ik had een aspirine nodig of misschien een biertje...

Ik herinnerde me niet eens welke dag het was. Steun zoekend bij de muur liet ik mijn vingers over het oppervlak glijden tot ik een licht-knopje vond. Mijn gevoel van paniek werd sterker: de kamer was klei-ner geworden. Ik deed een paar stappen naar het raam en rukte de lap ervoor weg. De muren en het plafond kregen een belachelijke, gelige kleur die was versierd met zeegezichten (gruwelijke stormen), terwijl het meubilair zich beperkte tot een hangkast en een ladekast. Verder was er niets, geen spoor van de foto's van Sandra, de toilettafel van Le-onora of mijn boekenkasten; mijn medicijnenbul of mijn diploma van de psychoanalytische vereniging van Mexico zag ik ook niet.

Als de kamer niet was veranderd, moest ik gek geworden zijn. Er wa-ren maar twee mogelijkheden: iemand had me ontvoerd of ik was mijn geheugen kwijtgeraakt. Ik keek nog eens om me heen: dit leek een hotel of een pension. Het tapijt was aan het vervellen zoals een slang, in de hoeken stapelden zich bergen vuil op en de vloer was zo ongelijk als een mijnenveld. Als gevolg van mijn bewegingen was de stank die uit mijn kruis opsteeg ondraaglijk; ik kon me niet inhouden en kotste een zwartige, plakkerige massa op de grond. Toen het over was, opende ik de kast en ontdekte een spiegel. Een troosteloos beeld: een stoppelbaard van dagen, een kromme rug, uitstekende ribben, en-kels vol korsten en een gênante slapheid. Wat was er van me geworden? Wie was *die kerel*? Ik ging met mijn handen naar mijn gezicht, en toen ik zag dat mijn dubbelganger hetzelfde deed, barstte ik in snikken uit. Ik rende naar de deur om aan die nachtmerrie te ontkomen; buiten strekte zich een lange, saaie gang uit. Ik deed de deur meteen weer dicht. Ik pakte een laken en wreef de viezigheid van mijn handen en voeten, maar alleen het laken werd vies en de stank verdween niet. Ik ging weer op bed liggen en viel in foetushouding in slaap.

Toen ik wakker werd, was het gedruis verdwenen, maar ik wist nog steeds niet waarom ik zo ver van mijn huis, mijn gezin en mijn spreek-kamer was. Mijn wereld was voorgoed verdwenen. Alsof ik afstand had gedaan van mijn verstand, was ik nu niet in staat fantasie en wer-kelijkheid van elkaar te onderscheiden. Hevig geschrokken ging ik weer voor het raam staan. Ik keek naar de wittige, ondoorzichtige en hopeloze lucht die zich uitstrekte over een geheel van smalle, hoge en grijze gebouwen die uit oude filmscenario's waren weggerukt. Onder mij – ik bevond me op de vijfde verdieping – rende een kudde jonge-ren op volle snelheid weg voor een onzichtbaar roofdier. Op datzelfde moment bonkte er iemand op mijn deur: ongetwijfeld kwamen ze me halen. Ik probeerde mijn adem in te houden, maar de slagen hielden niet op; ze veranderden in woorden (ongetwijfeld waren het woorden) en daarna in geschreeuw. Ik ging ineengedoken in een hoekje zitten. Na enkele ogenblikken van rust werd er een sleutel in het slot gestopt. Ze wisten dat ik er was en aan hen was overgeleverd.

'Ik heb u toch al gezegd dat u niet de hele dag op uw kamer kunt blijven!' zei een kleine, bibberige oude vrouw verwijtend tegen me. 'Op een gegeven moment moet ik deze zwijnenstal toch schoonmaken.'

Ik bekeek haar peper-en-zoutkleurige haar, haar schort vol vlekken en haar afgebrokkelde, gelige gebit en ik had geen idee wie ze kon zijn.

'Denkt u er nooit eens over naar buiten te gaan? Laat u me nou toch schoonmaken!'

'Duvel op, oude heks!' hoorde ik mezelf zeggen. 'Ik betaal u niet om preken aan te horen!'

'U zou zich op zijn minst eens een beetje kunnen wassen…'

Ze had gelijk, maar toch begon ik haar weer uit te schelden, waarna ik mijn schoenen aantrok (oude moccasins met gaten) en verwensingen stotterend vertrok. Onze ruzie deed me denken aan van die buren die alle dagen ruzie maken, maar nooit van elkaar kunnen afkomen; het enige verschil was dat ik haar *niet* kende.

'Past u maar op,' waarschuwde ze op het laatst, 'het stikt hier in de buurt van de politie. Let u maar goed op.'

Zonder om te kijken stapte ik over de drempel en liep de smalle trap af. Een uitgemergeld mannetje zat achter de balie de krant door te bladeren. Ik verliet het gebouw en liep een straatje in met aan beide zijden een café. In de verte zag ik het uithangbord van een bakker en een metro-ingang. De stad loste op in een aanhoudend grijs regentje, de auto's en de stoepen waren overdekt met druppels. Ik liep doelloos door, uitwijkend voor de schaarse voorbijgangers die in de verte verdwenen. Ik begreep niet waar ik was, tot ik halverwege mijn zwerftocht de torens van de Notre-Dame ontwaarde. Geen twijfel mogelijk: door alleen maar de hoek om te slaan was ik in het hartje van Parijs terechtgekomen. Ik beschouwde deze verschijning als het definitieve bewijs van mijn krankzinnigheid; de kathedraal dreef de spot met mijn onnozelheid. Ik liep naar het voorhof en bleef daar een hele tijd met een stijve nek staan, overweldigd door de ijdelheid van de klokkentorens. In plaats van naar binnen te gaan, liep ik liever zomaar wat rond en stak de Seine verschillende keren over alsof ik de grens tussen verstand en delirium overschreed.

Ik voelde in mijn zakken en vond een portefeuille vol bankbiljetten. Ik zocht naar een andere aanwijzing, een telefoonnummer, een adres, maar ik vond alleen een zorgvuldig dubbelgevouwen papiertje: het nummer van een bankrekening en een afschrift; het bedrag was groot genoeg om te beseffen dat mijn problemen niet van economische aard waren. Maar ik had honger. Op een hoek kocht ik wat brood dat ik, met een fles wijn erbij, verorberde in de buurt van de Jardin de Luxembourg. Ik had gedacht dat dit me de nodige energie zou verschaffen om een oplossing te vinden, maar door de alcohol kreeg ik slaap, en ik strekte me op het gazon uit op enkele stappen van de fontein van Marie de Médicis. Mijn slaap werd verstoord door een paar agenten die tegen me schreeuwden, me vernederden en me dwongen weg te gaan. Intussen vaagden regenwolken de laatste zonnestralen weg. Hoewel ik mijn adres niet had opgeschreven, leidde mijn inertie me via een slingerende, glibberige weg terug.

De oude man achter de balie gaf me de sleutels zonder misbaar te maken.

'Pardon, hoe lang ben ik hier al?' vroeg ik hem.

Ik stond eerder verbaasd over mijn beheersing van het Frans dan over zijn antwoord (het was zonneklaar dat hij me niet mocht).

'Hoe lang?' herhaalde hij. 'Gaat u eindelijk weg?'

'Nee, ik wil alleen weten wanneer ik ben aangekomen.'

'De exacte datum? Oef! Ik zou zeggen begin januari, het was heel koud. En vandaag is het...' Hij wees naar de kalender die achter hem hing: 3 mei 1968.

Ik schrok zo van dat gat in de tijd dat ik geen woord kon uitbrengen. Ik liep de trap op en glipte de badkamer binnen aan het eind van de gang; ik kleedde me met moeite uit – de stof plakte letterlijk aan mijn huid – en ging onder de douche staan. Ik durfde bijna niet naar mijn lichaam (als dat daar mijn lichaam was) te kijken terwijl de viezigheid, die als een korst op mijn dijen, mijn liezen en mijn billen zat, weekte in het water. Ik schrobde me zo woest dat mijn huid knalrood werd, maar de geur van verrotting bleef. Ik liep terug naar mijn kamer, hing de deken weer voor het raam en liet me op bed vallen. Toen ik nog een laatste gedachte aan mijn verleden probeerde te wijden, begreep ik dat ik het voorgoed kwijt was.

Nadat ik een aantal jaren andere mensen had geholpen – of althans naar hen had geluisterd –, voelde ik nu zelf de behoefte mijn ongelukkig lot aan de oren van een psychoanalyticus kenbaar te maken. Naar wie kon ik gaan? Ik kende niemand in Frankrijk; behalve met de schoonmaakster en de administrateur had ik bijna geen woord gewisseld met enig levend wezen. Ik nam weer een douche en hoewel de stank nog steeds niet verdween, mengde die zich nu met de geur van de zeep. Ik bekeek mezelf in de spiegel: ik was het nog steeds niet *zelf*, maar ik begon tenminste wel te wennen aan mijn (troosteloze) beeltenis. Ik doorzocht de kast en vond daar een enorme tas die ik, gezien de hoeveelheid stof en spinnenwebben, daar al heel wat maanden geleden achtergelaten moest hebben; er zaten een aantal stuks ondergoed, een paar schoenen, wat overhemden en zelfs een scheerapparaat in. Je kunt niet zeggen dat mijn uiterlijk erop vooruit was gegaan nadat ik mijn haar had gekamd, me had geschoren en die kleren had aangetrokken – het is onmogelijk de oude slonzigheid in één minuut te herstellen –, maar ik onderscheidde me tenminste wel van de clochards die de bruggen en de riolen bevolkten.

Ik verliet het pension voordat de schoonmaakster me er met haar geschreeuw uit zou zetten, en maakte een wandeling door het Quartier Latin. Ik belandde in een merkwaardig vertrouwd decor, alsof ik plotseling in een roman terecht was gekomen die ik in mijn jeugd had gelezen. In de straten heerste een enorme opwinding, een troebele sfeer, een algemene angst die verborgen zat achter een ogenschijnlijke bedachtzaamheid. Om ongeveer negen uur 's ochtends schitterde de lucht gespannen en eenzaam, wolkeloos. Ik liep over de boulevard Saint-Michel naar de Sorbonne en vandaar probeerde ik, net als de vorige dag, de Jardin de Luxembourg te bereiken. De straatstenen werden bezoedeld door tientallen opschriften; een onafzienbare hoeveelheid uitspraken in verschillende kleuren en afmetingen bedekte muren en etalages in de buurt. Een plotselinge invasie van woorden, als spinnen die naar hun nest klommen, maakte zich van de stad meester: VERBODEN TE VERBIEDEN; GOD NOCH GEBOD; HET STRAND ONDER DE STRAATSTENEN; RENNEN, KAMERAAD, DE OUDE WERELD ZIT ACHTER JE AAN...

Die leuzen zeiden me niets; ik vergat hun voorspellingen maar liever en vervolgde mijn tocht. Heimelijk slopen enkele jongeren in de richting van de Sorbonne, en zonder dat ik precies wist waarom besloot ik hen achterna te gaan. De stoepen lagen lui in het karige zonnetje van tussen de middag. De stad ontwaakte uit zijn lethargie en ik bevond me midden in een chaos van stemmen; na nog een paar stappen kwam ik in een ontregeld universum terecht. Op enkele meters van de universiteit was een jeugdige massa bezig een verdedigingswal op te trekken van afval, meubels, dozen en omgegooide auto's (nog een luchtspiegeling: een reusachtige meccanodoos), als bevers die hun dammen stutten omdat ze een vloedgolf verwachten. Hun onderneming was bijna grappig, midden in het centrum van Parijs trokken die jongeren middeleeuwse kantelen op. Door nieuwsgierigheid gedreven liep ik ernaartoe om te zien hoe ze het gebouw veranderden in een geïmproviseerd fort; ik observeerde hen zoals een maniakale entomoloog een termietenkolonie.

Vlakbij kuste een donkere jongeman met schaamteloze hooghartigheid een meisje dat hem hielp enkele bierflessen te vullen met benzine; ze hadden allebei haar tot op hun schouders – bijna een tweevoudig androgyn schepsel – en droegen dezelfde spijkerbroeken en gebleekte jassen.

'Zo komen ze er niet doorheen!' beet het meisje me op heldhaftige toon toe.

'Wie?'

Zonder hun werk te onderbreken draaiden ze zich allebei naar me om, bekeken me nauwkeurig en kwamen tot de conclusie dat ik geen vijand was.

'Gisteren zijn de deuren van Nanterre gesloten,' legde de jongen me uit, 'maar we zullen niet toelaten dat ze ons de Sorbonne afpikken.'

'Wie?' vroeg ik nogmaals.

'Die klootzakken.' Hij wees op de politie.

De studenten bezetten de universiteit. Omsingelden het gebouw. Namen het in. Al spoedig begeleidden ze hun werkzaamheden met koortsige liederen die deden denken aan die van slaven op de katoenplantages. 'Weg met het imperialisme! Dood aan het stalinisme! Leve het socialisme! Verzet is mogelijk, het is een kwestie van organisatie. Laten we de centrale demonstratie van de jeugd in Parijs houden!'

Waarom hielden ze hun mond niet? Wat bereikten ze met dat gebrul? Konden ze niet zachtjes en beschaafd protesteren in plaats van me te ergeren met hun gejank? Als hun protest minder luidruchtig was geweest, zou ik de tijd genomen hebben het te bestuderen; maar het was onmogelijk met hen te sympathiseren zolang ze zo bleven brullen.

Zoals te voorzien was duurde het niet lang voordat de gendarmes verschenen; ik kon er maar beter vandoor gaan voordat ik werd opgeslokt door de dwaasheid. Ik liep snel terug naar de boulevard Saint-Michel – dat was niet zo'n slim besluit – en opeens bleek ik midden op het slagveld tussen twee fronten ingesloten te zitten. Aan de ene kant verschansten zich die woedende jongetjes die klaarstonden om gewapend met stokken, stenen en molotovcocktails het hoofd te bieden aan troepen die veel sterker waren dan zij; aan de andere kant vormde de oproerpolitie een verdedigingswal van plastic schilden, en hoewel die mannen minder zin hadden om te vechten – ze werden er per slot van rekening voor betaald om daar te zijn –, was er geen twijfel aan dat zij de strijd zouden winnen. Ik voelde me als de scheidsrechter bij een demonstratie vrij worstelen. De studenten openden de aanval door molotovcocktails naar de agenten te gooien; als antwoord baadden die hen in traangas en tracteerden hen op ijzige waterstralen. Al was het niet de waardigste houding, ik kon niets anders doen dan wegrennen. Waarheen? Alle zijstraten waren overvol. Ik haalde diep adem en wilde me net bij de vluchtende menigte aansluiten toen mijn linkerbeen opeens werd geraakt door een kogelscherf of een steen; al spoedig botsten er allerlei lichamen tegen me op die probeerden de kogels te ontwijken en hun huid te redden. Burgeroorlog in Parijs? Niet ik leed aan wanen, maar de wereld.

Een draaikolk van studenten die veel harder liepen dan ik snelde in de richting van de Seine en liet mij achter, zoals jonge zebra's de oude vrouwtjes prijsgeven aan de klauwen van de leeuw die hen achtervolgt. Na enkele mislukte pogingen – ik werd onder de voet gelopen door een groep vrouwen, een agent prikte zijn wapenstok in mijn kuit en een door patrouillewagens geblokkeerde straat dreef me terug naar het front – lukte het me eindelijk om weg te komen. In de verte verbreidde zich de prikkelende geur van traangas. Omdat ik niet meer in staat was te vluchten – mijn knieën knikten en plotseling kreeg ik even geen adem –, zocht ik mijn heil achter een grote deur zonder slot; gelukkig gaf de gebeeldhouwde stenen drempel toegang tot een ruime binnenplaats. Als reactie op deze energieverspilling raakten mijn kuiten nu verstijfd van de kou. Ik probeerde de schade te inventariseren: mijn rechterbeen was een onhandelbaar pakket; er droop bloed uit mijn linkerslaap en mijn pols was nog niet regelmatig. Goddank was ik veilig.

'Luister!'

Daniel Defert zet de radio harder opdat zijn vriend Michel Foucault het geknal in het Quartier Latin, de woorden van de verslaggevers, de echo van de veldslagen en de molotovcocktails, de stuiptrekkingen van de confrontatie kan horen door de telefoon. Het is zijn cadeau: in plaats van met hem te praten en hem te troosten, te discussiëren over filosofie en literatuur of zijn handen te liefkozen, geeft hij hem dit bewijs van trouw: het onmogelijke gevoel dat hij dicht bij het centrum van de wereld is, bij het toneel waar zijn vriend in het verre Tunesië – dat weet hij – zo'n heimwee naar heeft.

'De revolutie is losgebarsten,' legt hij hem uit met de jeugdige opwinding waar Michel zo dol op is, 'je zou hier moeten zijn om met eigen ogen te zien wat er gebeurt, dit mag je niet missen; we hadden nooit gedacht dat het moment zo snel zou komen, de studenten hebben barricaden opgeworpen in de straten, ze verdedigen zich te vuur en te zwaard als echte guerrillero's. Het is makkelijk een historische vergelijking te maken,' zegt Daniel pedant, 'maar de jongens hebben zonder te aarzelen zelf gewezen op de overeenkomst: laatst zag ik een spandoek met LEVE DE COMMUNE VAN 10 MEI erop, moet je nagaan. Het zijn er tientallen, Michel, honderden jongeren storten zich in een strijd zonder hoop, gewapend met wat ze te pakken kunnen krijgen, overgeleverd aan het traangas. Een ware heldendaad, een grenservaring,' voegt hij eraan toe en in zijn koortsige opwinding gebruikt hij een term die beiden als een talisman of een relikwie delen, 'precies zoals we ons hadden voorgesteld...'

Aan de andere kant van de lijn, vele kilometers daarvandaan, ontlaadt Foucault ook zijn enthousiasme; voor één keer betreurt hij het dat hij zich niet in Frankrijk, die republiek van hypocrieten en woekeraars, bevindt maar dat hij zijn Afrikaanse avontuur voortzet. Toen hij twee jaar daarvoor in Tunesië aankwam, meende hij een paradijs te hebben gevonden: in dit ruige land dat ooit door Carthago werd overheerst, genoot hij van een vrijheid die in Parijs ondenkbaar was, van een cultuur die hem met open armen ontving, van een sensualiteit die vergelijkbaar was met de zijne, en van zon en zand na de duistere jaren in Uppsala. Zoals hij ooit tegen Jelila Hafsia, een van zijn plaatselijke vrienden, had gezegd terwijl ze door de ruïnes van de vroegere Punische hoofdstad wandelden, leek Tunesië hem een land boordevol historie dat het verdiende eeuwig te blijven voortbestaan omdat Hannibal en de Heilige Augustinus er hadden gewoond.

Foucault had zich in het dorpje Sidi-Bou-Saïd gevestigd, dat in een zachte glooiing boven de baai geklemd lag, niet ver van de stad Tunis – waar hij met de trein naartoe reisde om er zijn colleges te geven – en hij beleefde daar enkele van de mooiste jaren van zijn leven: allerlei vrienden en collega's, en natuurlijk ook Defert, bezochten hem in zijn nieuwe verblijfplaats en benijdden hem allemaal om de witheid van het landschap, de rimpelige vlakte die de Middellandse Zee is, de bucolische eenzaamheid van de stranden en de strenge routine die hij zichzelf oplegde in de marge van het Westen. Ver van intriges en geruchten kon Foucault, die een soort mengeling van heremiet en antropoloog was geworden, zich volledig aan het lezen en schrijven wijden – hier schreef hij zijn ingewikkelde boek over de methode –, maakte hij wandelingen over het strand, gaf hij colleges en bedacht hij oneindige hoeveelheden plannen.

Maar nu was dit toevluchtsoord, deze oase in de woestijn, ook niet langer veilig: evenals in de oude metropool worden ook hier de studenten – evenals sommige docenten – onderdrukt door de politie, die wreder en intoleranter is dan de Franse. Zijn schitterende huis in Sidi-Bou-Saïd is een schuilplaats geworden voor steeds grotere aantallen mensen die het regime van Bourguiba ontvluchten. Sinds maart, toen de eerste voorbereidingen werden getroffen voor het bezoek van de president van de Verenigde Staten aan dit land, werd de repressie tegen de jonge radicalen, met name tegen de leden van de beweging Perspectives – van wie enkelen zijn leerlingen waren geweest – heviger en was zij tot onaanvaardbare proporties toegenomen. Op het moment dat hij zich voor de keuze gesteld zag openlijk te protesteren of vanuit de schaduw zijn leerlingen te helpen, koos Foucault voor de tweede mogelijkheid, waarmee hij de aanbevelingen van de Franse ambassade en van velen van zijn collega's tartte. En uitgerekend nu wordt Frankrijk, zonder dat iemand het had kunnen voorspellen, ook door zo'n soort opwinding getroffen. Terwijl hij naar de verwarde berichten luistert die Daniel hem door de telefoon doorgeeft, realiseert hij zich dat niet zijn vriend hem naar zijn vaderland terugroept, maar de geschiedenis, de geschiedenis van de macht die hem zo obsedeert. Hij geeft toe dat hij ernaar snakt daarginds bij Daniel te zijn om samen met hem naar de nieuwsberichten te luisteren of met de stakers mee te lopen, gewoon als een van de vele jonge mensen die de toekomst opeisen en wel nu meteen.

'Kom je?' vraagt Daniel en hij probeert de smekende toon te onderdrukken die soms aan zijn lippen ontsnapt.

Michel blijft zwijgen; in zijn hoofd glijden de scènes voorbij die zijn vriend van dichtbij bekijkt, die gevechten waar hij altijd dol op was en die hij heeft bestudeerd, maar waaraan hij nooit heeft durven meedoen. Zou het moment nu aangebroken zijn? Hij voelt zich als een van de verwarde lieden die een goddelijke boodschap ontvangen en die hij met zoveel hartstocht heeft geanalyseerd in zijn geschriften.

'Kom je?' vraagt Daniel nogmaals, gretig, terwijl zijn stem verandert in de zang van een sirene, een kreet om hulp. 'Kom je?'

Weer enkele seconden stilte. Of liever, zo'n dof, knetterend geluid dat soms in telefoons binnendringt. Foucault denkt dat zijn vriend gelijk heeft: het leven is ondraaglijk geworden in Tunesië. Terwijl de opstand daarginds misschien wel de val van Pompidou kan veroorzaken, weet Michel dat zoiets in Afrika nooit zal gebeuren; Bourguiba zal zijn bewind nooit door een stel intellectuelen laten ondermijnen, de repressie zal steeds harder worden, en dan zal hij niemand meer kunnen helpen. Misschien is het tijd om naar Frankrijk terug te keren, nieuwe uitdagingen aan te gaan, naar de grenservaring te zoeken waar hij zo'n behoefte aan heeft, maar dan niet langer in de archieven van het verleden, maar door directe confrontatie met de macht. Het uur is gekomen om zijn opsluiting te beëindigen, zich bij de actie aan te sluiten en aan de koortsdroom deel te nemen.

'Ja, ja,' zegt Foucault, kribbig en afwezig, huiverend. 'Ik kom.'

Ik ben twee dagen mijn kamer niet uit geweest omdat ik de energie niet had om de turbulentie onder ogen te zien. Ik deed de deur op de knip om te verhinderen dat madame Wanda (de werkster en tevens logementhoudster) zou binnenkomen, en ik besloot in bed te blijven liggen, veilig voor de draaikolk van de gebeurtenissen. Ik at nauwelijks iets – in navolging van de eksters had ik enkele grote broden en wat kaas verzameld – en ik goot me vol met water uit de kraan. De uren gingen voorbij als rupsen die kruipend naar voedsel zoeken. Op de tweede dag werd het geklop van madame Wanda heftiger; ze schold me voortdurend uit en eiste dat ik haar binnenliet. Op het laatst forceerde ze het slot.

'Bent u gek geworden?' ging ze tekeer.

'Laat me met rust!'

'U moet nu onmiddellijk ophoepelen,' beval ze, 'u heeft frisse lucht nodig en ik moet mijn werk doen.'

'Ik denk er niet over me weer in die jungle te begeven, ik blijf liever hier, ver uit de buurt van die wilden...'

Nu de oude vrouw eenmaal binnen was, begon ze stof af te nemen alsof ik ook tot het meubilair behoorde.

'Die jongens, daar is niks tegen te doen...' verkondigde ze terloops.

'Uw meningen interesseren me niet,' onderbrak ik haar, 'en dat in de lichtstad, wat gênant.'

Ik deed mijn ogen dicht in de overtuiging dat ik haar gezelschap misschien kon verdragen wanneer ik de wrat op haar voorhoofd niet zag. En om haar te bewijzen dat ik ook kon doen alsof ze lucht was, begon ik op mijn nagels te bijten.

'Gisteren hebben ze die jood in de cel gestopt,' ging ze verder, 'die Duitse oproerkraaier.'

Ik wist niet wie ze bedoelde, maar het kon me ook niet schelen.

'Die wond ziet er helemaal niet best uit,' voegde ze eraan toe, terwijl ze haar ruwe hand op mijn slaap legde.

Ik draaide mijn hoofd bruusk opzij.

'Dat komt ervan als ik me bemoei met dingen die me niet aangaan,' zei ze klagend, 'als het gaat ontsteken, is het niet mijn schuld.'

'Ik wil alleen maar dat u weggaat. Ik betaal u de huur precies op tijd, of niet soms?'

Tandenknarsend verzamelde madame Wanda haar schoonmaakspullen en sloeg de deur achter zich dicht. Voor de zoveelste keer overzag ik mijn situatie: zonder te weten hoe was ik op een dag in Parijs wakker geworden zonder me iets van de voorafgaande dagen te herinneren; blijkbaar was ik hier al een hele tijd en toen ik me eindelijk aan een wandeling door de stad waagde, zat ik opeens midden in een veld- slag tussen politieagenten en studenten. Niets liep zoals het hoorde. De chaos was te groot, zoals in het mechaniek van een horloge waar- van een onderdeel ontbreekt waardoor het ding onherroepelijk voor- of achterloopt. Misschien was het mijn taak het ontbrekende schroefje te vinden. Eén ding was zeker, ik zou nooit een verklaring vinden als ik me niet over mijn angst heen zette en naar buiten probeerde te gaan.

Tussen de middag verliet ik het hotel – madame Wanda stelde dit ge- baar niet eens op prijs – en in plaats van doelloos rond te zwerven, bleef ik voor Maspero staan, een van de boekwinkels die op elke straathoek van de Rive Gauche opdoken als paddestoelen na een re- genbui. Ik voelde me aangetrokken tot het smalle interieur, de grote, stampvolle etalages en de opvallende en dreigende oogjes van de eige- naar. Binnen ontdekte ik dat Franse boeken geen kleurige omslag had- den; op bijna allemaal stond alleen de naam van de auteur en de titel van het werk, tegen een geel of rookkleurig fond, zonder verdere gege- vens die een nieuweling konden helpen om een interessant onderwerp te vinden. Door dat gebrek aan afleiding (commentaren en vooroor- delen) zag ik me gedwongen van het ene boek naar het andere te sprin- gen, me op teksten te storten waarvoor ik anders nooit het geduld zou hebben opgebracht om erin te bladeren. Ik bekeek tientallen boeken, bleef staan, las zomaar wat bladzijden alsof het boeddhistische man- tra's waren, net zo lang totdat ik het hoofd boog voor mijn opleiding (voor mijn herinneringen) en het boek *Écrits* van Jacques Lacan koos dat in 1966 bij Éditions du Seuil was uitgekomen. In tegenstelling tot andere bezoekers, die ik erop betrapte dat ze hun zakken volstopten met marxistische handboeken, betaalde ik het dikke boek en vertrok met het rustige gevoel van een middeleeuwse christen die een aflaat heeft gekocht. In mijn handen droeg ik mijn redding.

Lacan brengt me naar mijn oorsprong: opeens ben ik een pasgebore- ne. Niet in staat te onderscheiden waar mijn lichaam eindigt en waar datgene begint wat ik bij gebrek aan een betere naam zal leren kennen als 'de anderen', stel ik me voor dat de massa vlees die me omhult (mijn moeder) een deel van mijzelf is. Ik ben daarentegen niet meer dan een gretige leegte: naarmate de uren verstrijken worden mijn ledematen langer, planten mijn cellen zich voort en vermenigvuldigen mijn behoeften zich; hoewel ik misschien over onvoldoende kracht beschik, ben ik wel in staat het andere wezen, dat me tot schuilplaats dient, met het meest cynische despotisme te overheersen. Met mijn gehuil kan ik over haar borsten, haar armen en zelfs haar stem beschikken. Helaas is mijn tevredenheid van korte duur. Met een onbegrijpelijke boosaardigheid dwingt mijn moeder me mijn eigen beeltenis te bekijken; hoewel het me moeite kost te volgen wat er gebeurt, begrijp ik op het laatst dat *ik* die *ander* ben, die mij even verbaasd aankijkt. Ik vergelijk mezelf met die wrede kopie van mezelf: voor het eerst bestudeer ik mijn lichaam als een geheel. Gefascineerd probeer ik die stompzinnige uitdrukking van zijn gezicht te krabben en kruip ik naar de rand van het glas dat ons scheidt. Mijn vingers botsen tegen het oppervlak zonder dat het me lukt die andere *ik*, die me minacht, een klap te geven. Door dit gemene geintje zal ik nooit de muur kunnen doorbreken die me van mijn dubbelganger scheidt. Ik zie een glimp van mijn beeld en als ik mezelf herken, voel ik dat ik verloren ben. De oorzaak? Die is heel eenvoudig. Ik ben diep onder de indruk van zijn schoonheid en ik begrijp dat hij de ander, die nieuwsgierig en terneergeslagen naar hem kijkt vanuit mijn kant van de spiegel, ook zou willen vermoorden.

Toen ik nog in Mexico was had ik een hekel aan Lacan zonder hem te kennen. Zoals de meesten van mijn collega's aan de universiteit had ik zijn artikelen niet eens doorgebladerd (*Écrits* was nog niet gepubliceerd), maar in tegenstelling tot onze leermeester Erich Fromm stond de Fransman bekend als verward en ijdel… Volgens zijn critici hielp zijn ingewikkelde terminologie niet erg om de duistere punten in de freudiaanse problematiek te verhelderen en werd die er alleen nog maar onbegrijpelijker door. Een van de nadelen van het gebruik van een barokke en houterige stijl – een eufemisme wanneer men het over zijn proza had – was dat hij daarmee weliswaar de niet-mededeelbaarheid van de betekenis probeerde te handhaven en het verlangen accentueerde om in het mysterie door te dringen (zoals de verklaringen van zijn leerlingen tenminste luidden), maar tevens verhinderde er achter te komen wat er echt werd gezegd. Het probleem was niet zozeer dat hij uit het Frans moest worden vertaald – voor die taak was al een flinke dosis durf nodig –, maar uit het *lacaniaans,* het dialect dat in talloze kritische studies, commentaren en artikelen werd gebruikt door mensen die zich er terecht of onterecht op beroemden zijn lessen te volgen. Helaas kwam geen van zijn leerlingen qua diepzinnigheid ook maar in de buurt van zijn genie en klonk wat ze over hem zeiden hol of vergezocht – ook een Franse ziekte –, zodat het onmogelijk te rijmen was met het gezonde verstand.

Een paar jaar geleden kwam ik een vroegere studiegenoot van de medische faculteit tegen die van de ene dag op de andere lacaniaan was geworden (zoals je Rus of Cyprioot kunt worden). Lacan was in die tijd niet in de mode en deze jongeman was zo'n café-avant-gardist die maar één blik op Lacans artikelen hoefde te werpen of hij deed in diens naam al uitspraken als een ambassadeur *ex officio*. Ik zou geen bezwaar hebben gehad tegen zijn enthousiasme – andermans perversiteiten vind ik altijd respectabel – als hij niet had geprobeerd me te overtuigen van de genialiteit van zijn leermeester. Ik wilde zijn fanatisme een beetje belachelijk maken en daarom vroeg ik hem of ik incognito bij een van de sessies aanwezig mocht zijn. Ik legde hem uit dat ik alleen als ik hem in actie zou zien erover zou denken me bij Lacans school aan te sluiten. Zijn patiënte (zijn slachtoffer) was een zwaarlijvige vrouw van ongeveer veertig die gebukt ging onder de ijzeren tirannie van haar moeder, een oud wijfje van achtentachtig dat haar halsstarrig bleef behandelen als een meisje van de kleuterschool. Wat ik, verstopt in zijn kast, te horen kreeg (een scène Ionesco waardig) was voldoende om me lange tijd immuun te maken voor deze bijzondere mystificatie van de psychoanalyse:

PATIËNTE Goedemiddag, dokter.
PSYCHOANALYTICUS ...
PATIËNTE Ik zei goedemiddag.
PSYCHOANALYTICUS ...
PATIËNTE Dus vandaag geeft u me ook geen antwoord.
PSYCHOANALYTICUS ...
PATIËNTE Mijn moeder praat sinds een week ook niet meer tegen
  me, ik heb er genoeg van, ze chanteert me de hele dag met haar gezwijg, maar ik ga ervan uit dat ik die kwelling met uw hulp te boven
  zal komen, kunt u zich voorstellen wat het is om met iemand samen
  te leven die je niet eens teruggroet?

PSYCHOANALYTICUS ...

PATIËNTE Ik ben veertig en nog een vrij aantrekkelijke vrouw, zoals
u zelf heeft gezegd, ik ben onafhankelijk, ik werk hard en ik verdien
niet slecht, daarom kan ik uw honoraria betalen... maar ik heb er
genoeg van dat dat oude mens me behandelt alsof ik niet besta, alsof
ik een meubelstuk ben of een nutteloos voorwerp, ik verdraag die
onverschilligheid van haar niet langer, echt niet, dokter, dit is de
laatste keer dat...

PSYCHOANALYTICUS (*haar in de rede vallend*) Dat was het voor
vandaag, mevrouw Bernal. Tot volgende week vrijdag.

PATIËNTE Maar dokter...

PSYCHOANALYTICUS ...

PATIËNTE Bij uw allerliefste moeder, doet u mij dit niet aan, u moet
iets tegen me zeggen, bij wat u het liefst is, dokter...

PSYCHOANALYTICUS ...

PATIËNTE Val dood!

De vrouw pakte haar spullen en stond op het punt om weg te gaan.

PSYCHOANALYTICUS Vergeet u niets, mevrouw Bernal?

PATIËNTE (*gooit wat bankbiljetten in zijn gezicht*) Daar, ellendeling...

Einde van de scène.

Ik was nog nooit zo verontwaardigd geweest: ik vond het onmenselijk
dat mijn vriend die ongelukkige vrouw zo wreed behandelde.

'Wat heb je gedaan!' zei ik, hem in het nauw drijvend.

'Heb je de diepzinnigheid van het gebeurde niet begrepen?' antwoordde hij zelfvoldaan.

'Het enige wat ik heb gezien is hoe jij die vrouw hebt kaalgeplukt; ze
is hier nog geen vijf minuten geweest en je hebt geen woord tegen haar
gezegd.'

'Daar gaat het nou net om, ze moet er de hele dag over blijven na-
denken; in tegenstelling tot de orthodoxe analyse dringt Lacan aan op
een voortgaande behandeling: je moet de patiënt geen kennis aanbieden, maar raadsels.'

'Nou, naar mijn idee stelt haar oude moeder haar voor dezelfde
raadsels als jij, maar die vraagt er tenminste geen geld voor,' kaatste ik
de bal terug.

Het kon me niet veel schelen dat mijn commentaar een eind zou maken aan onze vriendschap: ik nam aan dat hij mij, wanneer ik mijn verontschuldigingen zou aanbieden of de ruzie op een andere manier zou proberen op te lossen, op dezelfde stilte (dezelfde behandeling) zou vergasten als de zwaarlijvige mevrouw. Na deze gebeurtenis versimpelde ik mijn verhouding met de lacanianen: ik meed hen als de pest. Maar nu, zoveel jaren later, realiseerde ik me dat ik onrechtvaardig was geweest: ik kon de effectiviteit van een methode niet bekritiseren door op zo'n idioot als hij af te gaan. Daarom besloot ik van de huidige impasse of moeilijke situatie die me in Frankrijk hield gebruik te maken en zonder vooroordelen de *Écrits* van Lacan te gaan lezen, als een zelfmoordenaar die van een brug in de leegte springt. Terwijl ik op bed lag had ik het gevoel dat ik weer in beweging kwam: de woorden verplaatsten me van de ene uithoek van mijn bewustzijn naar de andere en dompelden me onder in een soort hypnose. Door die vloed van moeizaam aan de taal onttrokken concepten werd ik naar de bodem van mezelf gesleurd. In het begin kostte het me grote moeite de klippen en de riffen te omzeilen waarmee de bladzijden vol stonden – woordspelletjes, uitwijdingen, het negeren van en zondigen tegen de grammatica –, maar langzaam maar zeker slokte zijn vervreemde proza me op als een wervelwind.

Het lezen van Lacan bezorgde me enkele slapeloze nachten, maar daarna was ik in staat hele passages uit zijn werk te citeren. Ik had opnieuw leren praten: alles moest nog ontdekt worden. Dankzij hem kregen de woorden een andere betekenis; je moest de oude betekenissen vergeten en de subtiliteiten leren die hij in elke zin, in elke syllabe, in elke letter invoerde. In plaats van de psychoanalyse te vernieuwen, benoemde Lacan alles opnieuw: hij was een ware schepper van taal. Zoals hij in zijn project aankondigde, kon ik op het laatst vaststellen dat het onbewuste inderdaad geconstrueerd was als een taal waarvan de betekenaars en de betekenden zich toevallig met elkaar verenigden, als twee eenzame mensen die elkaar in een café ontmoeten en besluiten de nacht samen door te brengen.

Toen ik zijn *Écrits* uit had, probeerde ik een exemplaar van zijn proefschrift te pakken te krijgen omdat ik niet langer buiten zijn gezelschap kon. Misschien kwam het omdat hij relatief jong was of omdat hij het eenvoudigweg niet kon laten het voorbeeld van de grondlegger van de psychoanalyse te volgen, maar in dit werk concentreerde Lacan zijn onderzoek op een bijzonder opvallend klinisch geval. Net als Freuds *Dora*, was Lacans *Aimée* een verleidelijk en fascinerend, verbitterd en onbegrijpelijk personage, een van de vele mythes die de hoekstenen vormen van onze discipline. Opgesloten in dat kamertje in Parijs, liggend op dat bed met de luizige lakens en de kapotte kussens, alleen gehinderd door de leuzen van de stakende studenten, dook ik in dat ongehoorde verhaal: het zorgde ervoor dat ik weer bewondering kreeg voor de kracht van de psychoanalyse.

Hij is jong, knap, intelligent, *betoverend*. Het personeel van de psychiatrische Sainte-Anne-kliniek ontvangt hem met dezelfde mengeling van gefascineerdheid en wantrouwen die om duivels en helden hangt. Hij beschikt over alle hoedanigheden om aan een *schitterende carrière* te beginnen: behalve een natuurlijke aanleg voor observatie en argwaan bezit Lacan de ijdelheid van iemand die van plan is beroemd te worden. Hij is nog niet meer dan een zelfingenomen student psychiatrie – hij is net dertig –, maar zijn naam wordt in academische kringen al genoemd. Na een vruchtbaar verblijf in de beroemde Bürghözlikliniek in Zürich, waar Carl Gustav Jung de scepter zwaait, is hij een van de meest veelbelovende specialisten van Europa geworden. Hoewel hij tijdens zijn verblijf in Zwitserland amper met de vroegere leerling en tegenwoordig ontroostbare vijand van Freud heeft kunnen spreken, heeft hij tenminste wel begrepen dat hij niet dezelfde vergissing moet maken: in tegenstelling tot Jung, die door zijn mystieke temperament geen nieuwe paus van de psychoanalyse kon worden, bereidt Lacan zich voor op een nog veel gewaagdere onderneming: zich als regelrechte erfgenaam van de maestro opwerpen en deze tegelijkertijd verraden.

Het is echter nog lang niet zover: terwijl hij door de hoekige gangen van de Sainte-Anne loopt, die doordrenkt zijn van de ethergeur die hem altijd zo aantrok in de drie jaar dat hij daar intern heeft gewoond, denkt hij er nu alleen aan dat hij zijn proefschrift moet afmaken en zich voor het eerst aan een analyse gaat onderwerpen. Lacan is opgeleid in de Franse klinische traditie van Charcot tot Clérambault en hij heeft deze stap nog niet durven zetten, omdat die hem van zijn leermeesters zal verwijderen en hem nader zal brengen tot de school die nu, begin jaren dertig, nog altijd veel argwaan wekt. Hoewel hij al wel een gesprek heeft gevoerd met Rudolph Löwenstein, een vroegere leerling van Freud, heeft hij het nog niet gewaagd diens patiënt te worden: de biecht roept nog een zeker aristocratisch wantrouwen bij hem op. Hij is er nooit goed in geweest over zijn wederwaardigheden te vertellen – of misschien denkt hij gewoon dat niemand het waard is ernaar te luisteren – en eigenlijk zou hij het liefst zo snel mogelijk de plaats innemen van degene die luistert.

Van jongs af aan heeft Lacan al ingezien dat er geen betere manier is om andere mensen te leren kennen (te controleren) dan door hun angsten uit te pluizen. Zijn vader, die een oude azijnfabriek had geërfd, was een grillige man die altijd alles uit de weg ging en zich nooit om het welzijn van zijn echtgenote en zijn kinderen bekommerde als gevolg van een diepe rancune jegens zijn eigen vader. Als eerstgeborene zat er voor Jacques niets anders op dan dat gebrek aan autoriteit in te vullen door voor zichzelf de rol van beschermer van zijn broertjes en zusjes op te eisen; eenmaal plaatsvervangend gezinshoofd geworden, duurde het niet lang voordat hij in opstand kwam tegen het despotisme van zijn grootvader, die hij zonder aarzelen een *walgelijke kleinburger* noemde, maar dankzij wie hij wel de wezenlijke functie van de mens leerde kennen die bestaat uit het vervloeken van God, zoals hij later heeft geschreven. Jacques voerde een ware concurrentiestrijd met de oude man en ontdekte dat hij zich het best tegen diens macht kon verzetten door zijn woorden te onderzoeken; het belangrijkste waren de dingen die *niet* werden gezegd, de tussen de zinnetjes aanbrachte kieren, de understatements, de ironie en de dreigementen die de plot van elke familieroman vormen. Door de tirannie van zijn grootvader te bestuderen begreep Jacques dat de mensen niet praten om hun geheime wensen over te brengen, maar om deze te camoufleren.

Het verschil tussen schijn en werkelijkheid – een van de grote thema's van de literatuur – leidde hem op natuurlijke wijze naar de psychiatrie. In dezelfde tijd dat hij zich in Parijs aan de medische faculteit inschreef, kreeg hij contact met de dichters en kunstenaars die zich toen rond André Breton verzamelden. De surrealisten lieten hem zien dat literatuur niet wordt geschreven door haar auteurs, maar door een geheime stroom die, bijna zonder dat zij het merken, door hen heen gaat. De door Breton en zijn kornuiten aangemoedigde literaire spelletjes, vanaf de *écriture automatique* tot en met de cadavres exquis, vormden het bewijs voor de waarachtigheid van dit argument: een mens is vele anderen, en wie over deze velen regeert is onzichtbaar. De surrealisten veegden de scheiding tussen verstand en waanzin uit, de onzekere grens die het normale bepaalt (simpelweg opgelegd door de sterksten), maar ze eisten de macht van de droom en de hallucinaties op. Door naar hen te luisteren, veel meer dan door de colleges neurologie te volgen of de dikke boeken over klinische psychiatrie te bestuderen, ontdekte Lacan zijn ware roeping: de noodzaak waanzin en woorden met elkaar te verweven. Het was dus niet toevallig dat hij in de boekhandel Shakespeare & Co. aanwezig was toen Joyce voor het eerst in het openbaar uit *Ulysses* voorlas, en ook niet dat hij later vol enthousiasme de buitenissigheden van Dalí volgde. Dankzij die ervaringen begreep Lacan dat een psychose niet louter een onthechting van het werkelijke was of een ontsnapping of een zinloze vlucht, zoals zijn leermeesters beweerden, maar dat de wanen een manier waren om de wereld op een even creatieve en *logische* wijze te interpreteren als de kunst het deed. De paranoia, de hallucinaties en de dromen vonden het universum opnieuw uit, herschiepen en vergrootten het, zoals Lacan in een van zijn eerste artikelen suggereerde.

We zijn nu in het jaar 1931 en Lacan loopt, als een soldaat die een modern vernietigingswapen verbergt, met militaire pas door de desolate gangen van de Sainte-Anne. Hij weet het nog niet zeker, maar hij heeft er al wel een voorgevoel van dat hij zo meteen de persoon zal ontmoeten die centraal staat in de geschiedenis (in de roman) die hij is begonnen te schrijven als proefschrift. Als twee geliefden die elkaar eindelijk ontmoeten na een langdurige briefwisseling, staan de arts en zijn toekomstige patiënte ieder bevend in een verre uithoek van het herstellingsoord. Toen hij de geschiedenis van deze vrouw in een sensatiekrant las, voelde Lacan een steek in zijn maag. Afgezien van het schandaal dat door die verwarde jonge vrouw uit de provincie was ontketend – een gekkin die een populaire actrice naar het leven stond – wist hij dat hij de enige persoon had gevonden die hem kon helpen. Het was alsof zij hem via de krant een codeboodschap had gestuurd, een boodschap die speciaal voor *hem* was geschreven. Sindsdien verzamelde hij als een verliefde puber alle informatie die hij kon vinden over de mislukte moordaanslag. Jacques werpt zich op als een redder die bereid is een prinses te bevrijden uit de klauwen van de draak, zoals in koortsdromen. Hij twijfelt er niet aan dat hij in dit avontuur de held is en zij het slachtoffer; dat híj de waarheid en de deugd bezit, maar zij alleen de vervloeking en de tegenspoed.

Jacques lijkt een en al zekerheid, maar eigenlijk is hij aan een onbeheersbare snelle hartslag ten prooi. Een bewoner van de inrichting heet hem kortaf welkom, dreunt een emotieloze samenvatting van het geval op en brengt hem vervolgens zonder omwegen naar de cel van degene die niet zozeer zijn patiënte, als wel *zijn* vrouw zal worden. Een oude verpleger schuift de grendel van de deur en als een sultan die in zijn huwelijksnacht voor het eerst het lichaam van zijn echtgenote aanschouwt, bekijkt, observeert en bestudeert de jonge psychiater haar. Tegenover zich ziet hij geen menselijk gezicht, maar het gezicht van de psychose, het gezicht dat zijn theorieën zal bewijzen, het gezicht dat hem de macht zal geven die hij nodig heeft.

'Dokter Lacan,' fluistert de dienstdoende arts, 'dit is Marguerite.'

In een kleverig middagregentje vond ik zijn praktijk bijna per ongeluk, ik werd erheen gevoerd door de inertie van mijn voetstappen (het noodlot dat me leidde). Het huis, waarvan ik me het nummer wel degelijk herinner, bevond zich in de rue de Lille 5. Mijn enkels deden pijn en ik voelde een brandend maagzuur, zoals een rondtrekkende encyclopedieënverkoper voelt die geen enkele koper vindt voor zijn zware koopwaar. Waarnaar was ik op zoek dat ik hier opeens verscheen? Op de bel drukken en wachten tot dokter Lacan me zou ontvangen? Ondanks mijn angst wist ik dat in Frankrijk zelfs gekken aanbevelingsbrieven nodig hebben. Bovendien was het al na zevenen 's avonds, een heel beroerd uur om een afspraak te maken.

Als een anonieme gerechtsbode posteerde ik me tegenover de groene deur, begerig als een hond die de thuiskomst van zijn baasjes afwacht. De regenbui kwelde me als een muskietenplaag en prikte op mijn voorhoofd en in mijn oren. Ik durfde niet aan te bellen, maar ik voelde me ook niet zo onbehaaglijk dat ik weg wilde gaan. Er zoemde een permanent, vaag gedruis in mijn hoofd, alsof er in mijn binnenste ook een storm was opgestoken. Ikzelf loste beetje bij beetje op, alsof ik van klei was gemaakt; bibberend stond ik in de regen in de rue de Lille voor nummer 5 en ik kon niets anders doen dan wachten. Het ergste was dat ik niet eens wist waar ik op wachtte. Ik dacht, zonder een enkele illusie, dat ik achter die grote deur niet alleen de warmte van een open haard zou vinden, maar ook een eeuwige verkwikking.

Ondanks het tijdstip – en de opstootjes vlakbij – kon ik in de volgende minuten de aankomst van minstens zes personen waarnemen die volgens een van te voren vastgesteld draaiboek aanbelden, enkele seconden wachtten en uiteindelijk, na enkele woorden te hebben gewisseld met de vrouw die daar als conciërge fungeerde, het gebouw binnen stapten. Korte tijd later (volgens mijn berekeningen nooit meer dan een halfuur) kwamen de patiënten weer naar buiten, maar aan hun gezicht kon ik niet zien of ze opgelucht of nog angstiger waren dan eerst. Hoeveel levens, hoeveel herinneringen, hoeveel angst zou er zijn uitgedreven in de kamers van dat huis? Door een plotseling heimwee geteisterd, wilde ik me de periode voor de geest halen waarin ook ik bezocht werd door geestelijk wanhopigen op zoek naar verlichting voor hun smart... Zou ik echt psychoanalyticus zijn geweest? Soms betwijfelde ik het: misschien was het niet anders dan een onderdeel van mijn waan, een verontschuldiging om me dichter bij Lacan te voelen.

Om ongeveer negen uur 's avonds hield de motregen eindelijk op; ik was een mengsel van vet en modder geworden. Ik had de laatste bezoeker al meer dan een uur geleden naar buiten zien komen; spoedig zou er niemand meer in die straat zijn en zou ik in een gluurder of een spion veranderen, een verdacht individu dat zonder aarzeling door de oproerpolitie zou worden gearresteerd. Ik besloot te vertrekken. Op dat moment zag ik hem. Geen twijfel mogelijk, dat was Jacques Lacan. Ik wilde net de straat oversteken om hem te begroeten (ik mocht me de kans niet laten ontglippen), toen ik zag dat de analyticus niet alleen was: hij bevond zich in gezelschap van een jonge vrouw, wellicht zijn laatste patiënte. Algauw zag ik dat mijn vermoeden onjuist was: Lacan ging gekleed in een lange, rode ochtendjas, een niet bepaald geschikte uitdossing voor een analytische sessie, terwijl de vrouw, die zeker niet ouder was dan twintig, aan zijn omhelzing probeerde te ontkomen. Ik dacht dat ze misschien een van zijn dochters was, maar deze theorie stortte ook in toen ik de echo van een ruzie hoorde.

Me verborgen houdend in de schaduw, nam ik waar dat Lacan het protest van de jonge vrouw niet alleen beantwoordde met een onverwachte kus op haar mond, maar dat hij ook zijn handen lang genoeg tegen haar billen drukte om een eventuele perspectivische vergissing te ontkrachten. Ik vergiste me niet: dokter Lacan betastte het achterwerk van een meisje dat weliswaar niet zijn dochter was, maar het wel had kunnen zijn... Na enig geworstel gingen ze eindelijk uit elkaar. Zij beperkte zich ertoe de psychoanalyticus aan te kijken met een mengeling van vertedering en walging, maar misschien waren het de walging en de vertedering die ik haar zelf toeschreef. Vervolgens hoorde ik hun stemmen – de hare schel, de zijne ironisch – en daarna de ruwe stilte van de nacht. Ik voelde me plotseling duizelig worden. Toen ik weer bij mijn positieven kwam, was de voordeur van de rue de Lille 5 alweer dicht en was het binnen stil en eenzaam en verboden terrein. In de verte sloeg de jonge vrouw snel de hoek om. Zonder erbij na te denken ging ik achter haar aan.

Natuurlijk koester ik een wrok jegens hem en heb ik mijn hele leven al een hekel aan hem: zo hij alle dagen bij me op bezoek kwam, was dat niet om me te genezen of me op te peppen, maar om een klinisch geval van me te maken (zijn privé-Dora), waardoor hij beroemd kon worden zonder zich om mijn kwelling te bekommeren. De baardeloze psychiater vertrouwde zo op zijn genie dat hij dacht dat hij de directe erfgenaam van Freud was, terwijl uit zijn houding eerder een neiging tot *fraude* sprak (hij was toch zo dol op woordspelletjes?). De eerste keer dat hij in de Sainte-Annekliniek bij me op bezoek kwam – de datum staat onuitwisbaar in mijn geheugen gegrift: 18 juni 1931 –, was hij al van plan om een vluchtige schets te maken voor de onleesbare bladzijden van het proefschrift dat hij later *De la psychose paranoïaque dans ses rapports avec la personnalité* zou noemen, zonder zich iets aan mijn woorden gelegen te laten liggen. Met de arrogantie van iemand die de resultaten al kent nog voordat hij de doorslaggevende proeven heeft uitgevoerd, dwong hij mij me te gedragen als zijn guinese biggetje, louter een voorwendsel voor zijn speculaties. Het was voor hem niet genoeg mijn naam te veranderen – volgens hem om mijn privé-leven te beschermen, maar in feite om me te dopen alsof hij een miniatuurgod was – maar hij vond ook nog een nieuw leven voor me uit door mijn herinneringen te stelen en zelfs mijn schaarse spullen af te pakken.

Omdat ik in een bepaalde periode ook fictieverhalen heb geschreven

– die ik alleen door de kwaadsprekerij van de uitgevers en de vooroordelen van deze tijd niet heb kunnen uitgeven –, heb ik het recht te beweren dat hij geen arts was en al helemaal geen wetenschapper, maar gewoon een romanschrijver, een *heel slechte* verteller die niets anders deed dan zijn teksten illustreren met zijn persoonlijke conflicten. Door zich te gedragen als een demiurg die graag met zijn schepsels speelt, wilde hij me veranderen in een op maat van zijn eigen grillen gesneden persoon: een onontwikkelde, onevenwichtige vrouw uit de provincie, zijn regelrechte erfgename in de moederlijke lijn. Laat dit heel duidelijk zijn: als er in deze geschiedenis ooit een paranoïde iemand was, was hij het en niet ik. Ik geloof dat ik door mijn opsluiting al voldoende heb geboet voor mijn vergissing en dat ik me niet nog eens hoef te verontschuldigen; helaas moet ik steeds opnieuw vertellen door welke gebeurtenissen we elkaar hebben ontmoet.

Ik geef het toe: ik wilde haar doden. Ik wilde die erbarmelijk slechte actrice uit de weg ruimen en daarmee voorgoed een einde maken aan het leed dat ze ons vrouwen aandeed door haar voorbeeld. Later schreef die snertdokter dat ik eigenlijk mijn eigen beeld wilde vermoorden – wat een onzin –, maar daarin vergist hij zich: ik had een hekel aan Huguette ex-Duflos, die eigenlijk met de onwelluidende en prozaïsche naam Hermance Hart was gedoopt. Ik herinner me nog precies hoe ze op een dag met veel vertoon, alsof ze de huilerige sfeer in haar films nog wilde aandikken, de artiesteningang van het Saint-Georgestheater binnen wilde gaan. Daar zou ze voor de vierde achtereenvolgende avond de verrukkelijke hoofdrol in het stuk *Tout va bien*, van Henri Jeanson, gaan verpesten. Tientallen nieuwsgierigen vroegen om haar handtekening en zij behandelde hen op de banale wijze van iemand die dol is op schandaalblaadjes. Tot overmaat van ramp droeg ze zo'n rode jurk met een prachtig, diep decolleté waarin de abrupte ronding van haar borsten te bewonderen was – en zelfs het silhouet van haar tepels – onder de roze boa die haar hals bedekte; de rechterkant van haar gezicht ging schuil achter een parasolletje dat haar oogleden en de enorme kringen onder haar ogen camoufleerde. Ondanks mijn woede zou ik bijna durven zeggen dat ze er beeldschoon uitzag.

Ik stond al meer dan een halfuur in de aprilwind op haar te wachten, toen ze eindelijk zo aardig was te verschijnen; opeens had ik haar, de onschuldige en kwetsbare die niet wist dat het einde van haar saaie bestaan bijna daar was, op slechts enkele meters vóór mij. Ik aarzelde niet: zodra ik mijn kans schoon zag, haalde ik het wapen uit mijn tas – een keukenmes, het enige wat ik kon vinden – en stortte me op haar in de overtuiging dat ik de mensheid een dienst bewees. Ik had niet gerekend op de kracht die er in dat tengere, uitgemergelde lijfje verscholen zat: in plaats dat mijn mes door haar heen gleed als door de boter (een van mijn repeterende dromen), rukte Huguette het uit mijn hand waardoor de slag die naar haar borst ging, van richting veranderde. Ik kon mijn ogen niet geloven! Ik had nooit gedacht dat dat vrouwtje aan mijn woede zou ontkomen, ik was ervan overtuigd dat ze zou sterven van angst, net als de lieve meisjes die ze in haar films speelde. Omdat ik door haar reactie werd verrast, was ik niet snel genoeg om nog een keer aan te vallen; een stel toeschouwers knevelden me en brachten me naar een walgelijk politiebureau.

Na een angstige periode waaraan ik geen enkele herinnering bewaar – ze zeggen dat ik twintig dagen in de gevangenis van Saint-Lazare heb gezeten – werd ik in de Sainte-Anne opgenomen, waar ik tot slachtoffer werd verklaard van een 'systematische achtervolgingswaanzin gebaseerd op interpretatie met megalomane neigingen en een erotomaan substraat'. De kranten behandelden me niet beter: 'Naar mijn idee,' schreef een journalist, 'is hier sprake van een heel duidelijk geval van achtervolgingswaanzin dat zich vermoedelijk al eerder heeft gemanifesteerd als gevolg van onregelmatigheden in haar leven, of buitenissigheden waarvan haar directe omgeving weet moet hebben gehad.' De diagnose die de snertdokter kort daarop stelde was ook niet bepaald opwekkend: 'Paranoïde psychose. Recente waan, die haar tot een poging tot doodslag heeft gebracht. Thema's schijnbaar opgelost na de daad. Droomachtige toestand. Significatieve, extensieve en concentrische interpretaties, gegroepeerd rond een primordiaal idee: bedreigingen aan het adres van haar zoon. Passioneel systeem: taken die moeten worden volbracht voor deze zoon. Polymorfe impulsen ingegeven door angst: klachten tegen een schrijver met betrekking tot haar toekomstige slachtoffer. Dringende behoefte aan geschriften. Ze opsturen naar de Engelse rechtbank. Pamflettarische en bucolische geschriften…' *Dringende behoefte aan geschriften*? Zou hij het over zichzelf hebben? Mijn teksten zijn tenminste begrijpelijk, in tegenstelling tot de zijne…

Mijn ware lijdensweg is begonnen door zijn bezoeken. In het begin leek hij me gewoon een van de vele despotische artsen door wie ik tot dan toe was behandeld; het enige verschil was dat hij jong en charmant was – ik geef toe dat hij in die tijd niet lelijk was –, en misschien heb ik me daarom zo naïef aan zijn zorgen overgegeven. Niets verried zijn slechtheid: door zijn witte jas, zijn serieuze houding en zijn eruditie beschouwde ik hem direct als een goed mens. Hoewel ik in die tijd nog dacht dat dokters als heiligen vermomde slagers waren, voelde ik een zekere aantrekkingskracht voor die enthousiaste stagiair. Weldra onthulde hij me zijn duistere zijde: hij probeerde me te verleiden om me vatbaarder te maken voor zijn theorieën. *Ik moest zijn wat hij wilde dat ik was.* Als ik om een of andere reden een vraagteken zette bij zijn conclusies – wie weet wat voor manische obsessie ten aanzien van seks hij had –, werd hij woedend en kwelde me met zijn stilte en zijn wangedrag. Onze samenleving werd onmogelijk; ik wilde hem niet meer zien, maar niemand schonk aandacht aan mijn klachten. Ik was blijkbaar aan hem overgeleverd en zat gevangen in het perverse mechanisme van de geestelijke gezondheidszorg. Ik heb nooit kunnen begrijpen hoe die snertdokter later de voorman van de bevrijding van de instincten is geworden, terwijl hij zich, althans wat mij betreft, als de meest onderdrukkende dictator heeft gedragen: hij heeft me geplunderd, gekwetst en vernietigd en tot slot een geschiedenis voor me verzonnen. Daarom moet ik die nu opnieuw vertellen: ik moet de deformaties die hij invoerde ongedaan maken om weer de baas over mijn eigen lot te worden.

Die snertdokter heeft de naam van een van de personages uit mijn romans gestolen en mij 'Aimée', 'geliefde' gedoopt. Mijn ouders hadden me via eenzelfde soort leugen Marguerite genoemd, Marguerite Pantaine. Die namen behoorden me geen van tweeën echt toe: inderdaad heb ik er nu helemaal geen een en ben ik een anoniem wezen en daarom vrijer of lichtvoetiger dan de andere mensen. Hoewel het zonneklaar is dat ik niets te maken heb met de Aimée van Lacan, is mijn relatie met Marguerite nog ingewikkelder: de echte Marguerite Pantaine – mijn oudste zuster – is op 19 oktober 1885 in Cantal geboren en in december 1890 gestorven, toen ze net vijf jaar oud was

Volgens de verhalen is het arme kind op een bijzonder sombere zondagochtend gestorven toen de gelovigen bij de mis aanwezig waren.

Duisternis hing over de gierstvelden, en de takken van de bomen en zelfs de sneeuw leken asgrauw. Alsof een welwillende god medelijden had met dat rijk der duisternis, werd het landschap plotseling verlicht door een prachtige vlam. Als er uit het midden van die vlam geen gruwelijke kreten – mama, help me, ik verbrand, mama, redden jullie me alsjeblieft, help, ik verbrand – waren gekomen, hadden de gelovigen gedacht dat hier sprake was van de verschijning van een heilige. Marguerite Pantaine, de eerste en de enige, verbrandde als een vuurvliegje of als een vallende ster, en haar vlam was voorgoed gedoofd. Er hing een grafstilte om de dood van deze zus, deze dubbelgangster die aan mij vooraf was gegaan en die ik sindsdien op mijn rug meedraag; haar ongeluk is mijn familie blijven achtervolgen als een onheilspellende vogel.

Twee jaar later, op 4 juli 1892, liet mijn moeder mij het levenslicht aanschouwen – een angstaanjagende metafoor – en gaf ze mij de naam van mijn dode zusje, een vergiftigd cadeau. Hoe kon ik een normaal leven leiden terwijl ik aan haar verrotte lijk moest denken? Kortom, ik had geen gelukkige jeugd, hoewel ik daardoor ook niet in een door dat spookbeeld verblind monster ben veranderd, zoals die snertdokter in zijn proefschrift schrijft. Integendeel, ik had een tamelijk warme kindertijd: de velden schitterden in de lente, de middagwind sijpelde door de takken van de cederbomen, mijn beeld werd weerkaatst in het meer... Dat ik niet zo'n typisch boerenkind ben geworden komt niet door mijn ziekelijke neigingen, maar door mijn intelligentie: door het weinige begrip dat men in die tijd voor vrouwen had, ben ik helaas gedwongen geweest een veelbelovende carrière als schooljuffrouw af te breken.

Op mijn achttiende was ik – zonder valse bescheidenheid – een mooie puber, slim en veel ontwikkelder dan de andere meisjes van mijn leeftijd, maar er stond me toch geen mooie toekomst te wachten en ook geen pretendent van mijn niveau of een taak overeenkomstig mijn talenten. Door mijn gefnuikte verwachtingen trok ik bij een van mijn zusters in die met een oom van ons was getrouwd, en ik legde me neer bij de weinig aanzienlijke baan van postbeambte. Zoals die snertdokter in zijn proefschrift signaleert, werd ik in die tijd voor het eerst verliefd. Hij beweert dat ik ben misbruikt door mijn geliefde, die hij als een soort boerse Don Juan opvoert, terwijl de waarheid minder eenvoudig is. Alle mannen – en de dokter is bepaald geen uitzondering – willen per se geloven dat wij vrouwen ons laten leiden door ons gebroken hart en dat we niet in staat zijn te concurreren met het sluwe verstand van de mannetjes. Niet waar! Misschien heb ik een fout gemaakt door verliefd te worden op een vent die nooit iets wilde weten van mijn liefde, maar dat was niet de reden waardoor ik onherroepelijk in een psychose belandde.

Die snertdokter vergist zich nog veel meer wanneer hij mijn volgende liefdesrelatie beoordeelt: hij beweert dat ik in de klauwen van een listige, verleidelijke vrouw terechtkwam, die ook op het postkantoor werkte, een 'geraffineerde intrigante' (zo noemt hij haar) die me liet dromen van een romantische, weelderige toekomst zoals in een roman, en die mijn realiteitsgevoel heeft afgebroken. Alweer overdreven: zij is nooit mijn minnares geweest, we waren gewoon met elkaar bevriend; ik kan niet ontkennen dat ze iets boosaardigs in haar karakter had, maar het is niet waar dat ik me in haar armen stortte omdat ik gekwetst was door de verleider die me liet zitten. Er wordt wel gezegd dat mijn boeken voorspelbare en pretentieuze plots hebben, maar je hoeft deze geschiedenis maar te horen of je snapt al dat de ergste stereotypen juist werden bedacht door die snertdokter.

Om van al dat geïntrigeer af te zijn, besloot ik te trouwen met René, mijn chef bij de posterijen, die sinds ik daar werkte al om mijn hand had gevraagd. Hoewel ik geen verzengende hartstocht voor hem voelde, vond ik hem aardig genoeg om de bezwaren van zijn familie te overwinnen. Die verzette zich tegen onze verbinding met als argument dat ik te veel tijd met mijn boeken doorbracht. In het begin was René heel tolerant wat betreft mijn voorkeur, maar op den duur werd zijn ziel vergiftigd door zijn familieleden en toen begon hij me ook verwijten te maken over mijn geestelijke vrijheid en bleek hij jaloers op mijn illusies of op het feit dat ik talen leerde die hij niet begreep.

In 1920 overleed Guillaume, de echtgenoot van mijn zus Élise, en kwam zij bij ons in Melun wonen. Hoewel haar komst in het begin voor verlichting zorgde in de spanning die tussen mijn man en mij heerste, maakte zij zich langzamerhand meester van mijn huis, vastbesloten mijn plaats in te nemen. Ze liep de hele tijd te kankeren dat ik alles verwaarloosde – naar haar mening volgde ik niet letterlijk het recept van de onderworpen vrouw – en algauw besloot ze de taken waar ik een hekel aan had op zich te nemen. Tijdens een laatste periode van rust tussen mijn man en mij werd ik zwanger; ik vergat de familieconflicten en voelde me gelukkig en vol leven: eindelijk zou ik iets van *mezelf* bezitten. René en Élise voelden zich echter bedreigd: ze wisten dat ik hen in het vervolg niet meer nodig zou hebben, dat ik al mijn liefde nu zou richten op dit meisje (ik heb altijd geweten dat het een meisje zou worden) dat zich in mijn buik bewoog, en verteerd door jaloezie begonnen ze alle mogelijke geruchten over mij rond te strooien.

In zijn proefschrift schreef die snertdokter dat ik als gevolg van mijn psychose overal dreigingen zag, dat ik me tegen mij gerichte samenzweringen inbeeldde en dat ik het gescheld op straat, de argwanende blikken en het giftige gefluister allemaal verzon. Het is heel eenvoudig me van paranoia te beschuldigen als je vergeet wat er daarna is gebeurd. Mijn dochtertje – wee mij! – werd dood geboren, dood als haar tante, de ware Marguerite, gewurgd door haar eigen navelstreng. Natuurlijk werd ik op dat moment helemaal gek! Wie zou dat niet worden? Om zijn diagnose te bewijzen voert de dokter aan dat ik me in mezelf opsloot en dat ik mijn religieuze overtuigingen opzijzette. Maar wat verwachtte hij dan? Dat ik me zou gedragen alsof er niets aan de hand was, nadat ik het lijkje van mijn dochter had gewiegd? Ik had zelfs nog kracht om er weer bovenop te komen. Een jaar later werd, tegen alle voorspellingen in, mijn kleine Didier geboren. Ze hebben me ervan beschuldigd dat hij het enige was waar ik belangstelling voor had in mijn slapeloze nachten, dat ik hem veel te veel heb verwend, dat ik hem tot verstikkens toe heb beschermd, maar wat zou een moeder die al een kind heeft verloren niet allemaal doen om het leven van het enige wat ze nog heeft te redden? Ik was dan wel de ongelukkige die het leven van de ware Marguerite voortzette, maar mijn zoontje mocht niet overkomen wat mijn eerste kind was overkomen. Élise deed alles om hem van me af te pikken, net zo lang tot het haar inderdaad lukte hem van mij te scheiden door vol te houden dat ik niet in staat was voor hem te zorgen…

Ik was woedend en besloot dat huis te verlaten: René en Élisa hadden me beroofd van alles wat van mij was. Ik stelde hun mijn kind ter beschikking en zei dat ik me geheel aan mijn carrière van romanschrijfster zou wijden; ik zou misschien naar Amerika gaan op zoek naar nieuwe kansen. Zo sloot ik dat afschuwelijke hoofdstuk van mijn geschiedenis af, maar ik wist niet hoe groot hun rancune was. Zonder me naar mijn mening te vragen lieten ze me met geweld opnemen in een inrichting in Épinay: dat was hun manier om een onafhankelijke vrouw te onderwerpen. Die snertdokter heeft in zijn proefschrift geschreven dat ik, toen ik eenmaal in het gekkenhuis zat, alle contact met de werkelijkheid heb verloren. Ik vraag me af: wat voor contact kon ik nog hebben met de werkelijkheid terwijl ik in een cel zat en onderworpen was aan de onbetwistbare autoriteit van de bewaaksters, aan strenge tijdschema's en het gezelschap van echt gestoorde vrouwen? Omdat ze spijt hadden, zorgden René en Élise er na zes maanden voor dat ik vrij kwam; in 1925 verliet ik Melun en ging ik naar Parijs, terug naar mijn baan bij de post. Volgens dat gehate proefschrift splitste mijn persoonlijkheid zich toentertijd in twee tegengestelde porties: aan de ene kant deed ik netjes mijn werk en aan de andere kant gedroeg ik me 'als een intellectueel' door te lezen en te schrijven, op eigen kosten te studeren, regelmatig cafés te bezoeken en er prat op te gaan goed op de hoogte te zijn van de literaire actualiteit. Wat was daar fout aan? Werd ik psychotisch door het schrijven?

In die tijd stuitte ik op Huguette Duflos; haar beeld was overal, in de bioscoop, op de affiches, in de societyrubrieken en zelfs in de theaterzalen, zoals die avond toen ik een door haar verpeste bewerking van *Königsmark* zag, het stuk van Pierre Benoit, een van mijn lievelingsauteurs. De rol van de gravin Aurora – een vrouw met een zachtaardig en mysterieus temperament – veranderde door de frivole interpretatie van la ex-Duflos in een smerig en deprimerend personage. Het was zo jammer! Ik probeerde me erbij neer te leggen: het hele universum was aan het rotten en ik kon niets doen om het te veranderen. Later begreep ik pas dat ik de mogelijkheid in handen had om een bijdrage te leveren aan de maatschappij van mijn tijd: het was onrechtvaardig dat een meid als zij ons voorbeeld was, terwijl ze eigenlijk de hele dag liep te snotteren en daardoor de pogingen van zoveel andere vrouwen zoals ikzelf om ons te bevrijden van de mannelijke minachting, omlaaghaalde. Het was onrechtvaardig dat die prostituée beroemd was en werd toegejuicht in plaats van duizenden eerbare arbeidsters. Als niemand de moed had het te proberen, moest ík een eind maken aan die pijnlijke belediging van de vrouwelijke soort.

Na al die jaren geef ik mijn fout toe. Ik bied geen verontschuldigingen aan, maar ik accepteer evenmin de door die snertdokter verspreide versie dat ik door die hoer te verwonden in feite mezelf wilde verwonden; ik accepteer de suggestie niet dat ik Huguette Duflos heb verwond om wat zij voor me betekende en ik ben het niet eens met de gedachte dat ik mijn eigen beeld wilde vernietigen door haar aan te vallen. Ik heb geprobeerd Huguette Duflos te vermoorden omdat ik haar verschijning – dat heb ik al gezegd – walgelijk vond, omdat haar manier van doen op het toneel me beledigde, omdat haar manier van acteren een belediging was voor mijn sekse en omdat ik het niet kon verdragen dezelfde lucht in te ademen als een bedriegster zoals zij. *Punt uit.* Die snertdokter mag beweren wat hij wil, hij mag alle mogelijke conclusies trekken die er maar in zijn roestige verbeelding opkomen en proberen mij als voorbeeld te gebruiken, maar het zal hem niet de waarheid opleveren. Uiteindelijk weet alleen ik waarom ik het heb gedaan. Ik betreur het dat ik geen succes heb gehad.

Hier ben ik weer, zonder baard en weerloos, pasgeboren. Ik huil, ik krijs en ik plas in mijn broek, ik ben een machine geworden die geprogrammeerd is om mijn ouders gek te maken. Dan kruip ik van de ene kant naar de andere, lig op het tapijt te rollen en te draaien als een kat, en tot slot probeer ik een bolletje wol op te eten. *Niet doen!* roept iemand tegen me. Ik begrijp de woorden niet, maar hun dreiging is zo krachtig dat ik de draadjes uitspuug. Sinds het moment dat ik geboren ben, moet ik strijden met een taal die aan me voorafgaat. Zo simpel en zo tragisch is het. Mijn moeder, die niet begrijpt dat ze me daarmee geweld aandoet, herhaalt tot vermoeiens toe wiegeliedjes, bevelen, gekir en andere onzin die mijn verstand bijna ongemerkt in zijn geheugen opslaat. Mijn moeder is in een tirannieke voortbrengster van geluiden veranderd en dwingt me een eindeloze hoeveelheid nuances, tonen en accenten te leren. De taal omhult me (verslindt me), ik ben als een spartelende vis in een net van woorden. Het lijkt alsof de volwassenen alleen geïnteresseerd zijn in geluiden. Voorwerpen verdwijnen in de verte, verborgen in de nevel van hun namen. Het komt even in me op om de letters waarmee de dingen worden geïdentificeerd – de betekenaars, om de term te gebruiken die Lacan van de taalkundigen heeft gepikt – te negeren, maar ik realiseer me algauw dat mijn verlangen lijkt op dat van Achilles om de schildpad in te halen. De grootste vervloeking, de grootste absurditeit is dat woorden nooit tot de werkelijkheid leiden; het zijn geen trappen waarover je naar de top van de dingen kunt klimmen, het zijn geen leidingen, kabels of bruggen in de zee van de betekenisloosheid; nee, de woorden, de vervloekte woorden zijn het werk van de hel en leiden alleen naar andere woorden in een spinnenweb waardoor je steeds meer wordt ingekapseld hoe verder je komt. Wanhopig draai ik van de ene zij op de andere, ik probeer te ontsnappen, maar het enige wat ik bereik is dat ik steeds verder wegzak in het drijfzand van de taal. Begraven in deze verschrikkelijke keten, gedwongen om geluiden aan elkaar te plakken en een parallelle wereld te construeren, leg ik me erbij neer dat ik nooit meer uit deze onneembare brij van tekens zal komen, zelfs niet op het extreme punt van de dood.

De stad was in een schietbaan veranderd en stond in brand door het Bengaals vuur en de krampachtige tremolo's van de politiewagens. Op het kruispunt van de boulevard Saint-Michel en de boulevard Saint-Germain was het een drukte als bij een nooduitgang: tientallen jongeren holden achter elkaar aan, ontweken de projectielen en de aanval van de oproerpolitie... De gevechten waren al uren aan de gang. Ik zag mezelf in een nieuwe nachtmerrie gedompeld, maar ditmaal uit vrije wil. Ik was vastbesloten die geheimzinnige jonge vrouw te vinden en ik ging ervan uit dat ik haar overal zou herkennen aan haar blonde haar. Na een hele tijd in de chaos en de schaduwen te hebben rondgedoold, meende ik dat ik haar eindelijk zag. In tegenstelling tot wat ik me had voorgesteld probeerde ze niet te ontsnappen, maar ging ze juist vastberaden op de politie af. Opgewonden raapte ze alles op wat ze onderweg tegenkwam en gooide het naar de helmen van de agenten; vervolgens ontweek ze degenen die haar wilden tegenhouden en ging ze met hernieuwde kracht in de aanval.

Ik weet niet hoe lang we het, vrijwel de hele tijd samen, daar midden in de vlammen en in de nacht volhielden, zij tegen de ordetroepen vechtend, terwijl ik bijna niets anders deed dan naar haar kijken, gespannen en verwonderd en bereid om haar op het laatste moment te redden. De haat was aan beide zijden toegenomen en iedereen gedroeg zich alsof hier het lot van de wereld op het spel stond. De studenten trilden van een koorts waarvan ik dacht dat hij uitgestorven was. De omgeving van de Sorbonne zag eruit als een beschermde vesting die overdekt was met wrakken, meubels en stenen; vanaf de andere kant stortte de oproerpolitie zich op de geïmproviseerde loopgraven met de felheid van iemand die achter een moordenaar aanzit. Het was duidelijk dat de jongeren het ondanks hun onverschrokkenheid niet lang meer zouden volhouden. Omstreeks twee uur 's nachts werden de laatsten die verzet pleegden gedwongen zich over te geven door gebrek aan organisatie en munitie. Piketten soldaten namen haastig de door de jongeren verlaten plaatsen in, alsof ze een vreemd land veroverden.

Toen zij mijn aanwezigheid eindelijk opmerkte, beval ze me meer stenen te halen en daarmee werd ik haar artillerist. Misschien omdat ik geen keus had of omdat ik geen ruzie wilde riskeren, raapte ik stukken stoeptegel, glas, stokken en onderdelen van auto's op en overhandigde ze haar successievelijk zodat zij ze kon gooien. Ik stond versteld van haar trefzekerheid en haar vastberadenheid: het was vast niet de eerste keer dat ze aan zo'n actie deelnam. Na nog een halfuur strijd – er glinsterde bloed op de trottoirs – was er geen andere keus dan ons terug te trekken. Toen ik tegen haar had gezegd dat we weg moesten gaan, vroeg ze alleen nog maar om meer stenen. Ze was net een wild dier dat alles durft. Ze wilde pas op de vlucht gaan toen we niets meer hadden om ons mee te verdedigen.

We gingen hand in hand op de vlucht. Ik had een vluchtroute of althans een minder gevaarlijke weg ontdekt. We lieten het Quartier Latin gewond en rokend achter ons. Nu we veilig waren – ik had alleen wat klappen opgelopen zonder verdere gevolgen en zij één klap van een wapenstok op haar linkerjukbeen –, leken we net een verliefd stel op zoek naar het ochtendgloren. We bleven staan om op krachten te komen; hoewel we al enkele uren samen waren, hadden we door de anonimiteit van de strijd elkaar nog niet eens recht aangekeken. Omdat we opeens overlevenden waren, mocht ik haar zelfs omhelzen; haar ogen stonden vol tranen en zwartigheid.

'Weet je een plaats waar we ons kunnen verstoppen?' Haar toon klonk spookachtig.

'Ik woon in een pension niet zo ver weg, maar ik weet niet of we daar kunnen komen.'

De jonge vrouw hervond haar autoriteit en stak me haar hand toe. De nacht beschermde ons nog steeds.

'Waar kom je vandaan?' vroeg ze opeens.

Haar geest sprong van de ene plaats naar de andere tot er een idee uit haar mond kwam. Nu glimlachte ze.

'Uit Mexico.'

'Zuid-Amerika heeft me altijd al gefascineerd,' mompelde ze. 'Het is mijn grote droom om daar te wonen. Fidel en Che zijn al jarenlang mijn idolen. Ik wil me zo graag bij hun revolutie aansluiten, je hebt geen idee. Maar goed, hoe heet je…'

'Aníbal.'

'Ik heet Claire.'

Ze drukte me op een bijna onvrouwelijke manier de hand. In de verte herkenden we de lichtjes van de patrouillewagens en we veranderden van richting.

'Aníbal wat?' hield ze aan.

'Aníbal Quevedo. Of *dokter* Quevedo, als je dat liever wilt.'

'Arts?'

'Psychoanalyticus. Zoals Lacan…'

Toen Claire mijn antwoord hoorde, bleef ze stokstijf staan en bekeek me met een uitdrukking van afgrijzen; haar groene ogen schitterden als glimwormen.

'Ken je Lacan?'

'Ja, ik heb hem gelezen.' Ze leek opgelucht; ik voegde eraan toe: 'Een paar uur geleden zag ik jou samen met hem.'

Er ging een stroomstoot door haar lichaam.

'Wat zei je?'

'Het was puur toeval, ik stond tegenover zijn huis…'

'Je hebt ons gezien!' knikte ze. 'En sindsdien ben je mij gevolgd!'

'Laat me het uitleggen…'

Ik voelde me als een stuk ongedierte dat zo dadelijk door een aasgier wordt opgevreten: deze jongedame had bepaald geen zwak karakter.

'Betaalt hij je om mij te bespioneren?'

'Betalen? Wie?'

'*Hij*,' haar stem ging over in gejank. 'Jacques.'

'Lacan?' vroeg ik geschrokken.

'Hoeveel, hoeveel ben ik hem waard? Geef antwoord: de prijs.'

Haar volgen? De prijs? We waren als twee hogesnelheidstreinen op elkaar gebotst. Het was een ongeluk, louter een ongeluk. Maar ze kon het niet geloven.

'Ik had het moeten bedenken,' riep ze uit, 'Jacques doet net alsof ik niets voor hem beteken, maar hij is hondsjaloers...'

Claire schudde me heftig door elkaar. Toen we omkeken, was het al te laat: haar gekrijs had de aandacht getrokken van een tweetal agenten. Ze hadden elk een enorme, absurdistisch fallische wapenstok in de hand, gereed om elke provocatie te smoren.

'Wat is hier aan de hand?' vroeg een van hen.

Claire spuugde zonder enige aarzeling naar hen. Misschien kwam het doordat ik in het donker niet goed zichtbaar was, of omdat ik er ondanks mijn slordigheid toch als een fatsoenlijke burgerman uitzag – ik was tenminste ouder dan dertig –, maar de politieagenten twijfelden er niet aan dat de belediging haar schuld was. Jong en opvliegend zijn was het slechtste visitekaartje dat je die avond kon laten zien.

'Maakt u zich geen zorgen, agent,' legde ik uit, terwijl ik mijn overhemd rechttrok. 'Mijn dochter en ik hadden een meningsverschil, u weet hoe de zaken ervoor staan, ik moest helemaal hier naartoe komen om haar op te halen, begrijpt u? Met een stevig pak slaag komt ze wel weer bij zinnen. Laat u ons alstublieft gaan, ik zal haar persoonlijk straffen.'

Claire keek me vol haat aan, ze begreep niet dat dit de enige manier was om haar te redden.

'U kunt het beste maar zo gauw mogelijk weg wezen,' antwoordde de agent vermanend. 'Zoals u al zei, de jongeren van tegenwoordig zijn allemaal misdadigers geworden. Let u maar goed op dit meisje, want anders komt ze nog bij haar vrienden in de gevangenis terecht.'

'Zwijnen!' schreeuwde Claire alvorens zich op hen te storten, vastbesloten hun gezicht open te krabben.

Omdat ik haar niet met woorden kon tegenhouden, gaf ik haar een klap. Ik wilde haar geen pijn doen, maar alleen voorkomen dat ze door haar razernij in de gevangenis zou belanden.

'Soms zit er niets anders op dan geweld te gebruiken...' dacht ik hardop tot tevredenheid van de agenten.

'Goed gedaan, meneer,' antwoordde de ene met een knipoog. 'Als alle burgers zo waren en zouden voorkomen dat hun kinderen in de klauwen van de communisten vielen, zou het veel beter gaan met dit land.'

De politieagenten liepen weg en Claire leek de kluts kwijt. Ik had haar niet knock-out geslagen, maar ze was zo verrast dat ze het bewustzijn leek te hebben verloren. Als een klein meisje leidde ik haar in stilte door de goddeloze straten van Parijs.

Mensen die de zusjes Papin van nabij hebben gekend, zijn het erover eens dat het voorbeeldige meisjes waren, misschien niet bijzonder mooi of intelligent, maar lief en goed verzorgd, en ze stonden altijd klaar voor hun meesteressen. Tijdens de ondervraging op de rechtbank werd beider vriendelijkheid en beleefdheid benadrukt door de buren, die dubbel ontzet waren over hun gruweldaad: ze konden zich niet indenken dat die twee engelen (die zombies) zelfs maar in staat waren zo'n verschrikkelijke misdaad te verzinnen. Om de maatschappelijke parabel extra elementen te verschaffen: de ongelukkige meisjes hadden hun ouders verloren en waren opgevoed – dat wil zeggen onderdrukt – in het weeshuis De Goede Herder. Je hoeft geen psychoanalyticus te zijn om hun ongelukkige kindertijd te reconstrueren: we bezitten zoveel verhalen over soortgelijke opvoedingen, die eindeloze opeenvolging van slechte behandelingen, discriminatie, straffen, beledigingen en eenzaamheid – de pedagogische norm uit die tijd –, dat het nauwelijks de moeite waard is een gedetailleerde beschrijving te geven van de vreedzame hel waarin zij als kinderen hadden geleefd.

De geschiedenis van hun misdaad is een toonbeeld van dramatische zuinigheid. Laten we ons het toneel voorstellen: in een typisch burgermanshuis in de provincie zitten de keurige mevrouw Lancelin en haar dochter Géneviève de hele middag zakdoeken te borduren of te kaarten; in een ander deel van het huis zijn de twee dienstmeisjes, schoon en geüniformeerd, bezig met hun eigen werkzaamheden: terwijl Christine de kleren strijkt – niemand die zo goed lijfjes kan stijven als zij –, vouwt de kleine Léa alles op en bergt het in de ladekasten van de mevrouwen. De voorspelbare routine wordt opeens doorbroken wanneer het licht uitvalt, wat in dat gebied vaak gebeurt, en het huis van mevrouw Lancelin plotseling in een blauwige duisternis is gehuld. Alsof het een afgesproken teken is – die onverwachte duisternis is de roep naar het rijk van de waanzin –, verandert Christine in een engel der wrake, een schikgodin, de redeloze vrouwelijke beul van een gekgeworden god.

Wat is het motief voor hun woede? Waarom veranderen die twee hulpeloze dienstmeisjes opeens in slachteressen (in revolutiemaaksters)? De vrome zusjes Papin beperken zich niet tot het wegmaaien van het leven van hun meesteressen; alsof ze hun gram kwamen halen voor een eeuwenlange vernedering, martelen Christine en Léa hen langzaam, maar niet dan nadat ze hen de ogen hebben uitgerukt om te voorkomen dat ze zouden kijken naar wat er met hun lichaam gebeurt. Om hun handigheid met het keukeninstrumentarium te demonstreren, benen ze vervolgens het weke vlees van hun meesteressen uit, snijden het in stukken en slaan het plat tot dunne biefstukken; ze halen de ingewanden eruit en strooien de rest over de grond als restjes voor de honden. En tot slot controleren de zusjes Papin, met de onnozele natuurlijkheid die hun eigen is, of de deuren gesloten zijn, kleden zich uit, spoelen het bloed een beetje van zich af, trekken hun eeuwige nachtjaponnen aan en gaan op hetzelfde uur als altijd naar bed. Er is geen sprake van de geringste energieverspilling of enig bewustzijn van hun razernij: tijdens het bedrijven van de misdaad zetten ze elke stap met dezelfde willoosheid als waarmee ze de vaat wassen of de wijn inschenken. Hun gegriefdheid heeft geen enkele basis, mevrouw Lancelin en haar dochter Géneviève hebben hen nooit slecht behandeld, nooit misbruik van hen gemaakt, nooit van hun positie geprofiteerd en hen nooit geslagen.

Eenmaal in de gevangenis vertoont Christine al spoedig tekenen van waanzin – het is hier niet de plaats om haar seksuele wanen tot in detail te vertellen –, maar de meedogenloze rechtbank van Sarthe aarzelt niet haar tot het schavot te veroordelen. Onder de verdedigers van de veroordeelde vrouwen bevinden zich de surrealistische dichters Éluard en Péret, volgens wie de misdaad van de zusjes Papin het natuurlijke gevolg is van de burgerlijke tirannie: die hulpeloze meisjes zijn niet in moordenaressen veranderd als gevolg van hun intrinsieke persversheid, maar door het kapitalistische systeem dat hen vanaf de dag van hun geboorte heeft onderdrukt.

Kort daarna verschijnt Lacan op het toneel. Daar hij geconcentreerd bezig is met zijn proefschrift over de psychose – en met zijn worsteling met Aimée –, lijkt het geval van de waanzin van de zusjes Papin de kroon op zijn onderzoek te kunnen vormen. Lacan verwerpt de diagnose van hystero-epilepsie, die door een andere arts wordt gesuggereerd, en neigt tot een verklaring die na jaren eerder literair dan klinisch klinkt. Hoewel zijn bekering tot de psychoanalyse nog maar nauwelijks is begonnen, beweert de psychiater dat de furie van de zusters is losgebarsten door het uitvallen van het licht: het ongeluk veranderde op symbolische wijze in een betekenaar die het gebrek aan communicatie tussen de dames en hun dienstmeisjes uitdrukte. Hoewel er een tamelijk hartelijke band was tussen de dames Lancelin en de meisjes was de afgrond die elk waarachtig contact tussen hun werelden verhinderde, nooit verdwenen. De lichtuitval in dat huis in de provincie liet de scheidslijn zien tussen de twee uitersten op de maatschappelijke schaal: indien Christine, en later Léa, in moordenaressen veranderden, kwam dat omdat ze de stilte van hun mevrouwen niet konden verdragen.

Onder druk van de openbare mening – en door het actieve optreden van figuren als Éluard, Péret en Lacan – wijzigde de rechtbank van Sarthe enkele maanden later de tegen Christine uitgesproken doodstraf en besloot de zusjes Papin naar een gekkenhuis te sturen. Zij waren in een weeshuis opgegroeid en het was hun lotsbestemming in een soortgelijke instelling te sterven.

Toen we eindelijk bij mijn pension kwamen, was Claire nog niet hersteld van de klap (ze gedroeg zich met een passiviteit die in schril contrast stond met haar eerdere stoutmoedigheid), en ze liep zonder een kik te geven met me mee naar boven. De portier vroeg me niet eens wat er aan de hand was, ervan overtuigd dat mijn gezelschap een van de vele prostituees was die zijn klanten gewoonlijk meenamen naar hun slaapkamer. Zodra Claire binnen was, trok ze haar schoenen uit en liet zich onmiddellijk op het bed vallen; ze haalde een sigaret uit haar tas en begon apatisch te roken.

'Ik moest je slaan om ervoor te zorgen dat ze ons lieten gaan, anders zou je nu op het politiebureau zitten, net als de rest van je vrienden,' zei ik ter rechtvaardiging.

Ze volhardde in haar zwijgen.

'Ik wilde je geen pijn doen…'

Claire kwam ongeïnteresseerd overeind en begon de boeken te bekijken die ik in die dagen verzameld had en die overal verspreid op de grond lagen. Ze pakte mijn exemplaar van de *Écrits* van Lacan en bladerde er nonchalant in.

'Dus ik moet je nog dankbaar zijn ook.'

In plaats van zich tot mij te richten, leek het alsof ze tegen de schim van haar geliefde sprak, wiens meesterwerk ze in haar handen hield.

'Ik heb je al gezegd dat ik niks met Lacan te maken heb, het was puur toeval dat ik jullie voor zijn huis zag en dat ik je later tijdens de gevechten herkende...'

'Maar wat deed je daar dan verdomme, hém bespioneren?'

'Nee, of eigenlijk weet ik het niet, ik geloof dat ik hem gewoon van dichtbij wilde zien. Ik ben ook psychoanalyticus, in Mexico was ik een leerling van Erich Fromm en ik dacht dat Lacan me misschien zou kunnen helpen. Ik weet niet wat ik nog meer moet zeggen...'

Claire zette een verveeld gezicht, drukte haar peuk uit in een vies bord en stak snel een nieuwe sigaret op. Ik deed het raam een stukje open en haalde een fles wijn uit de kast.

'Het is de enige die ik heb.'

Ze haalde haar schouders op. We gingen op het bed zitten, heel dicht bij elkaar; ik nam een slok uit de fles en gaf hem aan haar. Claire nam een grote slok. Ze leek opgelucht. We vluchtten in de alcohol zoals krabben zich in het zand verstoppen. Ze moest zo'n twintig jaar jonger zijn dan ik, en ik voelde me verlegen worden.

'Mag ik je vragen wat jouw relatie met Lacan is?' vroeg ik na ettelijke slokken.

'Dat heb je al gedaan,' antwoordde ze, 'en wat erger is, je hebt ons gezien. Maar laat je niet door de schijn bedriegen, ik ben *ook* zijn patiënt...'

Met de kussens in onze rug gingen we door met drinken. Ik kan niet zeggen dat haar toon vriendelijker werd – Claire was altijd direct, ruw en een tikje sadistisch –, maar wel dat ze me om de een of andere reden haar geschiedenis begon te vertellen (of die misschien alleen maar hardop begon te declameren, zonder dat het haar veel kon schelen of ik luisterde). De koorts van de nacht, de verwarring en de mengeling van opwinding, vermoeidheid, pijn en slaap hadden haar weerstand gebroken. In een toestand die op hypnose leek, sprak Claire met halfgesloten ogen als een medium dat haar woorden uit een andere dimensie betrekt. Terwijl ik naar haar luisterde, vatte ik met veel genoegen mijn oude beroep van biechtvader weer voor enkele ogenblikken op.

Laten we ons gemakkelijke verklaringen besparen: als klein kind hadden haar ouders haar nooit geslagen, nooit linialen of zwepen gebruikt om haar voor haar kattenkwaad te straffen, en ze had nooit blootgestaan aan fysieke martelingen, ze hadden haar nooit tegen haar zin opgesloten en nooit misbruik gemaakt van haar onschuld. Claire was er echter trots op dat ze een activiste, een rebel en bijna een misdadigster was. Achter haar hulpeloze uiterlijk ging een mateloze furie schuil, een draaikolk die lijnrecht tegen alle sociale normen in ging en die bereid was tegen elke prijs de orde in de wereld (in mijn wereld) omver te werpen. Door welke redeloosheid werd ze aangemoedigd? Waarom had ze zich aangesloten bij die horde maniakale types die straten blokkeerden en hoofden van politieagenten verwondden? Waarom hield ze zo van geweld?

Claire kwam uit een tamelijk gegoede bourgeoisfamilie; in haar kindertijd in de naoorlogse jaren had ze minder ontberingen geleden dan haar leeftijdgenoten en de kans gekregen naar de beste scholen te gaan. De enige aanwijzing voor haar latere fascinatie voor de revolutie stamde uit de tijd dat ze nog niet geboren was: eerder op rancuneuze dan aardige toon verweet haar moeder haar de verschrikkelijke pijnen die ze had moeten doorstaan als gevolg van haar getrappel. Maar toen ze eenmaal uit de moederbuik was, werd ze een verlegen en mysterieus meisje. Claire huilde als kind bijna nooit, leerde relatief laat praten en zorgde ervoor dat ze nooit van haar ouders gescheiden werd. Ze werd lange tijd als een voorbeeldig meisje beschouwd en haar tantes werden het nooit moe haar geduld en haar liefheid te prijzen. Haar geschiedenis dient niet ter ondersteuning van de meest grove psychoanalytische interpretaties, maar de veranderingen in haar gemoedstoestand vielen samen met de ernstige conflicten die een eind maakten aan de stabiliteit in het gezin.

Hoewel hij geen rijk man was, was haar vader nadat hij bij de luchtmacht had gezeten, aan een veelbelovende carrière als ingenieur begonnen; haar moeder kwam echter uit de aristocratische kringen van Lyon. Louise Vermont, die bleek en smalletjes was, zwarte ogen en rode konen had, leek op van die porseleinen beeldjes die elk ogenblik kunnen breken. Er was een verborgen verdriet, iets ziekelijks in haar waardoor ze een zwak meisje leek dat snel verliefd werd, maar haar doorzichtige trekken, haar zorgvuldige manier van doen en haar aandacht voor details verborgen de stoornissen in haar geest. Na een volmaakte en ijskoude verloving van zes maanden vroeg Yves haar ten huwelijk. Ze stemde toe, met als enige voorwaarde dat ze in het *hotel particulier* van haar familie bleven wonen. In het begin leek dit de jonge ingenieur geen slecht idee: het was een ruim huis en hij beschikte niet over voldoende kapitaal om haar een beter alternatief te bieden. Helaas heeft hij nooit voldoende geld bij elkaar gekregen om zelf een waardige behuizing te kunnen kopen en moest hij wel in het huis van zijn echtgenote blijven wonen; nooit had hij het gevoel dat de splinterende meubels, de kapotte tapijten en de zwartgeworden muren om hem heen van hem waren, en in de loop van de tijd kwam hij tot de conclusie dat zelfs zijn vrouw hem niet toebehoorde.

Hoewel Louise een harde vrouw was die eraan gewend was te worden gehoorzaamd, voelde ze zich verraden door een wereld die haar voorrechten niet erkende. Yves veranderde in het enige voorwerp van haar verlangen en tevens in de schaal waar ze al haar verbittering in uitstortte; hij werd haar enige reden van bestaan en het enige wat haar, zoals ze hem tijdens een van haar dagelijkse chantagepogingen zei, van zelfmoord afhield. Als gevolg van het verschil tussen de expansieve aanleg van Yves en de eeuwige melancholie van Louise was hun precaire verbintenis al na een paar maanden gesleten. Daar het huwelijk op knappen stond kon Louise, om de zaak nog te redden, niets anders verzinnen dan een dochter ter wereld te brengen.

Toen de kleine Claire zes werd, hield Yves het niet langer uit, hij stopte zijn kleren en zijn verdere schaarse bezittingen in een koffer en vertrok zonder gedag te zeggen. Zoals hij aan zijn vrienden heeft bekend had hij niet alleen besloten Louise en Claire te verlaten – en dat huis dat hij zo haatte – maar ook het ingenieurswerk op te geven. Hij zou zijn oude vak van piloot weer opnemen. Zwevend in de leegte, in de anonieme eenzaamheid van de hemel meende hij het ongelukkige gevoel te kunnen compenseren waardoor hij op aarde zo werd bedrukt. Diezelfde dag verloor Louise haar verstand, daar was ze althans met zo'n heftigheid van overtuigd dat de artsen haar diagnose bevestigden. Het is Claire nooit gelukt de uitdrukkingsloze, angstaanjagend lege ogen van haar moeder, die aan slapeloosheid leed en nooit huilde, uit haar herinnering te bannen: die ogen weigerden naar de wereld te kijken, hem te delen of vast te houden omdat ze zo geconcentreerd waren op hun eigen vernietiging. Louise bracht enkele weken in een inrichting door en toen ze weer thuiskwam, verschanste ze zich in haar kamer alsof het een fort was. Claire klopte op haar deur, maar zij liet haar niet binnen.

De gevolgen van deze afstandelijkheid werden onmiddellijk voelbaar: van de ene dag op de andere kreeg Claire een valse en schrille stem. Tot de scheiding van haar ouders had ze in het kerkkoor gezongen; maar nu verzochten de volwassenen haar of ze haar toon wilde dempen of drongen ze er ronduit op aan dat ze haar mond hield. Later was ze niet meer in staat onderscheid te maken tussen de klanken; woorden werden voor haar betekenisloos, alsof ze door een termiet waren uitgehold. Omdat haar grootvader zich zorgen maakte over het plotselinge gebrek aan aandacht van het meisje, raadpleegde hij een expert: nee, het meisje leed niet aan opkomend autisme en was ook niet doof geworden; het lichamelijke onderzoek liet wat dat betreft geen twijfel bestaan. De veranderingen die ze onderging moesten het gevolg zijn van een depressie (of een onuitsprekelijk geheim), en volgens de arts was afwachten het enige wat ze konden doen.

De ongemakken werden niet minder: verminkte lettergrepen, verkeerd uitgesproken klinkers, ondraaglijke scherpe stembuigingen… Soms waren er zelfs hele zinnen en gesprekken die ze niet kon begrijpen. Altijd als ze met andere mensen sprak had ze het gevoel iets te missen zonder precies te weten wat. Ze lachte niet om de grappen en de woordspelletjes, en de tongbrekers en de talloze subtiliteiten in het dagelijkse spraakgebruik – understatements en bijbetekenissen – ontgingen haar, zodat ze de indruk wekte onnozel of lui te zijn. Volgens Lacan is verdriet het *niet-gezegde*, en de symptomen van een ziekte zijn de vormen waarin dit verdriet zich voordoet: elke keer dat Claire zich in een gesprek mengde, keerden de woorden zich tegen haar en bewezen dat zij niet in staat was te communiceren.

Wanneer ze onder de mensen was, werd ze het liefst onzichtbaar; ze wilde niet dat iemand haar vragen stelde uit angst hoon of medelijden op te roepen. Ze fantaseerde dat ze onopgemerkt voorbijliep, vermomd als een meubelstuk of een landschap. Het meest paradoxale en het allerverschrikkelijkste was dat ze weliswaar geen contact kon maken met haar soortgenoten, maar dat ze ook niet van de eenzaamheid hield. Als reactie op haar behoefte andere stemmen te horen was binnen in haar hoofd een abrupt en onstuitbaar gemurmel ontstaan. Op elk uur van de dag werd haar hersenpan doorboord door een niet-aflatend gedruis: een hardnekkig lawaai, als in de statica, dat alleen ophield als ze sliep. Soms bleef ze luisteren om de betekenis van het gekraak te ontcijferen in een poging verre echo's, gemompel of gestotter op te vangen, maar over het algemeen verzonk ze in een dichte, plakkerige lusteloosheid.

Na verloop van tijd ontwikkelde de ziekte zich als een parasiet die zich langzamerhand vormt naar het lichaam van zijn slachtoffer. De symptomen bleven enkele maanden achtereen gelijk, maar op een dag realiseerde Claire zich dat er iets veranderd was: de geluiden die haar bestormden waren veranderd in een heftig geschreeuw. In het begin kon ze geen woord verstaan in die chaos, maar beetje bij beetje begon ze lettergrepen te onderscheiden. Het maakte niet uit of Claire zich op andere dingen concentreerde, of ze zich op een rustige plek opsloot of zich in een demonstratie of een concert verschanste: het interne kabaal gunde haar geen seconde rust.

Wanhopig probeerde het meisje voor eens en voor altijd een eind te maken aan elke vorm van geluid; ze ging stiekem de kamer van haar moeder binnen en pikte enkele flesjes slaapmiddelen die ze met grote slokken cognac naar binnen sloeg. Afgezien van een onstuitbare diarree was het enige gevolg van haar poging dat haar grootvader uren moest huilen, omdat hij niet begreep waarom zijn familie zo abrupt naar de afgrond ging. Nu ze zo uitgeput was van de inspanningen had Claire eindelijk het geduld om haar stemmen te ontcijferen; midden in de verwarring viste ze een woord uit haar hoofd op: *oorlog*. Stomverbaasd concentreerde ze zich nog een keer: *oorlog*. Daar was het weer: het was geen fantasie en geen vergissing. Wat betekende dat? Zou het een boodschap zijn, zo'n openbaring zoals heiligen en profeten horen? Of zou het de weerspiegeling van haar gekte zijn? Omdat ze verder geen uitdrukkingen hoorde, besloot ze niet te veel belang te hechten aan haar ontdekking; die twee lettergrepen bleven haar echter halsstarrig bombarderen. Op een middag geloofde ze haar stemmen eindelijk: het moest inderdaad een strijdkreet zijn. Er was geen andere verklaring voor. Ze moest zich voorbereiden op de strijd. Tegen wie? Dat wist ze nog niet, maar ze had tenminste wel een motief gevonden om door te gaan met het bestaan.

Hoewel haar leven niet van de ene dag op de andere veranderde door die openbaring – soms bleef ze wekenlang halsstarrig in bed liggen –, kreeg ze in elk geval wel een soort hoop. Na haar eindexamen middelbare school maakte ze een natuurlijke keuze voor de politieke wetenschappen en toen ze eenmaal op de universiteit was, sloot ze zich even spontaan aan bij verschillende extreem linkse groeperingen die zich al opmaakten om het lont van de studentenopstand aan te steken. Claire nam deel aan acties die door de Situationistische Internationale werden georganiseerd, en het duurde niet lang voordat ze gehoor gaf aan de wijdverbreide oproep de straten van Parijs in te nemen. In januari 1968 had ze zich aangesloten bij een groep die nog gewelddadiger was dan de vorige – niet voor niets noemden de leden zich de *enragés* – en die verantwoordelijk was voor de bezetting van de Sorbonne. Claire was tevreden: in plaats van een opslagplaats te zijn voor nauwelijks begrijpelijk gemompel, was ze de woordvoerster geworden van de opstandelingen. Ze had eindelijk de vorm gevonden voor haar opstand tegen het lot en tevens de uitlaatklep voor haar woede, door haar stem te voegen bij het koor van hen die de revolutie aankondigden. Dat was de oorlog die ze moest gaan voeren.

Het was al bijna licht toen Claire klaar was met dit gedeelte van haar verhaal. Tegen die tijd hadden we al enkele flessen wijn geledigd en ons bevrijd van de conflicten die ons hadden vergiftigd; terwijl we daar met verwarde haren en rode ogen op het bed lagen, leken we de laatste overlevenden van een schipbreuk. Tegenover mij leed Claire totaal niet aan van die krampachtige stiltes waardoor ze, zoals ze zei, in gezelschap van Lacan werd verlamd. Omdat ik een vreemdeling was (een Mexicaan, een buitenaards wezen), vond ze het ook niet erg me in het melkachtige ochtendgloren het avontuur met haar leermeester te vertellen.

'Weet je hoeveel zelfmoordpogingen ik al had gedaan voordat ik hem leerde kennen?' Haar vraag knalde er onverwacht uit, irritant als een kogel die te dicht langskomt: 'Drie.'

Ik zei niets, ik toonde geen medelijden. Ondanks haar intelligentie, of misschien juist daardoor, meende Claire dat ze een van de lievelingen van de goden was die ertoe gedoemd zijn op het randje van het ongeluk te leven.

In een poging aan de niet-aflatende depressies te ontsnappen kwam ze op het idee deel te nemen aan de werkgroepen die Lacan gaf aan de École Normale Supérieure. Ze voelde zich geïntimideerd door de grootspraak en de onverwachte uitvallen van de wijsgeer en durfde hem niet te benaderen. Pas toen haar neerslachtigheid ondraaglijk werd – er waren momenten dat ze totaal geen notie meer had wie ze was –, waagde ze het Judith, de dochter van Lacan die ze had leren kennen tijdens een clandestiene vergadering van extremistische groeperingen, te vragen haar aan haar vader voor te stellen. Omdat Judith zich wellicht realiseerde wat het lot van zo'n mooi en verward meisje zou zijn in de spreekkamer aan de rue de Lille 5, probeerde zij haar op andere gedachten te brengen, maar Claire hield zo aan dat ze haar verzoek een paar weken later inwilligde.

De meester wachtte nog geen drie – uiterst korte – sessies voor hij haar voorstelde met hem naar bed te gaan. Het voorstel kwam zo plotseling dat ze niet eens kon bedenken te weigeren; ze liet zich eenvoudigweg aan de hand van de analyticus naar het bed (die andere divan) leiden, liet zich zonder weerstand te bieden door hem uitkleden en beminde hem met de valse euforie van een beklaagde die smeergeld betaalt voor een sigaret. Ze dacht dat ze als bij toverslag enige verlichting of inzicht zou krijgen. Dit voorgevoel bleek volledig verkeerd: niet alleen kon Claire sinds die dag haar demonen niet tot kalmte brengen, maar ze haalde zich ook nog de demonen op de hals van degene die haar had moeten verlossen.

Hoewel het meisje het nog weigerde toe te geven, was ze vanaf die eerste middag dol op Lacan. Terwijl zij voor de psychoanalyticus een van de vele vrouwelijke patiënten (veroveringen) was, werd hij voor Claire iemand zonder wie ze niet kon leven. Omdat ze zich ervan bewust was dat zij in het nadeel was, zwoer ze bij zichzelf dat ze hem niets zou laten merken van haar liefde, want ze wist dat ze zijn respect anders onmiddellijk zou verliezen. Haar natuurlijke neiging om dingen te verbergen werd drastisch aangescherpt: als ze tot het intieme kringetje van de meester wilde behoren zonder de behandeling te onderbreken, moest ze zich gedragen alsof hij haar totaal niet interesseerde. In het begin lukte het haar: ze wendde een desinteresse voor die ze niet voelde, ze behandelde Lacan met een agressiviteit die geen andere vrouw zich zou hebben gepermitteerd en ze strafte hem enkele malen waarvan hij leek te genieten. Ze realiseerde zich algauw dat ze zelf de enige was die leed onder die slechte behandeling. Na een saaie liefdesnacht in de rue de Lille 5, beet Claire Lacan toe dat ze niet van zins was zoals *die andere vrouwen* te zijn.

'Kun je je voorstellen?' vroeg ze mij geïrriteerd. 'Iemand als ik, die *de meester* voorwaarden stelt?'

Op dat moment dacht ze dat ze de wedstrijd kon winnen door alles op alles te zetten. De psychoanalyticus was inderdaad onder de indruk van haar moed, maar dat nam niet weg dat hij zonder enige consideratie eiste dat ze onmiddellijk zijn huis verliet. Sindsdien probeerde Claire zich aan zijn invloed te onttrekken (haar verlangen om hem te castreren oversteeg het symbolische), maar in feite was hij geen moment uit haar gedachten. Ze kon geen gezin zien zonder het te analyseren volgens de door haar minnaar vastgestelde paradigma's, en dus stuitte ze voortdurend op metaforen en metonymia en verloor ze de substantie van de objecten uit het oog; ze kon geen zinnen formuleren zonder ze te larderen met *fallussen, spiegelstadia, spoken, genot* en *object,* en tot overmaat van ramp waren haar vrienden verslaafd aan de school van haar minnaar: de wereld dreigde lacaniaans te worden. Er was buiten zijn lessen blijkbaar geen kiertje of gaatje meer dat hij niet had volgepropt met zijn theorieën en neologismen. Het duurde niet lang voordat haar ongevoelige innerlijke stemmen de strenge, nasale toon van haar analyticus overnamen. Waar ze het meest van in de war raakte, wat ze totaal niet kon verdragen, was dat haar verlangen op hem gefixeerd bleef. Toen ze deze waarheid onder ogen zag (ze leed meer onder zijn afwezigheid dan onder zijn slechte behandeling), besloot ze naar hem terug te keren.

'Ze kunnen je vertellen wat je maar wilt,' legde Claire me opeens uit, 'dat hij ijdel en trots is, dat zijn lichtzinnigheid groter is dan zijn talent (allebei zijn ze immens) of dat hij nauwelijks rekening houdt met zijn patiënten, maar je zult nooit iemand leren kennen zoals hij. Hij doorgrondt je met een enkele blik, hij plaatst je met één stembuiging. Lacan maakt dat je verlangen nooit uitdooft…'

Toen Claire zichzelf dit hoorde zeggen, begon ze te huilen. Het waren geen tranen van verdriet en zelfs niet van razernij: het was een zwak, ontoegankelijk gesnik. De cholerische jonge vrouw die ik had gekend kon nu niet ophouden met huilen. Ik nam haar voorzichtig in mijn armen: haar schouders waren glad, haar huid breekbaar als van een pasgeborene. Ze droogde haar tranen en drukte me met een onhoudbare aandrang tegen zich aan. Ik zat gevangen tussen haar benen en gaf me aan haar over. Ik durfde amper haar kleren uit te trekken, deed het onhandig, verblind door haar naaktheid. Haar lichaam bewoog zich boven mij, afwisselend met geweld of met kalmte – haar schommelbeweging had een geheim ritme –, maar ze bleef onbereikbaar. Ik bezat haar *niet*…Uitgeput gingen we uit elkaar zonder verder nog een woord te zeggen. Claire stak weer een sigaret op en toen ze constateerde dat ik sliep, kleedde ze zich aan en verliet de kamer.

Het waren maar acht mensen: niet zozeer een groep avant-gardekunstenaars, maar meer een piket soldaten, samenzweerders, wereldverbeteraars. Ze kwamen uit alle delen van de wereld – vandaar de universaliteit van hun uitdaging – maar ze hadden geen enkele sympathie voor de verschillende naties. Ze behoorden tot een ras van ontwortelden en vluchtelingen, vrijwillige ballingen die in plaats van aan de concentratiekampen te ontsnappen zoals hun ouders, probeerden te ontsnappen aan een misschien wel cynischer en nog onderdrukkender gevangenis: de burgerlijke maatschappij (en de verveling). Hoewel ze jong waren, bezaten ze geen van de eigenschappen die met die periode in het leven worden geassocieerd: ze waren niet onschuldig, niet naïef, niet onontwikkeld en niet dromerig; ze waren er niet op uit de wereld te veranderen door met vlaggen te zwaaien, tegen de politie te strijden of zich als verwende kinderen te gedragen. Hun samenzwering was diepzinniger, heftiger en minder voorspelbaar. In juli van het jaar 1957 waren ze maar met zijn achten en wilden ze gedenkwaardige acties houden. Nooit zetten zo weinig mensen in zo korte tijd zoveel op zijn kop.

De plaats van samenkomst was een dorpje aan de Ligurische kust, Cosio d'Arroscia. Wie hen in die tijd had gezien zou hebben gedacht dat ze zo'n groepje vrienden waren dat zich vermomd als zwervers of kunstenaars over de naoorlogse Europese autowegen verplaatste. Alleen waren ze niet opvallend, maar zelfs tamelijk sober gekleed: ze wilden niet opvallen. Ze wisten dat ze alleen iets konden uitrichten wanneer ze zich in de marge bewogen. Hun perfecte beeldspraak was het kleine metalen balletje waardoor de lichtjes en de muziek van *pinballs* aanspringen, de vonk van een sigaret die een bos in brand zet, de sneeuwvlok die een lawine veroorzaakt. Wat waren ze van plan? Moeilijk om erachter te komen. Misschien wilden ze het best zeggen. Misschien zochten ze helemaal niets. Ze werden gekenschetst door hun drang tot verandering, verzet, oppositie. Waartegen? Tegen alles, ook tegen zichzelf. Ze waren nog jong, maar ze kwamen al jarenlang bij elkaar, gingen weer uit elkaar en hergroepeerden zich. En nu stichtten ze in dit piepkleine dorp aan de Ligurische kust een piepkleine onderneming waarvan het effect onvoorstelbaar zou zijn: het was geen tijdschrift, geen beweging, geen revolutie en geen oproep te wapen te gaan, al zaten er wel elementen van al deze dingen in, maar iets ruimers en ondefinieerbaarders. Omdat elke actie een naam moet hebben, gaven zij hun uitdaging ook een naam: op die dag in juli in het jaar 1957 werd door die acht gekken in Cosio d'Arroscia de Situationistische Internationale uitgevonden.

Het was allemaal een paar jaren daarvoor begonnen, toen Guy-Ernest Debord – hij ondertekende nog altijd met die naam – twintig was. Hij was een slanke jongen met een rond brilletje waardoor hij op een ouderwetse filosofieprofessor leek. In tegenstelling tot de meeste van zijn leeftijdgenoten had hij besloten geen universitaire studie te volgen, omdat hij zich zowel tegen de traditie als tegen het prestige verzette. Terwijl Foucault of Barthes met hun proefschrift worstelden, zwierf Debord door de straten van Parijs. Hij wilde de wereld niet via de boeken veranderen, maar door rond te zwerven. Terneergeslagen door het gebrek aan perspectieven, door de angst voor de bom, de koude oorlog en de tirannie van de communisten en de markt, liep hij er al enkele jaren over te denken hoe hij de peilers van de maatschappij kon opblazen. Om zich te vermaken – en tegelijk de zinloosheid van zijn poging aan te tonen – kwam hij op het idee een film te draaien: *Hurlements à faveur de Sade*. Om erachter te komen of er mensen waren die dezelfde ideeën hadden als hij, besloot hij in de lente van 1951 deel te nemen aan de experimentele voorstellingen die parallel aan het filmfestival van Cannes werden gehouden. Ver van de filmsterren en de prijzen ging hij een kleine zaal binnen waar een woedend publiek de film *Traité de bave et d'éternité* uitfloot. Natuurlijk vond hij de film niet goed – wie zou die aaneenschakeling van geschreeuw en onomatopeeën zonder beelden wel goed vinden? –, maar hij ging toch op zoek naar de makers die vluchtten voor het fluitconcert.

De goeroe van de provocateurs was een buitenissige en bijzondere Roemeen die zich Isidore Isou liet noemen. Zoals eerder Tristan Tzara, zijn voorbeeld, wilde Isou de kunst vernietigen door middel van de kunst zelf. Zo Beaudelaire de zondvloed bezong en Mallarmé aan de stilte krabde, de dadaïsten het absurde liefkoosden en de surrealisten de grenzen van de werkelijkheid vervormden, pretendeerden de *letteristen* van Isou de poëzie terug te brengen tot haar uiterste expressie, tot haar minimale component: de *letter*. Evenals de fysici uit diezelfde tijd verlangden zijn aanhangers naar de zuiverheid van de elementaire deeltjes en in plaats van verzen en rijm bezongen zij de perfectie van de klanken of de schittering van de schrijfwijzen. Omdat ze ervan overtuigd waren dat het aan het eind van de twintigste eeuw onmogelijk was iets te creëren zonder eerst het bestaande te hebben vernietigd, bestond het voornaamste werk van de letteristen niet uit het *maken* van dingen, maar uit het *saboteren* van de dingen die anderen maakten. Dat betekende dat de groep zich bezighield met het verstoren van theaterstukken, tentoonstellingen, concerten en filmvoorstellingen en ook zelfs van een nachtmis in de Notre-Dame waarbij een van hen tijdens het lezen van de mis als monnik verkleed opstond en luidkeels riep: 'God is dood.'

Verleid door de buitenissigheid van Isou begon Debord met hem samen te werken, maar dat was zo moeilijk dat er niets anders voor hem op zat dan zich weer van hem los te maken (de waanzin blijkt soms niet alleen ondraaglijk, maar ook nutteloos). In november 1952 richtte Debord samen met andere dissidenten een nieuwe groep op, de Letteristische Internationale, en om zijn principes bekend te maken (en zijn bombardementen uit te breiden), creëerde hij een gelijknamig blad, dat later plaats zou maken voor het tijdschrift *Potlach*. 'Bijna alles wat er in de wereld is wekt onze razernij en walging op,' werd hierin beweerd, en de lezers werden uitgenodigd *situaties te creëren* die hun de kans gaven los te komen van de dwaze ijkpunten van de contemporaine maatschappij. Hun idee was af te zwenken naar de verrassing, de kunst te overstijgen en, zoals de marxistische filosoof Henri Lefèvre aangaf (die in die jaren heel dicht bij Debord stond), 'een nieuw dagelijks leven uit te vinden'. De leden van de LI, die het zowel tegen de communisten als tegen de kapitalisten opnamen, eisten dat leven en kunst identiek waren. Alle subtiliteiten en hulpmiddelen van de moderne kunst waren uitentreuren herhaald en hadden al hun kracht verloren; kunst en literatuur waren een lijk waaraan alleen nog werd geknaagd door decadente kunstenaars als Godard en Robbe-Grillet. In plaats van zich aan die kunstmatigheden te conformeren, verlangden de letteristen naar een nieuwe uitdrukkingsvorm. Zoals ze in een van hun beroemdste uitspraken verkondigden: 'Een avonturier is iemand die avonturen laat gebeuren, niet iemand wie de avonturen overkómen.' In die tijd luisterden heel weinig mensen naar hun toespraken, werden hun ketterijen niet opgemerkt en raakte hun opstand in vergetelheid.

In 1957 was Debord in gezelschap van de Deense schilder Asger Jorn, de Italiaan Pinot Gallizio en nog vijf rebellen in Cosio d'Arroscia, waar hij de geboorte van een nieuwe groep aankondigde waarvan de invloed nog veel groter zou worden: de Situationistische Internationale. Ze waren maar met zijn achten: acht terroristen die van plan waren de wereld en de kunst te veranderen. Zij waren voor een groot deel verantwoordelijk voor wat er in 1968 in de straten van Parijs gebeurde. Debord zelf had gewaarschuwd: 'Ik ben geen filosoof, maar een strateeg.' Van de studenten die de Sorbonne bezetten en het tegen de politie opnamen hadden maar weinigen hun leuzen gelezen, maar de massa's die de universiteiten van Nantes, Nanterre en Parijs – en de rest van de wereld – bezetten, waren de onwillekeurige leerlingen van die acht mannen die *nee* hadden durven zeggen omdat ze ervan overtuigd waren dat de beschaving moest worden weggevaagd om daarna weer te worden opgebouwd. Claire was een van hen.

Ik verliet mijn pension en sloeg de straat in naar de rue de Lille. Bij gebrek aan een ander gegeven dat me naar haar toe kon brengen, keerde ik terug naar mijn positie van lijfwacht van Lacan: vroeg of laat zou Claire zich in zijn spreekkamer vertonen. In tegenstelling tot de vorige keer vond ik het wachten ditmaal ondraaglijker: in vier uur tijd zag ik een grote variëteit aan mensen de spreekkamer in en uit gaan, maar zij verscheen niet. Omdat ik niets beters te doen had vermaakte ik me ermee de diagnose te stellen van hun geheime symptomen: de kringen onder de ogen van de een associeerde ik met een obsessieve neurose; het onverzorgde uiterlijk van de ander met een tikje paranoia; de stijfheid van weer een ander met de typische onrust van hysterici… Toen ik tegen zes uur de hele clientèle van Lacan had geïnventariseerd, was ik ervan overtuigd dat Claire hem die middag niet zou bezoeken. Ik ging uitgeput op de stoep zitten en liet me, teruggebracht tot mijn status van *clochard*, overmannen door de slaap.

'Alweer hier?' De woorden troffen mijn lichaam als de schoppen van een politielaars. 'Heb je niets anders te doen dan ons te bespioneren? Vooruit, sta op, voordat Jacques je ontdekt!'

Het was Claire. Het was al donker en de hemel vertoonde een onrustbarende purperen kleur.

'Hoe lang ben je al hier buiten?'

'Ik ben vlak voor twaalf uur vanmiddag aangekomen,' stotterde ik.

'Er wordt weer gevochten in het Quartier Latin,' waarschuwde Claire me. 'Er is een staking afgekondigd vanaf zondag voor onbepaalde tijd.'

'Dat wist ik niet.'

'Natuurlijk niet!' zei ze verwijtend. 'Jij bent nergens in geïnteresseerd!'

We liepen via de Pont-des-Arts naar de rechteroever en betraden het andere Parijs, dat voorlopig nog aan de chaos ontsnapte.

'Waar gaan we heen?'

'Ik wil dat je wat vrienden van me leert kennen.'

'Net zulke revolutionairen als jij?' vroeg ik provocerend.

'Inderdaad.'

'Zou je me tenminste kunnen vertellen waarom ze protesteren?'

Claire besloot dat het tijd was me een spoedcursus revolutionaire theorie te geven en begon aan een lang betoog.

'Om de kapitalistische onderdrukking aan te klagen. Om op de tegenstrijdigheden in deze klotemaatschappij te wijzen. Om te protesteren tegen de oorlog in Vietnam en tegen de Russische bezetting van Praag.' De lijst klachten klonk als een tongbreker. 'We willen protesteren tegen de onmogelijkheid van vrijheid, tegen de vervreemding, het isolement en de consumptiemaatschappij... En voor eens en voor al een einde maken aan de vernedering die de arbeid is...'

Ik kon mijn lachen bijna niet houden.

'Dat klinkt allemaal heel mooi, vooral dat van de arbeid afschaffen.'

'Jij begrijpt er niks van!' zei ze woedend. 'De spektakelmaatschappij wurgt ons, want waar het spektakel regeert, heerst ook de politie.'

Het was duidelijk dat we tot verschillende taalkundige werelden behoorden: voor mij hadden haar frases geen enkele betekenis.

'Goed, leg het me nog eens uit,' drong ik aan. 'Wat willen jullie precies? De maatschappij afschaffen?'

'Precies. Om haar te verbeteren moeten we haar eerst vernietigen.'

'Neem me niet kwalijk dat ik je tegenspreek, maar kijk alleen eens naar jezelf: jij strijdt om je te bevrijden van de burgerlijke onderdrukking en je bent niet eens in staat je van je meester los te maken.'

Hoewel het niet mijn bedoeling was haar te kwetsen, voelde ik de behoefte haar voor de voeten te werpen dat ze een zwak had voor Lacan. Zoals altijd wanneer ze zenuwachtig werd, stak Claire een sigaret op.

'En jij?' antwoordde ze, 'wat doe jij? Je bent belachelijk. Niets doen is een vorm van medeplichtigheid, jij bent ook een slaaf. Alleen heb je het niet eens in de gaten.'

'Wat heb ik eraan om in opstand te komen zoals jullie?' vroeg ik. 'Hoelang zal jullie protest duren, denk je? Een maand? Twee? Uiteindelijk zal het verlopen zoals alle andere protestbewegingen, dan sluiten de leiders een verdrag met de regering en een paar maanden later is de hele zaak voorbij. Jullie zullen schreeuwen, marcheren, onder het bloed en de woorden komen te zitten en op het laatst wordt alles weer zoals het in het begin was.'

Claire verwaardigde zich niet eens er iets tegen in te brengen. We hielden halt voor een schimmelig, alleenstaand gebouw dicht bij de Place de la République, klommen naar de vijfde verdieping en betraden een kleine flat die doordrenkt was van de rook en de stemmen van een tiental jonge mensen die aan één stuk door praatten. Claire liet me alleen tussen die onbekenden alsof ze een hyenafamilie een stuk vers vlees gaf, en ging iets te drinken zoeken. Ze waren allemaal even briljant, scherp en woedend. En niemand was ouder dan vijfentwintig.

'Waar het bij de intelligentsia aan ontbreekt is scherpte,' beweerde de een.

'Het probleem is dat iedereen concessies doet,' zei een ander.

'De rottigheid zit hem in de mensen die beweren tot de avant-garde te behoren,' voegde een derde eraan toe. 'Je hoeft die salonlinksen als Godard, Aragon, Sartre of Althusser maar te horen.'

'Hun eclectische belangstelling is onecht,' droeg een vierde zijn steentje bij.

'Die *modernisten* zijn de ergsten, die hebben zich meester gemaakt van de vondsten van de avant-garde, maar ze begrijpen er niets van,' was de conclusie van nummer één.

Het leek of ze een toneelstuk van Ionesco aan het repeteren waren. Tot mijn verbazing stelden ze zich niet eens voor als studenten, maar eenvoudig als *actievoerders*.

'We vormen een Samenzwering van Gelijken,' legden ze mij cryptisch uit, misschien waren ze een beetje dronken. 'Een generale staf zonder troepen...'

'Het interesseert ons niet navolgers te hebben of de massa's te leiden of iemand te overtuigen...'

'Alleen het lont aan te steken...'

'Het slaghoedje te installeren...'

'We willen dat de ontploffing ons ontglipt, dat die zelfs voor ons oncontroleerbaar wordt...'

'Zo is de opstand in Nanterre begonnen...'

'In het begin waren we maar met vijf man...'

'Vijf man was voldoende voor een kettingreactie...'

'En moet je zien wat er sindsdien is gebeurd...'

'De confrontaties in het Quartier Latin, de gevechten op de boulevard Saint-Michel, de bezetting van de Sorbonne...'

'En dat is nog maar het begin...'

Ze gingen de hele avond door met praten en feesten, ideeën uitwisselen en toasten, zonder aandacht te schenken aan mijn verbazing of mijn kritiek. Ik ontdekte geen enkele logica in wat ze zeiden, maar misschien behoorde hun logica tot een ander universum. Op het laatst begonnen ze in koor esoterische leuzen te roepen: 'Leve de Zengakuren! Leve het Comité voor de Openbare Redding van Vandalen! Leve de *Enragés*! Leve de Situationistische Internationale! Leve de Sociale Revolutie!' Ik besloot aan één stuk door te blijven drinken. Nu begreep ik waarom Claire me daar mee naartoe had genomen, naar haar vriendjes: het was een soort straf. Deze jongeren balanceerden op het randje van de waanzin, net als zij.

Aan het eind van de avond kreeg Claire medelijden met me en probeerde me te redden, maar ik was al te bezopen om haar nog vergiffenis te schenken.

'Nu is het mijn beurt om jou naar huis brengen,' fluisterde ze insinuerend in mijn oor.

Zonder dat ik het merkte ben ik die avond nog iets anders kwijtgeraakt dan mijn nuchterheid.

Herinnert u zich dat armzalige, over de grond kruipende wezen nog? Welnu, hier ben ik weer, onderworpen aan de zoveelste schanddaad die Lacan voor me verzon. Hij maakte me eerst de gevangene van de spiegels en de taal, maar nu heeft hij een nog onaangenamer verrassing voor me in petto. Hoewel ik me niet meer in de veilige baarmoeder bevond, werd ik tot voor kort nog wel getroost door het idee dat mijn moeder altijd bereid was al mijn wensen te bevredigen: haar aanwezigheid vormde mijn enige zekerheid. Lacan houdt echter vol dat zij ook aanstalten maakt om me te verraden. Hoewel we moeders in het algemeen associëren met van die reclameboodschappen waarin ze altijd worden voorgesteld alsof ze eeuwig bereid zijn tegemoet te komen aan de grillen van hun spruiten, is het eigenlijk zo dat vrouwen de verlangens van hun kinderen niet zomaar voor niets bevredigen. Mijn moeder heeft *mij* eigenlijk nooit gewenst: ik ben niet meer dan een eenvoudig surrogaat. Maar wat wil ze dan? Het antwoord is gruwelijk: ze wil, zoals Lacan het met trotse smakeloosheid noemt, *de fallus*. Blijkbaar verlangt een mens het meest naar wat hij niet heeft en net als al haar soortgenoten zal mijn moeder dit gebrek nooit kunnen verhelpen. Ik moet het accepteren: hoe ik het ook probeer, hoe ik me ook uitsloof – hoe hard ik huil, lach, schreeuw of gek word –, ik word nooit gelijk aan het troebele object dat in haar hoofd geprent staat en ik zal die leemte nooit kunnen opvullen. Als in een erotische roman is de kindertijd de geschiedenis van een perverse liefdesdriehoek tussen mijn moeder, mijzelf en de fallus. *Lijd niet te veel,* suggereert zij, *mijn verlangen richt zich op wat ik niet heb, maar wat jij op een dag wél zult hebben.* Haar belofte is – ik raad het – vals: een fallus is geen orgaan en geen seksueel merkteken, maar de naam die Lacan geeft aan de afwezigheid.

Stilte was de absolute voorwaarde. Woorden tussen hen waren verboden, alsof ze een contract hadden getekend. En hetzelfde gold voor andere geluiden die aan haar lichaam ontsnapten: gehuil, geschreeuw en zelfs kreten van genot. Het kwam misschien doordat hij het grootste deel van de dag naar de bekentenissen van zijn patiënten luisterde, maar de psychoanalyticus duldde niet dat Claire praatte terwijl ze de liefde bedreven. Als ze die regel overtrad zette hij haar er onmiddellijk uit. Tot zwijgen gedwongen zonk de jonge vrouw weg in een put of in een imaginaire luchtbel, blootgesteld aan de stemmen die haar vanuit haar binnenste berispten.

Deze keer wachtte Claire al een uur op hem met een nauwelijks treurig te noemen lusteloosheid. Vroeger werd ze boos, maar na ontelbare ruzies had ze zich bij deze beproeving neergelegd. Ze vond het zelfs wel prettig een tijdje alleen te zijn voordat ze de confrontatie met hem aanging. In plaats van een tijdschrift door te bladeren of zijn stellingen over Feuerbach te herlezen – een van haar favoriete boeken – arriveerde ze daar liever met lege handen, geheel bereid zich te reinigen; ze ging in de wachtkamer zitten en keek naar de muren.

De psychoanalyticus was nooit erg mededeelzaam en al helemaal niet uitbundig wanneer hij haar zag, en hij vond het nooit goed dat ze de lichten uitdeed; hij had er behoefte aan elk deel van haar lichaam te verlichten (te verwonden). Hij zei het niet, maar ditmaal wilde hij haar laten zien dat ze daar ondanks zijn arrogante gedrag toch maar weer onderworpen en gehoorzaam zat, precies zoals hij haar had voorspeld. Claire deed haar best de vernedering dapper te slikken. Met een eenvoudige grimas wees hij haar erop dat het tijd was om te beginnen. De jonge vrouw knoopte onverschillig haar blouse open, haar zeer bleke huid glansde onder het zwarte kant waar ze zo'n hekel aan had maar dat hij haar beval te dragen. Volgens een vooraf vastgesteld ritueel maakte ze vervolgens het lintje los waarmee ze haar haar had opgebonden. Er was iets onrustbarend obsceens in de manier waarop hij naar haar keek: hij hoefde zijn ogen maar op haar te richten of ze had zich al aan hem overgeleverd.

De psychoanalyticus begon haar te strelen; dan moest ze haar benen een voor een omhoog doen, hij trok haar schoenen uit en begon met haar kuiten te spelen. Terwijl zij haar evenwicht probeerde te bewaren ging de psychoanalyticus ertoe over haar kousen en haar rok uit te trekken; met gespreide benen en haar venusheuvel gelijk een plotselinge inval van de nacht, liet Claire zich achteroverzakken op het bed. De oude man ging met zijn gezicht naar haar geslacht; hij raakte altijd weer in de war van dat heftige oerbeeld, die glimmende en zachte, lichtrode huid: zijn oorsprong van de wereld. Opgewonden gleed hij met zijn tong over de plooien, eerst zachtjes en daarna met genot; ze moedigde hem niet aan, maar liet hem begaan, haar ziel was ergens anders, heel ver daarvandaan. Als een veroveraar (als een beul) baande hij zich een weg naar haar binnenste, terwijl zij haar kiezen op elkaar zette om een zucht te verbergen.

Claire kon zich niet inhouden en richtte zich op, en met hetzelfde verlangen als hij rukte ze zijn riem af en trok zijn broek naar beneden en vond zijn geslacht. De psychoanalyticus belette haar dat aan te raken en terwijl hij haar de fallus onthield (o ironie), stopte hij die liever tussen haar benen. Gelukkig was de oude man nog behendig genoeg om haar tot een snel orgasme te laten komen. Bij hem duurde het daarentegen een hele tijd voordat hij zijn hoogtepunt bereikte; hij kon altijd pas na haar klaarkomen, nooit eerder en nooit tegelijk met haar, alsof hij het nodig had dat Claire hem haar genot (haar overgave) schonk voordat hij haar het zijne gaf. Als hij klaargekomen was trok hij zo snel mogelijk zijn kleren aan en zonder enige aanvullende liefkozing – zijn gierigheid kende geen onderscheid –, zonder kus en natuurlijk zonder een lief woordje begon hij haar met vredige bewondering te observeren. In dat minimale moment van rust lag de liefde besloten die Claire voor hem voelde.

Didier Anzieu heeft een hekel aan de structuralisten en een afschuw van Lacan. Daar heeft hij redenen genoeg voor. Wanneer hij de reportages over de veldslagen in het Quartier Latin hoort, raakt hij er steeds meer van overtuigd dat het einde van een tijdperk nabij is en ook dat van het leven van enkele van zijn verderfelijkste hoofdrolspelers, namelijk die ijdele kring van mandarijnen die in alle academische instellingen van Frankrijk zijn geïnfiltreerd. Gelukkig zal de val van de burgerlijke maatschappij hun koninkrijk doen verdwijnen. Vanachter het masker van een pseudoniem dat hem tot een soort scheidsrechter in de strijd van het weten maakt – Épistemon –, bazuint Anzieu dit goede nieuws overal rond en maakt zich op die arrogante *maîtres à penser* het genadeschot te geven. Doordat die jongeren het tegen de burgerlijke orde opnemen, steken ze ook de draak met het groepje intellectuelen dat zo prat gaat op zijn verdiensten.

Anzieu verkneukelt zich over de straf die Lévi-Strauss, Barthes of Althusser krijgen, maar hij voelt zich nog veel behaaglijker als hij hoort hoe Lacan wordt uitgejouwd. Na een halfslachtige relatie met de psychoanalyticus te hebben gehad, is hij sinds enkele jaren bezig hem in het openbaar te bekritiseren. Maurice Nadeau, die wist dat Anzieu weinig waardering voor Lacan had, vroeg hem een artikel 'tegen' de *Écrits* te schrijven voor *La Quinzaine Littéraire*. Anzieu schreef een tekst onder de titel 'Een ketterse doctrine' en daarin wees hij er met machiavellistisch genoegen op dat zijn vroegere analyticus de ideeën van Freud niet voortzette, maar ze vervormde en verraadde zonder het te zeggen. Wat kon je anders van hem verwachten? Het lot had hem op zo'n ongewone en rampzalige manier met Lacan verbonden dat hij onmogelijk objectief kon zijn toen hij de man moest beoordelen.

Hun eerste ontmoeting was al tamelijk merkwaardig geweest. Die vond plaats in 1949, toen Anzieu nog maar een jongen van zesentwintig was; hij was net klaar met zijn bijvak filosofie, maar hij had altijd al belangstelling gehad voor de psychoanalyse vanwege de conflicten binnen het gezin. Als kind had hij geleden onder verwaarlozing omdat zijn moeder altijd en eeuwig ziek was, en als jongeman voelde hij zich in de ban van de waanzin en zijn mutaties. Zijn nieuwsgierigheid bracht hem ertoe deel te nemen aan de werkgroep van Lacan, wiens vertoog vanaf het eerste moment indruk op hem maakte. Op een middag ging hij naar Lacan om met hem te praten en hij vertelde hem vaag iets over zijn leven en zijn hartstocht voor diens werk. Tijdens een van zijn zeldzame wisselingen van humeur stelde Lacan hem voor zich aan een leeranalyse te onderwerpen. Een beetje zenuwachtig accepteerde Anzieu. Hoe kon hij een dialoog weigeren met de beroemdste analyticus van Frankrijk?

In de eerste sessies met Lacan praatte Anzieu aan één stuk door, alsof hij een tegenwicht zocht voor de macht van de man die naar hem luisterde; het was geen strijd om de controle over de tijd, hij liet zich meer leiden door een wederzijdse flirt waarvan hij walgde en genoot tegelijk. Zijn contact met Lacan werd elke dag heftiger. Door naar hem te luisteren (door hem te betoveren) wekte zijn analyticus een onbegrijpelijke haat in hem op. In 1952 of 1953 ontdekte hij door een aantal samenlopen van omstandigheden waar zijn woede vandaan kwam.

Na zijn moeder in geen jaren te hebben gezien – die gek geworden moeder die hem als kind in de steek had gelaten – had Anzieu eindelijk besloten bij haar op bezoek te gaan. Groot was zijn verbazing toen hij hoorde dat ze in die tijd als hoofd van de huishouding werkte bij Alfred

73

Lacan, de vader van zijn analyticus. Hoe was het mogelijk? Anzieu biechtte haar zijn verbijstering op, maar hij had er geen vermoeden van dat de woorden van zijn moeder hem nog veel meer zouden verbazen. De vrouw, die al even verbijsterd was als hij, zei dat ze nu wel bij Alfred werkte, maar dat ze ook een patiënt van Jacques was geweest. *Dat kon niet!* Moeder en zoon door dezelfde analyticus behandeld, met twintig jaar ertussen, zonder dat iemand het in de gaten had gehad! Didier kon het niet geloven: het was alsof hun geschiedenis de herhaling was van een Griekse tragedie.

'Waar heb je hem leren kennen? En wanneer?' vroeg Anzieu haar.

'Begin jaren dertig, in de Saint-Annekliniek…' En daarna zei ze: 'Ik heb dat stuk ongeluk al mijn manuscripten gegeven, maar hij heeft ze nooit willen teruggeven. Laatst kwam hij bij zijn vader op bezoek (dat doet hij heel zelden) en natuurlijk was hij stomverbaasd toen hij mij hier zag; maar dat kon me niks schelen en ik eiste dat hij me mijn spullen teruggaf. Die snertdokter negeerde me alsof ik nog steeds niet goed bij mijn hoofd ben, en liet me links liggen...'

Zoals Oedipus overkwam op het moment dat hij de gruwelijke onthullingen vernam van Theiresias, duurde het niet lang voordat Anzieu het verband zag tussen de dingen.

'Moeder, maar dan ben jij…'

'Ja, mijn zoon, Jacques heeft me maandenlang geïnterviewd om zijn proefschrift te kunnen schrijven, hij heeft me gebruikt en daarna beroofd…'

Anzieu kon het niet geloven. Zijn moeder, de moeder die hem als kind in de steek had gelaten, de moeder die zo lang in psychiatrische inrichtingen had gezeten, de moeder die waanzinnig veel van hem had gehouden, Marguerite Anzieu, meisjesnaam Pantaine, was niemand anders dan Aimée, de patiënte door wie Lacan beroemd was geworden! Zijn moeder was de gekkin die de actrice Huguette ex-Duflos had willen vermoorden! Zijn moeder was de hoofdpersoon in *De la psychose paranoïaque dans ses rapports avec la personnalité*! Door een onstuitbare innerlijke drang voortgedreven ging Didier op zoek naar het proefschrift van Lacan. Hij las het nu niet langer als een van de boeken die de grondslag hadden gelegd voor de Franse psychoanalyse, maar om te zien waarvan zijn moeder was beroofd. De goden van de Olympus hadden niet wreder kunnen zijn: zijn moeder was de sterpatiënte van Lacan geweest en nu analyseerde diezelfde man haar zoon, de zoon van Aimée.

Anzieu besloot Lacan de waarheid te onthullen. Toen de psychoanalyticus het verhaal hoorde, probeerde hij zijn verbijstering, zijn schaamte of zijn leugen te verbergen. Had hij echt niets in de gaten gehad? Was hij de achternaam van zijn beroemdste patiënte vergeten? Nu hij op deze fout – deze onvergeeflijke lapsus – werd betrapt, kon Lacan geen ander argument verzinnen dan dat Didier dankzij zijn analyse tenminste wist wie hij was. En alsof dat nog niet genoeg was bezwoer hij hem dat hij nooit aandacht had geschonken aan de naam van de echtgenoot van Marguerite, want volgens het register van de Sainte-Anne was zij daar bij aankomst onder haar meisjesnaam ingeschreven en dus had hij haar nooit in verband kunnen brengen met zijn Aimée. Was het waarschijnlijk dat een psychiater die iemand maandenlang behandelt en zelfs een proefschrift over haar geval schrijft, haar ware achternaam nooit was tegengekomen?

Sindsdien kon Anzieu als hij naar Lacan ging niet uit zijn hoofd zetten dat hij tegenover de vroegere psychiater van zijn moeder zat en dus tegenover de man die het verhaal van zijn afkomst bezat. Aan het begin van de zomer van 1953 deelde Didier Lacan mee dat hij had besloten met de behandeling te stoppen. Lacan probeerde hem op andere gedachten te brengen: hij kon het niet uitstaan dat zo'n waardevolle patiënt hem ontglipte. Hij zei dat hij erover dacht een boek over zijn geval te schrijven (het tweede deel van zijn proefschrift dat de onontkoombare titel kreeg: *Twintig jaar later*), en dat hij daar zijn hulp bij nodig had: Anzieu moest hem de aantekeningen geven die hij tijdens de analyse had gemaakt. Als een soort laatste daad van gerechtigheid beperkte de zoon van Aimée zich ertoe die overhandiging *ad infinitum* uit te stellen. Intussen werd zijn vijandige houding jegens Lacan steeds duidelijker: eerst zette hij vraagtekens bij diens praktijken maar op het laatst werd hij een van diens strengste critici. De cirkel sloot zich.

Vijftien jaar nadat hij zijn behandeling bij Lacan heeft afgebroken, schiet Didier Anzieu, alias Épistemon, nog altijd zijn pijlen af op Lacan en en passant op al diens collega's. De jongeren die nu tegen de macht in opstand komen lijken sterk op hem: die rebelleren ook tegen hun ouders en leermeesters, ze vechten ook tegen het noodlot dat hen overstijgt en ze proberen te ontsnappen aan het onheilspellende *va-der-zegt-nee* waarvan Lacan de personificatie en de wederopstanding is. Voor Didier Anzieu is er geen twijfelt aan: mei '68 betekent de overlijdensakte van het structuralisme. En de definitieve wraak van Aimée.

'We moeten gaan!'

Claires stem haalde me uit mijn lectuur. Konden mensen van haar leeftijd zich niet anders uitdrukken dan op schreeuwtoon? Ik legde mijn boek weg – *De la misère en milieu etudiant,* dat ze me zelf cadeau had gegeven – en deed de deur open. Haar ogen zetten de kamer in vuur en vlam.

'Waarom zo'n haast?' vroeg ik terwijl ik mijn schoenveters vastknoopte.

'Hij wordt woedend als we te laat komen!'

'Wie?'

'Ja, wie zou dat zijn? Lacan.'

We renden op volle snelheid de trap af en eenmaal buiten het pension sleurde Claire me mee naar de metro; ik had een hekel aan dat duistere transportmiddel – het is onwaardig om zo lang onder de grond te verblijven –, maar het was onmogelijk haar op andere gedachten te brengen. Hoewel het in Frankrijk niet fatsoenlijk wordt gevonden de medemens in de ogen te kijken (het is alsof je dan iemand verkracht), was het voor mij de enige manier om mijn claustrofobie de baas te worden. Zo ontdekte ik nog een lokale eigenaardigheid: in de Parijse metro praat niemand en als hij het wel doet, alleen *sotto voce,* alsof de passagiers de metro beschouwen als een kapel of een heilige plaats. Vandaar dat die jongeren zo brullen: ze moeten de stilte doorbreken die hen door de ouderen wordt opgelegd.

'Alles zal goed gaan als jij je mond niet opendoet,' waarschuwde Claire me toen we in de rue de Lille waren. 'Je moet de anderen het woord laten voeren.'

De anderen? Omdat ik zo met mijn eigen dingen bezig was geweest, had ik geen aandacht besteed aan de lijst namen die Claire me onderweg had opgesomd. Ik voelde me als verlamd. Lacan mocht dan misschien een gewone sterveling zijn, het idee dat ik op het punt stond een genie te ontmoeten kon ik niet uit mijn hoofd zetten.

Zodra Claire had aangebeld, liet Gloria ons binnen.

'*Aiaiai!*' riep ze met een onmiskenbaar Spaans accent. 'De meester zit al meer dan een halfuur op jullie te wachten! O lieve Heer, wie zal hem nu kalmeren?'

Ik dacht erover haar in het Spaans te antwoorden, maar ik herinnerde me dat Claire me had bevolen voorzichtig te zijn.

'Ga maar gauw naar boven!' verordonneerde Gloria. 'Aiaiai, wie komt er nou op het idee om van die rebellen uit te nodigen?'

We volgden de secretaresse naar de derde verdieping van het huis, liepen door een aantal kleine wachtkamertjes en werden uiteindelijk in zijn kantoor gelaten. Het was een sobere en tegelijk prettige ambiance; alleen door de onvermijdelijke divan kreeg dit decor een enigszins professioneel aanzien. Een groep jongeren zat om Lacan heen en legde hem de redenen van de studentenopstand uit; in de tussentijd maakten twee volwassenen aantekeningen en leverden felle kritiek op de meningen van de jongeren. In deze herrie merkte niemand dat we te laat waren.

'Die daar is Danny le Rouge,' fluisterde Claire me in het oor. 'En dat is Serge Leclaire, een van de leden van de School.'

De scène deed denken aan de ontmoeting tussen een groep antropologen en een kannibalenstam. Beide groepen verdedigden hun standpunten en hoewel lacanianen zowel als studenten zeiden dat ze vóór de revolutie waren, kreeg dit woord een geheel andere betekenis naar gelang wie het uitsprak. Lacan schonk amper enige aandacht aan de discussie en handhaafde zijn neutrale positie. Vond ik hem op dat moment indrukwekkender, onweerstaanbaarder, ondraaglijker of wreder dan ik me had voorgesteld? Hoewel ik hem maar op enkele centimeters afstand vóór me had – ik kon zijn tweedjasje bijna aanraken en zijn vreemde adem ruiken –, lukte het me toch niet me een mening te vormen over zijn bedoelingen. Waarom had hij die jongens uitgenodigd? Wilde hij zich vaderlijk voordoen of juist onverzoenlijk? Zijn gedrag had iets onzekers, waardoor ik er niet achter kon komen wat zijn verlangen was. Met zijn snelle, zinvolle opmerkingen zette hij de vage speculaties van zijn gesprekspartners op losse schroeven, maar hij zorgde ervoor hen niet al te streng te beoordelen. De jongeren, die eerder uit het veld geslagen dan geïrriteerd waren, konden niet aan zijn dialectische valkuilen ontsnappen – Lacan was een ervaren redenaar –, en ze stuitten steeds weer op zijn onverschilligheid of zijn hermetisme. Tijdens hun meetings en vergaderingen hamerden zij altijd op de noodzaak de mandarijnen van de cultuur uit te schakelen, maar als ze er een tegenover zich hadden gedroegen ze zich als bange muizen. Waarom waren ze naar deze bijeenkomst gekomen? Cohn-Bendit en zijn volgelingen hadden zich in het hol van de leeuw gewaagd.

'En als jullie op een dag de overwinning behalen, wat denken jullie dan te gaan doen?' was de vraag die Leclaire op Danny le Rouge afvuurde. 'Gaan jullie dan een Nationale School voor de Administrateurs van de Revolutie oprichten?'

Lacan kon zijn lachen niet houden. Omdat de vraag zo onverwacht kwam wist Danny niet wat hij moest antwoorden op deze provocatie, en hij brabbelde slechts wat warrige dingen: hij verzekerde dat alle oorlogen anders zijn, dat de soldaten nooit dezelfde zijn, dat je de Spaanse republikeinen beslist niet kon vergelijken met de strijders bij Verdun... Maar wat deed dat er verdomme allemaal toe? Lacan moest weer lachen: die arme jongen kon niet aan hem tippen. Genietend van zijn overwinning maakte hij van die gedachtewisseling een magistrale les en begon hij zijn geïmproviseerde leerlingen te examineren over hun kennis van de psychoanalyse. Van hun stuk gebracht bekenden de jongens dat ze Freud inderdaad niet hadden gelezen.

'Het is ontoelaatbaar dat iemand die zichzelf een revolutionair noemt het verzamelde werk van Freud niet uit zijn hoofd kent!' donderde Lacan. 'Scheren jullie je weg, onwetenden!'

De jongeren begrepen niet waarom de oude heer zo boos werd.

'Maar, dokter...' stotterde Cohn-Bendit.

'Niks dokter, wegwezen!'

Zeer tegen haar wil probeerde Claire als bemiddelaarster op te treden, maar zoals alle verlossers werd zij aan het kruis genageld. Nog voordat ze aan haar betoog was begonnen ontnam Lacan haar het woord en sloeg met de vuist op tafel.

'Als jij het er niet mee eens bent kun je ook vertrekken!'

De jongens keken elkaar aan en wisten niet wat ze moesten doen. En op dat moment, zo'n seconde waarin je toekomst wordt bepaald, waagde ik het tussenbeide te komen. Ik was niet van plan om Claire en haar vrienden te ergeren maar er kwam een stem uit mijn binnenste die in mijn naam sprak.

'Hebben jullie dokter Lacan niet gehoord, sukkels?' schreeuwde ik. 'Of zitten jullie revolutionaire oren soms vol was? Opgelazerd, stelletje piassen!'

Alle aanwezigen keken me ontzet aan, ze hadden er geen idee van wie ik was. Claire was natuurlijk het meest verbaasd. Was ik gek geworden? Claire was buiten zichzelf en schold me de huid vol; alleen Lacan met zijn beheerste optreden slaagde erin haar tot kalmte te brengen.

'Claire, laat hem met rust,' beval hij. Vervolgens richtte hij zich tot de rest en voegde er aantoe: 'Het is het beste dat jullie vertrekken, we hebben niets meer te bespreken.'

Claire vertrok als eerste; haar kameraden volgden haar op de voet. Voordat hij de spreekkamer verliet bleef Danny opeens staan.

'Weet u, dokter, de revolutie heeft brandstof nodig. Zou u zo vriendelijk willen zijn iets bij te dragen voor onze zaak?' vroeg hij Lacan.

'Vraag je me om geld?' zei de psychoanalyticus verontwaardigd.

'Een symbolische bijdrage,' drong Cohn-Bendit brutaal aan. 'We hebben heel veel onkosten, weet u: spandoeken, vlugschriften, folders, medicijnen ...'

Lacan zocht in zijn portefeuille en haalde wat bankbiljetten tevoorschijn met weinig nullen erop; ondanks zijn woede wilde hij toch niet als gierigaard te boek staan. Danny stopte het geld weg en vertrok zonder hem zelfs maar te bedanken: per slot van rekening had hij alleen maar de zoveelste walgelijke bourgeois geplukt. Leclaire en de andere leden van de School maakten van de gelegenheid gebruik om afscheid te nemen; ik wilde snel hun voorbeeld volgen.

'Wacht u even, ik zou graag wat met u praten,' hield Lacan me tegen. 'Claire is niet eens zo attent geweest ons aan elkaar voor te stellen.'

'Mijn naam is Aníbal Quevedo,' fluisterde ik. '*Dokter* Aníbal Quevedo.'

In mijn eerste levensjaar ben ik niet eens een mens. Mijn status is die van *infans*, een gehandicapt wezen dat in tegenstelling tot de volwassenen niet in staat is de taal te gebruiken. Als de woorden de enige wapens zijn die aan de objecten werkelijkheid verlenen, besta je niet vóór je eerste gebrabbel. Zolang ik geen begrijpelijke geluiden kan uitbrengen ben ik een ontdekkingsreiziger te midden van een stam inboorlingen: hoewel ik luister hoe de anderen praten en beetje bij beetje begrijp wat ze zeggen, ben ik door de ontoereikendheid van mijn stembanden tot een zelfgekozen isolement gedoemd. Pas als ik een woord uitspreek word ik een *persoon*. Johannes had groot gelijk toen hij schreef dat in den beginne het Woord was, alleen was dit woord eigenlijk een voornaamwoord – *ik* – dat gelijk staat aan een onafhankelijkheidsverklaring: door dit *ik* onderscheid ik me van de *ander*. En wie is die woeste en bedreigende *grote ander* anders dan de vader, wiens naam ik verafschuw zonder het te weten? Zoals elke zichzelf respecterende soeverein denkt hij er niet over mijn uitdaging te accepteren. *Nee!* schreeuwt hij tegen me. En door dit verbod behoudt hij zijn macht over me. Dat ik in opstand kom doet er niet veel toe – of ik met mijn uitwerpselen speel, de vloer aflik, de kat sla of mijn moeder begeer –: zijn neewoord zal al mijn gedragingen onderdrukken. Zo iemand wil je toch vermoorden? Om in leven te blijven vervloek ik duizend en één maal de afschuwelijke naam van de vader.

Je kon hem gemakkelijk voor een vos aanzien: de dikke, wittige vacht aan beide zijden van zijn schedel wees maar al te duidelijk op zo'n verwantschap. Die verdween echter zodra je je voorstelde dat hij zo snel mogelijk wegvluchtte voor een meute. Volgens zijn critici leek Lacan meer op een slang, de belichaming van de verwaandheid en de wreedheid, terwijl hij door zijn steeds feller opgehitste hartstocht voor raceauto's, bontjassen en buitenissige kunstwerken (je hoeft maar te denken aan zijn legendarische aankoop van het schilderij *Oorsprong van de wereld*) steeds meer begon te lijken op van die decadente, opgeblazen wezels die soms in de *Paris-Match* staan afgebeeld. Zijn aanhangers vereerden hem daarentegen als een halfgod, een titaan die plengen andere offers verdiende, een leken-Mozes die uit de Sinaï van het onbewuste was afgedaald met de basisconcepten van de psychoanalyse in plaats van met de tafelen der Wet. De redenen voor deze uiteenlopende oordelen waren geworteld in de aard van zijn geschriften: als hij een helder en geordend corpus had uitgedacht, als hij zijn geschriften enige transparantie had verleend, zou niemand het hebben gewaagd vraagtekens te zetten bij zijn talent; maar doordat hij begrijpelijkheid afwees en binnendrong in het koninkrijk van het occultisme en het geheim, gaf hij iedereen stilzwijgend toestemming hem op eigen wijze te interpreteren, waardoor er een eindeloze hoeveelheid lacaniaanse scholen, sekten en ketterijen ontstond.

Ondanks deze vooroordelen leek Lacan me op dat moment een aardige, grote broer. Er was een toon van verlegenheid te bespeuren in zijn manier van doen, er sijpelde een tikje schaamte door in zijn heftigheid, en zijn vals klinkende stem duidde op een onzekere man die het aan liefde ontbrak, een zoon wiens vader hem nooit het nodige vertrouwen had gegeven, een zwakke en gepassioneerde geleerde die zich ondanks zijn grillen niet op zijn gemak voelde in de wereld. In de dagelijkse omgang deed hij in geen enkel opzicht denken aan de ernstige, door honderden toegewijden geroemde redenaar of aan de venijnige reconstructeur van de psychoanalyse die ik bewonderde. Ver uit de buurt van de voetlichten viel de wreedheid van zijn humor op, de snelheid van zijn vernuft en zijn natuurlijke verleiderskunst. Ik zag opeens waarom Claire zo aan hem gebonden was: hoewel zijn critici hem als banaal en kleinzielig, doof en rancuneus afschilderden, als iemand die blindelings betoverd was door zichzelf, zag (wenste) ik die dag een nieuwsgierige, attente en tolerante Lacan. Een gelijke.

Toen we eindelijk alleen waren, verzocht Lacan me plaats te nemen; uit zijn bureau haalde hij een havana tevoorschijn – die fascinatie van psychoanalytici – en nam rustig een paar trekjes.

'Wat denkt u van deze jongeren, dokter Quevedo?' vroeg hij. 'Je kunt niet anders dan enige sympathie voelen voor hun vrijheidsverlangen, maar wat een onvolwassen gedoe!'

Ik knikte. Ik droomde: Lacan en ik zaten te praten alsof we goede vrienden waren.

'Waar komt u vandaan?'

'Uit Mexico.'

'Bent u al lang hier?'

'Een paar maanden.'

Ik durfde niets compromitterends te zeggen. Hij nam de laatste trek van zijn sigaar en keek op zijn horloge: mijn tijd raakte op.

'Ik ben ook psychoanalyticus,' bekende ik haastig, 'of dat was ik althans.'

'Praktiseert u niet meer?'

'Ik voel me in de steek gelaten door de psychoanalyse; ik weet niet zo goed wat me is overkomen, opeens ben ik de rest van mijn leven kwijtgeraakt, ik weet niet eens hoe ik in Parijs terecht ben gekomen. De laatste dagen zijn me heel vreemde dingen overkomen en nu denk ik dat de enige verklaring hiervoor misschien de ontmoeting met u is...'

Lacan snoof als een buffel.

'Weet u hoeveel mensen mijn hulp inroepen, dokter Quevedo?'

'Eindeloos veel, neem ik aan.'

'En dan durft u er ook nog om te vragen?'

'Ik kan niet anders.'

Ondanks zijn terughoudendheid merkte ik dat hij geïntrigeerd was door mijn geval.

'U bent gek,' snauwde hij.

'Daarom heb ik u zo nodig.'

Lacan barstte in lachen uit. Aangezien hij me niet zijn spreekkamer uit schopte, hield ik enige hoop.

'Ik ben wanhopig, dokter,' voegde ik eraan toe. 'Hoe kan ik u overtuigen? Laat u me dit gesprek tenminste betalen alsof het onze eerste sessie was.'

Zoals te voorzien wees Lacan mijn voorstel af; ik hield net zo lang aan tot hij er genoeg van had en me een idioot hoog bedrag vroeg in een poging me van mijn plan af te brengen. Ik was niet in een positie dat ik kon afdingen en overhandigde hem de bankbiljetten. Verbaasd en zonder ze zelfs maar te tellen stopte hij ze in een lade.

'Goed dan, zoals u wilt. Onze eerste sessie is afgelopen!' zei hij lachend. 'Ik moet u bekennen dat dit hele gedoe me nogal hongerig heeft gemaakt. Het zou een eer voor me zijn als u met mij ging dineren, *dokter* Quevedo.'

Het was een wonder: Lacan had er niet alleen mee ingestemd me te analyseren, maar hij behandelde me als een collega. We namen een taxi en reden naar La Coupole. Toen we het restaurant betraden sloegen we achterover van verbazing: aan een van de tafeltjes achterin zaten Danny *le Rouge* en zijn kompanen gretig te eten van de revolutionaire bijdrage die Lacan hun had gegeven. Zonder acht te slaan op hun geldsmijterij (misschien juichte hij die in het geheim wel toe) bestelde de psychoanalyticus Bretonse oesters.

De mensheid lijdt. *Ik lijd.* Waaraan? Dat weet ik niet precies: er is geen sprake van een lichamelijk ziekte, een hartkwaal of meningitis, ook niet van een virus, een verkoudheid of een besmettelijke ziekte. Mijn lijden zit blijkbaar niet in mijn organisme. Of ik nu gedeprimeerd of uitgerangeerd, opgewonden of koortsig ben, ik heb behoefte aan iemand die me helpt mijn kwelling te ontcijferen en de afgronden van mijn hel te duiden. Ik besluit dus een psychoanalyticus te raadplegen: dokter Jacques Lacan. Ik zie mezelf in zijn spreekkamer als een verdwaalde pelgrim, iemand die iets kwijt is maar niet precies weet wat. Nadat ik hem wantrouwend heb begroet ga ik op de divan liggen. Dan begin ik te praten. Het lijkt iets magisch en absurds: het enige wat ik hem kan aanbieden zijn woorden, het treurige en breekbare verhaal van mijn leven en toch stijgen diezelfde woorden boven mij uit, ik heb het gevoel dat ík het niet ben die ze uitspreekt, maar dat er een vreemde stem door mij – en door de geschiedenis van de taal – heen gaat en gebruik van me maakt. Verbaasd probeer ik mezelf te horen. Het zou idioot zijn te denken dat Lacan deze trance of waan oproept; de tijd van de sjamanen is voorbij en als ik praat richt ik me eigenlijk niet tot *hem*. Alsof het om een lang uitgesteld verlangen gaat geef ik me over aan de stroom die opborrelt uit mijn stembanden, mijn hersens of wie weet wat... Ziehier het grandioze idee van Lacan, hierdoor is hij verheven tot de status van reconstructeur van de psychoanalyse en tot de nieuwe (ketterse) opperpriester ervan: tijdens de behandeling tellen alleen de woorden van de patiënt, het enige werkmateriaal van de analyticus. Na die oneindige hoeveelheid verhalen te hebben aangehoord – en te hebben vastgesteld dat onder die verhalen een onderaards tij vloeide – begreep Lacan dat *het onbewuste gestructureerd is als een taal.* Dat was toch zo duidelijk als wat! Ik lijd in stilte, maar als ik dat verdriet (die afwezigheid) wil uitdrukken, moet ik gebruikmaken van tekens. Zo simpel is het! En wat is een teken anders dan een metafoor, een ding dat de plaats inneemt van een ander ding? Mijn verdriet spreekt namens mij, net als een woord of een verkeersbord. De symptomen modelleren mij. Hoofdpijn, nachtmerries, angst of geheugenverlies zijn de merktekens van mijn onbewuste. Net als een profeet beperkt een analyticus zich tot het ontvangen van de boodschap (het Woord) die ik hem stuur, en met een beetje geluk helpt hij me die te ontleden. De analyticus en ik blijven binnen de vier muren van zijn spreekkamer met elkaar verbonden door mijn symptomen. Die onthullen het bestaan van een *gestructureerd weten,* van een woord dat gevangen zit in mijn binnenste en dat me in het geheim kwelt als een larf. Dom genoeg verwar ik dat duistere lijden met bevrediging: en daarom noemt Lacan het *genot*. Een genot dat volop aan mij knaagt. Na een korte, maar vermoeiende analytische sessie erken ik dat ik altijd verdeeld zal blijven: met een beetje geluk zal ik de ene parasiet door de andere kunnen vervangen. In de tussentijd zal *het genot* in me blijven en me opvreten, me verleiden, me bevredigen, me verlichting schenken en me vernietigen...

Was het nodig Claire op te offeren om een wit voetje te halen bij Lacan? Ik werd door wroeging overmand en betreurde mijn vergissing. Ik verlangde naar haar. Maar ik was begonnen haar te vernietigen. Lacan had uiteindelijk toch gelijk: liefhebben is geven wat je niet hebt aan iemand die het niet wil.

'Wel...' De psychoanalyticus rukte me los uit mijn overpeinzingen.

Ik lag al meer dan tien minuten lekker op zijn divan. Voordat ik was gearriveerd had ik de onderwerpen die ik hem dacht voor te leggen op een stuk papier geschreven om zoveel mogelijk profijt te halen uit de schaarse minuten die hij me zou gunnen. Maar nadat ik al mijn zakken had doorzocht, begreep ik dat ik het papiertje kwijt was. Het was een hilarische situatie geweest als ik er niet zo zenuwachtig van was geworden. Uit angst dat Lacan mijn duidelijk mislukte actie zou ontdekken begon ik op de grond te zoeken naar dat verdomde papiertje. Op handen en voeten leek ik een speurhond die een schadelijk dier probeert te vangen. In het begin schonk Lacan niet al te veel aandacht aan mijn gepraat en wachtte tot ik klaar was met mijn speurtocht onder de divan. Al kruipend stelde ik me voor wat hij van mij zou denken: dat ik zo aan zijn voeten lag te rollen moest komen omdat ik in paniek was geraakt door hem. Ik kon zijn verveling bijna voelen.

Op het laatst bracht mijn gedrag hem buiten zichzelf: dat hij me moest aanzetten tot praten was nog tot daar aan toe, maar dat hij me op mijn buik over de vloer van zijn spreekkamer moest zien kruipen ging hem te ver. Woedend boog Lacan zich voorover om me in de ogen te kunnen zien. Intussen had ik eindelijk dat verdomde papier ontdekt, en ik rekte me uit om het te pakken, me niet bewust van de geïrriteerdheid van mijn analyticus. Lacan overtrad een van de regels van zijn methode (en gooide me er bijna voorgoed uit) en vroeg me wat er aan de hand was. Ik was zo geconcentreerd bezig met mijn manoeuvre dat ik geen antwoord gaf. In een vlaag van paranoia dacht Lacan dat ik hem uitdaagde.

'Wel allemachtig! Waarom geeft u verdomme geen antwoord, dokter Quevedo?' Zijn stem trilde. 'Heeft u me overgehaald om u te ontvangen zodat ik u hier over mijn tapijt kan zien rollen?'

Lacan was ervan overtuigd dat ik hem een poets bakte. Vastbesloten om zijn avond niet door mij te laten verpesten (hij had later een afspraak met een oud-leerlinge), probeerde hij zijn ademhaling te reguleren. Ik keerde terug naar de divan, geheel bereid om me netjes te gedragen. Hij was al gekalmeerd en had de situatie weer onder controle: nu zou ik aan een lange uiteenzetting beginnen en dan zou hij de gelegenheid krijgen me het zwijgen op te leggen – enerzijds uit trouw aan zijn methode maar ook een beetje uit wraak –, en daarna zou hij me een hoop geld laten betalen voor de kostbare tijd die hij door mij verloor.

Ik had me deze scène wekenlang voorgesteld, maar nu ik tegenover Lacan zat had ik hem opeens niets meer te vertellen. Mijn aantekeningen leken me zo absurd dat ik ze besloot weg te gooien. Ik was aan een plotselinge blokkade ten prooi en concentreerde me op het bestuderen van de muren van zijn kantoor. Voor de zoveelste keer die middag bleef Lacan geduldig: vroeg of laat moest ik wel gaan praten. Honderden patiënten zaten achter hem aan in de hoop dat hij naar hen zou luisteren, maar ik waagde het hem te negeren en was vastbesloten niet één stom woord uit te brengen! Had ik dan geen enkel respect voor hem? Betaalde ik hem alleen om hem te kunnen minachten?

'Wat speelt u voor spelletje, dokter Quevedo?'

Gealarmeerd door zijn duidelijke ongenoegen probeerde ik hem gerust te stellen.

'Voelt u zich wel goed, dokter Lacan?'

'Of ik me goed voel?' barstte hij los. 'Of ik me goed voel! U zit hier al bijna een uur en u heeft nog geen woord, al was het maar één lettergreep, uitgebracht! Waarvoor bent u hier? Neemt u me in de maling?'

Zijn gezicht zwol op als een ballon.

'Neemt u me niet kwalijk dat ik het zeg, dokter, maar ik zie dat u erg opgewonden bent, denkt u aan uw bloeddruk…'

'Mijn bloeddruk gaat u geen donder aan! Ik pik het niet…!'

'Windt u zich niet zo op, dokter,' viel ik hem in de rede. 'Vertelt u maar liever wat er met u aan de hand is, bedenkt u dat we collega's zijn.'

'Wie denkt u wel dat u bent?' Lacan keek me vol haat aan. 'Laat me met rust!'

'We hebben allemaal problemen, dokter,' ging ik verder, 'dat is heel logisch…'

Voordat Lacan kon antwoorden – het lukte hem alleen een 'g' uit te spreken die niets goeds voorspelde –, werd hij getroffen door kramp en viel hij op de divan alsof ik hem een dreun had gegeven.

Geschrokken door zijn kreet stormde Gloria het kantoor binnen; de krachteloze Lacan brabbelde onsamenhangende woorden (wellicht vloeken), terwijl ik hem probeerde te reanimeren.

'Maakt u zich geen zorgen, Gloria, hij was maar even buiten adem,' zei ik. 'Naar mijn mening heeft de dokter in deze dagen onder te veel druk gestaan. Ziet u wel? Het is niets ernstigs, hij krijgt alweer kleur. Gelukkig maar; u hoeft zich echt geen zorgen te maken, ik ben ook arts. Het is het beste als ik hier nog even blijf tot hij weer bij zinnen is.'

Opgelucht door mijn diagnose liet Gloria me met hem alleen.

'Zorgt u voor hem, dan ga ik in de tussentijd thee zetten,' zuchtte ze. 'Die man heeft me een temperament, aiaiai…'

Net als andere beroemde intellectuelen heeft Algirdas Julien Greimas – Guy voor zijn vrienden en A.J. in academische citaten – ook een hekel aan die eentonige jammerklachten van de jongeren. Hij heeft zijn leven eraan gewijd de taal te benaderen als een polyfone structuur en hij verdraagt het niet dat zijn studie wordt verstoord door die overdaad aan kakofonische kreten. *Stop die herrie!* Zijn onverschilligheid is bedrieglijk – hij wil niet al te hard worden aangepakt als het op een kort geding aankomt – want Greimas heeft eigenlijk een hekel aan zijn leerlingen: hun oproer is naar zijn idee niet meer dan een reusachtige driftbui, het geblèr van een stel brutale adolescenten onder leiding van een stel nietsontziende terroristen.

In tegenstelling tot Lévi-Strauss, die zich maar liever heeft opgesloten in afwachting van de nederlaag van de jongeren, komt Greimas nog altijd op tijd voor zijn lessen; het kan hem niet schelen dat er geen toehoorders zijn of dat zijn uiteenzettingen onverstaanbaar worden door de demonstraties, hij gaat koppig door met zijn colleges semiotiek, in de overtuiging dat hij de mensheid hiermee een grotere dienst bewijst dan alle revoluties bij elkaar. Met een van zijn Baltische voorouders geërfd geduld doet hij alsof hij de interpellaties niet hoort of legt hij zich erbij neer te moeten spreken in een lokaal vol geestverschijningen, waar niemand zijn stelling over de willekeurigheid van de betekenaar begrijpt. Met zijn hoge stemgeluid, dat op het gezoem van een mug lijkt, zet hij zijn eigen strijd voort: hij wil aantonen dat de enige vorm van vooruitgang gelegen is in de wetenschappelijke strengheid en dat alleen degene die de kennis van de exegeten bewaart een vrij mens is. Indien hij in een andere eeuw had geleefd was hij zonder enige twijfel theoloog geworden en had hij zich gewijd aan het herhalen van de duizend namen van de Boze in plaats van te experimenteren met tekens en functies.

Greimas is niet alleen een van de beste vrienden, maar misschien ook wel de meest geliefde kameraad van Roland Barthes. Ze geven allebei werkgroepen aan de École des Études Supérieures en ze vertonen dezelfde afstand en dezelfde ongeïnteresseerdheid (dezelfde gruwel) ten aanzien van de hysterie van de jongeren. Helaas hebben de twee mannen de wind niet mee: hun eigen leerlingen op de Sorbonne zijn dictators geworden en dwingen hen revolutionaire colleges te geven. In de omgekeerde wereld die mei '68 is zijn Barthes en Greimas om de beurt gijzelaars van die nieuwe wilden, en in plaats van college te geven – het gebruik van deze autoritaire term is nu onaanvaardbaar – doen zij niets anders dan luisteren naar de lange betogen van hun leerlingen, marathons van kletskoek die uren en uren doorgaan terwijl zij niet eens het recht hebben hen van repliek te dienen. Nu ze beroofd zijn van hun onderwijsbevoegdheid zit er niet veel anders voor hen op dan de vragen te beantwoorden die aan hen worden gesteld, als boeven die rekenschap moeten afleggen voor hun misdaden.

Die middag maakt Greimas aanstalten om zijn gedachten te laten gaan over de functie van de actanten, terwijl zijn gijzelnemers blaadjes uitdelen met de foto van Che erop. Door stap voor stap een spirituele oefening te doen probeert hij zich op zijn tekens te concentreren om niet al die onzin te hoeven aanhoren: WEEST REALISTISCH: EIST HET ONMOGELIJKE, wat een nonsens! Nadat hij die kwelling twee uur heeft doorstaan – wat kan een linguïst meer kwellen dan grammaticale fouten? – ziet Greimas opeens hoe Catherine Backès-Clément, ooit een van de vurigste deelneemsters aan zijn werkgroep, juichend het lokaal binnenstormt met het laatste nieuws.

'Kameraden!' gilt de jonge vrouw met een betreurenswaardig enthousiasme, 'ik kom van de algemene vergadering bij filosofie. We hebben een motie aangenomen die als volgt eindigt: *Het is duidelijk dat de structuren niet de straat op gaan...*'

Alsof hiermee de overwinning op een vijandelijk leger is gemeld juicht de menigte de boodschapster toe. De volgende ochtend staat er met enorme letters in de gang van sectie IV in de École des Études Supérieures op het bord gekalkt: BARTHES ZEGT: 'DE STRUCTUREN GAAN DE STRAAT NIET OP.' WIJ ZEGGEN: 'EN BARTHES OOK NIET.'

Greimas kan het niet ontkennen: het is een vernuftig zinnetje. Hij heeft geen flauw idee waarom deze leuze aan zijn vriend wordt toegeschreven, maar sindsdien komt hij hem overal tegen – zelfs op een Amerikaanse universiteit – als leitmotiv van degenen die de dood van het structuralisme voorspellen. Maar Barthes neemt de dingen niet zo kalm op: hij heeft de gebreken van de bourgeoisie (en zijn eigen gebreken) altijd veroordeeld en hij verdraagt het niet de risee van die jongens te worden.

Waarom gaan ze zo tegen hem tekeer? Waarom hebben ze de pest aan hem? Het mag iets onbeduidends lijken, een onschuldige grap zonder verdere gevolgen, maar hij heeft het idee dat ze hem aan het kruis willen nagelen. Na die dagen in mei van het jaar 1968 is Barthes niet meer de oude: een van zijn onzichtbare draden is voorgoed afgebroken. Verbitterd aanvaardt hij enkele weken later een uitnodiging om les te gaan geven in Marokko – hij had ook naar de hel kunnen gaan – om zijn ontgoocheling te verzachten. Misschien valt het niemand op, maar op dat moment begint Barthes, vele jaren voordat hij in de rue des Écoles door een tram wordt overreden, aan zijn lange reis naar de dood.

Tegen al mijn voorspellingen in maakte Lacan een nieuwe afspraak met me. Ditmaal duurde het onderhoud niet langer dan vijf minuten – en was het driemaal zo duur als het vorige –, maar ik voelde me aan het eind inderdaad bevrijd. De spanning die je in zijn aanwezigheid onderging was zó sterk dat enkele momenten met hem ruimschoots voldoende waren als vervanging van verschillende uren freudiaanse analyse. Tijdens mijn volgende bezoeken aan de rue de Lille 5 was er weliswaar nog altijd enige turbulentie in mijn verhouding met Lacan – meer dan eens stond hij op het punt me eruit te gooien –, maar langzamerhand veroverde ik toch zoiets als berusting van zijn kant. De clou van deze vooruitgang had te maken met de manier waarop ik de eigenaardigheden van zijn methode benaderde, met name zijn verdediging van korte sessies, die afwijking van de orthodoxie waardoor hij zich de vijandschap van het bestuur van de IPA, de International Psychoanalytical Association, op de hals had gehaald.

Omdat hij ervan overtuigd was dat de duur van de analyse niet aan een strak patroon gebonden mocht zijn – de reglementaire vijftig minuten –, had Lacan de sessie van wisselende duur ingevoerd. Later getuigden zijn patiënten dat hij de hun toebedeelde tijd langzaam maar zeker verminderde, alsof ze van het koekje hadden gegeten waardoor Alice steeds kleiner werd. Zo liepen de vijftig minuten terug tot twintig en die op hun beurt weer tot tien, vijf of in de meest extreme gevallen zelfs tot enkele seconden, waarmee ze in feite het ideaal van de *niet-sessie* naderden. Volgens Lacan was het zinloos dat de analysant al zijn angsten, dromen, passies en wartaal eruit gooide (spraakzaamheid was een barrière opgebouwd met lege woorden), en hij vond het zinvoller de patiënt te leren zijn *vraag* zo snel mogelijk te formuleren.

Een van de typische nadelen van de orthodoxe psychoanalyse is dat de analyticus tot een soort lekenpriester of platonische minnaar wordt getransformeerd, omdat hij door de overdracht een armzalige raadgever op het gebied van de gevoelens wordt die in het beste geval het verlangen van de ander ondermijnt, maar het nooit opheft. Volgens dit schema is de analyticus verplicht ware melodrama's te slikken terwijl de patiënt de hele tijd heerlijk over zichzelf zit te praten. Om deze valstrik te vermijden – en aan de verveling te ontsnappen – kapte Lacan de neiging tot fabuleren van zijn patiënt in één keer af door hem te dreigen dat hij hem onverwachts zou onderbreken in zijn verhaal. Het idee was de analysant hiermee bij de les te houden en te verhinderen dat hij zich te veel ontspande en te voorkomen dat hij in gruwelijke herhalingen verviel. De analyticus kon zich dan op een belangrijker taak concentreren: het *aanscherpen* van de sessies en ze zin geven. In tegenstelling tot de slaafse adepten van de IPA toonde Lacan geen medelijden wanneer hij de sessies op de meest onverwachte momenten afbrak en daarmee de oplossing van de raadsels uitstelde. Voor vele patiënten was dit een frustrerende of claustrofobische ervaring, maar in de praktijk boekte hij resultaten waar de klassieke methode jaren over zou hebben gedaan. Toen ik deze strategie had ontrafeld, wilde ik in elk geval geen slachtoffer worden van zijn systeem, en ik zorgde ervoor dat ik de sessies zelf beëindigde voordat Lacan me afkapte. Deze ongewone strijd tussen ons, de analyticus en de analysant, gaf onze ontmoetingen een onverwachte spanning: als twee pokerspelers die hun kaarten verbergen of proberen te bluffen hielden Lacan en ik een wedstrijdje wie er het eerst een eind maakte aan de analyse.

Het ware begin van onze vriendschap voltrok zich echter een week later dankzij een omstandigheid die niet veel met onze strijd te maken had. Zoals gewoonlijk lag ik op de divan klaar om aan ons *eindspel* – zo begon ik het stiekem te noemen – te beginnen, toen Claire opeens de spreekkamer binnenstormde. Achter haar bereidde Gloria's strenge blik zich voor op een ramp. Ik had Claire niet teruggezien sinds de mislukte ontmoeting tussen Lacan en Danny le Rouge. Haar koortsige gezicht voorspelde het ergste.

'Ik houd het niet meer uit!' schreeuwde ze tegen Lacan; vervolgens richtte ze zich tot Gloria en tot mij: 'Proberen jullie me niet tegen te houden!' Claire haalde een mes uit haar zak en liet het ons met exhibitionistische verrukking zien. 'Komen jullie niet dichterbij!'

Met een theatraal gebaar hield ze haar linkerpols uitgestrekt voor onze ogen – het arme kind had te veel romannetjes of klinische gevallen gelezen – en probeerde ze haar aderen door te snijden met dat botte mes: het was een keukenmes, net zo een als Aimée had gebruikt. Ze had nog maar een heel klein sneetje in haar huid gemaakt – er gleed een piepklein druppeltje bloed over haar onderarm – toen ik haar van achteren vastpakte. Lacan vertrok geen spier en bewoog zich niet eens.

'Kom mee, ik breng je naar huis,' zei ik en zonder op toestemming te wachten sloeg ik mijn arm om haar heen en liep de trap met haar af.

Onderweg wisselden we geen woord, elk van ons geconcentreerd op zijn eigen wroeging. Claire deed niets anders dan met verscheurde blik op haar nagels bijten. Hoe bestond het dat een intelligente jonge vrouw als zij af en toe in een kopie van zichzelf veranderde? Nu we daar zo samen in de middelmatige duisternis van de voorsteden liepen, werd mijn verlangen groter dan ooit. Ik keek uit mijn ooghoeken naar haar: zelfs in deze staat van bijna instorting – dikke wallen onder haar ogen verduisterden haar gezicht en haar oogleden waren nog steeds gezwollen – bezat Claire een innerlijk licht waardoor haar kwetsbaarheid en haar waanzin werden getemperd. Op haar kamer deed Claire haar schoenen uit, liet zich op bed vallen en legde een kussen op haar gezicht: ze wilde niet dat ik haar zag huilen. Ik ging naast haar zitten en streelde haar haar.

Ze sloot haar ogen en opende ze pas weer toen ze enkele uren later zwetend wakker schrok door haar eigen schreeuw.

'Rustig maar, je hebt een nachtmerrie gehad…' fluisterde ik in haar oor. 'Voel je je al beter?'

'Hoe laat is het?'

'Drie uur in de nacht. Voor het geval je het niet meer weet, vandaag heb je geprobeerd je polsen door te snijden voor de ogen van Lacan.'

Door de slaap was ze haar belachelijke daad vergeten.

'Ik had beter de zijne kunnen doorsnijden,' riep ze terwijl ze een sigaret zocht. 'Kom bij me in bed, ik bevries.'

Ik omhelsde haar met het gevoel dat er gevaar dreigde. Toen ik haar lippen op de mijne voelde, begreep ik waarom ze mij zo aantrok: in haar leven (in haar koortsdroom) liepen de revolutie en de psychoanalyse door elkaar.

Lacan was een veelzijdig schrijver: hij beoefende het griezelverhaal, het erotische genre, het melodrama en de zedenkomedie, maar hij was vooral een geweldige humorist. Ik vermoed dat zijn bewonderaars verontwaardigd zullen zijn als ze dit oordeel horen, maar je hoeft maar iets van hem te lezen of je ontdekt zijn satirische talent. Achter zijn altijd stringente beweringen – het is niet zijn bedoeling de lezer aan het lachen te maken maar om de spanning te bewaren –, verbergt zich een speelse geest die de hele wereld in de maling neemt. Zijn beste grap? In 1966, toen Lacan vijfenzestig was, publiceerde uitgeverij Éditions du Seuil *Écrits*, een dik boek, bezorgd door François Wahl, met daarin het grootste deel van de teksten die Lacan de laatste jaren had geschreven. Tegen alle voorspellingen in had het boek een ongeëvenaard succes: binnen veertien dagen waren er vijfduizend exemplaren van verkocht en in de loop van de volgende maanden vijftigduizend, terwijl de pocketeditie in twee delen de honderdvijftigduizend haalde. Waarbij nog de vertalingen moeten worden opgeteld en de talloze herdrukken die elkaar sindsdien hebben opgevolgd... Het komische – je kunt het niet anders noemen – zit hem in de bijzondere aard van deze bestseller: ik wil niet beledigend klinken, maar het is een feit dat *Écrits* volstrekt onbegrijpelijk is voor iemand die niet is ingewijd in de lacaniaanse leer. Zouden er in die tijd in Frankrijk zo veel lezers zijn geweest die zijn ingewikkelde theorieën konden begrijpen? Natuurlijk niet. En dus? De psychoanalyticus aarzelde niet *Écrits* aan te bieden aan mensen die niet verder zouden komen dan de eerste regel, zoals hij zelf wist. Volgens sommigen wilde Lacan dat zijn ideale lezer de grootste moeite moest doen om de betekenis uit zijn woorden te distilleren; maar anderen insinueerden dat hij gewoon niet kon schrijven; de waarheid ligt tussen deze twee uitersten: de psychoanalyticus maakte zich in gelijke mate vrolijk om iedereen.

Aangemoedigd door dit succes, dreef Lacan zijn grap steeds verder door tot steeds gewaagdere uitersten. Al spoedig kwam hij op het idee zijn theorieën te larderen met wiskundige en topologische elementen – en verzon hij zelfs een sciencefictionwereld die hij de 'borromeusplaneet' noemde –, vastbesloten te bewijzen dat het onbewuste kon worden onderzocht als een mathematisch model. Ik durf de knapste specialist uit te dagen een tekst als *La topologie et le temps* te ontcijferen: door zijn obsessie om Joyce te imiteren, aan wie hij een van zijn beroemde werkgroepen wijdde, wilde Lacan de taal tot de grenzen van het niet-communiceerbare brengen. In zijn laatste artikelen stuit je op schema's, spiralen, *torussen* en Moebiusbanden – van betekenis ontdane betekenaars –, onmogelijke figuren die slechts zijn hartstocht voor de fantastische literatuur onthullen. Bovendien verwijzen zijn termen geen van alle naar de objecten die er doorgaans mee worden geassocieerd: in zijn werk is een *fallus* geen fallus en het *genot* geen genot, verwijzen het *werkelijke*, het *symbolische* en het *fantastische* niet naar het werkelijke, het symbolische en het fantastische; de *vader* is nooit alleen maar de vader, de dingen en de personen verdwijnen om plaats te maken voor functies, voorstellingen en leegtes... En dan hebben we het nog niet over zijn neologismen! Alleen Joyce overtreft hem qua inventiviteit en spitsheid: *père-version, lalangue, sinthomme, hommelette, discours uni-ver-cythère*... De lijst zou eindeloos worden. Vanuit zijn graf lacht Lacan nog altijd om de mensen die hem per se serieus willen nemen.

Door het incident met Claire veranderde Lacans houding tegenover mij volledig. Zo hij me eerst met een mengeling van onverschrokkenheid en verveling accepteerde, bewonderde hij me nu bijna. Mijn verdienste was dat ik hem van die gekkin had bevrijd! Toen ik me twee dagen later weer op *mijn* divan installeerde, wond hij er geen doekjes om.

'Gefeliciteerd, dokter Quevedo. Ik wist niet meer hoe ik van haar af moest komen!'

En alsof het nog niet genoeg was dat hij aldus zijn beklag had gedaan, begon hij me enkele gênante details over zijn verhouding met Claire te vertellen. Hij vroeg me geen moment wat ik van zijn gedrag of zijn beslissingen vond, hij had gewoon een gesprekspartner nodig die hem zonder vooroordelen aanhoorde. Omdat hij door de roem in een te groot isolement was geraakt, had hij niemand aan wie hij zijn moeilijkheden durfde toe te vertrouwen uit angst dat hij ijdel, platvloers of zelfs zwak zou klinken. Maar tegenover iemand als ik, die in Frankrijk niemand was, kon hij zonder angst zijn hart luchten. In een geur van genade verliet ik het huis aan de rue de Lille 5: eindelijk had ik een vleugje menselijkheid gevonden in de meester. Tijdens mijn volgende bezoek zorgde ik ervoor dat de gebeurtenis zich herhaalde en in plaats van hem een episode uit mijn leven te vertellen verzon ik een scène die de relatie die hij met Claire had maximaal weergaf. Nadat Lacan enkele seconden had nagedacht, hapte hij en vroeg of ik zijn minnares nog had gezien.

'Ja, en ik vind dat ze er weer wat beter uitziet,' loog ik. 'Ze is altijd onvoorspelbaar, zoals u weet.'

Na een korte stilte begon ik hem, zonder dat er verdere voorwendsels voor nodig waren, resoluut vragen te stellen over Claire.

'Wat is er toch met u aan de hand?' vroeg ik, mijn verlangen verborgen houdend.

'Als ik dat eens wist!'

Sindsdien hoefde er niet meer geveinsd te worden: ik ging gewoon net als de andere patiënten naar zijn spreekkamer, maar in plaats dat hij naar mij luisterde, vertelde hij me over zijn leven met Claire terwijl ik op de divan geposteerd naar hem luisterde. Nu hij zijn wantrouwen opzij had gezet, wisselden we van rol en veranderden die gesprekken uiteindelijk tot onze verrassing in een ware analyse. In de maanden dat zijn behandeling duurde gedroeg hij zich in het openbaar ogenschijnlijk onverschillig tegenover me. En hoewel ik slechts een dolende was in een tijd en op een plaats die me niet toebehoorden, genoot ik een voorrecht waarvoor tallozen van zijn leerlingen hun ziel aan de duivel verkocht zouden hebben. Ik had niet om dat cadeau gevraagd: Lacan had me zelf uitgekozen en me tot zijn analyticus gemaakt, een daad van grote generositeit.

Ik deed een paar dagen niets anders dan geschriften lezen als *Het rode boekje, La société du spectacle, De la misère en milieu étudiant*… of het *Traité de savoir-vivre pour les jeunes générations*. In een steeds vijandiger wordende wereld was ik ervan overtuigd dat het mijn missie was Claire zowel tegen Lacan als tegen de politie te beschermen. *Ik moest haar redden. Ik moest haar laten leven.* Om daarin te slagen zat er niets anders voor me op dan te proberen haar uitdaging te begrijpen.

In deze periode van herdefiniëring begon ik voor het eerst in vele maanden de kranten weer door te nemen: tot mijn ontsteltenis ontdekte ik dat de jongeren unaniem werden afgewezen. Als de media zich in hun totaliteit tegen hen verenigden, als iedereen hen in mindere of meerdere mate veroordeelde, dan hadden de studenten misschien wel enigszins gelijk. Ze hadden geen enkele hoop en daardoor vertegenwoordigden ze misschien wel de enig mogelijke hoop. Beetje bij beetje, bijna zonder dat ik het merkte, begon mijn sympathie voor hen te groeien.

In het begin kostte het me moeite Claire van mijn gedaanteverwisseling te overtuigen, maar toen ik haar zei dat ik de leeghoofdigheid van mijn burgerlijke bestaan niet langer kon verdragen en me bij de beweging wilde aansluiten, had ze direct minder bezwaren. Ik maakte nu elke dag een afspraak met haar of volgde haar naar de smerige cafés waar ze met haar kameraden bijeenkwam en waar ik aandachtig luisterde naar hun aanklacht tegen de vervreemding door het kapitalisme, hun enthousiasme voor Che en de jonge Marx, hun hartstocht voor Debord en de Beatles, hun woede ten aanzien van de Verenigde Staten, de oorlog in Vietnam en het sovjetimperialisme.

'Ik dacht dat jij walgde van onze revolutie.'

'Ik zie de dingen nu anders dan vroeger, jij hebt ervoor gezorgd dat ik veranderd ben,' bekende ik. 'Stel me maar op de proef.'

Claire keek me wantrouwig aan, maar ging uiteindelijk door de knieën.

'Goed. Morgen is er weer een demonstratie. Er zijn altijd handen nodig om een ME'er op zijn bek te slaan.'

Na een afwezigheid die voor hun gevoel eindeloos lang heeft geduurd, kan Foucault Daniel eindelijk omhelzen. Het is nog maar een paar uur geleden dat zijn vliegtuig op Orly is geland, want hoewel hij eerder had willen afreizen zag hij zich door de politieke situatie in Tunesië gedwongen zijn vertrek uit te stellen. Daniel belde hem voortdurend op om te zeggen dat hij de uitbarsting niet mocht missen, want die was volgens hem de voorbode van de revolutie in Frankrijk. 'Je moet komen,' zei Daniel steeds, druk op hem uitoefenend om hem van de stranden van Tunesië los te rukken, 'het einde is nabij, we hebben je hier nodig.'

Na de nacht van de barricaden, toen het hele land zich bij de rebellen aansloot om de algemene staking te steunen die op een ander moment ondenkbaar was geweest, werd Deferts aandrang versterkt. Het waren niet langer enkele universitairen die de zaak ophitsten, maar talloze sectoren in de maatschappij, vakbonden, arbeiders, intellectuelen en zelfs communistisch links voegden zich bij de algehele onvrede. Op maandag de twintigste waren er al meer dan tien miljoen mensen aan het staken. En op vrijdag de vierentwintigste, na een ongemakkelijke toespraak van de Generaal waarbij deze werd uitgefloten toen hij voorstelde een referendum te houden, herhaalde de nacht van de barricaden zich met meer geweld dan daarvoor... Er was geen tijd te verliezen.

Sinds Foucault in Parijs is aangekomen, houdt Defert hem als het ware in gijzeling en vertelt hem een- en andermaal zijn indrukken. Zonder tegenspraak te dulden onthult hij hem zijn banden met enkele jonge extremisten zoals Benny Lévi, en roept hem nogmaals op zich bij hun strijd aan te sluiten, hem eraan herinnerend welke maatschappelijke rol hij als filosoof hoort te spelen. Als klap op de vuurpijl insinueert hij dat Foucault een nieuwe Sartre moet worden – of liever gezegd dat hij Sartre moet overtreffen – en verzoekt hem de goede zaak te steunen zonder verder gezeur. Michel hoort hem zwijgend aan, steeds meer bereid in een *geëngageerde* intellectueel te veranderen zoals Daniel van hem eist. Na zijn belevenissen in Tunesië is hij meer dan ooit bereid actief aan het protest deel te nemen.

Bovendien loopt hij al dagen rond met het idee een informatiegroep op te richten die de excessen van de macht aan de kaak moet stellen, en wel op het terrein waarop in de moderne maatschappij die macht juist het meest genadeloos wordt uitgeoefend: de gevangenissen. Zodra Foucault zijn plannen aan Defert ontvouwt en hem om namen vraagt van mensen die aan het plan zouden willen meewerken, herkent deze eindelijk de gedaanteverwisseling die zich in de ziel van zijn vriend heeft voltrokken: dit is het einde van zijn ballingschap. Hij kan zijn blijdschap niet onderdrukken, stort zich op hem, waarna een omhelzing volgt die spoedig verandert in een woest vertoon van hartstocht.

Een nest verkrampte en overgevoelige vechtmieren die op het punt staan het lijk van een ontbonden vlieg op te slokken. Een school piranha's die om de laatste vellen van een opperarmbeen of een dijbeen dansen. Een kolonie gewelddadige en geïrriteerde termieten die aan de schors van een cipres bijten… Toen ik de menigte zag die de straten rond de Sorbonne binnenstroomde, kon ik nauwelijks het gevoel van duizeligheid onderdrukken dat al die op elkaar gepropte lichamen me bezorgde: te veel zweet, te veel stemmen en te veel geuren bij elkaar. Ik heb altijd een aangeboren afkeer gehad van een massa, het monster met duizend koppen – en totaal geen hersens – dat in onze eeuw zo belangrijk is geworden. Het was geen kwestie van aristocratische smaak: ik geloofde gewoon niet dat de som van vele wilskrachten (en hun eindeloze grillen) op zichzelf een toename van het bevattingsvermogen betekende. Mijn wantrouwen verschanste zich achter de bescherming van mijn eigen ruimte. Door alle armen en schouders die tegen me aandrukten kreeg ik het heel benauwd en voelde ik me een strohalmpje midden in een storm. Als gevangene van de menigte was ik de belichaming van het grootste dilemma van onze tijd: de keus tussen het individu en de maatschappij, tussen de belangen van de groep en de individuele vrijheden, tussen het eigene en het vreemde, tussen het ene en het vele. Hoe kun je je deel voelen van een natie, een partij of een groep wanneer je niet eens de adem van de anderen kunt verdragen?

'Zenuwachtig?' vroeg Claire me.

'Nee,' loog ik, ondergedompeld in dat massabad. 'Waar gaan we heen?'

'Voorwaarts!' Ze schreeuwde haar keel schor in de overtuiging dat die dosis revolutionaire aanstellerij aanzienlijk zou bijdragen aan de verbetering van de maatschappij.

In mijn ogen daarentegen had de meeting meer weg van een leken-mis, een primitief ritueel waarvoor de deelnemers zich in een zinloze extase stortten, opgehitst door een charismatisch idool, Cohn-Bendit in dit geval. Ik wilde Claire echter ook niet teleurstellen: toen ik haar daar zo met haar armen en haar smalle polsen zag zwaaien alsof ze de ketenen van de onverdraagzaamheid ermee zou verbreken, en intussen haar grote, groene, door de heroïek verlichte ogen bewonderde evenals haar energie, haar kracht en haar inzet, kon ik alleen maar hetzelfde soort opwinding voor mezelf wensen, want wanneer een ideaal zoveel schoonheid kon oproepen was ik ervan overtuigd dat het er niet meer toe deed of het vals was.

Toen ze zag hoe euforisch ik was, geloofde Claire vast dat ik minder lichtzinnig was dan ze had gedacht. Ze pakte me bij de arm en terwijl ze een voor een al mijn zenuwen prikkelde, kwam ze naast me staan en sloeg haar arm om mijn middel alsof ze mijn vrouw was. Juist toen ik op het punt stond haar geste te beantwoorden met een kus op haar lippen, werd haar lichaam bij me vandaan gerukt door een van de draaikolken in de vloedgolf van demonstranten. Ik probeerde aan het gewoel te ontkomen om me verderop weer bij haar te voegen, maar het was vergeefs. Ik zag slechts een enkele glimp van het front: verschillende vrienden die als Siamese tweelingen aan elkaar vastzaten, een bedelaar die deed alsof hij een student was, enkele homoseksuelen die elkaar schaamteloos liefkoosden, een bataljon jonge meisjes met lange haren en aan het hoofd van de mars de paradoxale voorhoede van de revolutie: intellectuelen, studentenleiders, professoren, vakbondsleiders...

Het bleek onmogelijk de stroom van deze menselijke anemoon te volgen. Omdat ik ervan overtuigd was dat ik me met hen moest mengen in plaats van hen te kritiseren, stak ik alleen mijn vuisten omhoog, aangevuurd door hun communistische psalmen. Door de herrie raakte ik in een soort trance en heel even voelde ik me onderdeel van een levend, reusachtig en oneindig organisme...

'*Daar komen ze!*'

Mijn zenuwen spanden zich door de alarmkreet. Onze tocht naderde zijn einde. Studenten en oproerpolitie stelden zich aan de beide uiteinden van de straat op, schatten nauwkeurig de afstand en maakten zich klaar voor de aanval. Veranderd in krabben die klaarstaan voor de strijd slepen beide squadrons hun scharen. Het verschil tussen beide groepen was dat de agenten zich met dikke schilden beschermden en met hun knuppels zwaaiden, terwijl wij over een schamel arsenaal van stokken, stenen en molotovcocktails beschikten. Uit de verte leek de vijand net een Argus wiens talloze ogen verstopt zaten onder metalen helmen. Een prehistorisch instinct dreef me ertoe me aan het hoofd van de strijd op te stellen en plotseling was ik veranderd in een antieke krijger, een dolende ridder, een martelaar, een zelfmoordenaar…

'Laten we die hufters verpletteren!' schreeuwde ik uit volle borst. 'Laten we ze afmaken! Kameraden, we moeten ons niet laten intimideren! Ten aanval!'

Hoewel ze eerst in de war raakten van mijn kreten sloten enkele van de jongens om me heen zich al snel bij de aanval aan (ze hadden niet veel keus) en stortten zich overmoedig op de doorzichtige schilden waar de ME zich achter verschool. Intussen deelde ik links en rechts klappen uit, vuurde mijn troepen aan als een veldmaarschalk, wees hen op zwakke punten of hergroepeerde hen wanneer ze te ver uit elkaar raakten. Ik had nooit gedacht dat ik zoveel kracht in me had. Ik raapte stenen van de straat en gooide ze naar de politiekoppen, ik hielp de gewonden, ontweek de knuppels die naar me werden uitgehaald en schopte een of twee agenten tegelijk. De overwinning was toen nog mogelijk.

'Goed zo, oude, geef ze op hun donder, ze hebben het verdiend!' juichten mijn legers me toe.

Na lange minuten van strijd zag ik Claire eindelijk in de verte. Alvorens een agent uit te schakelen bleef ik staan en probeerde haar aandacht te trekken – en mijn triomf aan haar op te dragen –, maar ik verloor mijn evenwicht door een felle hitte in mijn rechterslaap. Voordat ik het bewustzijn verloor kon ik nog net zien hoe onze linies zich terugtrokken, zoals indianen die weten dat hun vlag is buitgemaakt. Onze laatste strijdkrachten verspreidden zich ordeloos en het treffen veranderde in een vernederende vlucht.

Ik lag op de kapotte straatstenen – eronder was geen zandkorrel te bekennen – met gewonde mond en een paar blauwe ogen, en het duurde een eeuwigheid voordat iemand me te hulp kwam.

'Grote God, gaat het goed met je?'

Mijn ogen waren zo gezwollen dat ik Claire amper kon zien. Ze hielp me overeind (de vijand naderde) en veegde het bloed van mijn oogleden. Toen pas zag ik mijn vergissing: de handen die me ondersteunden waren niet sneeuwwit, maar donker en mollig; het lichaam was niet soepel en trots maar breed en rond, en ondanks een overvloed aan energie had haar gezicht niets van de noblesse van Claire, maar vertoonde het boerse trekken die schuilgingen achter een grote bril met rechthoekige glazen.

'Kom, sta op,' drong die vrouw aan met een stem vol keelklanken.

Door de dreiging van een volgende klap gehoorzaamde ik haar.

'We moeten opschieten,' zei ze nog eens. Ze sprak Spaans. Met een bot gevoel voor humor voegde ze eraan toe: 'Ze kunnen beter van je zeggen dat je hier bent weggerend dan dat je hier bent doodgegaan.'

Ze was klein, tonrond en van een ondefinieerbare leeftijd, ergens in de twintig, ze had een grote medaille van Onze-Lieve-Vrouwe van Guadalupe om haar hals, maar alleen uit de glans van haar zwarte ogen sprak haar vastberadenheid. Ik moest me dankbaar voelen – haar moed had me voor een zekere arrestatie behoed – maar het lukte me amper vriendelijk tegen haar te zijn.

'Waar is Claire?'

'Het spijt me, ik ken geen Claire. Ik heet Josefa. En je kunt maar beter met me meegaan, want we moeten een veilig plekje zoeken.'

De menigte wacht op Lacan met het gevoel van hoop dat speciaal voor de Messias is gereserveerd. Alsof ze een groep pelgrims vormen die de heilige plaatsen gaan bezoeken hebben tientallen personen op de avenue de l'Observatoire met elkaar afgesproken om naar hem te luisteren. Het gerucht gonst al dagen: op 21 juni 1964 zal dokter Lacan een speciale aankondiging doen. Het lot van de mensheid zal er misschien niet door veranderen, maar hij zal wel de kleine, invloedrijke wereld der psychoanalytici laten sidderen. Bevangen door een onstuitbare nieuwsgierigheid staan deze nieuwe apostelen klaar om het wonder te aanschouwen, vol verlangen erachter te komen met welke nieuwe strategie Lacan zal proberen de tegenwinden te ontwijken.

Na hem jarenlang te hebben bestookt omdat hij de heilige voorschriften van Freud zou schenden, hebben de mandarijnen van de IPA het eindelijk gewaagd hem te verbieden zijn didactische analyses voort te zetten. Dit vonnis lijkt niet zozeer op excommunicatie, maar op een veroordeling tot niet-bestaan: als hij geen les mag geven is Lacan binnenkort niemand meer. Daarom heeft hij zijn naaste discipelen, de weinige uitverkorenen die ondanks het hem opgelegde verbod bereid zijn hem tot het einde te volgen, bijeengeroepen in het appartement van François Perrier. Sceptici beweren dat hij met zijn toneelspelerstalent wel weer een staaltje van bombastische redenaarskunst zal vertonen, maar zijn vurigste aanhangers bereiden zich voor op het bijwonen van een heruitgave van het Laatste Avondmaal.

In de tussentijd houdt Lacan, die zich in een van de achterkamers van Perriers huis heeft teruggetrokken, nauwkeurig in de gaten hoe het met de voorbereiding van de mise-en-scène gaat. Hij is zich ervan bewust dat hij op het punt staat een periode af te sluiten en een nieuwe cyclus in de geschiedenis van zijn vak te beginnen. Hoewel hij zich altijd tegen de waakhonden van de IPA heeft verzet en zijn theorieën soms niet meer zijn dan eenvoudige voetnoten bij het werk van de initiator van de psychoanalyse, is hij de Meester altijd blijven vereren. Vandaar zijn luidkeels aangekondigde terugkeer tot Freud: volgens Lacan kun je diens voorbeeld alleen volgen door zijn theorieën overhoop te halen of ze zelfs te perverteren.

Op 15 juni 1953 leverde Lacan al zijn eerste gevecht met het bestuur van de IPA. Bij die gelegenheid steunde hij Daniel Lagache, Françoise Dolto en Juliette Favez-Boutonier, die toen besloten zich af te scheiden van de Parijse Psychoanalytische Vereniging – de enige die door Londen werd erkend – en een nieuwe school te stichten, de Franse Maatschappij voor Psychoanalyse. Net als nu was het niet de bedoeling van zijn collega's zich van hun freudiaanse bagage te ontdoen, maar om de vijandige houding van prinses Marie Bonaparte te bestrijden. Die oude heks dacht dat ze door haar achternaam – en door de ontvangst die ze Freud in 1939 had bereid – de enige erfgename van de Meester was en dat Lacan haar daarom blindelings moest gehoorzamen en zich moest overgeven aan haar grillen, zelfs als die de grenzen van het strikt beroepsmatige verre overschreden! Nee, Lacan dacht er niet over zich aan iemands wil te onderwerpen, en al helemaal niet aan de wil van die harpij.

Sinds die eerste veldslag waren de schermutselingen met de IPA nooit meer opgehouden. Tijdens het congres van deze instelling in Londen, in 1953, werd de dissidenten hun lidmaatschap categorisch ontzegd en later, toen de leden van de Franse Maatschappij voor Psychoanalyse verzochten opnieuw te mogen toetreden, volstond het internationale bestuur met het instellen van een commissie, die hen moest doorlichten volgens een methode die aan politieverhoren of communistische zuiveringen deed denken. De leden van deze commissie (die stijfkoppige detectives) reisden naar Parijs waar ze doorslaggevende bewijzen voor de misdaden vonden. De voornaamste beschuldiging tegen Lacan concentreerde zich juist op de variabele duur van zijn sessies, waarmee hij in het geheim koppig door bleef gaan. De interventie van andere leden van de FMP, die vermoedelijk verzoeningsgezinder waren dan hij, leidde slechts tot het hoger oplopen van de spanning, tot de dag dat een breuk onvermijdelijk was.

Wanneer Lacan aan deze gebeurtenissen terugdenkt, klemt hij zijn kaken op elkaar: die onbekwame lieden realiseerden zich niet dat hij de ware opvolger van Freud was omdat hij net als de Meester ook een ware revolutionair was. In die tijd voelde hij kennelijk aan dat het zinloos zou zijn met die troep onnozele halzen te discussiëren; desalniettemin was hij zo vriendelijk om naar Londen te reizen en zijn eigen verdediging te voeren. Het was allemaal tevergeefs. In augustus 1963 sprak de IPA de *Richtlijn van Stockholm* uit, zijn definitieve veroordeling. Lacan werd niet uit de vereniging gezet, maar wel van de lijst van docenten geschrapt. Een van de dingen die hem werden aangewreven was dat hij een technisch procédé volgde dat niet te rijmen was met de gevestigde normen. Verder werd hij ervan beschuldigd de cultus voor de eigen persoon te bevorderen, zijn patiënten uit hun evenwicht te brengen met beloften die hij niet nakwam, en de grenzen te overschrijden die de overdracht beperkten. De *Richtlijn* was onvermurwbaar. Idioten! Ze wisten niet dat ze door hem te veroordelen op de lange duur hun eigen goede naam zouden verliezen.

Er kan geen mens meer bij in de salon van François Perrier: het gemurmel van de genodigden klinkt op als een litanie, een gebed of een aanroep. 'Derde oproep. Derde. Het publiek wordt verzocht zijn plaats in te nemen.' Zo meteen zullen de lampen uitgaan. Jean Chavreul, die vandaag als ceremoniemeester fungeert, gaat op het geïmproviseerde toneel staan en kondigt aan dat Lacan een boodschap heeft opgenomen op de band. Wat een geniale zet! Als bij een spiritistische seance suggereert de metalen stem die uit de luidsprekers komt dat ze niet door een menselijk wezen, maar door de Geschiedenis worden toegesproken en dat zijn woorden de Waarheid zijn. Dan klinkt er in de verte een schaterlach. In zijn eentje giert de profeet van het lachen, zeker van zijn overwinning. Opgewonden tikt hij op zijn wangen en haalt een van zijn kromme sigaren uit de wikkel: de kans dat de rook zijn aanwezigheid verraadt vindt hij veel te leuk. In de coulissen hoort Lacan hoe hij zich tot zijn volk richt: 'Ik sticht – even eenzaam als ik altijd ben geweest in mijn verhouding tot de psychoanalytische zaak – de Franse School voor Psychoanalyse, waarover ik voor een periode van vier jaar, waarin niets me verhindert deze verantwoordelijkheid te dragen, persoonlijk de leiding op me zal nemen. Het is mijn bedoeling dat deze naam de instelling representeert waar werk moet worden verricht om op het door Freud opengelegde terrein de schok te herstellen die Freuds waarheid teweeg heeft gebracht, wat betekent terug te keren naar de oorspronkelijke praxis die hij vanuit zijn plicht tegenover onze wereld onder de naam psychoanalyse heeft ingesteld – en die daarin door middel van onafgebroken kritiek de afwijkingen en compromissen aan de kaak stelt waardoor de vooruitgang ervan wordt belemmerd en de toepassing ervan wordt geschaad. Het doel van deze arbeid is onlosmakelijk verbonden aan een opleiding die binnen deze herovering verzorgd moet worden. Dat wil zeggen dat de mensen die ik zelf heb opgeleid rechtens hiertoe volledig uitgerust zijn en dat daartoe iedereen wordt uitgenodigd die ertoe kan bijdragen het legitieme fundament van deze opleiding te toetsen.'

En pas aan het eind van zijn betoog uit de verte verwaardigt Lacan zich op het toneel te verschijnen. Alsof hij zojuist te midden van de doden is herrezen.

'De aarde heeft haar niet verzwolgen!'

We leden allebei onder dezelfde pijn, dezelfde onmacht: het was onmogelijk vast te stellen wie het zwaarst was getroffen door Claires verdwijning. Lacan wreef over zijn dikke wenkbrauwen om een migraine te verjagen, terwijl ik krampachtig hoestte.

'Ik betwijfel ten zeerste of ze in de gevangenis zit,' waagde hij te zeggen, 'anders zouden we dat al weten.'

'U kent mensen, dokter,' drong ik aan, 'u heeft contacten…'

Hij staarde me geërgerd aan, alsof ik met mijn commentaar zijn wil om haar te vinden in twijfel trok. We hadden al meer dan een week niets van haar gehoord. *Niemand* had iets van haar gehoord.

'Ja, ik ken veel mensen!' antwoordde hij geïrriteerd. 'Maar niemand weet iets! Misschien is ze gewond of heeft ze haar geheugen verloren.'

Het lukte ons niet onze angst opzij te zetten. Misschien maakten we ons voor niets zorgen: Claire had altijd op eigen benen gestaan en als ze in de problemen zat zou ze vast en zeker een beroep hebben gedaan op Lacan. Maar als het eigenlijk goed met haar ging, als haar gezondheid of haar leven geen gevaar liep, waarom nam ze dan geen contact met ons op? Gaf ze ons op de een of andere manier straf of nam ze wraak op ons? Misschien hadden we haar afwezigheid verdiend.

Claires verdwijning had nog een ander gevolg: ik raakte verwijderd van Lacan. Na die intensieve weken van analyse kon hij niet langer mijn patiënt zijn en ik niet de zijne.

'Ik weet niet meer waar ik naar haar moet zoeken!'

'Blijft u het toch maar proberen!' drong Lacan er bij mij op aan, alsof hij de enige belanghebbende was. 'In de gekkenhuizen, op de begraafplaatsen en bij haar familieleden in Lyon!'

'Ik had nooit gedacht dat Claire u zoveel kon schelen, dokter,' zei ik om hem te pesten.

'Ze is een van mijn patiënten, ik ben verantwoordelijk voor haar.'

Ik haatte hem toen hij dat zei: hij was haar analyticus geweest, hij had in haar geest gewroet en kende de geheimen van haar vlees. *Ik niet.* Eerlijk gezegd was Claire mij geen enkele verklaring schuldig.

'U moet vertrekken, dokter Quevedo.'

'Ben ik niet degene die de sessie hoort te beëindigen?'

'Ik heb gezegd dat het genoeg is voor vandaag!'

Misschien had Claire gelijk en was Lacan in het geheim verliefd op haar. Of misschien niet, misschien was hij alleen maar razend omdat hij niet wist hoe hij haar onder controle moest houden.

'Goed,' zei ik ten afscheid. 'Als u iets hoort, laat u het me dan alstublieft weten.'

Lacan gaf niet eens antwoord: als hij er inderdaad onder leed, zorgde hij er wel voor dat niemand het merkte. Wat mezelf betreft, ik kon niet met mijn armen over elkaar blijven zitten en erin berusten dat zij in mijn herinnering voortleefde: ik kende haar misschien niet zo goed, maar ik had die laatste middag naast haar gestaan daarginds... Ik was met haar meegegaan naar die demonstratie, ik had samen met haar gevochten en ik was tegen de grond geslagen met haar naam op mijn lippen... Nee, Lacan en ik waren geen gelijken: ik moest eropuit, ik zou alles proberen om haar te vinden. Het kon me niet schelen dat ik me aan gevaar blootstelde, ik was bereid een confrontatie met de politie aan te gaan en me in de rijen van de extremisten te scharen. Geheel volgens haar wens zou ik dan eindelijk een van de haren zijn. Misschien was dat de reden van mijn delirium. Ik had ontdekt wat mijn missie was.

Josefa was de enige die me kon helpen of althans begrijpen. Sinds de middag waarop zij me uit de strijd had gered ging er geen dag voorbij zonder dat ze bij me op bezoek kwam; onze geesten sloten als de twee helften van een gebroken spiegel op natuurlijke wijze op elkaar aan. Wie was ze? En wat deed ze in Parijs? Soms dacht ik dat Josefa geen verleden had, dat ze midden in die demonstratie uit het niets was opgedoken als een hemelwezen (of een demiurg) dat was voorbestemd om mijn pad te bewaken. Het enige waarover ik zeker was, was haar Mexicaanse nationaliteit: die werd niet alleen verraden door haar toon, maar ook door haar giftige tong.

Altijd wanneer ik haar vragen stelde over haar achtergrond wierp ze me een blik toe die het midden hield tussen verlegen en sarcastisch, en dan begon ze onmiddellijk over iets anders. Ik vermoedde dat een beschamende misstap (of een misdaad) haar ertoe had gedwongen huis en haard te verlaten en naar Parijs te vluchten, maar hiermee drong ik haar alleen een deel van mijn eigen geschiedenis op. Misschien werd ze door geen enkel mysterie belaagd, verborg ze geen enkel raadsel en was ze gewoon zo, natuurlijk en glibberig, spits en pittig, en had ze het veel te druk met haar dagelijkse beslommeringen om ook nog een duistere kant te verbergen. Hoe het ook zij, langzaam maar zeker raakte ik gewend aan Josefa's ontwijkende manier van doen omdat ze, behalve als het om haar verleden ging, over een grenzeloze welsprekendheid beschikte: ze bezigde een bloemrijke en barokke taal vol woordspelingen en grove woorden waarmee ze enigszins onhandig de taal van de hippies parodieerde.

'Wat doe je voor werk?' vroeg ik haar nog een keer. 'En wat doe je in Parijs?'

Josefa begon hartelijk te lachen.

'Soms pas ik op de kinderen van mevrouw Fourier,' legde ze uit.

'En je familie? Heb je ouders, broers, zussen, vrienden?'

'Ik ben wees.'

'Dus je hebt niemand op de wereld,' zei ik vol medelijden.

'Integendeel, ik barst van de mensen, en nu heb ik jou ook nog…'

Nog afgezien van haar grove taalgebruik, klonken haar antwoorden aanstellerig en een beetje naïef.

'Dan stel ik voor dat je voor mij gaat werken,' zei ik, 'ik kan je tweemaal zoveel betalen als mevrouw Fourier.'

Ik hoefde niet lang aan te dringen.

'En jij?' vroeg ze mij. 'Wat doe jij?'

Het drong in één klap tot me door hoe zwaar de afgelopen weken waren geweest en opeens hoorde ik mezelf college geven over structuralisme en politiek engagement… Ik vertelde over Lacan en Althusser, Barthes en Foucault, Sartre en Danny *le Rouge*, de noodzaak de wereld te veranderen, de rechtvaardiging van het geweld, de studentenbeweging, hun leuzen, hun uitdagingen, hun vrijheidslievende geest en de strijd van de jongeren tegen de onderdrukking… En daarna biechtte ik haar onvermijdelijk het grimmige verlangen op dat me naar Claire dreef.

Josefa onderging mijn bekentenis zonder drukte te maken, alsof ze naar de nieuwsberichten op de radio luisterde, en ze toonde nauwelijks enige belangstelling voor de details. Algauw ontdekte ik dat haar gebrek aan belangstelling niet op onverschilligheid duidde: integendeel, ze voelde een onbegrijpelijke verwantschap met me, alsof ze me haar hele leven al kende.

'Ik denk erover die jongens te gaan steunen,' kondigde ik haar aan. 'Ik ben het aan haar verplicht…'

'En wat moet ík dan doen?'

'Volg mij maar,' antwoordde ik. 'Doe wat ik niet kan doen, kijk waar ik niet kan kijken, luister waar ik niet kan luisteren, verander in een verlengstuk van mij.'

Josefa keek me zogenaamd ernstig aan zoals je doet bij iemand die niet goed bij zijn hoofd is.

'Maak je geen zorgen,' zei ze troostend. 'We vinden haar wel.'

Toen herinnerde ik het me. Alsof de klappen die ik de laatste weken had opgelopen mijn geheugen hadden geactiveerd, zag ik opeens weer mijn laatste dag als mens bij zijn volle verstand. Ik was naar huis gegaan in zo'n bijbels noodweer waarmee de ongelovige stad Mexico soms wordt gestraft. Ik had geen paraplu bij me en mijn drijfnatte haar viel over mijn gezicht waardoor ik eruitzag als de grove imitatie van een schapendoes. Ik had zo'n rothumeur dat ik amper de tijd nam om Sandra een zoen te geven, die met haar poppen zat te spelen met de televisie aan als achtergrondmuziek.

'Papa, je bent een vis!' riep ze uit.

In plaats van plezier bezorgde haar grapje me een koude rilling: door een grove associatie zag ik mezelf als een grote steur met sponzige, slijmerige kieuwen. Ik snelde naar de badkamer, trok mijn kleren uit en droogde me haastig af; ik wilde me zo snel mogelijk opsluiten in mijn werkkamer. Ik schonk mezelf een glas whisky in en probeerde mijn aantekeningen te herlezen, getergd door de onophoudelijke klanken van de televisie.

'Stop die herrie!' beval ik Sandra boos.

Waarom die irritatie? Het zat me nog dwars wat er die middag met mijn laatste patiënt was gebeurd. Toen R. enkele maanden geleden voor het eerst bij me kwam, dacht ik dat zijn geval niet bijzonder ingewikkeld was, hoogstens vervelend. Als kleine jongen had R. al een voortijdige fascinatie voor geweld ontwikkeld en bevorderde hij, zonder dat hij het in de gaten had, de conflicten van zijn klasgenoten en vrienden. Zelf mengde hij zich echter nooit in de vechtpartijen; hij was geen man van de actie, meer een zwakke broeder met graatdunne armen en heel smalle polsen. Als je hem in toneeltermen moest definiëren, zou je hem een *geraffineerde intrigant* noemen.

R. werkte als directeur bij een grote onderneming in de stad. Net als op school vond hij het daar ook leuk om het vuurtje van alle mogelijke ruzies aan te wakkeren. Hoewel hij ogenschijnlijk zijn best deed de geest van kameraadschap onder zijn werknemers te bevorderen, was hij in het geheim de hele tijd bezig hen tegen elkaar op te zetten. In het openbaar gedroeg R. zich als een soort amateurpsychiater of raadgever bij hartsproblemen die altijd bereid was naar andermans ellende te luisteren, maar in het geheim aarzelde hij niet de informatie te gebruiken tegen dezelfde mensen die deze aan hem hadden verstrekt. R. verleidde bijvoorbeeld degene die later zijn echtgenote zou worden met behulp van zijn manipulatietalent. Toen hij haar leerde kennen had ze al jarenlang een relatie met een boekhouder van de onderneming. In zijn hoedanigheid van chef paste R. zijn gebruikelijke tactiek op haar toe en werd onmiddellijk haar vertrouweling; de jonge vrouw voelde zich gevleid door de aandacht die hij haar schonk en vertrouwde hem al haar geheimen toe. R. betrok haar in zijn spelletje en maakte haar wijs dat haar verloofde haar bedroog. Het eindigde ermee dat hij met haar naar bed ging en haar binnen een jaar had overgehaald met hem te trouwen.

R. had zich nog nooit zo tevreden gevoeld en was ervan overtuigd dat hij nu alles had bereikt wat hij wilde. Hij zou nooit op het idee zijn gekomen psychologische bijstand te zoeken als hij niet acuut uit de onderneming was gegooid als gevolg van een van zijn intriges. Van de ene dag op de andere raakte zijn geestelijke evenwicht verstoord. Hij werd hypergevoelig, ongeduldig en jaloers. Op dat moment riep hij mijn professionele hulp in. Na een aantal sessies zag ik al dat er achter zijn keurige manieren een diepe agressiviteit verborgen zat. Dat hij destructieve neigingen had was zonneklaar. In het begin weigerde R. zijn probleem te erkennen, maar langzamerhand gaf hij toe dat zijn karakter een destructieve inslag had.

'U heeft zich altijd aangetrokken gevoeld tot het kwaad,' legde ik hem uit, 'maar u durft het zelf niet te bedrijven. Vandaar dat u anderen gebruikt om uw razernij te ontladen.'

Na deze onthulling werd zijn gedrag jegens mij volledig anders: hij verborg zijn samenzweringen niet langer voor me omdat hij zich bewust was van een gebied in zijn karakter dat hij nooit had durven onderzoeken. Mijn ervaring zei me dat de analyse op de goede weg was.

Die middag – de laatste die ik voorzover ik me herinner in Mexico doorbracht – kwam R. te laat voor onze afspraak. Zodra ik zijn waterige blik en zijn gebalde vuisten zag wist ik dat er iets ernstigs met hem aan de hand was. Hij wilde niet eens op de divan gaan liggen, maar bleef koppig in de deuropening staan, gespannen en onbuigzaam.

'Ik ben hier alleen naartoe gekomen om u te bedanken,' vertelde hij. 'U heeft me genezen, dokter Quevedo, dus hoef ik u niet meer te zien.'

Het was niet de eerste keer dat een patiënt dreigde op te stappen – een onvermijdelijk gevolg van de overdracht –, maar in dit geval leek

R. niet van plan op zijn besluit terug te komen. Zijn gezicht zag er verwilderd uit, alsof een grimeur de donkere plekken had geaccentueerd.

'Gaat u even zitten,' drong ik aan. 'Aangezien dit ons laatste gesprek zal zijn, kunnen we toch wel rustig afscheid van elkaar nemen.'

De aderen op de bovenkant van zijn handen verkrampten.

'U heeft me genezen, dokter, en u heeft me laten zien wie ik echt ben,' ging hij verder. 'Ik kan nu eindelijk mijn eigen gezicht zien. Ik hield mijn negatieve kant altijd verborgen achter een gordijn van hypocrisie, maar nu ben ik eindelijk in staat mezelf te accepteren zonder toevoegsels of maskers.'

Ondanks zijn lovende woorden, klonk zijn stem ijskoud. Ik probeerde hem uit te leggen dat zijn acceptatie niet het einde van de analyse betekende, maar alleen een nieuw begin.

'U vergist zich, dokter,' viel hij me in de rede. 'U heeft uw deel gedaan, de rest moet ik zelf doen. Ik hoop dat u tevreden bent, dokter Quevedo. Ik ben eindelijk vrij.'

Ik wilde hem tegenhouden en hem doen inzien dat zijn euforie het product was van een tijdelijke vooruitgang, maar het was onmogelijk. Hij kneep mijn hand fijn en ging meteen weg.

Daarom was ik zo boos toen ik thuiskwam. Toen ging de telefoon. Hij. Hakkelend zei hij dat hij me nogmaals moest bedanken.

'Gaat het goed met u?' vroeg ik.

'Ja, prima,' antwoordde R., 'maar met mijn vrouw niet zo. Dat moest ik u zeggen, want u bent verantwoordelijk…'

'Hoe bedoelt u?' vroeg ik geschrokken.

'Voor het eerst was ik mezelf,' zei hij trots. 'Ik heb ontdekt dat die hoer me bedroog, dokter. Dus heb ik mijn woede laten ontsnappen, precies zoals u me had aangeraden…' Er volgde een lange pauze. 'Maakt u zich geen zorgen, ik ga zelf wel naar de politie. Ik dank u, echt.'

Toen hing hij op.

Op een van de laatste dagen van mei sloten Josefa en ik ons aan bij een grote mars naar het Charlétystadion om het aftreden van Pompidou te eisen. Schouder aan schouder vormden studenten, arbeiders, academici, vrouwen en intellectuelen één compacte broederschap. Het verschil was dat ik ditmaal niet met hen meeliep als een hypocriete gast, maar dat ik volledig deelde in de kracht van hun geloof. Die middag droeg ook ik een roodzwarte vlag. Josefa had hem de avond tevoren in elkaar geflanst van een stel oude dekens en ik zwaaide er driftig mee. Ik weet niet hoeveel uur we zo vol trots en hartstocht marcheerden voordat ik Josefa vroeg of we zouden stoppen om op adem te komen. Op de stoep aan de overkant stond een kerel met een kaalgeschoren kop en een even bezeten als sarcastische glimlach, luidkeels de helderste rechtvaardiging van de opstand voor te dragen die ik tot dan toe had gehoord. Alsof hij iemand nodig had om als voorbeeld te dienen boorde zijn blik zich plotseling in mijn ogen.

'Kijk goed naar hen,' zei hij tegen de man die bij hem was (later zou ik te weten komen dat het Jean Daniel was), en hij wees naar mij en Josefa, 'zij *maken* geen revolutie, zij *zijn* de revolutie.'

Deze scène duurde niet langer dan enkele seconden, maar sindsdien kon ik de blik van die man niet meer uit mijn herinnering krijgen. Verbijsterd zei ik Josefa dat we hier weg moesten gaan, en we sloten ons onmiddellijk weer aan bij de draaikolk die de menigte was. Terwijl we onze weg vervolgden moest ik de hele tijd aan die man denken, geïntrigeerd door zijn laatste woorden. Ik kon me niet precies voorstellen hoe het zat maar hij leed aan eenzelfde verwarring als ik. Als slangen die zich van hun huid ontdoen stonden we allebei op het punt aan een *nieuw leven* te beginnen. We waren het zat ons bezijden de gebeurtenissen te houden en maakten ons op om mannen van de actie te worden, bereid om onze gewelddadigheid in te zetten tegen de wereld. We hadden er geen idee van dat onze wegen elkaar ooit opnieuw zouden kruisen (of dat we ons over parallelle wegen bewogen), maar op die middag in mei, juist toen er een eind kwam aan het jeugdige protest, werden Michel Foucault en ik opnieuw geboren.

II

Zolang Althusser zijn slaapkuur doet,
gaat het goed met de massabeweging

1

Marxisme en psychoanalyse

Lacan heeft gezien en begrepen dat Freud een bevrijdende breuk betekende. Hij heeft die begrepen in de volle betekenis van het woord, hem opvattend in naam van zijn striktheid, en hem dwingend zonder uitstel en zonder concessies zijn eigen gevolgen voort te brengen. Zoals iedereen kan Lacan zich in de details vergissen, dat wil zeggen in de keuze van zijn filosofische zoektocht: *het essentiële* hebben we aan hem te danken.

ALTHUSSER, *Filosofie en menswetenschappen*

1.1. DE EENHEID DER TEGENDELEN

De marxisten hebben altijd minachting gehad voor de psychoanalyse. Ik weet niet of de psychoanalytici op hun beurt het marxisme verachten, maar ze hebben in elk geval nooit veel belangstelling getoond voor de klassenstrijd... Hoewel Marx en Freud de grondleggers zijn van de twee ideologische systemen die in de twintigste eeuw de meeste invloed hebben gehad, is er van het begin af aan een geheime rivaliteit geweest tussen hun navolgers die elkaar, ook al kregen ze met dezelfde problemen te maken, altijd met argusogen hebben bekeken: terwijl de marxisten niets moeten hebben van de duistere therapie die zich bezighoudt met het genezen van burgerlijke schuldgevoelens, blijken de anderen totaal niets te begrijpen van maatschappelijke structuren wanneer ze hun patiënten behandelen. Als Siamese tweelingen die met geweld van elkaar zijn gescheiden lijken beide groepen ertoe gedoemd elkaar eeuwig mis te lopen. Misschien is er geen beter voorbeeld van deze breuk dan de relatie tussen Louis Althusser en Jacques

Lacan. Hoewel zij door toevallige samenlopen van omstandigheden nader tot elkaar hadden kunnen komen, hebben ze elkaar uiteindelijk nooit begrepen. Zijns ondanks bleef Althusser de grillen van een geestelijk gestoorde vertonen, terwijl Lacan zich de beledigende superieure houding van een analyticus aanmat. De mislukking van hun vriendschap betekende ook die van een van de laatste pogingen deze parallelle werelden met elkaar te verzoenen.

1.2. NA DE VELDSLAG

We waren dood. De nederlaag had ons onthoofd en van de ene dag op de andere waren we opgehouden te bestaan; we waren niet alleen gedecimeerd maar ook nog gestraft met iets dat harder aankwam dan de gevangenis of ballingschap: onverschilligheid. Toen de graffiti was verwijderd en de barricaden in het Quartier Latin – de plotselinge aardbeving waardoor Parijs was getroffen – waren afgebroken, schoven de tektonische schilden van de maatschappij weer op hun plaats en werd het strand dat was ontstaan door toedoen van de jongeren, weer begraven onder de straatstenen. Toen alles weer normaal was keerden de ouderen terug naar hun paleizen, de arbeiders naar hun fabrieken, de studenten naar hun collegezalen en wij, de samenzweerders, begonnen in het geheim onze wrok te herkauwen. Martín, een werkloze Peruaan die ik toevallig in de buurt van Jussieu tegenkwam, zei tegen me: 'Er zullen mensen zijn die het lange tijd niet willen geloven, maar mei '68 is voorbij…'

Na een leidende rol te hebben gespeeld in de laatste veldslagen kon ook ik niet veel anders doen dan me verschuilen in een beschamende anonimiteit: de kater na de dronkenschap. Mijn gewrichten weigerden me te gehoorzamen, mijn stem was schor en onverstaanbaar, en in de spiegel zagen mijn littekens eruit als vernederende stigmata.

Omdat ik me even gedeprimeerd voelde als op de dag dat ik wakker werd in dat Parijse pension, kwam ik amper mijn kamer uit en was ik opnieuw een soort pakket geworden dat madame Wanda elke dag tussen de middag zijn bed uit moest jagen. Wat had ik eraan om de stilte van die cel te verlaten en op de stilzwijgende onverschilligheid in de straten te stuiten? Ik bleef maar liever hier op bed liggen als een pelgrim met als enige vaderland zijn lakens. Wat kon ik anders doen dan de desillusie aan mijn botten te laten knagen? Ik had niet eens de kracht om te lezen of aantekeningen te maken, ik lag daar alleen maar de hele tijd op mijn rug naar het vieze, turbulente plafond te kijken en me voor te stellen – een onwaarschijnlijke Rohrschachtest – dat het de landkaart van onze nederlaag was.

Een paar weken later viel het licht tussen de middag als een lans door mijn raam. Begraven onder de dekens weigerde ik mijn ogen te openen. De kussens raakten in vuur en vlam. Ik draaide me van de ene zij op de andere maar kon niet overeind komen, mijn gewicht was opeens verdrievoudigd. Ik verdroeg de opsluiting niet langer.

Op dat moment wist ik dat ik haar moest gaan zoeken: Claire had me uit de dood doen herrijzen. Het was mijn taak, zoals ik haar had beloofd, haar te redden en te laten leven. Helaas had ik geen gegevens over haar handlangers en herinnerde ik me nauwelijks iemand van het netwerk van contacten aan wie ze me had voorgesteld. Ik had wekenlang samengeleefd met die fanatieke, onverzoenlijke jongeren, ik had deel uitgemaakt van hun broederschap, ik had hun brood gegeten en hun wijn gedronken, ik had grappen met hen gemaakt en hun wonden verzorgd, maar zodra de veldslag was afgelopen – of althans de openbare gewelddadigheid die hen opwond –, was er voor mij geen plaats meer aan hun zijde. Afgezien van die van Josefa, een buitenlandse net als ik, was ik de vriendschap of sympathie van mijn oude kameraden kwijt. Waar moest ik beginnen? Allereerst moest ik die vervloekte kamer uit. Het was mijn plicht om door te gaan, om *haar* strijd voort te zetten, haar te wreken. Dat had ik haar beloofd. Ik zou het voor haar doen. Ik zou het voor Claire doen.

1.3. HET ALTHUSSERISME IS OOK EEN VORM VAN HUMANISME

Hij komt uit zijn stoel en huilt ontroostbaar. Ditmaal heeft niemand op ruwe toon tegen hem gesproken, de verpleegsters hebben hem hoffelijk behandeld en er is nog maar een paar uur voorbij sinds Hélènes laatste bezoek. Louis Althusser droogt zijn tranen met een mengeling van woede en onmacht, dan richt hij zich op en gaat een wandeling maken door de tuinen. Hoeveel van dit soort afgronden heeft hij gedurende zijn hele leven bewoond? Hoewel hij gevangenissen verafschuwt, vindt hij het bestaan soms zo ondraaglijk dat hij de comfortabele routine van zieken prefereert boven het onbegrip van redelijke mensen.

Als de anderen het maar inzagen! Zijn werk is van het begin af aan enkel bedrog geweest, een manier om zijn zwakte en zijn ellende te camoufleren, het bewijs van zijn talent als manipulator. Hij is *nooit* een filosoof geweest! *Nooit* heeft hij Spinoza of Hegel begrepen! Zijn hele verdienste beperkt zich tot het feit dat hij een paar fragmenten van de jonge Marx heeft vertaald! En daarom vereren zijn leerlingen hem, daarom hebben ze hem in een lekengod veranderd, terwijl hij hoogstens de profeet is van mensen die zich per se communist willen noemen!

De arme stakker weet niet eens dat de revolutie voorbij is. Toen de beweging begon verschool hij zich liever hier in deze kliniek onder het voorwendsel van zijn psychose. Het is geen toeval dat hij altijd de theorie heeft verdedigd. Volgens zijn eigen logica gedroeg hij zich als de provocateur die zijn hand verstopt nadat hij de steen heeft geworpen: in de grond van de zaak gaat de opwinding die erop volgt hem niet aan. Zijn onevenwichtigheid verschafte hem het volmaakte excuus. Het ergste is dat de opstandelingen hem, in tegenstelling tot wat men aanneemt, nooit hebben beschouwd als een held of een voorman, maar als een smerige mandarijn. Terwijl hij zichzelf zag als een afwezige totem of een schuwe demiurg – de intellectuele bedenker van de samenzwering –, schreeuwden de hordes op straat zich schor: 'Althusser à rien!'

De filosoof wandelt terug naar zijn cel. Hij komt langzaam vooruit, alsof hij een veel oudere man was, en hij kijkt de andere patiënten nauwelijks aan. Hij haat het zichzelf te zien in de spiegel van hun misvormde gezichten, hun door verwaarlozing geteisterde huid. Hij mag dan wel door dezelfde ijskoude gangen lopen, dezelfde verschoten dekens gebruiken en dezelfde stank uitwalmen als de rest, maar hij behoort tot een andere soort.

Vlak voordat hij bij zijn cel is denkt Althussser aan de eerste keer dat hij Hélène zag. De oorlog was een paar maanden daarvoor afgelopen en hij was nog in Lyon. Voordat hij haar had leren kennen, had een vriend hem gewaarschuwd: 'Ze is een beetje gek, maar de moeite

116

waard.' Misschien kwam het wel door die ongepaste opmerking dat hij zich onmiddellijk aangetrokken voelde tot dat meisje met haar hoekige wangen, haar flegmatieke jukbeenderen en haar haar dat even verward was als haar ideeën. Dankzij haar onevenwichtigheid, die precies op de zijne leek, was hij niet bang meer en begon hij met haar te flirten. Vanaf zijn kindertijd had Althusser altijd een diepe afkeer van vrouwen gehad; zijn moeder, een dwangmatige vegetariër die het vleselijke verlangen van haar echtgenoot fel afwees, liet hem nooit in de buurt komen van die bronnen van het kwaad. Tot gedwongen kuisheid gedoemd beperkte de jonge Althusser zich tot geflirt met de meisjes van zijn leeftijd en liet hij hen in de steek nog voordat ze op zijn avances konden ingaan.

Met Hélène was alles anders. Door haar 'gekte' was ze anders. Hij vond het niet eng met haar te discussiëren – eerst wisselden ze niemendalletjes uit en daarna bespraken ze verstandige standpunten over de dreigende revolutie – en hij nodigde haar uit, zijn afschuw bedwingend, voor een tochtje naar buiten. Voor het eerst voelde hij zich niet te kijk gezet of beloerd: Hélène bestudeerde hem niet. In een onbewaakt ogenblik waagde Althusser het zelfs zijn hand in de holte van haar hand te leggen. Op dat ogenblik wist hij dat hij haar *moest redden*. Sterker nog: dat hij haar *moest laten leven*.

Wanneer hij aan deze gebeurtenis terugdenkt, rilt Althusser en voelt hij zijn hand weer in de holte van haar hand. De opluchting duurt nog geen seconde, ze wordt weggevaagd door de herinnering aan wat er daarna is gebeurd. Na afloop van het uitstapje waren Hélène en hij naar haar huis teruggegaan. En toen was zij zonder waarschuwing vooraf opeens opgestaan en had zijn haar gestreeld. Van angst interpreteerde hij dit gebaar als een belediging, en hij rende weg om de smerigheid die ze op hem had overgebracht af te wassen... De filosoof barst weer in tranen uit. De artsen en verpleegsters in de verte komen hem voor als spoken of luchtspiegelingen. Hij ademt traag in en uit en luistert naar zijn hartslag.

Wat is er daarna gebeurd? Hij leerde andere vrouwen kennen en probeerde hen, zoals zijn gewoonte was, te verleiden en meteen weer te laten zitten. Vrouwen zonder gezicht en zonder naam die geen ander spoor in zijn herinnering achterlieten dan een verdubbelde melancholie, met uitzondering van een intelligent, mooi meisje – veel mooier dan Hélène –, dat nota bene al bij hun eerste afspraak verliefd op hem werd. Om dit nieuwe gevaar te bezweren, nodigde Althusser haar gelijk met Hélène bij hem thuis uit. Hij serveerde thee en koekjes en begon een gesprek, dat even wreed als onbenullig was. Zo zaten ze daar nog een hele tijd met zijn drieën, ongemakkelijk en stil, totdat Hélène zich niet langer kon inhouden en de gespannen beleefdheid doorbrak. Een andere vrouw had de vernedering misschien geduld door keurig te zwijgen en met ingehouden woede de thee en de koekjes naar binnen te schrokken, maar zíj niet. *Zij was een beetje gek.* Woedend schold ze haar concurrente uit en dwong haar te vertrekken. Verbaasd en opgewonden tegelijk nam Althusser Hélène in zijn armen en kuste haar gulzig; hij rukte haar de kleren van het lijf, die aan flarden gingen – de keurig opgevoede filosoof die altijd overal toestemming voor vroeg! –, likte haar kleine borstjes en liet zich op zijn tweeëndertigste voor het eerst wegzinken in een vrouwenlichaam.

Terug in het heden smoort Althusser zijn laatste snikken. Nadat hij met Hélène de liefde had bedreven was er in zijn ziel iets verschoven en moest hij halsoverkop opgenomen worden in de Sainte-Annekliniek. Zijn brein was één gloeiende kluwen ijdele, onsamenhangende gedachten. Om hem uit die hel te halen sloten de artsen hem op, stopten hem vol kalmerende middelen, braadden hem met elektrische schokken... Tegen alle perverse geruchten in die later de ronde deden, gaf het loutere verlangen Hélène terug te zien hem de kracht om te herstellen en de vochtige rust in paviljoen Esquirol op te geven.

Als Althusser weer in bed ligt kalmeert hij. Bijna twintig jaar na die eerste opsluiting troost hij zich met het beeld van zijn echtgenote. Toen hij haar voor het eerst zag dacht hij erover haar onder zijn hoede te nemen, *haar te redden* en *haar te laten leven*, maar uiteindelijk gebeurde het tegenovergestelde. Terwijl de stakers de spot drijven met zijn geschriften en 'Althusser à rien!' schreeuwen, vormt zich de eerste glimlach sinds weken bij de filosoof. De ratio heeft toch weer gewonnen. Binnenkort keert hij terug naar zijn post op de Normale Supérieure, waar hij zijn colleges zal voortzetten en wraak zal nemen op de geschiedenis. Allemaal dankzij Hélène.

'Ik ben verlamd, dokter. Kunt u zich voorstellen wat het is als ze je onbarmhartig slaan, in een wagon vol gevangenen duwen en naar de hel van een politiebureau brengen? De straf zit niet in de stokslagen, de kapotte ribben of de dagen zonder licht, maar in de vernedering. Die is ondraaglijk, dokter. De gevangenis is de keerzijde van de wet. Voelt u de ironie? De enige wet is *hun* wet. De wet van de sterkste, de wet van de agent. Binnen de nor geldt geen enkel recht. Er zijn geen rechters, geen advocaten, geen beroepsverdedigers. Begrijpt u wat ik bedoel? Hoe kan ik, na dit te hebben gezien, doorgaan alsof er niets aan de hand is? We kunnen niet doof blijven. We moeten haar voorbeeld volgen, dokter. Denkt u aan Claire…'

Lacan stak zijn ergernis niet onder stoelen of banken. Wie dacht ik wel dat ik was om zo'n toon tegen hem aan te slaan? Hoewel hij relatief sympathiek stond tegenover de studentenbeweging, duldde hij geen brutaliteiten van de jongeren.

'Die strijd van u is absurd,' zei hij berispend. 'Het is duidelijk dat u niet weet wat u zegt, dokter Quevedo. U bent alleen maar op zoek naar een ander baasje, net als die kinderen.'

Ik liet me niet uit het veld slaan door zijn ironie. Ik bekeek de burgerlijke rust in zijn spreekkamer. Hoe kon je een rebel worden in het interieur van een notaris?

'Ik dank u voor wat u voor me heeft gedaan,' zei ik verontschuldigend. 'Deze weken zijn voor mij van onschatbare waarde geweest, als ik ze had moeten missen had ik niet op zoek durven gaan naar een nieuw leven. Dat heb ik aan u te danken, dokter. Ik hoop dat we vrienden blijven.'

'Vrienden? Vrienden bestaan niet. En als ze wel zouden bestaan was u niet een van de mijne. Maar windt u zich niet op: u heeft ook niet de statuur om mijn tegenstander te zijn.'

Het lukte me niet hem net zo'n sarcastische opmerking in de maag te splitsen.

'Als u iets nodig heeft, aarzelt u dan niet me te bellen,' zei ik alleen maar.

'U bellen?' zei hij lachend. 'Weest u niet zo ijdel. U zult degene zijn die hier op een dag over de vloer kruipt en smeekt of ik u weer wil ontvangen. Net als Claire.'

Ik haatte hem. Maar ik kon niet voorgoed met hem breken. Ik beschouwde mezelf nog als zijn leerling en was niet van plan weg te blijven bij zijn werkgroep.

'Tot spoedig, dokter Lacan.'

Ik was zo kwaad dat ik hard de trap af rende, precies op het moment dat Judith naar boven kwam. Als gevolg van de ondoordringbaarheid van de materie was ik degene die over de grond rolde.

'Voelt u zich goed?' Het meisje kwam me snel helpen.

Mijn hoofd tolde.

'Patiënt of vriend van mijn vader?' vroeg ze daarna op een toon waarin enige koketterie doorklonk.

'Allebei,' antwoordde ik verward. 'Of geen van beide.'

'Spanjaard?'

'Mexicaan. Ik heet Aníbal Quevedo... En jij moet zijn dochter Judith zijn.'

Op het bureau van Lacan stond een foto van haar. Ze was zijn lieveling, ze was de vrouw van Jacques-Alain Miller en de strijdmakker van Claire. Natuurlijk! Dat ik dat niet eerder had bedacht! Zij was de enige persoon op de wereld die misschien wist waar ik haar kon vinden!

'Jij kent Claire, hè?'

'Ik weet al wie u bent!' Judith dempte haar stem om te voorkomen dat haar vader haar zou horen.

'Heeft Claire u over mij verteld?'

'Natuurlijk... Weet u, we lijden allebei aan een speciale voorkeur voor Zuid-Amerikanen... Een soort onweerstaanbare aantrekkingskracht, begrijpt u?'

'Heeft u enig idee waar ze nu is?'

Judith bekeek me vorsend van top tot teen.

'Nee.'

'Nee?'

Ze liep enkele treden naar boven. Ze had prachtige benen.

'Kunnen we elkaar ergens anders ontmoeten?' stelde ze mij op insinuerende toon voor. 'Ik moet nu gaan, anders wordt mijn vader woedend. Om acht uur in café Flore?'

Judith verdween op de overloop en ik verliet dat huis. Ik voelde de behoefte om naar de trage, troebele Seine te gaan kijken.

2

Chinezen in Vincennes

Sommige vrienden verwijten me terecht dat ik Lacan in drie
regels heb afgedaan: dat ik te veel over hem heb gezegd voor
wat ik zei, en te weinig in verhouding tot de conclusies die ik
trok. Ze vragen me enkele woorden te zeggen ter rechtvaardiging van mijn toespeling en de bedoeling ervan. Hier
zijn ze: enkele woorden, waar een boek nodig zou zijn.

ALTHUSSER, *Freud en Lacan*

2.1. UNIVERSITAIREN VAN DE HELE WERELD...

'Ik zei toch al, Aníbal,' Judith streelde zacht mijn arm. 'Ik heb geen idee
waar ze zit.'

Judith had besloten me te tutoyeren, maar soms kon haar stem net
zo hard klinken als die van haar vader. Ik had zo lang dezelfde vraag
herhaald dat ze haar geduld verloor.

'Maar is ze veilig...'

'Claire heeft zelf besloten weg te gaan, niemand heeft haar gedwongen. Ze is altijd al *onvoorspelbaar* geweest.' Ze kneep me in mijn wang
zoals je bij een verwend jongetje doet. 'Wat ik niet begrijp is waarom
mannen zo geobsedeerd van haar raken... Mijn vader...'

Judith begon wanhopig te worden. Ze had ongetwijfeld betere opties
dan ik.

'Waar ben je op uit, Aníbal?'

Ik raakte in paniek door haar vraag. Het enige wat ik wist was dat ik
niet rustig zou kunnen leven zonder Claire.

'Ik weet het niet. Me bij jullie aansluiten.'

'Heb je wel eens van het nieuwe Experimenteel Universitair Centrum van Vincennes gehoord?' Provocerend nam Judith een slokje uit haar glas. 'Misschien wil je een keer mee... Ik ga daar colleges geven over culturele revoluties...'

Ik voelde haar voet tegen mijn kuit.

'Natuurlijk!' stotterde ik onhandig 'Heel graag...'

'Dan zie ik je daar.' Hiermee maakte ze een eind aan het gesprek en stond op.

Haar prachtige gestalte verdween de trap af. Ik kon er met mijn verstand niet bij dat dit verwende meisje zo ongeveer een misdadigster was. Ik vergiste me: verwende meisjes zijn de gevaarlijkste. Na afloop van deze ontmoeting voelde ik me als een puber die zijn vriendinnetje niet heeft durven kussen. Maar ik had tenminste wel een nieuwe band gekregen met de wereld van Claire.

2.2. HET MARCO POLOSYNDROOM

Voor de Fransen is China een raadsel. Het is niet toevallig dat zo veel Franse reizigers dit land hebben doorkruist en ook niet dat zo veel schilders en schrijvers hun werk in die exotische landschappen situeren. In de jaren zestig heeft de seculiere bewondering voor deze bijzondere duizendjarige cultuur een gedaanteverwisseling ondergaan door toedoen van links, en veranderde ze in een plotselinge hartstocht voor de culturele revolutie. De betovering van Moskou was verbroken en China werd het nieuwe Mekka van de radicalen: niet voor niets werden de meimarsen opgefleurd met het gezicht van de Grote Roerganger samen met de beeltenissen van Che. Toen de beweging bijna ten einde liep hadden de Franse maoïsten zich als een plaag vermenigvuldigd; in hun ogen was de westerse maatschappij vergeleken met deze utopie een onrechtvaardige en ondraaglijke farce die tot nul moest worden gereduceerd.

De kleine Mao's gedroegen zich als virussen die het lichaam dat ze opnam wilden vernietigen. Op een willekeurig ander moment in de geschiedenis zouden ze zijn vergeleken met heidense sekten die waren behekst door bruutheid en chaos. Wat wilden ze? Ingrijpen in de samenleving, die verstoren, gek maken... Het was bijna een abstracte, *mathematische* strijd. Zo ze gewelddadig optraden, deden ze dat omdat ze niet anders konden, omdat het voor hen de enige manier was om te overleven... Daar ze elke vorm van autoriteit verafschuwden duurde het helaas niet lang voordat ze in dissidente groepjes verdeeld raakten. Net als stammen die slechts enkele kilometers van hun buren af wonen maar hun dialect niet kunnen verstaan, leefde elke fractie in permanente oorlog met alle andere...

Van het gamma van maoïstische groeperingen die uit de studentenbeweging voortkwamen, maakte Proletarisch Links de grootste kans om te groeien dankzij de intelligentie en de handigheid van een van zijn belangrijkste leiders, Pierre Victor. Deze jood zonder vaderland, die in zijn puberteit uit Egypte was verbannen en wiens ware naam Benny Lévi was, leidde de acties vanuit zijn cel in de École Normale Supérieure, niet ver van Althusser vandaan. Het was moeilijk voorstelbaar dat deze kleine, magere jongen met zijn grimmige blik en zijn perkamenten gezicht in staat was de maatschappij van zijn tijd schaakmat te zetten; hij leek meer op een middeleeuwse asceet dan op een terrorist, want hij zag er uiterst breekbaar uit. Er werd verteld dat er geen boek was dat hij niet had gelezen en geen onderwerp dat hij niet beheerste; maar men moest zich niet vergissen: toen hij eenmaal de rivaal was geworden van de Oude Man op de Berg, aarzelde hij niet het lot van zijn volgelingen te bepalen alsof hij een partij schaak speelde tegen God. Hoewel de leden van Proletarisch Links de persoonlijkheidscultus afkeurden, durfde niemand vraagtekens te zetten bij zijn meningen: zijn woorden waren op een gevaarlijke wijze identiek aan de waarheid

De eerste keer dat ik over Pierre Victor hoorde – zijn bestaan was slechts aan enkele ingewijden voorbehouden – was nog geen week na mijn aankomst in Vincennes. Op aanbeveling van Judith, die bureaucratische formulieren haatte, had ik niet eens geprobeerd me in te schrijven: het was veel te veel rompslomp om officiële toestemming te krijgen voor een buitenlander. Ik volgde liever zomaar allerlei colleges, het merendeel aan de faculteit voor filosofie en psychoanalyse, waar Michel Foucault de scepter zwaaide.

Vincennes was een laboratorium van de wanorde. Hier overheersten improvisatie en vrijheidsverlangen – precies het omgekeerde van de Franse universiteiten in die tijd –, en het was een wonder als het college waaraan je deelnam niet eindigde in een algemene vergadering of een veldslag. Precies op de dag dat de colleges begonnen deden zich al botsingen voor tussen de verschillende groepen die streden om de controle over de campus. De maoïsten overheersten, maar er waren ook communisten, socialisten, trotskisten en een groepje dissidente Mao-aanhangers, de zogenaamde 'Mao-spontex', wier autarkische en oncontroleerbare leiders, zoals André Glucksmann en Jean-Marc Salmon, hun uiterste best deden de activiteiten van alle anderen te saboteren. Het studieprogramma maakte de zaken alleen maar erger: afgezien van de colleges van Foucault en François Châtelet op de afdeling filosofie, hield men zich daar met niets anders bezig dan met het uitpluizen van de subtiliteiten van het marxisme.

Ik deed mijn uiterste best om de talloze varianten van de revolutionaire utopie uit mijn hoofd te leren – wat ongeveer hetzelfde was als het leren van de hiërarchie van de engelen of de hellekringen –, maar aan het eind van de les barstte ik altijd van de hoofdpijn. Ik had het daar niet veel langer uitgehouden als Judith me na een paar dagen niet had voorgesteld aan Benoît, een van haar favoriete leerlingen. Ik wist op dat moment niet dat het eigenlijk de taak van Benoît was mij warm te maken voor zijn 'partizanengroep', zoals de cellen van Proletarisch Links heetten. Dat ik enkele weken later besloot me bij hen aan te sluiten was niet zozeer uit nieuwsgierigheid of nalatigheid en zelfs niet uit trouw aan Claire, maar louter uit overlevingsinstinct: als je geen bepaalde ideologische band had – met een stoottroep achter je – kon je niet overleven in Vincennes.

In tegenstelling tot hetgeen zijn uiterlijke verschijning suggereerde (hij was bijna twee meter lang en woog meer dan negentig kilo), was Benoît een uitzonderlijke actievoerder. Van dichtbij leek hij een sobere en introverte man, een kind dat gevangen zit in een enorm lichaam, maar hij gebruikte alleen brute kracht als hij niet anders kon. Op een keer zag ik hem met één arm een trotskist optillen en deze net zo lang tegen een muur slaan tot diens bloed hem besmeurde. Verder was hij fijnbesnaard en las hij Wittgenstein, maar hij luisterde ook naar Pierre Boulez. Later zou hij een van de mannen worden die verantwoordelijk waren voor de coördinatie van de gewapende aanvallen, waarmee hij bewees dat er geen reden was om te denken dat filosofie, contemporaine muziek en geweld met elkaar in tegenspraak waren.

Vanaf september nam Benoît me mee naar een lokaal dicht bij het

Gare d'Austerlitz waar de voorbereidende vergaderingen van de organisatie werden gehouden. Ik maakte deel uit van een kerngroep van zes 'partizanen' die, hoewel ze veel jonger waren dan ik, over een benijdenswaardige politieke vorming beschikten. Tijdens vergaderingen die tot de volgende ochtend duurden had ik het gevoel dat ik midden in een toneelstuk zat met acteurs die hun claus van tevoren uit hun hoofd hadden geleerd en waar ik de enige was die niets te zeggen had. We zaten uren te praten, te drinken en ruzie te maken terwijl om ons heen ellenlange filosofische en politieke preken werden afgestoken; Benoît citeerde de marxistische canon uit zijn hoofd en intussen evalueerden anderen de politieke situatie van het moment – volgens de grootste optimisten zou Frankrijk over een paar jaar een revolutie te verduren krijgen – en concentreerden nog weer anderen zich op de strategie voor het opblazen van burgerlijke instellingen.

Hoewel we wisten dat het verboden was een leider te hebben, werd een student politicologie, die we kenden als Sébastien, gekozen als vertegenwoordiger van onze groep. Anders dan bij Benoît was er bij hem geen spoor van goede manieren meer te vinden. Achter zijn schijnbare onverstoorbaarheid zat een opvliegend, ijdel karakter verscholen, en daarbij beschikte hij nog over een zeldzame handigheid om zijn tegenstanders aan zich te onderwerpen. Hij had prestige gekregen doordat hij een ME'er zo had geslagen dat diens gezicht niet meer herkenbaar was, waarna hij enkele weken in de gevangenis had doorgebracht. Ik had van het begin af aan een hekel aan hem: hij pronkte met het soort koelheid dat alleen helden en moordenaars bezitten. Keurig, streng en geordend als hij was, was Sébastien het schoolvoorbeeld van een volmaakte revolutionair – en van een neuroot: in vergelijking met hem was ik hoogstens de grove karikatuur van een geëngageerde intellectueel.

2.3. ALTHUSSER KEERT TERUG IN DE WERELD

Het einde van het studentenoproer, dat door de filosoof als de 'ideologische revolte van de massa' werd gekwalificeerd, viel samen met zijn voorlopige terugkeer naar de vrijheid. Terwijl de jongeren de straat op gingen en schreeuwden: 'Zolang Althusser zijn slaapkuur doet, gaat het goed met de massabeweging,' zat hij inderdaad weer eens voor oneindig lange tijd opgesloten in een psychiatrische inrichting. Wellicht was er geen sprake van een echte slaapkuur, maar wel van de zoveelste etappe van clausuur, periodes waarin hij ervandoor ging en het gezelschap van mensen afwees om te genieten van de neutraliteit van een inrichting. Hoewel hij pas vijftig is, lijkt zijn gerimpelde en breekbare gezicht op de kop van een Deense dog, van die honden die zo veel vel hebben dat je hun leeftijd niet kunt raden. Hij zit per slot van rekening ook al bijna twintig jaar vast in die twee instellingen waar hij met geen stok uit weg te krijgen is: de communistische partij en de École Normale Supérieure, waar hij heeft gestudeerd en waar hij nu werkt als repetitor (of 'kaaiman') filosofie.

In zijn puberteit was hij nog vurig katholiek, maar sinds hij zijn geloof is verloren vertoont hij een beproefde trouw aan de communistische partij, ondanks de minachting waarmee de leiders van die partij hem behandelen. Met de publicatie van *Pour Marx*, een verzameling van de artikelen die hij de laatste vijf jaar publiceerde, en van het boek *Lire 'Le Capital'* heeft hij de vrijheid genomen de spot te drijven met de harde partijlijn en heeft hij toenadering gezocht tot de progressieve sector van de partij. Door handig te laveren is hij nu op de hand van enkelen van zijn vroegere studenten die nieuwe radicale groeperingen leiden. En omdat hij nog invloed op hen heeft is het hem gelukt zijn imago te verbeteren, dat in diskrediet was geraakt tijdens de studentenbeweging. Hoewel hij het ontkent is het zijn doel zijn status als revolutionaire goeroe te herwinnen. Voorlopig heeft hij geen haast: hij heeft de Sainte-Anne pas enkele weken geleden verlaten en hij moet nog op krachten komen. Zoals hij eind juli aan Franca Mardonia, zijn Italiaanse vertaalster (en vroegere minnares) schrijft: 'Vandaag ben ik de school binnen gegaan, weliswaar semi-clandestien en incognito, maar ik ben tenminste teruggekomen. Stapje voor stapje. Ik doe mijn uiterste best om niet aan de volgende stappen te denken: het zou te zwaar zijn als ik het waagde me die voor te stellen. Maar ik weet dat het mogelijk is, stap voor stap. Vandaag streep ik weg, maar op een dag zal ik herrijzen. Niet te laat, hoop ik.'

In de herfst van 1968 overtuigde Josefa me ervan dat ik uit mijn pension weg moest gaan. Als gevolg van een soort apathie of desinteresse had ik erin toegestemd dat ze steeds vaker bij me op bezoek kwam. In het begin keek ik op haar neer: na de verdwijning van Claire zag ik haar als een slecht voorteken. Zij schonk mij daarentegen al haar vrije tijd en deed haar best mijn verlangens te raden nog voordat ik ze zelf had uitgesproken.

'Hoeveel ben je bereid te betalen?' vroeg ze.

'Maakt me niet uit,' antwoordde ik sloom.

'Doe niet zo lullig, Aníbal, natuurlijk maakt dat wat uit...'

'Het maakt me niet uit, zeg ik toch... Zoek maar een prettige plek. Geld is geen probleem.'

'Dus jij bent een rijke erfgenaam!' zei ze spottend.

'Ik heb genoeg om een paar jaar onbezorgd te leven,' gaf ik toe.

'Zak tabak...'

Vanaf dat moment nam Josefa het speurwerk op zich en enkele weken later ontdekte ze een bescheiden flat op de vierde verdieping van een gebouw op stand in de rue du Bac. De grootste kamer werd beheerst door een ingestorte open haard, terwijl op het plafond een door houtworm aangevreten balkenpatroon te zien was, net een spinnenweb. Josefa richtte de hele zaak in volgens haar provinciaalse hippiesmaak; dus zat er voor mij niets anders op dan te wennen aan schreeuwerige meubels en tapijten die even fel van kleur waren als haar broek met wijde pijpen, haar kralenkettingen of haar katoenen blouses.

Enkele weken later stelde ik vast dat haar handigheid als woninginrichtster niet zonder eigenbelang was: op een avond belde Josefa aan, ze had twee reusachtige psychedelische koffers bij zich.

'Die klootzak van een huisbaas heeft me op straat gezet,' legde ze met haar gebruikelijke metaforische talent uit. 'Wil je me onderdak geven tot ik een nieuwe kooi heb gevonden waar ik naartoe kan emigreren?'

'Een nieuwe *kooi*?'

Josefa was achterdochtig en dol op roddels – twee eigenschappen waar in onze tijd ten onrechte op wordt neergekeken – en ze had een speciaal talent om de taal te verminken door er alle mogelijke grofheden en vloeken in te verwerken. Na er even over te hebben nagedacht stemde ik ermee in dat ze bleef, maar omdat ik heel goed wist dat ik geen andere mensen om me heen duldde waarschuwde ik haar dat ze zo snel mogelijk moest verhuizen.

Ik begreep dat Josefa totaal niet van plan was weer weg te gaan toen ze haar spullen in de achterste kamer begon uit te stallen met de nauwgezetheid van een eekhoorn. Langzaam maar zeker raakte ik gewend aan haar aanwezigheid; ze gedroeg zich gelukkig onopvallend, kwam amper uit haar hol en legde het zo aan dat ik niets van haar merkte. Ik kwam haar nooit tegen in de badkamer of in de keuken en als ik haar diensten niet nodig had, verstopte ze zich onder een stel gespikkelde lakens die ze uit Mexico had meegebracht en lag ze te lezen in werkjes over de kracht van piramides, zielsverhuizing of de geneeskrachtige magie van stenen (om maar niet te spreken van haar eclectische literaire smaak die haar van José Agustín naar Françoise Sagan voerde). Als ze om de een of andere reden genoeg had van de literatuur, begon ze te mediteren. Waarover? Dat was het volgende mysterie. Josefa was een soort new age avant la lettre, de eerste van al die rusteloze westerse vrouwen die het nirwana zoeken om aan hun dagelijkse leegte te ontsnappen.

Wanneer ik het huis verliet ontwikkelde Josefa echter een koortsachtige activiteit; ze maakte het huis schoon en ruimde op alsof ze een stilzwijgend contract nakwam, ze streek mijn overhemden, stopte mijn sokken en ordende mijn papieren. Hoewel ze nooit een vast loon wilde ontvangen – het zou heel vernederend voor haar zijn te worden gezien als een dienstmeid, terwijl ze in trance zocht naar haar diepste spiritualiteit –, nam ze de taken van kokkin, *valet* en secretaresse allemaal tegelijk op zich. Ik kon toch geen last hebben van haar onopvallende aanwezigheid! Afgezien van de donderende muziek die af en toe uit haar kamer kwam – haar repertoire vloeide van Angélica María over naar de Beatles, en van Raphael de España naar de Rolling Stones – had ik haar niets te verwijten. Ik kwam zelfs op de gedachte dat ze door haar goede eigenschappen een perfecte echtgenote kon worden, maar als ik dan goed naar haar keek realiseerde ik me dat innerlijke schoonheid voor mij niet genoeg was: ondanks haar jeugdigheid en een zekere gratie in haar oogopslag had Josefa de omvang van sir Winston Churchill. Op een avond waagde ik het, gedreven door de eenzaamheid en de alcohol, haar kamer binnen te gaan; Josefa ontving me vol warmte, maar ondanks haar geloof in de vrije liefde waren we het erover eens dat het niet verstandig was ons erin te verwikkelen.

'Een dolende ridder moet niet met zijn schildknaap vozen,' vatte zij de zaak samen.

3

Rennen, kameraad, de oude wereld zit achter je aan

Wat is het object van de psychoanalyse? Datgene waarop de analytische techniek zich richt tijdens de analytische praktijk van de genezing, dat wil zeggen: niet de genezing zelf, niet die zogenaamde duale situatie waarin de eerste fenomenologie of moraal een manier vindt om zijn behoeften te bevredigen, maar de 'langetermijneffecten' op de volwassene die vanaf zijn geboorte tot en met de liquidatie van Oedipus de overlevende is van het buitengewone avontuur waarbij een klein diertje dat door een man en een vrouw in een menselijk nestje is voortgebracht, een gedaanteverwisseling ondergaat.
ALTHUSSER, *Freud en Lacan*

3.1. DE SCHADUW VAN TLATELOLCO

Zo april de wreedste maand is, is oktober de ruwste. De herfst stortte zich op ons en kleurde de hemel en de bladeren aan de bomen bloedrood, maar ik schonk geen aandacht aan de boze voortekenen. Zonder me erom te bekommeren wat er aan de andere kant van de wereld gebeurde – in de wereld die de mijne was geweest –, aarzelde ik niet me buiten Parijs te wagen. Benoît had me overgehaald met hem mee te gaan naar Marseille, waar hij oorspronkelijk vandaan kwam en waar we contact zouden opnemen met de coördinatoren van de organisatie die daar met hun operaties begonnen waren. Met de zegen van Judith bleven we weg van onze colleges en begonnen aan de reis. Ik was nogal lusteloos, maar Benoît had erg veel zin om naar zijn geboortestad terug te gaan: alleen al het idee deel te nemen aan de uitschakeling van zijn bourgeoisburen wond hem op.

'Tony doet Marseille,' legde hij me uit.

'Tony?'

In plaats van me te berispen om mijn onwetendheid – hoe was het mogelijk dat ik niet wist dat Tony de broer van Pierre Victor was? – deed Benoît zijn ogen dicht en zei geen woord meer tegen me voordat we in Marseille aankwamen. Zodra ik in de verte de golven zag begreep ik dat ik een vergissing had gemaakt: ik kreeg uitslag van vocht. Benoît nam me mee naar zijn huis waar zijn ouders ons nogal onverschillig ontvingen. De volgende dagen voelde ik me als verlamd. We gingen op bezoek bij twee of drie types met een tamelijk onguur uiterlijk, Benoît had een paar keer een gesprek met Tony – Sébastien had hem uitdrukkelijk bevolen hem onder vier ogen te spreken – en 's avonds zochten we ontspanning in vieze, sombere *boîtes*. Ik voelde me als in een tussenfase of in een leegte, en mijn bezoek aan Marseille droeg alleen maar bij aan mijn indolentie.

Toen ik eindelijk weer terug was in mijn nieuwe huis in Parijs, zat Josefa midden in de kamer te huilen.

'Rustig maar, vertel me wat er aan de hand is,' zei ik verwijtend.

'Ze hebben ze verneukt, Aníbal.'

Ik begreep het niet.

'Die rotzakken hebben op ze geschoten... Heb je de krant niet gelezen?'

Nee, ik wist van niets. Dolend door Marseille, half bezopen en in de armen van oude prostituees, kwam het niet eens bij me op een krant open te slaan.

'In Mexico, Aníbal!' zei Josefa snikkend, 'in Mexico!'

Ik zat zo opgesloten in mijn eigen wereldje dat ik er niet bij stilgestaan had dat er, terwijl ik herstelde van de wonden van de Franse studentenbeweging, aan de universiteiten in mijn vaderland een soortgelijke revolutie werd uitgebroed. Slechts enkele weken nadat De Gaulle de macht weer in handen had gekregen, was in Mexico een groepje studenten in opstand gekomen tegen de regering. Rebellie was besmettelijk.

'Die schoften ontkennen het, maar er zijn honderden doden,' jammerde Josefa, 'en duizenden gewonden en God mag weten hoeveel van die jochies in de gevangenissen...'

Ondanks het harde optreden van de politie in de weken van de opstand in Frankrijk was er maar één student overleden.

'Hebben ze op ze geschoten, zeg je?'

'Toen ze demonstreerden op het Tlatelolcoplein. Het komt door de Olympische Spelen, Aníbal. De regering wilde niet dat de studenten de Olympische Spelen verstoorden.'

Zou dat de oorzaak zijn geweest? De Olympische Spelen? Ik viel op mijn stoel neer. Wat een waanzin! Hoe kwamen die jongetjes op het idee dat de Franse meirevolutie in Mexico kon worden herhaald? Realiseerden ze zich dan niet dat het collectieve zelfmoord betekende als je de onderdrukkingsmachinerie in ons land uitdaagde? Hadden ze niet in de gaten dat de mandril door wie ze werden geregeerd niet zo beschaafd was als Pompidou en dat hij zo'n uitdaging nooit zou dulden? Woedend snelde ik naar buiten om een krant te kopen.

Ik ging in een café zitten en las de weinige feiten die de in Mexico-Stad geaccrediteerde buitenlandse correspondenten verschaften. Het was een vreselijke en ook nog saaie taak: geen enkel bericht verzachtte mijn pijn. Een rampzalig toeval had me in Parijs gebracht en het was me nu onmogelijk me echt verontwaardigd te voelen over die verre doden, *mijn* doden. De beelden van de demonstratie van twee oktober en het Bengaalse vuur aan de hemel, het schieten, de gewonden en de lijken zagen eruit als simpele vlekken op het papier: ik had er niets mee te maken. Ik moest bijna overgeven. Het ergste was niet mijn onvermogen om Díaz Ordaz en zijn kornuiten te haten, maar het ontbreken van een waarachtig haatgevoel. Ik was ook dood, even dood als de door de kogels van de militairen doorzeefde jongeren op het Tlatelolcoplein. Ik betaalde en liet de krant liggen.

Ik liep urenlang rond voordat ik bij de ambassade van mijn vaderland aankwam in de rue de Longchamp. Daar werd onder mijn vlag de toegang tot de ambassade bewaakt door een groepje agenten om de protesterende Franse studenten tegen te houden die solidair waren met hun Mexicaanse broeders. Ik dacht erover me bij de demonstratie aan te sluiten, maar het was al te laat om mijn schuld te delgen. Ik liep de tegenovergestelde richting in en dwaalde als een slaapwandelaar over de Champs-Elysées; de toeristen aan de tafeltjes in de cafés waren alleen geïnteresseerd in hun drankjes. Ik stak de Place de la Concorde over naar de boulevard Saint-Germain. Het landschap kwam me in de verste verte niet bekend voor, de bruggen die ik zo vaak had bewonderd waren onderdeel geworden van een decor. Een troebele wind maakte zich meester van de nacht.

Toen ik bij de kruising met de boulevard Raspail kwam, zag ik een gedaante in de duisternis: een man van middelbare leeftijd, misschien iets ouder dan ik, in overjas en met stropdas, die midden in de nacht op een taxi stond te wachten. Ongetwijfeld betrof het een respectabele zakenman. Ik ging naast hem staan alsof ik me bij de hypothetische rij wachtenden aansloot. Zonder erbij na te denken ging ik dichter naar hem toe, en voordat hij doorhad wat ik van plan was had ik hem al een doffe stomp in zijn nek gegeven en schopte ik hem verrot. Ik reageerde mijn woede af op de buik van deze ellendeling. Eindelijk bracht ik de lessen van die maanden in praktijk: de rijken en machtigen waren gewoon gemaskerde beulen. Ik ging daar pas weg nadat ik had vastgesteld dat die ellendeling het bewustzijn had verloren. Er ging een golf van warmte langs mijn rug omhoog. Ik begon aan de terugtocht. Ik had de proef doorstaan: Tlatelolco was mijn doop.

3.2. LOF DER ZOTHEID

Het was een huzarenstukje om een plaatsje in zijn werkgroep te veroveren. De studenten dromden voor de deuren van het auditorium, gingen met elkaar op de vuist voor een plek alsof het om een uiterst belangrijke voetbalwedstrijd ging. Hoewel het hem niet aan critici ontbrak – Salmon en Glucksmann beschuldigden hem ervan dat hij een 'ster van het structuralisme' was en dat hij zich niet met de beweging van mei engageerde –, was Michel Foucault een cultfiguur geworden in Vincennes. Zijn colleges over het *Discours de la sexualité* trokken hordes mensen, soms meer dan vijfhonderd. Hij had een hekel aan volle collegezalen – hij had erop gestaan dat hij niet meer dan vijftig leerlingen tegelijk zou hebben –, maar ondanks het te grote publiek slaagde hij erin zijn enthousiasme met hen te delen en genoot hij ervan te pronken met geleerde details, duistere secundaire bronnen en felle kritische opmerkingen waarmee hij zijn lezingen kruidde.

Ik had hem niet meer gezien sinds de mars naar Charléty, eind mei, maar in tegenstelling tot wat ik met Lacan had gedaan, was ik totaal niet van plan toenadering tot hem te zoeken: de blik in zijn ogen riep een moeilijk verklaarbaar gevoel van onrust bij me op. Ik had echter met veel genoegen enkele van zijn boeken gelezen, in het bijzonder zijn *Histoire de la folie à l'âge classique*. Naar mijn idee had zelfs Lacan de waanzin niet zo goed begrepen als hij; ondanks de bijna literaire distantie waarmee Foucault zijn onderwerp benaderde, sprak hij regelrecht uit het centrum van de abnormaliteit: 'Door het spel met de spiegel en door de stilte wordt de waanzin onophoudelijk opgeroepen zichzelf te beoordelen. Bovendien wordt ze voortdurend van buitenaf beoordeeld; beoordeeld, niet door een moralistisch of wetenschappelijk geweten, maar door een soort tribunaal dat permanent zitting houdt.'

Wat is waanzin precies? vroeg Foucault zich af. En hij antwoordde: een vernederende hoedanigheid die door normale mensen of door machthebbers wordt toegekend aan mensen die niet zijn zoals zijzelf, die niet denken zoals zijzelf en die zich niet aan hun regels en straffen onderwerpen. Een gek – de opperste rebel – wordt uit de maatschappij gestoten en staat op een lager plan dan een misdadiger; hij wordt gedwongen een onverdiende straf uit te zitten om als voorbeeld te dienen voor degenen die het wagen redelijke mensen uit te dagen. 'Een gesticht is een rechtsinstantie die geen andere instantie erkent,' voegde hij eraan toe. 'Het oordeelt onmiddellijk. Het bezit zijn eigen instrumenten om te straffen en gebruikt die naar eigen goeddunken. Alles is zo georganiseerd dat de gek zich herkent in een rechtswereld die overal om hem heen is; hij weet dat hij wordt bewaakt, gewogen en veroordeeld; de verbinding tussen fout en straf moet duidelijk zijn, evenals een schuldvraag die door allen wordt erkend.'

Hoewel het boek van Foucault in 1961 was uitgekomen, had het door de onlusten van mei een duizelingwekkende actualiteit gekregen. Foucault had zich waarschijnlijk niet voorgesteld dat zijn boek als een politieke metafoor kon worden gelezen, maar eind 1968 leek zijn uitgebreide panorama van de waanzin een portret van de repressie van onze maatschappij ten aanzien van de revolutionaire studenten. Door het mechanisme te beschrijven van het controlesysteem dat op gekken werd toegepast, en door uit te pluizen hoe die macht langzaam veranderde en de kern werd van de moderniteit, leek het of de filosoof naar de meest recente actualiteit verwees. De leerlingen in Vincennes, onder wie ikzelf, luisterden naar zijn woorden alsof ze van een orakel kwamen.

Weliswaar had Foucault zich in de voorgaande jaren verre gehouden van elk politiek compromis, maar zijn houding was nu drastisch gewijzigd. Als je daarbij de invloed optelde die Daniel Defert op hem had, een militant lid van de organisatie net als ik, werd Foucaults toenadering tot radicaal links begrijpelijker. Hij mocht dan het hoofd zijn van de afdeling filosofie, hij gedroeg zich nauwelijks als zodanig want hij was vastbesloten zelf niet zo'n machthebber te worden als die op wie hij kritiek had. Hij fungeerde op Vincennes meer als katalysator: het was moeilijk te achterhalen of hij het prettig vond administratieve werkzaamheden te verrichten – volgens sommigen zou hij wel snel zijn ontslag nemen –, maar in de eerste maanden van 1969 wekte hij de indruk dat hij tevreden was met zijn taak om te proberen de universiteit in een grenservaring te veranderen.

Ik had me toen niet kunnen voorstellen dat ik hem spoedig in actie zou zien. Enkele studenten van het Lycée de Saint-Louis hadden op 23 januari 1969 een congres van enkele dagen georganiseerd om de studentenbeweging van mei te evalueren. Er stond onder andere een film op het programma over de omvang van de repressie van de kant van de politie. De schoolleiding probeerde de projectie te verhinderen door de elektriciteit uit te schakelen. Ongeveer driehonderd leerlingen drongen met geweld de gebouwen binnen en vertoonden de reportage met behulp van een kleine generator. Na afloop begaven ze zich naar de Sorbonne om zich aan te sluiten bij een meeting die daar al bezig was, vormden met zijn allen één gemeenschappelijk front en bezetten het kantoor van de rector. Vanaf dat moment zette de onverbiddelijke logica van de repressie een nieuwe cyclus in: de CRS haalde de opstandelingen uit het gebouw, wat voedsel gaf aan een nieuwe golf van protesten. Deze jongeren vochten voor het eerst tegen de nationale veiligheidstroepen die speciaal in het leven waren geroepen om de subversieve bewegingen de kop in te drukken, de *Compagnies Républicaines de Sécurité* (CRS).

Zodra het bericht Vincennes bereikte besloten de verschillende studentencomités hun solidariteit te betuigen met de leerlingen van het Saint-Louis, en na een algemene vergadering werd besloten de kantoren van Vincennes te bezetten. Honderden studenten bezetten de kamers en de collegezalen en trokken een kopie op van de barricaden waarmee de Sorbonne enkele maanden eerder in een militair kamp was veranderd. Sébastien, die altijd op zijn qui-vive was, meldde wat er gebeurde en verdeelde de taken die elk van ons moest uitvoeren. Benoît en mij droeg hij op deel te nemen aan de bezetting van het kantoor van de rector, waar we Judith en een andere groep docenten ontmoetten. De dochter van Lacan leidde de acties met evenveel enthousiasme als waarmee ze college gaf over culturele revoluties, alleen liet ze ons nu de praktijk zien in plaats van ons de theorie te leren. Toen we zagen dat Judith en haar volgelingen deze flank onder controle hadden, gingen Benoît en ik naar gebouw D, waar onze hulp harder nodig was, en we blokkeerden de belangrijkste toegangen met de biljetten, stoelen, schrijftafels en televisietoestellen waar minister Faure zo trots op was.

Op dat moment ontdekte ik de glimmende kale kop van Foucault. In zijn blauwfluwelen pak vergat hij dat hij een ambtenaar was en hielp mee met het versterken van de barricaden. Ik zag hetzelfde boosaardige lachje op zijn gezicht schitteren als de eerste keer dat ik hem ontmoette: die klootzak verkneukelde zich. Het duurde niet lang voordat de oproerpolitie verscheen. Honderden agenten omsingelden het gebouw met het doel het tot elke prijs in te nemen. 'Dit is de enige waarschuwing die we jullie geven,' verkondigde een vertekende stem door de megafoon. 'Jullie hebben maar twee opties: de universiteit nu meteen verlaten of de gevolgen ondervinden.' Wat een beleefde juten! Ze gaven ons de kans ons over te geven! Afgezien van enkele deserteurs antwoordde de rest, waaronder wij, met een fluitconcert. Ik draaide me om en keek naar Foucault die geconcentreerd bezig was met het aanleggen van een voorraad stenen en schotten.

'We laten ons niet als een gemakkelijke prooi pakken,' zei hij tegen Defert.

Omstreeks half twee 's middags viel de politie met volle kracht aan. We hadden het misschien langer kunnen volhouden als er geen traangasbommen door de ramen waren gekomen: door de nevel deden je ogen pijn alsof er enorme spelden in zaten.

'Kijk uit!' schreeuwde Benoît naar mij.

Mijn eerste ingeving was Foucault – mijn generaal – te volgen, maar ik zag hem niet meer in de rook en tussen al die vluchtende lichamen. Ik had ten slotte geen andere keuze dan naar de uitgang te rennen en me aan te sluiten bij het contingent gevangenen dat door de oproerpolitie gedwongen werd in hun militaire busjes te klimmen. Toen ik mijn ogen weer opende – ik had het gevoel dat ze in plakjes waren gesneden als in een scène van Buñuel – constateerde ik dat ze me handboeien hadden omgedaan.

'Gaat het goed?' vroeg Foucault; ik kon hem nauwelijks zien. 'U moet een van de laatsten zijn geweest die naar buiten kwam, uw ogen zitten vol bloed.'

'Weet u hoe lang het effect duurt?' schreeuwde ik.

Mijn vraag klonk zo formeel dat Foucault erom moest lachen.

'Je moet je zo snel mogelijk wassen,' antwoordde Defert in zijn plaats.

'Ze hebben de hele boel kort en klein geslagen in je kantoor,' zei Foucault tegen Jean-Claude Passeron, docent sociologie.

Enkele minuten later werden we in het politiebureau van Beaujon afgeleverd. Nog later hoorden we dat het saldo aan gevangenen opliep tot tweehonderdvijfentwintig man. Niemand kon het iets schelen dat Foucault en andere eerbiedwaardige academici zich onder hen bevonden: we werden allemaal genoteerd als normale delinquenten. Hoewel we bij zonsopgang werden vrijgelaten ervoeren we in die uren in Beaujon de woordeloze hulpeloosheid van beklaagden. Voor Foucault, die al nadacht over het oprichten van de Informatiegroep Gevangenissen, was dit een interessante ervaring.

3.3. DELIRIUM EN REDELOOSHEID

Ik heb nooit begrepen waarom Lacan mij die missie opdroeg. Na de beledigingen die we hadden uitgewisseld was ons contact de laatste tijd tot een minimum beperkt gebleven; omdat ik was opgenomen in de kring van zijn dochter had ik bijna geen zin meer om met de meester te discussiëren. Verblind als ik was door het idee de wereld af te breken, leek het me belachelijk om tijd te verspillen aan het doordrammen over mijn eigen angst. Opeens kwam de analyse me voor als een narcistisch tijdverdrijf. Lacan zelf had sinds de vlucht van Claire evenmin veel belangstelling voor mij. Daarom was het des te vreemder dat hij me aan het eind van een van zijn werkgroepen staande hield en me bij de arm naar het vochtige binnenste van het Panthéon voerde.

'Dokter Quevedo, ik wil u vragen iets voor me te doen.'

Had ik het goed gehoord? Vroeg Lacan *mij* iets voor hem te doen?

'Ik weet dat het u vreemd in de oren zal klinken,' ging hij verder, de verbazing op mijn gezicht lezend, 'maar u kunt iets heel belangrijks voor me doen. Ik zou u willen vragen mij met de grootst mogelijke discretie uw professionele mening te geven over een patiënt.'

'Meent u dat echt, dokter?'

'Ja, natuurlijk.'

'Een moeilijk geval?'

'Dat niet zozeer. Iemand die, hoe zal ik het zeggen, behoefte heeft aan een second opinion.'

Er stonden Lacan tientallen leden van zijn school en honderden leerlingen van zijn werkgroep tot zijn beschikking. Waarom ik?

'Het spijt me zeer, dokter, maar ik denk niet dat ik daartoe in staat ben. Niet nu.'

Lacan stak een sigaar op en begon in kringetjes om me heen te lopen. Hij was er niet aan gewend te smeken.

'Ik durf het aan niemand anders te vragen, dokter Quevedo. Het voordeel van u is dat u een buitenlander bent, u heeft een frisse blik en geen vooroordelen. Ik zou graag willen dat u een keer bij die persoon op bezoek gaat, vrij regelmatig bij hem terugkomt en op grond daarvan uw mening vormt.' Hij schraapte zijn keel. 'Het schijnt om een manisch-depressieve stoornis te gaan.'

'Is het noodzakelijk dat ik uw diagnose onderschrijf?'

'Moet u horen, de man staat onder supervisie van een andere arts…'

'Maar waarom wilt u mij dan speciaal hebben?'

'Het klinkt allemaal erg ingewikkeld, dat weet ik. Die andere psychiater is iemand met wie ik niet op vertrouwelijke voet omga… Een second opinion zou heel waardevol zijn, begrijpt u? Om te weten te komen hoe zijn toestand zich ontwikkelt, zo er al sprake is van enige ontwikkeling… En wat de perspectieven zijn, want hij heeft net enkele weken in een psychiatrische inrichting gezeten.'

'Heeft de patiënt u om hulp gevraagd?'

'Nee.' Lacan nam weer een pauze. 'Dat is het gevoeligste punt.'

'Vraagt u mij bij iemand op bezoek te gaan tegen diens wil?'

'Begrijpt u me niet verkeerd, dokter Quevedo,' riep hij uit. 'Ik wil alleen dat u bij hem op bezoek gaat, dat u hem van dichtbij observeert en een beetje met hem praat.'

'Mag ik de naam van de patiënt weten?'

'Louis Althusser.'

Ik wist dat Althusser en Lacan al enkele jaren in een dubbelzinnige verhouding tot elkaar stonden, die zowel werd gekenmerkt door bewondering als door wantrouwen. Lacan legde me uit dat Althusser aan een klinische depressie leed, die in 1947 tot een hoogtepunt was gekomen. Vlak daarvoor was hij teruggekeerd uit het kamp waar hij in de oorlog gevangen had gezeten en had hij zijn vrouw Hélène Legotien leren kennen. Nadat hij de eerste maal de liefde met haar had bedreven, had de filosoof een zware angstaanval gekregen waar hij nooit helemaal overheen was gekomen. Hélène, die een soort verpleegster was geworden, sommeerde hem bij dokter Pierre Mâle te rade te gaan. Deze constateerde een dementia praecox en liet hem in het paviljoen Esquirol van de Sainte-Annekliniek opnemen. Gescheiden van zijn familie en de buitenwereld onderhield Althusser in die eerste maanden alleen contact met Hélène, die van alles verzon om aan het wakende oog van de verplegers te ontsnappen om hem te kunnen bezoeken. In de loop van de dagen werd zijn toestand slechter en slechter, ook door de medicijnen, en hij veranderde in een levenloos omhulsel, een lichaam dat niets anders deed dan vluchten voor de helderheid – de pijn – door middel van de slaap.

Geschrokken door het gebrek aan perspectief ging Hélène te rade bij een andere psychiater, Julian de Ajuriaguerra, en deze verving de diagnose van Mâle door de diagnose manisch-depressieve psychose. In de klauwen van deze klinische categorie, die sinds het oude Griekenland wordt geassocieerd met creatieve geesten – 'Waarom zijn alle kunstenaars melancholiek?' wordt gevraagd in fragment xxx , 1, dat abusievelijk wordt toegeschreven aan Aristoteles –, moest de filosoof sindsdien de enige behandeling ondergaan waarvan toentertijd werd gedacht dat de 'zwarte zon' er efficiënt mee kon worden bestreden: de elektroshock. Na in twintig sessies aan deze 'kleine dood' te zijn onderworpen, kreeg hij toestemming de inrichting te verlaten. De behandeling bleek weinig doeltreffend: als gevolg van een ernstige crisis wisselde Althusser in 1950 opnieuw van arts en kwam hij onder de hoede van Laurent Stévenin, die voor narcoanalyse koos.

Door zijn pijnlijke ervaring had de filosoof nog altijd een complexe verhouding met de psychoanalyse: aan de ene kant fascineerde Freud hem en hielp diens werk hem bij de vorming van zijn ideeën, maar aan de andere kant weigerde hij zelf in analyse te gaan. Terwijl hij zich in het openbaar als een van Freuds grootste verdedigers opstelde, gebruikte hij in zijn privé-leven liever traditionele medicijnen. Van het begin af aan leed zijn verhouding met Lacan aan dezelfde dubbelzinnigheid. De eerste keer dat hij Lacan zag was in 1945 in de École Normale Supérieure tijdens een lezingencyclus die gewijd was aan de psychopathologie; Althusser, die ergens tussen het publiek verscholen zat, vond zijn woordenbrij onverdraaglijk. Na verloop van tijd begon hij Lacans werk te lezen en langzamerhand werd hij een bewonderaar van hem; dat ging zover dat hij Lacans boeken tot verplicht studieonderwerp maakte voor zijn studenten.

Hoewel je zou vermoeden dat ze elkaar vaak hadden ontmoet omdat ze allebei tot de stroming behoren die op uiterst ontspannen wijze 'het structuralisme' wordt genoemd, duurde het tot 1963 voordat ze aan een persoonlijke briefwisseling begonnen. Lacan had over Althusser gehoord – Nicole Bernheim-Alphandéry, een goede vriendin van de filosoof, was enkele jaren Lacans patiënte geweest – en had enkele van zijn geschriften doorgebladerd, maar de filosofische denkwereld van zijn collega trok hem niet aan. Totdat hij in de *Revue de l'enseignement philosophique* een artikel las dat was getiteld: 'Filosofie en menswetenschappen', waarin Althusser tot zijn verrassing in uiterst lovende bewoordingen over hem sprak. In die tijd had Lacan zich gedwongen gezien de zalen van de Sainte-Anne te verlaten waar hij zijn werkgroepen gaf. Hij dacht dat Althusser hem misschien wel een van de collegezalen van de École Normale Supérieure zou willen aanbieden. Hij besloot hem te schrijven en dat was het begin van een ingewikkelde briefwisseling die werd beheerst door Althussers bewondering voor Lacan en de onverschilligheid van deze laatste ten aanzien van de ander.

De eerste ontmoeting van de twee mannen vond begin december 1963 plaats in het huis van Lacan. Deze was net van de lijst van docenten van de IPA geschrapt en stond voor het dilemma definitief te breken met de 'Franse maatschappij voor psychoanalyse' of lid te blijven zonder leeranalyses te kunnen begeleiden. Voor één keer waren de rollen omgedraaid: Lacan kreeg een depressie, terwijl Althusser een periode van helderheid van geest beleefde. Na een korte uitwisseling van loftuitingen haalde de filosoof de psychoanalyticus over naar een restaurant in Saint-Germain te gaan, waar hij hem gedurende het hele diner zat te prijzen; bij het dessert stelde hij hem zelfs voor dat ze samen een verbond zouden sluiten tegen hun gemeenschappelijke vijanden. Lacan schonk nauwelijks aandacht aan de enthousiaste monoloog van zijn gesprekspartner, maar uiteindelijk was het toch de moeite waard geweest dat betoog aan te horen: Althusser beloofde de psychoanalyticus dat hij er alles aan zou doen om te zorgen dat deze zijn werkgroep naar de rue d'Ulm kon overplaatsen.

Enthousiast geworden door wat naar hij meende niet alleen een gelukkige ontmoeting maar ook een constructief moment was, wijdde Althusser sinds die avond een groot deel van zijn energie aan het propageren van Lacans ideeën. Hij organiseerde een lezingencyclus waarbij hij een tekst over zijn 'handlanger' voorlas, die later onder de titel *Freud en Lacan* werd gepubliceerd, en ofschoon hij het waagde in enkele passages kritiek te leveren – 'als u aan de werkgroep deelneemt, zult u daar allerlei mensen zien die bidden voor een onbegrijpelijk vertoog' –, deed hij dat in de hoop Lacan nieuwe studenten te bezorgen. De filosoof verdedigde de psychoanalyticus met zo'n heftigheid, dat hij al spoedig enkele van zijn eigen leerlingen, bijvoorbeeld Jacques-Alain Miller, tot militante lacanianen bekeerde.

Zodra Lacan Millers werk had gelezen begreep hij dat hij de discipel had gevonden die hij nodig had; hij antwoordde Althusser slechts met: 'Heel aardig, die jongen van u', maar eigenlijk was hij verrukt. Een paar jaar later, in 1966, trouwde Miller met Judith. Intussen beleefde Althusser een nieuwe crisis, en hij dankte zijn analyticus weer eens af. Hoewel hij de mogelijkheid overwoog patiënt van Lacan te worden koos hij uiteindelijk voor René Diatkine, die zelf door Lacan was geanalyseerd. Híj was de man wiens werk ik moest evalueren.

'Hoe zal ik Althusser benaderen?'

'Dat zal niet zo moeilijk zijn,' stelde Lacan me gerust. 'Ik stuur hem wel een briefje waarin ik zeg dat u hem graag wilt leren kennen, precies zoals hij deed toen hij Miller naar mij stuurde. Wat denkt u ervan als we tegen hem zeggen dat u bezig bent met een scriptie over marxisme en psychoanalyse? Omdat u bovendien een Zuid-Amerikaan bent...'

'Mexicaan...' zei ik, hem in de rede vallend.

'Omdat u bovendien een Mexicaan bent,' herstelde hij woedend, 'en hij bijzonder goede banden heeft met mensen uit dat deel van de wereld, denk ik dat hij niet zal aarzelen u te ontvangen.'

Judith mocht dan intelligent en boosaardig zijn, voorzichtigheid hoorde niet tot haar deugden. Omdat clandestiene acties haar op een goed moment altijd begonnen te vervelen, duurde het nooit lang voordat haar naam, die onherroepelijk in verband werd gebracht met haar vader en haar man, van mond tot mond ging als gevolg van een nieuw schandaal. Binnen de chaos te Vincennes vormden haar lessen geen voorbeeld van evenwichtigheid. Haar uiteenzettingen over de culturele revolutie eindigden meestal in tirades tegen het onderdrukkingsapparaat van de staat – dat Althusser aanduidde met de hoogdravende term OAS – en tegen de universiteit zelf. Voor Judith was haar status als ambtenaar en docente totaal niet in tegenspraak met haar verlangen om haar bron van inkomsten af te schaffen: de eenvoudigste vorm om een instelling af te breken was deze van binnenuit aan te vreten. Net als haar echtgenoot moedigde ze ons altijd aan tot *écraser l'université*.

Om haar minachting voor het onderwijssysteem te bewijzen verwierp mijn jonge lerares alle evaluatiesystemen, want volgens haar werden de maatschappelijke verschillen daar alleen maar groter door. Vandaar dat Judith haar leerlingen de cijfers gaf die ze geschikt voor hen vond, zonder rekening te houden met hun verdiensten of het resultaat van hun examens. Als ze onderweg in de bus in een goed humeur was deelde ze de hoogste cijfers uit, met als enig criterium het toeval. Deze lichtzinnigheid zou slechts een van de vele anekdoten zijn geweest waarmee de zwarte legende van Vincennes werd verrijkt, als Judith geen zwak had gehad voor de sensatiepers.

In een interview met Madeleine Chapsal en Michèle Manaceaux, die bezig waren met een boek genaamd *Leraren, waar dienen ze voor?*, schroomde de jonge academica niet te beweren dat de universiteit een van de grootste rampen was die de hedendaagse maatschappij had voortgebracht, en ze stelde de onmiddelijke afbraak van dat instituut voor. En alsof dit nog niet genoeg was veroorloofde ze het zich haar ideeën nog extra te kruiden door het systeem, dat ze in de Parijse autobussen had bedacht, tot in detail te beschrijven. Ook deze gebeurtenis zou niet meer dan een buitensporige anekdote zijn geweest over het soort onderwijs dat werd gegeven aan het Experimenteel Universitair

Centrum, als Chapsal en Manaceaux geen fragment uit haar verklaringen hadden gepubliceerd in *L'Express*.

Toen de nieuwe minister van onderwijs de volgende ochtend zijn ontbijt nuttigde dat bestond uit een kop koffie, verslikte hij zich in de woorden van de dochter van Lacan. Zijn bevel duldde geen tegenspraak: 'die vrouw' moest onmiddellijk uit het universitaire onderwijs worden verwijderd en worden teruggezet in haar functie van lerares in het middelbaar onderwijs. Met deze maatregel hoopte de minister het debat dat al enige tijd in de lucht hing te ontlopen, maar het enige wat hij bereikte was dat het extra opviel, precies zoals Judith wilde. Vincennes stond meer dan ooit aan kritiek bloot: nu twijfelde niemand er meer aan dat het een links nest was, een opleiding voor misdadigers. Door van twee walletjes te eten behaalde Judith een grotere overwinning dan de minister: dat zij zich als uitdagende partij gedwongen zag te vechten tegen uilskuikens van zeventien die nog opstandiger waren dan zijzelf, was niet van belang: het schandaal bevestigde dat er een eind moest komen aan die farce.

Enkele weken nadat zijn dochter was verwijderd, aanvaardde Lacan de uitnodiging van de sectie psychoanalyse van Vincennes om een lezing te komen houden. Tot dan toe had hij niet willen verschijnen – deze afdeling werd per slot van rekening door zijn leerlingen gecontroleerd – maar Serge Leclaire begon een gevaarlijke autonomie te vertonen.

'Ik raad het u echt af, dokter,' zei ik de dag voor zijn bezoek. 'De radicalen beschouwen u als een tiran, ze zullen u niet met rust laten.'

Mijn aanbevelingen hielpen totaal niet. Zodra hij gehuld in een van zijn typische coltruien het auditorium betrad, werd zijn groet overstemd door geschreeuw. Zonder een spier te vertrekken liep de psychoanalyticus door naar het podium en sloeg geen acht op het boegeroep. Het kookte in de conferentiezaal als in een hogedrukpan. Hoewel ik in die tijd nog enige waardering voor hem had, genoot ik stiekem van dat fluitconcert. Als hij niet kon spreken werd Lacan zo kwetsbaar als een kind. Deze scène, die eerst nog deed denken aan een mislukte voorstelling van een goochelaar, ontaardde nu in een reeks misverstanden die een vaudevilletheater of een film van de *Marx Brothers* waardig waren, als ze niet zo uiterst smakeloos waren geweest.

LACAN IN VINCENNES (Farce in één bedrijf)

Terwijl Lacan zijn uiterste best doet zich verstaanbaar te maken, loopt er achter zijn rug een hond over het podium. Gelach. Maar Lacan blijft ernstig, als een komediant die nooit om zijn eigen sketches lacht. Woedend breekt Lacan het gecompliceerde onderwerp af waar hij mee bezig was en begint nota bene aan een beschouwing over het gedrag van de hond.

LACAN (*naar het teefje wijzend*) Aangezien jullie toch nergens anders in geïnteresseerd zijn, zal ik jullie over haar, mijn goede fee, vertellen. Ik geloof dat zij in vergelijking met jullie de enige persoon is die ik ken die echt weet wat ze zegt. Natuurlijk ben ik niet in staat te herhalen wat ze zegt, maar dat betekent niet dat ze niets zegt, het probleem is dat ze het niet met woorden zegt. Meestal praat ze als ze bang is. Dan komt ze tegen me aan liggen en legt haar kop op mijn knieën. Eigenlijk weet ze dat ik ga sterven. Tussen twee haakjes, ze heet Justine…

STUDENT 1 (*met een vleugje helderheid van geest of gewoon uit onbeleefdheid*) Wat is er met die ouwe aan de hand! Staat hij me daar over zijn hond te kletsen! (*Gelach.*)

LACAN Het is een teefje, dat zei ik al. Kijk eens hoe mooi ze is, u zou beter moeten opletten voordat u iets zegt…

Het gegrinnik gaat over in bulderend gelach. Enkele provocateurs willen een eind maken aan het feest. Een van hen staat op uit zijn stoel en loopt naar voren.

LACAN Het enige verschil tussen mijn teefje en die vent daar is dat zij niet naar de universiteit is geweest. (*Applaus.*)

Vastbesloten de maestro voor gek te zetten begint de student in kwestie stuk voor stuk zijn kleren uit te trekken, een geïmproviseerde striptease.

LACAN (*zich tot de stripper richtend*) Luistert u eens, beste vriend, gisteravond was ik bij *The Open Theater* en daar heb ik een acteur gezien die precies hetzelfde deed als u, alleen had die wel billen en kleedde hij zich wel helemaal uit… Dus stopt u niet… Vooruit, kom op, ga door, verdomme!

Na de laatste lachsalvo's heerst er eindelijk een volledige, kalme stilte.

STUDENT 1 Zou u iets langzamer kunnen spreken? Sommigen van ons kunnen zo geen aantekeningen maken…

STUDENT 2 (*van achter uit de zaal*) Je moet toch wel een klein kind zijn als je aantekeningen maakt en niets begrijpt van de psychoanalyse van Lacan.

STUDENT 3 Hé, Lacan, we zitten al uren te wachten tot je openlijk kritiek levert op de psychoanalyse… We zeggen niks om je zelfkritiek beter te kunnen horen.

LACAN (*verbaasd*) Maar ik heb helemaal geen kritiek op de psychoanalyse! Het gaat niet om de kritiek om de kritiek! U begrijpt me niet goed, jongeman, ik ben geen protesterende student!

STUDENT 4 (*zingend*) In de hemel, rechts van God, daar zit Lacan…

LACAN Als u een beetje geduld had zou ik u uitleggen dat revolutionaire aspiraties geen enkele kans hebben het vertoog van de meesters te saboteren. (*Pauze.*) Wat jullie als revolutionairen willen is een nieuw baasje. Zal ik jullie eens wat zeggen? Jullie zullen hem krijgen…

VROUWENSTEM Maar we hebben Pompi toch al!

LACAN Denken jullie dat Pompidou jullie baas is? Wat doen jullie hier dan verdomme? Ik zou jullie zelf ook wel eens een vraag willen stellen. Heeft iemand van jullie een idee wat het woord 'liberaal' betekent?

STUDENTEN IN KOOR Pompidou is een liberaal, Lacan ook.

LACAN Nee, jullie hebben het niet begrepen. Ik ben alleen een liberaal in die zin dat ik niet tegen de vooruitgang ben. Hoe het kan lopen in het leven. Ik heb een beweging gesticht die het eigenlijk verdient progressief te worden genoemd, want het is progressief het fundament te leggen voor het psychoanalytische vertoog en de cirkel rond te maken, omdat we er zo misschien achter kunnen komen waar jullie je verdomme precies tegen verzetten. Desondanks heb ik het hier verrekte goed naar mijn zin. Jullie hebben het zelf niet in de gaten, maar jullie hier in Vincennes zijn de eersten die met de regering collaboreren. Jullie zijn de handlangers van de regering. Begrijpen jullie wat ik zeg? Ach, lieve kinderen. Jullie weten het niet, maar jullie worden gebruikt door de regering. Die bekijkt jullie uit de verte en zegt alleen maar: 'Kijk eens hoe die kinderen genieten van hun revolutie.' En dat was het voor vandaag. *Bye bye.* (*Applaus gemengd met gefluit.*)

DOEK

146

4

Terrorisme, jaloezie en foie gras

Een van de 'effecten' van de menswording van het biologische
wezentje dat is voortgekomen uit menselijke baring: ziehier
het object van de psychoanalyse, dat de eenvoudige naam
'onbewuste' draagt.
ALTHUSSER, *Freud en Lacan*

4.1. DEMENTIA AMOROSA

Ik had nog nooit een stap over de drempel van het huis in de rue d'Ulm
gezet. In een gelaagd academisch milieu als het Franse, waar elke instelling haar eigen legende conserveert, vormen de *normaliens* een
aparte klasse. Bijna zonder uitzondering valt er in elke lichting wel een
beroemde vertegenwoordiger te onderscheiden, hoewel weinigen van
hen zó aan hun *alma mater* verbonden zijn als Louis Althusser. Voor
hem, anders dan voor de doorsneeleerlingen, was de Normale Sup in
zijn thuis en zijn uitkijkpost veranderd. Omdat hij door zijn labiele
psychische toestand van de wereld geïsoleerd was, keerde hij altijd terug naar zijn eenvoudige pension naast het hoofdgebouw, de enige
plaats waar hij de rust vond die hij nodig had voor zijn werk. De filosoof behoorde sinds 1948 tot deze broedplaats van genieën, toen hij de
post van repetitor filosofie had aanvaard omdat hij als gevolg van zijn
ziekte nooit een hoger diploma zou behalen dan dat van docent. Als
een soort Virgilius hield hij zich bezig met het opleiden van enkele ge-
neraties leerlingen, onder wie Michel Foucault, die ondanks zijn argwaan jegens het marxisme altijd grote eerbied voor Althusser had, zou
opvallen evenals Jacques-Alain Miller, de latere geestelijke erfgenaam
van Lacan.

'Bij wie gaan we op bezoek, zei je?' vroeg Josefa toen we zijn deur naderden.

'Je hebt vast nog nooit van hem gehoord. Een communistische filosoof. Maak je geen zorgen, ik zal alle vragen wel stellen.'

We zagen dat de filosoof over een berg papieren gebogen zat en een pas getypt vel bestudeerde. Hij was daar zo geconcentreerd mee bezig dat hij onze aanwezigheid niet opmerkte. Zijn treurige, opgezwollen gezicht, dat een angstaanjagende afwezigheid uitdrukte, lichtte op door de voortdurende beweging van zijn fluweelblauwe, bijna doorzichtige ogen.

'Professor Althusser?' waagde ik.

'Ja?'

De filosoof, die verrast werd door onze groet, bekeek ons wantrouwig. Ik kwam een paar stappen dichterbij en stak hem mijn hand toe; hij begreep niet wat ik wilde en deinsde angstig achteruit.

'Mijn naam is Aníbal Quevedo,' hield ik aan. 'Professor Jacques Lacan zou u op de hoogte stellen van mijn bezoek.'

Er kwam geen verandering in Althussers verbluftheid.

'Lacan,' gromde hij ten slotte.

Alle drie hulden we ons in een somber stilzwijgen. Het begon echt een gênant tafereel te worden.

'Het ontroert me diep kennis met u te maken,' riep ik. 'Uw boeken *Pour Marx* en *Lire "Le Capital"* zijn onontbeerlijk voor mij geweest…'

Althusser accepteerde de loftuiting niet en onthield zich van enig commentaar. Alles wat hij kon uitbrengen was een eenvoudig: 'Pfff…'

'Ik vind uw idee om Bachelards concept van de epistemologische breuk toe te passen op de jonge Marx, buitengewoon interessant…' vervolgde ik.

'Pfff…'

'Ik ben ervan overtuigd dat het een fundamentele bijdrage levert aan de vernieuwing van het marxistische denken…'

'Pfff…' snoof hij voor de derde keer.

'Gelooft u zelf niet dat u met dat werk een zeer belangrijke stap hebt gezet voor het begrip van de ware rol van de ideologie in de postkapitalistische maatschappij…?'

Terwijl hij mij met zijn strenge, gelatineachtige lippen kon opvreten, antwoordde de filosoof ernstig: 'Nee, absoluut niet.'

En toen zweeg hij weer.

'Maar denkt u niet dat het symptomatisch lezen van de jonge Marx ons kan helpen te definiëren hoe wij door de ideologie worden overheerst…?'

Ditmaal deed hij niet eens een poging tegen me in te gaan.

'Maar, professor…' Het lukte me niet mijn zin af te maken.

Op het moment dat het onderhoud zijn rampzalige einde naderde, nam Josefa het woord.

'Neemt u me niet kwalijk, professor, mag ik u iets vragen?'

Ik had toch tegen haar gezegd dat ze haar mond moest houden! Ik gaf haar een onopvallende schop onder de tafel. Althusser, die er blijk van gaf een goede opvoeding te hebben genoten, keek Josefa in de ogen. Ik had gedacht dat hij haar zonder meer zou vernederen, maar om de een of andere reden werd zijn aandacht getrokken door de medaille van Onze-Lieve-Vrouwe van Guadalupe die Josefa om haar hals had hangen.

'Vraagt u maar, juffrouw.'

'Bent u echt communist?'

Alsof hij door deze speldenprik uit zijn lethargie was gehaald schoot de filosoof overeind in zijn stoel.

'Wat zegt u?' gromde hij.

'Ik heb u gevraagd of u communist bent,' hield Josefa aan terwijl ze met haar medaille speelde.

Althusser zat op zijn stoel te schuiven zonder zijn ogen van Josefa af te houden.

'Inderdaad. En ik zie dat u katholiek bent…'

'Ik geloof in Onze-Lieve-Vrouwe van Guadalupe,' antwoordde Josefa trots.

De filosoof glimlachte.

'Wel, ik geloof dat er in wezen niet veel verschil tussen ons is, juffrouw. Zoals ik mijn vriend Jean Lacroix jaren geleden heb geschreven: ik kon niet langer katholiek zijn omdat het me onmogelijk leek zo te leven. Ik vond echter een andere manier om me om mijn naasten te bekommeren…'

'Bij de communistische partij?' viel Josefa hem in de rede.

'Daar vond ik een vrijheid die ik nooit eerder had ervaren.'

'Echt waar?'

'U zult het niet willen geloven, juffrouw.'

'Maar u wordt constant bekritiseerd door de leiders van die partij,' kwam ik tussenbeide.

'Nee, ze hadden nooit kritiek op mij, maar op mijn echtgenote, Hélène,' legde Althusser me met een geërgerd gezicht uit.

'Uw echtgenote?' herhaalde Josefa.

'Door haar heb ik aansluiting gezocht bij het communisme, maar zij had altijd veel problemen met de partijleiding... Ze beschuldigden haar van de ergste misdaden... Ze beweerden dat zij collaborateurs had gemarteld en hen na de bevrijding had vermoord...'

In de stem van de filosoof klonk iets van schaamte.

'Maar dat was niet waar...'

'Hélène stond al sinds de jaren dertig dicht bij de partij, maar vanaf 1939 verloor ze alle contact met de leiding. Ze sloot zich aan bij het verzet, werkte nauw samen met Louis Aragon, die later haar vijand zou worden omdat Elsa Triolet jaloers op haar was. Wat een leven heeft Hélène gehad! Ik zat het grootste deel van de oorlog in een concentratiekamp en ik heb haar altijd benijd om haar samenwerking met de maquis. Ze is een heel bijzondere vrouw, dapper en vastberaden. Vol leven en energie, tot alles bereid om haar idealen te verdedigen...'

'En ondanks alles bleef u bij de partij?'

'Natuurlijk, ik moest met mijn gedrag bewijzen dat we goede communisten waren. Als militant heb ik altijd gedaan wat er van me werd verwacht,' Althusser stotterde. 'Ik heb zelfs hier op school een cel opgericht... Desalniettemin werden de vooruitzichten voor Hélène er niet beter op. Zij wilde al niet eens meer terug naar de partij, ze wilde alleen dat ze haar toestemming gaven om bij de 'organisatie van franse vrouwen' en bij de 'vredesbeweging' te werken.'

'Waarbij?'

'Omdat Hélène geen lid van de partij kon worden, wilde ze op zijn minst voor die verwante organisaties werken... Maar toen werd ze ervan beschuldigd dat ze munitie naar Nantes en Indo-China had gestuurd en orders van hogerhand had overtreden, en ze dwongen haar tot een strenge zelfkritiek. Ik werd ook gedwongen tijdens het proces een verklaring af te leggen ten overstaan van de communale raad van de partij...'

'Over Hélènes gedrag?'

'Ik had geen zin om met hun spelletje mee te doen, dus ik zweeg en moest wel naar de beschuldigingen luisteren die tegen haar werden ingebracht. Die neprechters hadden uiteindelijk geen medelijden met haar en zetten haar zonder pardon uit de beweging. Alsof dat nog niet genoeg was, eiste de cel van de Normale Sup van mij dat ik met Hélène zou breken.'

Waarom vertelde Althusser ons die geschiedenis? Of liever, waarom vertelde hij die *aan Josefa*?

'Maar u verzette zich,' riep ze uit.

Althusser stond van zijn stoel op en sloeg zijn handen voor zijn gezicht.

'Het was een vreselijke tijd… Enkele dagen lang was ik mezelf niet. Ik moest een paar keer naar de dokter…'

Josefa ging naar Althusser toe. Ik kon mijn ogen niet geloven: opeens zag ik hoe ze hem bij de arm nam en hem zachtjes op zijn rug klopte. En het allermerkwaardigste was dat hij zich overgaf aan haar tederheid.

'En Hélène?'

'We zijn een tijdje uit elkaar gegaan,' gaf Althusser met een treurig gezicht toe, 'althans officieel. Ik moest haar in het geheim opzoeken, buiten het gezichtsveld van mijn kameraden.'

'Ging u ermee akkoord met haar te breken?' vroeg ik verontwaardigd.

'Alleen in het openbaar… Ik kon niet anders…'

Althusser hulde zich in een schuldbewust stilzwijgen.

'Dat was het einde,' zei de filosoof. 'Omdat Hélène nooit echt lid was geweest van de partij konden ze haar ook niet royeren. Ze gaven haar gewoon de kans niet om lid te worden. En wat mij betreft, ze vonden het goed dat ik haar bleef zien, als het maar discreet gebeurde.'

Na deze verbluffende ontboezeming drong ik erop aan dat we opstapten. Voordat we zijn kantoor verlieten zei ik dat ik graag nog een keer wilde terugkomen, maar hij negeerde mij volledig. Hij nam alleen afscheid van Josefa en legde in een onbewaakt ogenblik zijn hand in het kommetje van de hare.

Ik werd zo in beslag genomen door de revolutionaire routine dat ik niet eens overwoog of er een kans was dat Claire weer zou opduiken. Door mijn verbittering waren haar sporen vervaagd en was zij in een ongevaarlijke metafoor veranderd, een schild of een embleem, een beschermheilige die ik mijn eerbetoon bracht door mijn daden. Dus toen ik tijdens een van de dagelijkse algemene vergaderingen in Vincennes haar profiel zag te midden van de op elkaar gepakte lichamen – haar blonde haar, haar spierwitte handen! –, was mijn eerste reactie er onmiddellijk vandoor te gaan. Pas nadat ik me enkele minuten gespannen en zwetend in een groep studenten had verstopt, had ik voldoende moed verzameld om de confrontatie met haar aan te gaan.

Alsof ze nooit was weggegaan, alsof ze er altijd, onaangedaan over mijn verdriet, was geweest, stond Claire in een hoek van de zaal zachtjes met Jacques-Alain Miller te praten. Ondanks haar gebronsde huid en haar nieuwe haarcoup, tot vlak boven haar nek, waren de ruwe bewegingen van haar armen en de opwinding op haar gezicht net als anders. Ik zag er vast belachelijk uit zoals ik daar van de ene kant van de zaal naar de andere liep, ellebogen ontwijkend, doodsbang bij de gedachte dat ik haar weer zou kwijtraken of zou ontdekken dat ze slechts een fata morgana was. Wat deed ze daar? En als ze eindelijk weer naar Parijs was teruggekomen, waarom had ze me dan niet gewaarschuwd? Ik ging pal voor haar staan om te zorgen dat ze snel een eind maakte aan haar gesprek met Miller. Deze keek uit zijn ooghoeken naar me en trok zich niets aan van mijn onbehoorlijke gedrag; maar op Claires lippen zag ik een teken van solidariteit. Ik wapende me met geduld en bleef als een lakei of een lijfwacht naast haar staan. Het duurde een halfuur voordat de schoonzoon van Lacan zo vriendelijk was ons alleen te laten. Claire omhelsde me langdurig.

'Aníbal!' schreeuwde ze.

Ik had mijn hele leven op haar willen wachten om haar stem opnieuw te horen.

'Waar ben je geweest?'

Ondanks haar van zon doortrokken wangen meende ik iets van onevenwichtigheid bij haar op te merken.

'Vertel jij liever wat jij hebt gedaan.'

We gingen snel naar buiten; we namen de metro en terwijl we door de ondergrondse tunnels naar de Rive Gauche reden – het toneel van onze vroegere glorie –, gaf ik haar een samenvatting van mijn omzwervingen in die laatste maanden. Trots meldde ik haar mijn ontmoeting met Judith en mijn daaropvolgende toetreding tot de rijen van de organisatie. Toen we ons op het terras van het café de la Mairie hadden geïnstalleerd waagde ik het haar te vragen waarom ze was gevlucht.

'Soms valt de tijd van de revolutie niet samen met onze tijd,' antwoordde ze raadselachtig. 'Ik moest weg, ik had niet eens tijd erover na te denken. Ik kreeg de kans, of liever de plicht, en opeens was ik al aan de andere kant van de Atlantische Oceaan, begrijp je?'

Eerlijk gezegd niet. Terwijl ze zich verslikte in de veel te grote slokken van een veel te zoete wijn – volgens haar vierden we ons weerzien –, vertelde Claire me wat fragmenten van haar avontuur. Haar verhaal deed me sidderen: dat leven van haar, dat onguur en vermetel was, behoorde mij niet meer toe.

'Ik weet wat er in Mexico is gebeurd,' zei ze. 'Ik vind het zo treurig, je hebt geen idee. Overal heb je klootzakken.'

Ik stond op het punt haar over mijn ervaring na twee oktober te vertellen, maar ik bleef liever naar haar luisteren; Claire onthulde me toen dat ze niet ver van de plaats van de slachtpartij was geweest en dat ze de hele tijd aan me had moeten denken...

'Ben je in Mexico geweest?' vroeg ik verbijsterd.

'Nee, in Venezuela.'

'In Venezuela!'

Het deed er niet veel toe dat er duizenden kilometers tussen Caracas en Tlatelolco lagen: voor haar waren er geen grenzen in Latijns-Amerika.

'Mijn droom om in Zuid-Amerika de revolutie te gaan bedrijven, weet je nog, is eindelijk in vervulling gegaan. Ik heb al die maanden tussen de bergen en het oerwoud gezeten.' Er kwam een woeste uitdrukking op haar gezicht, misschien alleen als gevolg van de wijn. 'Je hebt geen idee hoe de situatie daar is. Vergeleken met wat ik daar heb gezien is wat er in Parijs gebeurt kinderspel. In die landen is de oorlog echt en geen simpel schijngevecht; dat weet jij maar al te goed.'

In de daaropvolgende uren vertelde Claire me een warrige serie onwaarschijnlijke avonturen. Ze leken zo uit de bonte Latijns-Amerikaanse romans te komen die in die tijd zo populair begonnen te worden. Ik wist dat ze nooit eerder in Latijns-Amerika was geweest, dat ze minder dan gebrekkig Spaans sprak en dat haar kennis van het gebied gebaseerd was op films. Toch wilde ze mij bewijzen dat ze een expert op het gebied van de geopolitieke situatie in Zuid-Amerika was geworden. Ze brabbelde wat zinnetjes in steenkolenspaans – met haar accent verbrijzelde ze alle erren – en ze gaf een hele opsomming van gruweldaden van het leger in de indianendorpen in het Amazonegebied. Om te zorgen dat die mensen zich bewust werden van hun uitbuiting had Claire net zo lang hun land geploegd, hun koeien gemolken en hun machetes ter hand genomen totdat ze, volgens haar zeggen, een *campesina* was geworden zoals zij. Toen ze eenmaal hun vertrouwen had gewonnen mocht ze van de locale guerrillero's meedoen aan hun strijd.

'Maar eerlijk gezegd heb ik alles aan *hem* te danken,' gaf ze toe. 'Zonder zijn steun had ik nooit iets begrepen van de behoeften van die mensen. En dan had ik het ook niet overleefd, Aníbal.'

Haar woorden hadden het effect van een koude douche; mijn dronkenschap was in een seconde verdwenen: een man, haar *compañero*, was verantwoordelijk geweest voor haar reis. Later zou ik vernemen dat het een Fransman was die al meer dan een jaar in het Amazoneoerwoud zat, waar hij een klein indianenleger probeerde te bewapenen, net als al die andere idealisten of krankzinnigen die, zoals Régis Debray, niet aarzelden hun vrijheid of hun leven op te offeren om een bijdrage te leveren aan de triomf van de revolutie in de derde wereld. Zijn naam was Pierre en volgens haar had hij grote invloed in de Venezolaanse guerrilla gekregen. Hij was in werkelijkheid een onduidelijk en gewelddadig persoon – die altijd zweette –, maar zij beschreef hem als een halfgod, een held die in die maanden van seks en dood de door Lacan achtergelaten leemte had gevuld. Volgens haar beschrijving was Pierre het omgekeerde van de psychoanalyticus: een man van de actie die bereid was zijn idealen tot elke prijs te verdedigen. Ik nam een laatste slok wijn en hoopte weg te zinken in een lauwwarme verdwazing; gelukkig overhandigde de ober ons de rekening en gebood ons te vertrekken. Met een verwijzing naar mijn alcoholische toestand ging ik niet in op haar uitnodiging met haar mee naar huis te lopen om daar nog een laatste glas te drinken met haar compañero. We wandelden nog een tijdje door, maar vlak voordat we uit elkaar gingen, keek Claire me opeens recht aan.

'Houd je nog van me, Aníbal? Ik had zo'n zin om je te zien. Ik heb onze… gesprekken zo gemist. Weet je nog?'

'Ja, ik weet het nog.'

'Ik had je zo nodig. Pierre heeft een onblusbare energie, hij wordt nooit moe, hij houdt nooit op… Maar soms ben ik bang voor hem. Alleen bij jou voel ik me veilig.'

Haar vleierij luchtte me niet op. Ik had geen behoefte aan haar medelijden of haar tederheid.

'Ik ben blij dat we het eindelijk met elkaar eens zijn.' Ze omhelsde me krachtig. 'Wat er ook gebeurt, de revolutie zal ons bij elkaar houden.'

Onze wegen scheidden halverwege het plein waar de kerktorens ons angst inboezemden. Voordat ze verdween, plaatste Claire een kus op mijn mondhoek. De Heilige Kwelling, ongetwijfeld.

4.3. DOEL: LACAN

Omdat ik de pest in had over Claires verraad werd mijn revolutionaire vorming even streng als blind: niemand wees me in Vincennes de weg naar wetenschappelijk succes, maar ik leerde er wel hoe ik alle mogelijke subversieve activiteiten moest plannen. Intussen was de krachtsverhouding binnen ons detachement drastisch gewijzigd door een plotselinge wending van het lot. Onder het voorwendsel of misschien echt uit verlangen hem een promotie te bezorgen, hadden ze Sébastien naar het front in Marseille gestuurd als tweede man van Tony. Onze groep zat opeens zonder hoofd of stond liever gezegd tijdelijk onder controle van Benoît, totdat het bestuur ons vroeg samen te werken met een nieuwe leider. Het noodlot zorgde ervoor dat de verantwoordelijkheid voor ons contingent uitgerekend bij Pierre terechtkwam.

Mijn vooroordeel werd geheel bevestigd, onze aanvoerder bleek een stugge, sluwe kerel te zijn met een humeur dat even oververhit en ondoorzichtig was als de oerwouden waaruit hij net was teruggekeerd. Tot overmaat van ramp stonk hij. Vanaf de eerste seconde maakte hij grappen over mijn gestuntel met wapens, over mijn leeftijd, die boven het gemiddelde was, en ook zelfs over mijn nationaliteit, terwijl hij evenmin versaagde in zijn pogingen mijn moreel te breken, ervan overtuigd dat ik maar een walgelijke kleinburger was. Ik besloot mijn kalmte te bewaren tegenover zijn onverwachte uitvallen om hem te bewijzen dat ik sterk in mijn schoenen stond wat betreft mijn overtuigingen. Wat had Claire in dat afschuwelijk individu gezien? Misschien alleen een nieuwe spiegel van haar onevenwichtigheid, de mannelijke voortzetting van haar onzekerheid. Ze mocht vroeger dan verliefd zijn geworden op een man die de belichaming van het gezonde verstand was, nu had ze een verhouding met het levende evenbeeld van de gestoordheid.

Volgens de geruchten die verspreid werden door Benoît, die ook niet dol was op onze leider, wilde Pierre een ware stadsguerrilla organiseren naar beeld en gelijkenis van de guerrilla die hij – of dat beweerde hij althans – in Venezuela had opgezet. Toen dit initiatief werd afgekeurd besloot hij een reeks terroristische activiteiten te ontplooien waaraan wij verplicht moesten deelnemen. Ik weet niet of Pierre immuun was geworden door iets dat hem in het verleden was overkomen – er werd gezegd dat hij dik bevriend was met zijn naamgenoot Pierre Victor –, maar naar mijn mening was er geen enkele rechtvaardiging voor de toenemende invloed van zo'n onstabiel iemand als hij binnen de organisatie. Achter zijn befaamde onverschrokkenheid zat een sterk geestelijk lijden verborgen: hij was gevaarlijk. Omdat ik geen behoefte had aan een confrontatie met hem, besloot ik zijn orders zonder discussie op te volgen.

'Die vent is getikt,' zei Josefa verwijtend tegen mij. 'Je hoeft die apenkop van hem maar te zien. Als ik jou was, zou ik zeggen dat hij kon opdonderen.'

'Waarom heeft Claire voor hem gekozen?'

'God maakt ze…' antwoordde ze meedogenloos.

Alsof hij de drager was van een tropische ziekte stak Pierre ons langzaam maar zeker aan met zijn instabiliteit en zijn waanidee. Op het laatst waren alle andere leden van het detachement ervandoor gegaan om uit zijn buurt te zijn, en was ik zijn assistent. Wij werden niet door vriendschap of een gemeenschappelijk belang verbonden, maar door een verborgen, stilzwijgende verbetenheid. Pierre maakte geen onderscheid tussen politiek activisme en gewoon bandietenwerk: zijn grillen en zijn verlangen naar gerechtigheid ten behoeve van de onderdrukte volkeren liepen door elkaar. Mensen van vlees en bloed interesseerden hem heel weinig; hun verlangens, hun vrijheid of hun leven hadden niet de minste betekenis in vergelijking met het welzijn van die eeuwig onderdrukte volkeren voor wie hij zei te strijden. Strevend naar een toekomst met gerechtigheid zag hij er geen been in iedereen te slachtofferen die zijn plannen dwarsboomde.

Ondanks de stress bleef ik zijn bevelen opvolgen: misschien begon ook ik iets te zien in gewelddadigheid. Iedere keer als we een winkel overvielen – Pierre verzekerde me dat het zijn bedoeling was aan hulpmiddelen te komen voor de zaak, maar ik wist dat hij alleen zijn alcoholvoorraad wilde aanvullen –, iedere keer als we een etalageruit insloegen of een theatervoorstelling onderbraken om leuzen te roepen ter ere van Mao, voelde ik me aan een onstuitbare, wellustige razernij ten prooi; dan vond ik het niet erg meer dat hij het geld van de overvallen gebruikte om merkkleding voor zichzelf te kopen, zich te bezatten aan champagne of zijn honger te stillen met blikjes kaviaar. Hoewel ik zijn slechte smaak afkeurde – ondanks zijn rebelse kant was en bleef hij een nouveau riche –, probeerde ik zijn buitenissigheden te bagatelliseren. Ik durfde niet eens iets tegen hem te zeggen toen hij een apotheek overviel en vijfentwintighonderd franc van de buit aan een van zijn vluchtige uitgaansvriendjes gaf om een meisje met noten op haar zang te versieren.

Op den duur leidde ons wederzijdse wantrouwen tot een soort interregnum. Om een definitieve breuk te voorkomen gingen we enkele dagen uit elkaar. Pierre vertrok naar Zwitserland, op zoek naar nieuwe middelen – een eufemisme om zijn misdragingen aan de andere kant van de grens te camoufleren – en ik keerde, gebruikmakend van zijn afwezigheid, terug naar de colleges op Vincennes die ik te hooi en te gras liep. Het kon me niet schelen dat ik niets van hem hoorde, maar ik vreesde voor Claires lot als hij zou terugkomen. Ik kon echter niet raden dat Pierre om een onbegrijpelijke reden, of misschien juist door zijn afkeer van de rede, tijdens deze reis naar Zwitserland zijn allerwaanzinnigste plan zou bedenken. Misschien omdat hij wist dat hij een redeloze kerel was, besloot de stakker Jacques Lacan te vermoorden.

Jawel, Lacan. Het was onwaarschijnlijk dat hij door onze gesprekken op dat onzalige idee was gekomen, en dus was er maar één verklaring mogelijk: door een of andere indiscrete opmerking of een slip of the tongue moest het vermoeden in hem zijn opgekomen dat de relatie tussen Claire en de psychoanalyticus niet strikt professioneel was.

Na zijn terugkeer in Parijs posteerde Pierre zich dagelijks in de rue de Lille voor nummer 5 om het ritme van de in- en uitgaande cliënten in de spreekkamer van de maestro te observeren. Zonder het te weten bootste hij mijn gedrag van enkele maanden eerder na, hij leerde de gewoonten en het tijdschema van zijn toekomstige slachtoffer uit zijn hoofd, en stippelde een strategie uit om hem zonder zelf gevaar te lopen te kunnen liquideren. Zijn plannen waren even beestachtig als voortvarend: wanneer de laatste patiënt het huis zou hebben verlaten zou Pierre aanbellen, wachten tot Gloria hem opendeed, haar met een flinke klap buiten westen slaan en ogenblikkelijk naar boven gaan, naar de werkkamer van Lacan. Als hij daar eenmaal binnen was zou hij het wagen een beetje met hem te spelen, proberen hem zijn angsten te vertellen, hem raadplegen over zijn slaapproblemen, hem overstelpen met zijn verdriet en hem tot slot dwingen verzen van Artaud te declameren. Zodra de psychoanalyticus zijn geduld verloor zou Pierre zich op hem storten en zijn hoofd tegen de muur beuken. *Pok!* Hij werd gehypnotiseerd door dat beeld: hij had er nooit van gedroomd dat hij hem zou neersteken en al helemaal niet dat hij op hem zou schieten: hij voelde de behoefte zijn schedel tegen een muur kapot te slaan en te zien hoe zijn hersenmassa zich over de vloer verspreidde.

De middag dat Pierre besloot zijn plan ten uitvoer te brengen dronk hij geen druppel alcohol en onthield hij zich van zijn geliefde hasjsigaretten. Ofschoon hij amper kalm kon blijven door die abstinentie gaf hij er de voorkeur aan de heftige aandrang te verduren totdat hij zijn missie had volbracht: daarna zou hij dit vieren en zich aan alle mogelijke excessen overgeven. Hij koesterde geen morele of metafysische twijfels: volgens zijn wankele geweten was het vermoorden van Lacan geen symbolische daad of persoonlijke wraak: hij *wilde* het simpelweg doen.

Terwijl hij naar rue de Lille 5 liep, klaar om een eind te maken aan de ster van de Franse psychoanalyse, bleef Pierre staan doordat hij een lichte kriebeling aan zijn linkervoet voelde. Nog voordat hij de tijd had zich te krabben had de politie zich al op hem gestort. Het was zo'n snelle actie dat hij nauwelijks iets merkte van de armen die hem tegenhielden, de handboeien die om zijn polsen werden geklemd of de koude eenzaamheid in de auto die hem naar het politiebureau bracht. Iemand had zijn gedachten gelezen. Pas uren later kwam hij te weten dat de beschuldigingen tegen hem niets te maken hadden met zijn plan Lacan te vermoorden. Daarom eiste Pierre dat hij als politieke gevangene werd behandeld. Een rechter stelde hem ervan op de hoogte dat hij – *hélas!* – van geen enkele terroristische daad werd beschuldigd! Hij had iets veel prozaïschers gedaan: volgens de akte van de openbare aanklager had Pierre twee apothekers vermoord en een klant en een bewaker zwaar verwond tijdens de overval op een apotheek aan de boulevard Richard-Lenoir.

4.4. ALTHUSSER, DE ANDER

'Je hebt hem weer gezien, hè?'

De laatste weken had Josefa haar privé-leven geheim proberen te houden en fingeerde ze een onverschilligheid die grensde aan lusteloosheid.

'Wie?'

'Ontken het maar niet, Althusser,' antwoordde ik onomwonden.

Josefa volhardde in haar wanhopig makende spelletje van heilige onschuld.

'Blijkbaar weet jij het beter dan ik, Aníbal.'

Ik had de pest in. Moest ze tegenover mij toneelspelen? Van tijd tot tijd werd onze ware krachtsverhouding zichtbaar: Josefa liet zich tot een bepaalde hoogte door mij domineren; daarna werd ze onbeheersbaar.

Ik moet toegeven dat ik hen nooit samen zag, maar dat nam niet weg dat ik absoluut zeker wist dat de filosoof en mijn assistente een schandalige vriendschap hadden uitgebroed. Hoeveel moeite het me ook kostte me hen samen voor te stellen – de filosoof en de hippie –, soms moet je aanvaarden dat de uitersten elkaar raken: misschien zijn de lelijkheid en de krankzinnigheid twee gelijksoortige manieren om tegen de wereld in opstand te komen, twee voorwaarden waardoor de mensen die eraan lijden handlangers of minnaars worden…

Hoe ik er ook bij haar op aandrong, Josefa weigerde me haar geheim te onthullen; of ze seksueel verkeer had met Althusser zou ik niet uit haar mond horen. Omdat ik beslist de waarheid wilde weten, moest ik andere informatiebronnen zoeken. Toen ik op een middag uit Vincennes thuiskwam ontdekte ik dat Josefa's deur niet op slot zat. Zonder het minste gewetensbezwaar drong ik haar domein binnen – ik had er geen voet meer gezet sinds de eerste dagen nadat Josefa naar mijn huis was verhuisd – om in haar spulletjes te snuffelen. Haar kamer weerspiegelde duidelijk de smaak en de manies van de gemiddelde Mexicaan: kleine reproducties van impressionistische schilderijen, een paar kruiken met enorme gedroogde bloemen en een beeld van de Onze-Lieve-Vrouwe van Guadalupe naast een foto van Elvis Presley. De laden, die neurotisch ordelijk waren, lagen vol blouses met allerlei opdruk – het wemelde van de ruitjes en de felle, glinsterende stippen – en met ondergoed dat veel te wit en te groot was om tot enige onbehoorlijke gedachte te inspireren.

Nadat ik er enkele minuten in had gewroet, vol angst dat ik op heterdaad zou worden betrapt – hoe moest ik de aanwezigheid van mijn handen tussen haar onderbroekjes uitleggen? –, werd mijn zoektocht beloond: naast een dik cahier met roze kaft en een fotoalbum lag een schriftje, haar dagboek, zoals ik al dacht. Ik wierp amper een blik op de foto's van Josefa – als klein meisje, met staartjes en gekleed voor haar eerste communie; als puber tijdens het dansfeest voor haar vijftiende verjaardag, waarvoor ze in een soort gelig stuk schuimgebak was veranderd; iets ouder, in gezelschap van een heel klein vrouwtje met lang, grijs haar, dat haar grootmoeder moest zijn, en tot slot in Parijs voor de Eiffeltoren, zoals te voorzien was –, om meer tijd te hebben om in haar dagboek te lezen. Josefa manifesteerde opnieuw haar manie voor ordelijkheid: iedere dag begon ze op een nieuwe pagina, met bovenaan de datum en het uur. Vanaf begin september vertelde ze, nooit al te uitgebreid, over een liefdesontmoeting met een persoon die ze eenvoudig aanduidde als Louis. Eureka!

'Vandaag heb ik urenlang met Louis gesproken,' stond er bijvoorbeeld. 'Het is de eerste keer dat hij zich voor mij opent. Hij vertelde me een heel vreemd verhaal dat ik nog steeds niet geloof. Nadat we een tijd hadden gezwegen vond hij eindelijk de juiste woorden. Zijn stem was ongedurig en klonk smartelijk. Mijn arme mannetje! Eerder had hij me al over zijn andere vrouwen verteld, alsof hij me wilde waarschuwen of zeggen dat ik me geen illusies moest maken. Ik antwoordde dat ik nooit heb geloofd in prinsen op witte paarden. Hij lachte en zei dat hij mijn ongegeneerdheid leuk vond.' Zou het waar zijn dat Althusser verliefd was geworden op Josefa? Gefascineerd las ik verder.

'Ik weet niet of ik zijn verhaal goed heb begrepen. Het doet me denken aan de bijbel, aan zo'n ingewikkelde intrige in het Oude Testament. De handeling begint vlak voor de Eerste Wereldoorlog... Er waren eens twee zusters, Lucienne en Juliette, dochters uit een bourgeoisfamilie die aan het eind van de negentiende eeuw naar Algerije was geëmigreerd. En er waren twee broers, Louis en Charles. Het oudste meisje, Lucienne, was verliefd op Louis, de jongste broer; Juliette was verloofd met Charles. Iedereen hield het meest van het paar Lucienne en Louis: allebei leken ze te zijn voorbestemd iets heel hoogs te bereiken, ze waren mooi en intelligent en de toekomst lachte hen toe. Maar zoals iedereen overkomt die zich voor het geluk voorbestemd acht, had God een beproeving voor hen in petto. Aan het begin van de oorlog vertrokken beide broers naar het front. Louis was piloot: hij wilde graag dicht bij de hemel zijn. Tijdens een verkenningsvlucht werd hij door de Duitse artillerie neergehaald: zijn ziel hoefde nog maar een klein stukje hoger te gaan om de goddelijke genade te verkrijgen. Zoals te verwachten was werden beide families in rouw gedompeld. En toen, zonder dat iemand het had gesuggereerd, zonder dat er een wet of een onderaardse orde tussenbeide kwam, besloot Charles de hand van Lucienne te vragen, waarmee hij onbewust de bijbelse traditie van het *leviraat* (ik hoop dat ik het goed schrijf) voortzette. Verder kwam het nieuwe paar op het idee hun eerste zoon Louis te noemen, als eerbetoon aan de verdwenen oom. *Mijn* Louis. Daarom heeft die arme man nooit het gevoel gehad dat zijn vader zijn vader was. Logisch dat *mijn* Louis zijn eigen naam niet kan verdragen: volgens hem is het een *nonnaam*. Hij heeft het me zelf uitgelegd: in het Frans wordt Louis uitgesproken als *lui*. En *lui* betekent gewoon 'hij'... Dat wil zeggen: *de ander*. De andere Louis. De *dode*. O, mijn arme mannetje!'

Net toen ik deze passage had gelezen hoorde ik Josefa de trap op komen. Ik legde haar spullen zo snel mogelijk weer zoals ze lagen en glipte naar mijn kamer. Ik heb nooit geweten of ze heeft gemerkt dat ik bij haar binnen was geweest, maar sindsdien liet ze, alsof ze mijn medeplichtigheid of instemming nodig had, haar deur altijd open en lagen haar dagboek en brieven voor mij voor het grijpen. Misschien had Josefa er behoefte aan haar geheimen met me te delen.

4.5. DE ZAAK VAN HET VOLK

Door de arrestatie van Pierre belandde de organisatie in een zware crisis. Van de ene dag op de andere werd mijn lastige kameraad gezien als een held. Omdat ik een van de weinigen was die met hem had gesproken vóór zijn aanhouding, werd ik onmiddellijk opgeroepen lid te worden van de groep die tot taak had zijn proces nauwkeurig te volgen. Ik vond het vreselijk in verband te worden gebracht met iemand aan wie ik altijd een hekel had gehad, maar ik had geen andere keus, ik moest de orders van hogerhand opvolgen. Ik kon niet begrijpen waarom ze zoveel belang hechtten aan een vent die misschien niet schuldig was aan de misdaden die hem nu ten laste werden gelegd, maar wel aan allerlei andere en ergere dingen. Als het erom ging de door de staat bedreven repressie aan te klagen was het voldoende geweest te protesteren tegen de bijna gelijktijdige aanhouding van Jean-Pierre Le Dantec en Michel Le Bris, de redacteuren van *La Cause du Peuple*.

Hoe het ook zij, in een tijdsbestek van enkele weken zag de organisatie zich van alle kanten aangevallen. Op 27 mei 1970 kwam de definitieve klap toen Raymond Marcellin tijdens een vergadering van de ministerraad bewerkstelligde dat Proletarisch Links totaal werd verboden. Pierre Victor en zijn naaste medewerkers, die in de daaropvolgende dagen werden opgesloten, bepaalden welke maatregelen er genomen moesten worden. Om de overlevingskansen van *La Cause du Peuple* zeker te stellen werd overeengekomen Jean-Paul Sartre uit te nodigen als lid van de redactieraad, ook al was het slechts in naam. Omdat de oude filosoof al tot de rang van het slechte geweten van de natie was opgeklommen, waagde niemand in de regering het hem lastig te vallen, en de politie had het bevel gekregen hem tijdens demonstraties met geen vinger aan te raken. Sartre werd beschouwd als een soort radicale Socrates die altijd bezig was het geweten van de jongeren te corrumperen, zoals hij bewees door de uitnodiging van Victor te aanvaarden, die uiteindelijk zijn secretaris zou worden.

Op een goede dag kreeg ik het regelrechte bevel een revolutionaire actie uit te voeren die de voorpagina's van alle kranten moest halen. Zonder me bewust te zijn van het absurdistische van de manoeuvre kwam ik op het idee een overval te plegen op een van de heilige ruimten van de Franse bourgeoisie: de delicatessenwinkel Fauchon (waar ik tussen twee haakjes altijd verrukkelijke *rillettes* en een zalige *foie gras* kocht). Ik weet niet waarom de anderen ermee instemden mij te volgen tijdens deze voedselpantomime, maar opeens waren we er allemaal, op enkele stappen van de Madeleine en in gezelschap van een contingent lyceumleerlingen die de verbijsterde clientèle onder schot hielden met hun speelgoedmitrailleurs. Terwijl mijn kameraden alles pikten wat ze op de schappen zagen liggen, veroorloofde ik me de luxe de etiketten van de wijnen nauwkeurig te bestuderen omdat ik absoluut de beste jaren wilden stelen en ook de fraaiste conservenblikken. Naar mijn mening – en ook die van andere leden van de organisatie, zoals de fijnproever Le Dantec – mocht terrorist zijn niet het synoniem zijn van het hebben van een slechte smaak.

Zoals Claire me had beloofd was de revolutie eindelijk een feest: het was een onvergelijkelijke belevenis die gehate bourgeois iets van hun luxe af te pakken. Ik stond juist op het punt een chablis te savoureren toen iemand het bevel gaf de terugtocht te aanvaarden; de politie was onderweg. We gingen er haastig en met uitpuilende tassen vandoor. Voordat we de metro instapten, waren we nog zo fatsoenlijk een briefje uit te delen onder de verbijsterde voorbijgangers waarin we de redenen van onze diefstal uiteenzetten:

WIJ ZIJN GEEN DIEVEN

WIJ ZIJN MAOÏSTEN

GEMIDDELD LOON VAN EEN ARBEIDER: 3.50 FRANC PER UUR

1 KILO *FOIE GRAS*: 200 FRANC, D.W.Z. 60 UUR ARBEID

1 KILO *CAKE*: 18.50 FRANC, D.W.Z. 6 UUR ARBEID

1 KILO *MARRONS GLACÉS*: 49 FRANC, D.W.Z. 8 UUR ARBEID

Na enkele malen onze route te hebben gewijzigd stopten we in een proletarisch deel van de wijk Saint-Denis, waar we door een van onze andere contingenten werden opgewacht. Ik pakte een luidspreker en begon met het enthousiasme van iemand die op het punt staat een

portie foie gras te verorberen, de omvang van ons altruïsme te ver-
heerlijken: in tegenstelling tot andere, minder vrijgevige – of misschien meer onontwikkelde – maatschappelijke strijders, hadden wij
besloten het volk producten van de hoogste kwaliteit te schenken. Hoe
bevredigend was het maoïst te zijn: er bestond niets opwekkenders
dan met champagne te proosten met een arbeider. De organisatie had
een van haar grootste overwinningen behaald.

5

Een liefde van Althusser

Waar een oppervlakkige of vooringenomen lezing van Freud
niets anders ziet dan een gelukkige jeugd zonder wetten, het
paradijs van de 'polymorfe perversie', een soort natuurlijke
staat die slechts wordt gespleten door stadia van biologische
aard verband houdende met het functionele primaat van dit of
dat lichaamsdeel waar de zogenaamde vitale (orale, anale en
genitale) behoeften huizen, toont Lacan de doeltreffendheid
aan van Wet en Orde, die ieder mensje dat geboren moet
worden reeds voor zijn geboorte op de korrel heeft, en die hem
vanaf zijn eerste kreet onder controle houdt om hem zijn plaats
en zijn rol, dat wil zeggen zijn gedwongen lot toe te wijzen.
ALTHUSSER, *Freud en Lacan*

5.1. EERSTE MISSIVE AAN JOSEFA

lieve jos, mijn verre mexicaanse sterretje (met haar dampende stem),
eindelijk ben ik weer beter, ik kan weer aan het werk, ik houd mijn pen
weer in mijn hand (en niet alleen om jou te schrijven, hoewel dat het
leukste deel van mijn werk is), ik laat een spoor van vlekken achter op
de bladzijden, zielige woorden die ik aan mijn geest onttrek alsof ik
mijn tanden een voor een uittrek (niet zoals jij, *mijn meisje,* met je
stem als een aardbeving) en die zich rangschikken om jouw afwezigheid draaglijk te maken... weet je, naast me zit de papieren duivel die
jij me cadeau hebt gegeven (noemen ze die in jouw land een *alebrijo?*):
hij bewaakt me en eist dat ik je niet mag vergeten, dat ik je mag bezitten
zolang ik het volhoud te schrijven; vervolgens bedreigt hij me en straft
me als ik niet streef naar dezelfde intensiteit als die in jouw blik...

wanneer zullen we weer samen zijn? ik verlang er alle dagen vurig naar (alle, alle dagen, ik zweer het) en ik stel me je stem voor (ik denk niet alleen aan je stem, maar ik *hoor* hem), terwijl een glimworm over mijn huid glijdt en in mijn oor kruipt; ik volg hem als een draad van ariadne die me langzamerhand uit de duisternis leidt tot ik de blankheid van de blanco bladzij verstoor en hem jou aanbied, ervoor zorg dat hij ook van jou is, van jou en van mij: onze schepping, ons kleine mexicaanse kindje, en deze gefilterde taal die aan de censuur ontsnapt, verbindt ons... lacan heeft daarentegen geschreven dat het ware centrum het verlangen is, dat het verlangen zich omzet in taal en dat de taal op zijn beurt verandert in vraag, een verkleinde, gecastreerde en perverse vorm van het verlangen!

ik schrijf weer, ik ben er weer, en wat ik doe is door jou en voor jou, mijn mexicaanse geest... deze teksten die objectief en stikvol theorieën lijken en waarin ik het verband tussen de dialectiek en het marxisme-leninisme aantoon, drukken eigenlijk alleen mijn verlangen naar jou uit, mijn behoefte aan jou, begrijp je mijn ontsteltenis? ik durf niet eens te erkennen dat ik naar je verlang want als ik dat doe ontsnapt mijn vraag en gaat ergens anders naartoe (waarheen?) en dan is wat ik wil niet meer wat ik wil; of liever gezegd ik wil wel, maar ik weet niet precies wat... mijn critici lachen (hoor ze roddelen, de ellendelingen), maar ik beken je dat ik maar over twee onderwerpen heb geschreven en dat er tijdens mijn aanvallen steeds maar twee onderwerpen verschijnen, die typerend voor me zijn, ik zal ze je vertellen:

1) de eenzaamheid, dat gruwelijke gezelschap waardoor ik soms zelfs in slaap sukkel (je hebt geen idee wat een vrede ik voelde toen ik eindelijk, als door een openbaring, ontdekte dat ik altijd alleen zou zijn), de eenzaamheid die opvalt als iemands stijl, die zijn roeping is en zijn beloning, vooral wanneer hij schrijft en begrijpt dat er nooit, *nooit*, iemand is tussen de bladzij en de pen, tussen de blik en de bladzij, tussen de *ik* die jou schrijft en de *jij* die me leest, en

2) het verantwoordelijkheidsgevoel, want ondanks het isolement of als gevolg van de beestachtigheid ervan moeten we een solide ethiek opbouwen, een keten die in staat is ons (op zijn minst op imaginaire wijze) te verbinden met de anderen die niet bestaan, de anderen die ons nooit vergezellen, maar die onze enige zekerheid zijn, begrijp je, *mijn liefste*? dat is de betekenis van de revolutie: het verminderen van

die verpletterende eenzaamheid (haar macht bijvijlen) om iets met de anderen of voor de anderen op te bouwen (samen iets op te bouwen met jou, jos, josé, josefa, josefita, met jou en voor jou), want ondanks alle ontgoochelingen en alle leugens moet een mens vechten tegen het egoïsme, tegen de dood en tegen het gebrek aan redelijkheid,

LOUIS

5.2. NAAR HET BURGERLIJKE VERZET

Ik was zeer opgelucht toen Pierre werd opgesloten: hierdoor was ik niet alleen verlost van een tirannieke en onevenwichtige superieur, maar ook van een rampzalige en opschepperige rivaal*. Ik wachtte tot de dag na zijn aanhouding voordat ik me in het kleine appartement van Claire presenteerde. Ze was in zak en as: het minste geluidje maakte haar al dol omdat ze bang was dat de politie elk moment haar deur kon intrappen om haar te ondervragen of te arresteren. Hoewel de geur van haar huid me aan die van een klein meisje deed denken, was haar jeugd opeens verdwenen. Gespannen en van streek rookte Claire de ene sigaret na de andere, terwijl ze aan gallische hoofdpijnen leed. Tot overmaat van ramp waren haar innerlijke stemmen teruggekeerd. Ik vond het monsterlijk dat ze door toedoen van Pierre in zo'n toestand was gebracht. Maar ze durfde de schuld niet in zijn schoenen te schuiven: verstijfd van paniek bleef ze hem zien als een voorbeeldige strijder, een toonbeeld van dapperheid en moed, de duistere verlosser naar wie ze altijd had verlangd.

'Ik weet dat mijn woorden je niet prettig in de oren zullen klinken, maar de gevangenis is de beste plaats voor iemand als hij,' zei ik.

'Beloof me dat je hem zult helpen.' Haar verzoek klonk als een bevel.

'Wat kan ik eraan doen?'

'Jij weet dat hij het niet heeft gedaan.' Ik zei niets. 'Moet ik het nog eens zeggen? Pierre heeft die apothekers niet vermoord.'

---

* Volgens de criticus Juan Pérez Avella vermoedden enkele van zijn vroegere kameraden van Proletarisch Links dat Quevedo zelf Pierre heeft aangegeven vanwege de misdaad tegen de apothekers. Zie: *Quevedo vergeten*, pag. 98 (noot v.d. uitg.)

'Nee, natuurlijk niet,' gaf ik zonder overtuiging toe.

'Dat moeten we dus bewijzen.' Die schorre, trage stem hoorde bij een andere vrouw. 'Hij is een politieke gevangene, geen misdadiger.'

'Een politieke gevangene,' herhaalde ik. 'De organisatie heeft al besloten enkele protestacties te houden... En ik neem aan dat je al hebt gehoord van de overval op Fauchon.'

Natuurlijk wist ze dat al, maar Claire droomde van iets spectaculairders.

'Een hongerstaking, Aníbal. Alleen daarmee zal het ons lukken de aandacht van de pers te trekken.'

'Een hongerstaking!' riep ik vol ontzetting uit. 'Claire, vind je niet dat je overdrijft? Je gedraagt je alsof je zijn echtgenote bent... Terwijl je weet dat hij...'

'Het kan me niet schelen wat hij heeft gedaan.' Kennelijk was ze goed op de hoogte van de streken van haar minnaar. '*Ik smeek je...* Laat me alsjeblieft niet in de steek.'

Haar oren werden opnieuw verbrijzeld door het gehate gemompel. Het enige wat haar geest helder hield was het idee dat het ondanks de antipathie en de vergissingen nog mogelijk was de regels van de wereld te veranderen. Ik begeleidde haar naar haar kamer en dwong haar op bed te gaan liggen. Ik deed de lichten uit en bleef bij haar bed zitten totdat ze in een onrustige slaap was gevallen. Nee, ik mocht haar niet teleurstellen. Ik had gezworen dat ik haar zou redden. En dat ik haar zou laten leven.

5.3. TWEEDE MISSIVE AAN JOSEFA

josefa, mexicaanse giraffe, waar kan ik je vinden, in de waanzin
of in zijn spiegelbeeld, de duivelse duin waarin ik me verschuil of
in het sobere licht van de dialectiek, ijdel gerucht dat tussen mijn vingers door glipt
terwijl ik naar de ratio kijk zoals publiek in een theater of misschien
zoals een kind dat in het gat van een tent opduikt
en de omvang van de beren, hun vibrerende slordigheid
niet zozeer kent, maar die intuïtief aanvoelt, waar
kan ik je vinden, josefa, omringd door zotten, buiten, in het smerige

domein van

de levenden of hier, achter mijn pupillen, als een juweel gevat in mijn
hersens (die kooi bevolkt door jakhalzen en

wolven, schepsels met onberispelijke nagels en slagtanden die
nooit gedresseerd kunnen worden), terwijl je de messen ontwijkt
die ik, dronken van zoveel ontgoocheling, naar je toe gooi, waar
kan ik je vinden, josefa, mijn speeltje, zeg het, met tweemaal zo veel
woorden, ver van mijn ivoren toren,

of zou jij zelf de toren zijn of een
staak of een polsstok om over het ijs in deze oceaan te springen,
antwoord me,

josefa, je kunt houden van iemand die het niet weet
en troost zoeken door te kijken naar
het prikkeldraad, de wallen, de ruiten,
stenen doorzichtig als onze ogen, zeg iets terug, josefa, sappig zwijn-
tje, waar

zal onze afspraak zijn, in de kelders of op de dakterrassen, in de marge
van

mijzelf en mijn resten of in de aarde van die ander die me bestormt
elke winter (maar ach! soms duren mijn winters het hele jaar), waar
dan,

ginds, samen uitgestrekt in jouw slapeloosheid, in die unieke kamer,
onder de vulkanen en de zwijgende musici die 's nachts bij je waken,
of

op de droge takken, de vochtige tegels, de spiegels, of
opgegaan in de hitte van de strijd, ver van de oorlog die ik ben begonnen, of

achter de stilte die mijn naam noemt, in mijn cel, in mijn hoofd,
waar, josefa, dolend skelet, waar,
waar,

LOUIS

Bedelaars van de vrijheid, revolutionaire skeletten, zombies. Op sterven liggende maoïsten. Ik had nooit gedacht dat ik door mijn engagement met Claire nog eens zo diep zou dalen. Alsof ze van plan was me te straffen voor mijn deelname aan de groteske overval op Fauchon – ze walgde van het idee dat we ons wellicht hadden volgevreten aan die peperdure ganzenlever – dwong ze me nu de armoede te proeven. Zo we indertijd het eten van de rijken durfden te stelen, moesten we nu het tegenovergestelde beeld belichamen: niet dat van grove vreetzakken maar van middeleeuwse asceten.

Toen de hongerstaking eenmaal was afgekondigd zat er voor mij niets anders op dan me erbij aan te sluiten. Het bevel duldde geen aarzelingen: we moesten het volhouden totdat de eisen van onze kameraden in de gevangenis waren ingewilligd. De kapel van Saint-Bernard, onder het station Montparnasse, veranderde in het toneel van ons lijden; zodra ik daar een voet over de drempel zette voorvoelde ik welke rampen me daar binnen te wachten stonden. Toen ik aankwam waren er al tientallen kameraden die bij gebrek aan voedsel hun honger stilden met eindeloze discussies over de toekomst van de opstand. Het spektakel was eerder rabelaisiaans dan dantesk te noemen: opgepropt in de kapel hielden de zeer atheïstische maoïsten een lofzang op de honger, met hetzelfde enthousiasme als waarmee de christelijke martelaren wachtten tot ze door de leeuwen verscheurd werden.

Gelukkig was het offer nog maar net begonnen en waren de eerste sporen van lichamelijk letsel nauwelijks waarneembaar – rood aangelopen ogen, vertrokken lippen, bedorven adem –, maar het zou niet lang duren voordat de straf hun geest zou verwarren. Ik liep tussen de bloedeloze lichamen door als een vrome non (of als een Bernard Kouchner) die een groep in doodsstrijd verkerende Afrikaanse kindertjes te hulp komt. Ik had er echter voor gezorgd enige energiereserve op te slaan door de vorige avond in La Coupole een kilo tartaar naar binnen te werken; desalniettemin fantaseerde ik nu al over een flinke biefstuk. Ik geef toe dat ik het idee me dood te hongeren niet erg aantrekkelijk vond; in tegenstelling tot mijn kameraden, die ervan overtuigd waren dat ze het humeur van de gevangenisautoriteiten konden veranderen door hun lichaam daar zo te kijk te zetten, meende ik dat het niet nodig was de kwelling tot het einde toe door te voeren. Wat zou onze zaak ermee opschieten als wij omkwamen? Ik was van mening dat we moesten doen alsof we buiten westen waren zonder het echt zover te laten komen. En als we nou eens heel voorzichtig een beetje brood of melk de kerk probeerden binnen te smokkelen? Niemand hoefde er iets van te merken.

Zodra ik mijn plan had opgebiecht moest ik van Benoît spijt betuigen. Wij waren eerlijke revolutionairen. Ik probeerde hem aan zijn verstand te brengen dat ik ons juist omdat ik in onze missie geloofde, niet op een brancard wilde zien... Het was onmogelijk hem te overtuigen. Hij weigerde te luisteren naar mijn theorie dat de spektakelmaatschappij bestreden moest worden door middel van het spektakel zelf, en hij verbood me met de organisatoren van de staking over dit onderwerp te spreken.

De uren verstreken en we deden niets anders dan liters en liters water naar binnen klokken. Ik was er echt totaal niet op voorbereid de langzame aftakeling van mijn weefsel te ondergaan. Zelfs de bezoekjes van Simone Signoret of Yves Montand, die altijd bereid waren zich voor ons uit te sloven, verbeterden mijn humeur niet. Het neigde steeds meer naar melancholie, razernij of hoon. Toen ik op het punt stond flauw te vallen kon ik er niet meer tegen dat iemand iets tegen me zei, niet zozeer omdat ik naar de stilte verlangde, want daardoor werd mijn woede alleen maar onderstreept, maar omdat het lawaai me net zo kwelde als de honger. Spoedig zou er niets meer van me over zijn. Van schrik deed ik niets anders dan slapen in die met crucifixen en heiligenbeelden bedolven graftombe. Alleen de bezoekjes van Claire – de dokter had haar verboden zich bij de staking aan te sluiten – en de onvermoeibare betrokkenheid van Josefa haalden me uit mijn afstomping. Mijn trouwe secretaresse beperkte zich tot het doorgeven van het dagelijkse nieuws en vertrok dan weer zo snel mogelijk omdat ze steeds heviger schrok als ze zag hoe zwak we waren.

Ik beken: ik heb het niet volgehouden. Op een middag glipte ik, door gebruik te maken van de opschudding als gevolg van een bezoek van Yves Montand, via een zijdeur de kapel uit en snelde met een regenjas over mijn hoofd naar een bakker niet ver van café Select. Ik zorgde ervoor dat niemand me herkende en kocht een kilo petit-fours die ik haastig verslond in een van de toiletten op het station. De eclairs, truffels, chocoladebroodjes en fruitgebakjes bleven niet lang in mijn maag. Sinds die dag lukte het me, ook dankzij de medeplichtigheid van Josefa, steeds even naar het urinoir te gaan, dat mijn voedingsheiligdom was geworden. Het was totaal geen inbreuk op de goede zaak, ik gaf me gewoon over aan de onwrikbare wetten van de overleving.

Op 8 februari 1971, toen we op het randje van de levenloosheid balanceerden – of toen een paar kameraden eerlijk gezegd al op de intensivecareafdeling lagen –, beloofde de minister van Justitie eindelijk dat hij onze eisen zou inwilligen. Zijn advocaten kwamen naar de kapel van Saint-Bernard om dit bericht over te brengen en een halt toe te roepen aan ons stervensproces. Het was het mooiste bericht dat ik had kunnen krijgen: het betekende dat ik elk ogenblik zonder gewetenswroeging naar een goed restaurant kon gaan. Ik wilde net opstaan, ik proefde de oesters al op mijn tong, toen Pierre Halwachs, de woordvoerder van het Rode Kruis, de aanwezigheid van Michel Foucault aankondigde. De filosoof nam het woord en las een tekst voor die, behalve door hemzelf, was ondertekend door Jean-Marie Domenach, de uitgever van het katholieke tijdschrift *Esprit*, en door de historicus Pierre Vidal-Naquet: 'Geen van ons is er zeker van dat hij uit de gevangenis kan komen,' riep hij uit. 'En vandaag de dag minder dan ooit. Het politienetwerk rond ons dagelijks leven sluit zich steeds meer: in de straten en op de autowegen, rond de buitenlanders en rond de jongeren; de vrije meningsuiting komt weer in gevaar; door de maatregelen tegen de drugs ontstaat er veel meer willekeurigheid. Wij leven onder het teken van de bewaking. Er wordt gezegd dat justitie overbelast is. Dat hadden we al gemerkt. Maar als de politie nu eens overbelast is? Er wordt gezegd dat de gevangenissen overvol zitten. Maar als de bevolking nu eens overmatig gevangen zit? Er wordt weinig gepubliceerd over de gevangenissen; ze behoren tot de verborgen regionen van ons maatschappelijke systeem, tot de donkere hokjes van ons leven. Wij hebben het recht te weten. Wij willen weten. Vanwege al deze dingen hebben we met enkele magistraten, advocaten, journalisten, artsen en psychologen een groep gevormd, de Informatiegroep Gevangenissen. Het is ons doel bekend te maken wat de gevangenis is; wie, hoe en waarom iemand naar de gevangenis gaat, wat daar gebeurt, hoe het leven van de gevangenen is en ook dat van het bewakingspersoneel, hoe de gebouwen zijn, hoe het eten is, de hygiëne, hoe alles functioneert, de interne regels, de medische controle en de werkplaatsen; hoe je de gevangenis uit komt en wat het in onze maatschappij betekent iemand te zijn die daarvandaan komt. Deze gegevens vinden we niet in de officiële rapporten. We zullen ze te horen krijgen van mensen die om de een of andere reden ervaring of een ander soort verhouding hebben met de gevangenis.'

Hoewel mijn gedachten elders waren kon ik het niet helpen dat ik enkele tranen moest plengen. Claire meende dat mijn gesnotter het definitieve bewijs was voor mijn vertrouwen in de zaak, en stortte zich in mijn armen. Wat ik in die tijd niet kon weten was dat ze al besloten had weer te vertrekken, weg te gaan uit deze wereld van bedrog en veinzerij en zich in een nieuw avontuur te storten aan het andere eind van de wereld, ver, heel ver van ons vandaan in het duistere Zuid-Amerika dat haar zo obsedeerde.

Nadat ik in La Coupole een *jarret de porc* naar binnen had gewerkt ging ik weer naar huis. Ik had enorme zin om een lekkere douche te nemen en op een matras te slapen. Alle lichten waren gedoofd, dus ik dacht dat Josefa uitgegaan was. Automatisch ging ik naar haar kamer en opende de deur. Josefa, die op het bed zat, probeerde haar enorme boezem onder de kussens te verbergen, terwijl naast haar een man zich eveneens naakt klein maakte onder de dekens. Ik stotterde een excuus en trok snel de deur dicht. De identiteit van haar minnaar hoefde ik niet te weten.

5.5. DERDE MISSIVE AAN JOSEFA

josefa, *mijn giraffe*, ik begrijp niet hoe het mogelijk is dat iemand ons redt en tegelijk verdoemt, dat de weergave van een persoon (nooit de persoon zelf) ons vernietigt en ons uit de dood laat herrijzen, of zou dat de conditie der mensen zijn, die arme wezens gebonden aan de wisselvalligheden van een verlangen dat hun niet toebehoort... ik zal je een verhaal vertellen, josefa, en ik stel me voor dat jij een klein meisje bent en dat ik, een oude, sombere man, het 's avonds in je oor fluister en dat ik je door het verhaal heen leid als een bootsman die naar zee roeit... dit verhaal is als een bootje of een fabel, josefa, of anders gezegd: een weerspiegeling van mezelf...

ik heb je al over hem verteld, weet je nog? over de man die me het meest van alle mensen obsedeert (nou ja, met uitzondering van mijn dode vriend en van mijn dode oom die mijn dode vader had moeten zijn, maar dat zijn te veel doden om ons nu mee bezig te houden), over de man, zoals ik al zei, die de omgekeerde kopie van mezelf is, de man die even nabij als ongrijpbaar voor me is… weet je, josefa, hij was voor mij niet alleen een leermeester, maar ook iemand die me kon straffen, die kon aangeven of mijn lijden echt of imaginair was en, wat erger is, die kon beoordelen of mijn leven zin had…

in die tijd kende ik hem nog niet, josefa, en hoewel het niet moeilijk zou zijn geweest met hem in contact te komen (ik heb je al verteld dat ons wereldje klein is), durfde ik hem nooit op te zoeken… korte tijd later kwam ik hem toevallig tegen, maar zelfs toen had ik de moed niet hem de hand te drukken omdat ik bang was dat hij zelfs door dit minimale contact in staat zou zijn mijn ziel bloot te leggen of in mijn binnenste te kijken, want zoals je weet, josefa, schaam ik me nergens zo voor als voor het idee dat een onbekende me bekijkt, niemand mag me aanraken (dat weet je), niemand mag ideeën over me hebben… wat heb ik toen gedaan? het allersimpelste, josefa: in plaats van hem de kans te geven mij te analyseren, besloot ik *hem* te bestuderen, kun je het je voorstellen? nu ik eindelijk iemand gevonden had die bevoegd was om mijn krankzinnigheid te bestuderen, wilde ik niet of maar met een half oor naar hem luisteren en was ik vastbesloten mijn geheimen niet aan hem uit te leveren…

wat ik vanaf die dag wel ben gaan doen is aan één stuk door al zijn werk lezen, josefa, ik begon zijn teksten te bestuderen, zijn theorieën uit mijn hoofd te leren, en ik legde hem onder de microscoop alsof hij een bacterie was; het werd mijn obsessie in zijn conflicten (niet in de mijne) te wroeten en zijn kadaver in een amfitheater te kijk te leggen, en weet je wat ik daarna deed? ik schreef een boek over hem, josefa… ik kende hem amper en ik had nog nooit een woord met hem gewisseld, maar ik voelde me al een expert op het gebied van zijn werk; volgens mij was hij de directe erfgenaam van freud… maar weet je waarom ik hem zo de hemel in prees? josefa, om hem te bewijzen dat ik zijn theorieën beter begreep dan hijzelf, om hem te bewijzen dat ik ondanks mijn ziekte slimmer, sterker en wijzer was dan hij…

met de grootst mogelijke brutaliteit, josefa, publiceerde ik mijn meningen en wachtte tot hij ze gelezen had: eigenlijk wilde ik hem beledigen met dit giftige cadeautje, maar weet je wat er gebeurde, hij doorzag de valstrik en maakte een afspraak met me in een café onder het voorwendsel dat hij me wilde bedanken voor het artikel... we praatten en praatten eindeloos, alsof we echt belangstelling hadden voor elkaars discipline, maar we verborgen ons wantrouwen (onze strijd) en we wisten heel goed dat we nooit vrienden zouden worden...

ik moet je zeggen dat mijn geval hem niet eens interesseerde: mijn pijn en mijn ziekte lieten hem koud (althans die indruk gaf hij me), terwijl ik er weer niet in geïnteresseerd was dat hij arts was... hij nam niet eens de moeite naar mijn gezondheid te informeren, maar vroeg alleen of ik iets voor hem wilde doen, of ik namens hem bij de schoolautoriteiten wilde vragen hem een zaal te geven voor zijn werkgroep, net alsof ik geen boek over hem had geschreven, alsof ik geen specialist was op het gebied van zijn werk maar zijn conciërge... na die middag hebben we elkaar niet meer gezien, of misschien ook wel, tijdens congressen en lezingen, die subtiele meanders van het academische leven, maar we ontliepen elkaar daar altijd zorgvuldig...

stel je voor, ik heb de bladzijden die ik aan hem wijdde, de passages waarin ik hem probeerde te verklaren (te kwetsen, af te maken), nog eens herlezen en ik realiseer me dat ik er eigenlijk helemaal nooit iets van heb begrepen, dat ik me in zijn woorden heb laten wegzinken alsof het drijfzand was... weet je wat me het meest in de war maakt, josefa, wat me het meest kwetst? dat hij van het begin af aan mijn talloze vergissingen heeft bespeurd en me er expres nooit op heeft gewezen; die ellendeling hield dit binnenpretje, deze obscene triomf helemaal voor zichzelf: ik was zo dwaas of verachtelijk dat het niet eens de moeite waard was me te corrigeren... en dat is het eind van het verhaal, josefa, mijn josefa: de geschiedenis van deze arme marionet (ikzelf) die meende dat hij zijn schepper kon overtreffen en zich er uiteindelijk bij neer moest leggen dat hij gewoon een stuk hout was; de geschiedenis van deze nep-prometheus (ikzelf) die met alle geweld het vuur van die onverschillige god wilde stelen.

josefa, mijn aanbeden josefa: ik heb mijn lesje geleerd... ik vertel je dit verhaal omdat me met jou iets dergelijks overkomt: gisteren is die leerling van de meester bij me op bezoek geweest, die arrogante leerling die de eerste keer samen met jou bij me kwam... nadat ik een paar uur naar hem had geluisterd, begreep ik dat ik je moet verlaten, hoeveel pijn het me ook doet... door hem kwam ik tot het inzicht dat ik, zo ik jou heb gezocht of liever gezegd, jou heb toegestaan mij te zoeken, en zo ik jou wél wilde zien en horen (en zelfs aanraken), het was om jou beter te kunnen controleren... ik wil je niet bedriegen, josefa, jij hield van me zoals (geloof ik) nog nooit iemand van me heeft gehouden, terwijl ik alleen toenadering tot jou heb gezocht om een superieure positie ten opzichte van je in te nemen... ik ben een schoft! vergeef me, josefa, ik smeek je, maar ik mag je niet meer zien... niet na wat ik gisteren heb gehoord... het spijt me heel erg...

LOUIS

5.6. DE GESTOLEN BRIEF

Zoals elke misdadiger keerde ook ik terug naar de plaats van de misdaad, de rue de Lille 5, om Lacan mijn rapport over Althusser te overhandigen. De meester ontving me met zijn gebruikelijke norsheid, al werd hij in dit geval verteerd door nieuwsgierigheid. Hoewel ik me strikt aan mijn woord had gehouden voelde ik me een verrader. Zijn opdracht – Althusser volgen zoals ik hém had gevolgd, diens angsten te ontrafelen en te proberen nader tot zijn waan te komen – had ik niet letterlijk kunnen uitvoeren en daarom had ik voor de eenvoudigste oplossing gekozen en de kortste weg tot de intimiteit van de filosoof genomen, waartoe mijn trouwe assistente me tot haar grote spijt de kans bood.

Ik weet niet hoe lang mijn plunderaarswerk duurde. Verblind door de hartstocht die achter mijn rug werd uitgebroed, wachtte ik iedere keer ongeduldig tot Josefa het huis verliet, wat steeds vaker voorkwam, en stortte me dan op haar laden waar ik net zo lang in snuffelde tot ik haar dagboek weer vond. Bij een van die gelegenheden ontdekte ik dat tussen haar ondergoed – wat eigenlijk de meest voor de hand liggende plaats was – een onvermoede schat verstopt lag: het stapeltje brieven van haar minnaar. Door deze correspondentie was ik in staat hun geheime ontmoetingen te bespioneren en een kaart van hun geschiedenis te tekenen. Het was niet met absolute zekerheid vast te stellen welke graad van intimiteit er tussen Louis en Josefa bestond – wat in liefdesbrieven meestal het minst voorkomt is de liefde –, maar wat ik wel kon vaststellen was dat hun relatie krachtig genoeg was om te worden omgezet in schriftuur. Opeens vond ik het onverdraaglijk! Er was voor mij maar één ding duidelijk: hoe hij zich er ook op concentreerde om Josefa te prijzen – zich haar voor te stellen en haar te herscheppen –, hij zou nooit de moed hebben haar te bezitten.

Het was jammer dat ik me tevreden moest stellen met de helft van het verhaal, maar de psychoanalyticus was per slot van rekening niet zo geïnteresseerd in de gevoelens van mijn secretaresse: zij was niet meer dan een voorwendsel om me bij Althusser te brengen.

'Zou het waar zijn?' zei Lacan verbaasd toen hij mijn rapport las.

'Leest u zelf maar.'

Toen beging ik mijn laatste indiscretie – mijn allerlaagste daad – en overhandigde hem de missives die ik uit Josefa's laden had gehaald. Lacan las ze kalm, met zijn gewone klinische oog, en probeerde zich een idee te vormen over de filosoof.

'Heel goed werk, gefeliciteerd. Alles staat er inderdaad in.'

Ik wist niet wat hij bedoelde, of misschien wilde ik het liever niet meer weten. Ik walgde en wilde geen seconde langer in dat kantoor blijven; ik had wat frisse lucht nodig. Maar Lacan had een verrassing voor me in petto. Als beloning voor mijn diensten gaf hij me een inlichting die van levensbelang was.

'Weet u,' fluisterde hij, 'Claire is gisteren bij me op bezoek geweest.'

Mijn maag draaide om.

'Ze moest me iets belangrijks vertellen,' legde hij uit. 'Iets grappigs…'

'Iets grappigs?'

'U heeft gelijk, dat is misschien niet het juiste woord. Iets para-doxaals, absurds? Het maakt niet uit.' Lacan amuseerde zich. 'Volgens haar was haar huidige minnaar van plan mij te vermoorden. Kunt u het zich voorstellen? Arme Claire, omdat ze het zelf niet durft te doen, geeft ze haar spoken de schuld…'

Er klonk een zekere trots in de stem van de psychoanalyticus, alsof het idee dat iemand van plan was een eind aan zijn leven te maken een soort eer of een kleinood voor hem betekende. Heel even betreurde ik het dat de politie Pierre voortijdig had aangehouden.

'Ik moest haar wel zeggen dat ik haar niet terug wilde zien,' vervolgde hij. 'Nu de zaak er zo voor staat, kan ik haar niet meer helpen... Ze werd natuurlijk hysterisch. Het enige wat ze nodig had, was een nieuw excuus om te vluchten...'

'Te vluchten? Waarheen?'

'Dat doet er niet toe. Claire zal altijd in beweging blijven, van de ene plek naar de andere gaan, niet te stuiten. Daar zou u eens aan moeten wennen. Tot nu toe is geen man in staat geweest haar te stoppen. Zelfs ik niet, mijn beste Quevedo...'

'Heeft ze gezegd waar ze nu weer naartoe ging?'

'U kent haar obsessie met Latijns-Amerika.' Lacan stak een sigaar op. 'Omdat ze geen solide zelfbeeld kan opbouwen, moet ze zich identificeren met al die gekken als Guevara, Castro, Debray... Dit keer zei ze dat ze naar Cuba ging. Maakt u zich geen zorgen, Quevedo, ze komt wel weer terug...'

6

Een tropische utopie

Marx en Freud zouden elkaar dus na staan op grond van het
materialisme en de dialectiek, met dat merkwaardige voordeel
van Freud, dat hij figuren van de dialectiek heeft doorvorst die
zeer dicht bij die van Marx staan, maar soms ook veel rijker
zijn dan deze – als het ware alsof zij door de theorie van Marx
verwacht werden.
ALTHUSSER, *Over Marx en Freud*

6.1. DE MISSIE VAN DE REVOLUTIONAIRE INTELLECTUEEL

'Schrijver.'

Wat had ik anders kunnen antwoorden? Arts? Dat beroep oefende ik
al zo lang niet meer uit dat ik me niet eens meer in staat achtte een
griepje te diagnosticeren. Psychoanalyticus dan? Ook niet: na mijn
laatste avonturen in Parijs was ik dat absurde beroep bijna vergeten.
Aspirant-guerrillero? Zou het niet beter zijn geweest te zeggen 'verlaten minnaar'? Hoewel in elk antwoord een spoortje waarheid zat werden mijn aspiraties het best onthuld door dit laatste. Weliswaar had ik
in die tijd nog maar een paar onbelangrijke dingetjes geschreven – als
jongeman had ik een paar korte verhalen gepubliceerd in een tijdschrift waarvoor Carlos Fuentes ook schreef –, maar toen de beambte
bij de visumbalie me de vraag stelde was dit het eerste woord dat uit
mijn mond kwam.

'Schrijver?' herhaalde de man voordat hij een aantekening maakte in
zijn rapport.

'Ja,' antwoordde ik parmantig. 'Schrijver.'

De Cubaan, die onder de indruk was van mijn zelfverzekerdheid of misschien ambtshalve deed of het hem niet interesseerde, bekeek me slechts van top tot teen en stempelde de opvallende tekst REISDE NAAR CUBA in mijn paspoort.

'Goede reis, meneer.'

Tijd en ruimte zijn inderdaad beweeglijk. Nog maar enkele uren – of misschien dagen – geleden bevond ik me in Parijs, onderworpen aan de wisselvalligheden van de organisatie, en nu stond ik opeens op het punt aan boord te gaan van een vliegtuig naar Havana. Zodra ik zeker wist dat Lacan me de waarheid had verteld en dat Claire naar het eiland was vertrokken, vatte ik de koe bij de hoorns: ik vroeg Josefa een vliegticket voor me te regelen en trof voorbereidingen om naar Claire toe te vliegen. Ik was haar al een keer kwijtgeraakt en ik was niet van plan dat nog eens te laten gebeuren.

Het gammele vliegtuig van Cuban Airlines vloog trillend van de ene luchtzak naar de andere alsof het van papier was. Ter vermindering van mijn paniek – blijkbaar was de hoeveelheid rum die ik had ingenomen voordat ik aan boord ging niet voldoende om me te bedwelmen – probeerde ik mezelf af te leiden door de plot voor een boek te verzinnen; als ik echt van plan was de rol van schrijver op me te nemen moest ik op zijn minst een boek schrijven. Hoe zou ik het best met mijn literaire carrière kunnen beginnen? Met een reisdagboek waarin ik de deugden van de revolutiemakers bejubelde? Met een roman waarin ik indirect de deugden van onze zaak beschreef, zonder een al te duidelijk engagement te laten doorschemeren? Of met een essay in de trant van Lacan, Althusser of Foucault? Door de turbulentie buiten sprong ik van het ene naar het andere idee, maar aan het eind van de reis had ik me voor geen enkel in het bijzonder uitgesproken. Ik troostte me met de gedachte dat de beslissing zich op natuurlijke wijze aan me zou voordoen; ik hoefde alleen maar mijn ogen goed open te houden. Na de landing wachtte me een dringender taak: Claire vinden.

Op het vliegveld ontdekte ik dat mijn verklaringen aan de visumbeambte niet onbelangrijk waren geweest. Voordat ik wist waar ik naartoe moest kwam er al een lange jongeman op me af met een gezicht vol acne en een grote grijns om zijn lippen.

'Dokter Quevedo?'

'Ja?' Ik verborg mijn verbazing niet.

'Welkom,' riep de jongeman uit. 'Mijn naam is Ángel en ik werk voor *Casa de las Américas*. Het is mij een genoegen u onder mijn hoede te nemen.'

Niet voor niets was de Cubaanse geheime politie een van de efficiëntste ter wereld: ik hoefde als beroep maar op te geven dat ik schrijver was of ik werd onmiddellijk als zodanig behandeld. Ik voelde me zeer vereerd: Casa, de belangrijkste literaire instantie van het eiland – en misschien van het hele continent – wilde me graag ontvangen en stuurde me zelfs een chauffeur. Het Huis van de Amerika's was in 1959, enkele maanden na de triomf van de revolutie, opgericht door de beroemde Haydée Santamaría; het was het heiligdom voor geëngageerde schrijvers van over de hele wereld. Ik maakte mijn entree op het eiland via de allerbeste deur.

De hele weg naar Havana stelde Ángel me alle mogelijke persoonlijke vragen en ik voelde me verplicht ze te beantwoorden. Eenmaal in de hoofdstad aangekomen – de stad was tegelijkertijd schuw en lawaaiig –, zette Ángel me bij hotel Habana Riviera af waar op de tiende verdieping een kamer voor me was gereserveerd. Nog verbaasder dan eerst zag ik mezelf opeens in een ruimte die weliswaar niet luxueus was, maar die mijn eigen eisen volledig overtrof en me een fantastisch uitzicht bood over de wijk El Vedado.

Omdat ik bijna stikte van de hitte nam ik eerst een bad. Ik voelde het frisse water nog maar net op mijn lichaam, of de telefoon ging.

'Aníbal?'

Blijkbaar was iedereen op de hoogte van mijn komst.

'Ja?'

'Welkom op Cuba, het eerste vrije grondgebied van Latijns-Amerika!' zei een schorre, enigszins monotone stem. 'Heb je een goede reis gehad?'

'Ja, bedankt.'

'Geen enkele tegenslag?'

'Nee, bedankt.'

'Alles in orde op het vliegveld?'

'Ja, bedankt.'

'Was Ángel op tijd?'

'Ja.'

'Daar ben ik blij om. Ik denk dat je wat wilt uitrusten…'

Ik stond daar naakt en half ingezeept, dus afgezien van het feit dat ik mijn twijfels had over de identiteit van de persoon, had ik er ook niet veel zin in om dit gesprek voort te zetten.

'Dat begrijp ik, jongen, reizen is vreselijk vermoeiend.' Hij kon mijn gedachten lezen. 'Wat denk je ervan als we elkaar morgen zien? Zullen we om ongeveer één uur lunchen? Ángel komt je ophalen... We zijn heel blij met je bezoek, broeder... Tot morgen dan,' en hij hing op.

Het was geen moment bij hem opgekomen me te zeggen wie hij was, alsof ik de gave had alle eilandbewoners aan hun stem te herkennen. Zodra ik me had afgedroogd ging ik op bed liggen en viel onmiddellijk in slaap. Het gerinkel van de telefoon maakte me weer wakker.

'Dokter Quevedo, Ángel hier... Ik wacht beneden op u.'

Toen pas realiseerde ik me dat het twaalf uur 's middags was. Ik kleedde me snel aan en ging naar beneden, naar de lobby, terwijl Ángel net naar boven wilde komen om te kijken waar ik bleef.

'Dat was een lekker tukje, hè?'

We stapten in dezelfde Alfa Romeo als de dag daarvoor en reden weg. Ik kwam niet eens op het idee te vragen waar we naartoe gingen of wie mijn gastheer was. Die vragen zouden spoedig worden beantwoord: na een snelle tocht zette Ángel me af bij de deur van Casa, waar ik door een stel ijverige secretarissen – jonge, ontluikende schrijvers – naar de *hall* werd gebracht. De directeur ontving me met uitbundige blijken van vriendschap, het was alsof we elkaar al jaren kenden.

'Het is me een groot genoegen, heer...'

Vervolgens brachten we een bezoek aan de gebouwen; we liepen door de verschillende zalen tot we bij de bibliotheek kwamen, waar hij me zichtbaar trots de volledige collectie toonde van het beroemde tijdschrift dat Casa uitgaf en waarvan hij sinds enkele jaren ook directeur was. Ik was zowel ontroerd als verbluft door al die hoffelijkheid. Intussen stond de kameraad directeur erop me fragmenten voor te lezen uit zijn artikelen en essays. Vastbesloten mijn argwaan de kop in te drukken stak hij de loftrompet over de vrijheid van meningsuiting die de kunstenaars op het eiland genoten.

'Ik weet dat je het met me eens zult zijn, Quevedo,' souffleerde hij. 'Om een revolutionaire intellectueel te zijn is het niet genoeg je met woorden bij de revolutie aan te sluiten; het is zelfs niet genoeg typische revolutionaire acties uit te voeren zoals in de landbouw werken of het land verdedigen, al zijn dit wel condities *sine qua non*. Zo'n intellectueel is ook verplicht een revolutionaire, intellectuele positie in te nemen, vind je niet? Als hij een echte revolutionair is, in de ware zin van het woord, zal hij de werkelijkheid dus noodzakelijkerwijs problematiseren en die problemen aanpakken. Maar dit is het resultaat van een proces dat even intensief en gewelddadig is geweest als onze revolutie zelf...'

Waarom zei hij al die dingen tegen me? Toen hij klaar was met zijn betoog wilde hij me beslist een zwaar fotoboek laten zien over het Culturele Congres dat in 1968 in Havana was gehouden, en tot slot gaf hij me als schitterende finale het meinummer van het jaar 1969 van *Casa de las Américas* cadeau, dat aan Frankrijk was gewijd.

'Ik weet dat dit je zal interesseren, Quevedo,' riep hij uit toen hij het me plechtig overhandigde alsof hij me een medaille gaf.

Zo ik in het begin argwanend had gedacht dat zo'n warm onthaal misschien gewoon het gevolg was van een vergissing, bewees dit detail dat zowel de directeur als de rest van de Cubaanse autoriteiten precies wisten wie ik was. Er was geen enkel misverstand. De volgende etappe van mijn drukke programma was dat hij me zonder me de kans te geven hem met vragen of commentaren te onderbreken, naar zijn kantoor bracht en aan een van zijn assistenten annex schrijvers vroeg een daiquiri voor me in te schenken. We brachten een toast uit op de revolutie, op onze ontmoeting en tot slot, voordat we gingen eten, op de toekomst.

'Ik zal je iets recht voor je raap zeggen, want ik houd er niet van om de dingen heen te draaien,' zei hij vertrouwelijk. 'We hebben een probleem en ik denk dat jij ons kunt helpen. Een kleine dienst aan de revolutie. Je kent vast en zeker onze prijs...'

'Die zal ik niet kennen!'

'Daar zit nou juist het probleem, jongen. Dit jaar heeft een van de juryleden ons laten zitten. Een landgenoot van je, de dramaturg Palacios... Daarom dachten Haydée en ik dat jij zijn plaats moest innemen... Ik geef toe dat het niet zo netjes is je zo te vragen terwijl je daar niet voor gekomen bent, maar je zou ons een geweldige dienst bewijzen... Jij weet ook wel dat op het moment veel van onze oude vrienden ons teleurgesteld hebben. Wat zeg je ervan, Quevedo? Kan de revolutie op je rekenen?'

'Natuurlijk, kameraad,' antwoordde ik geëmotioneerd. 'Het is me een eer...'

Zoals ik me had voorgesteld zou deze reis naar Cuba mijn roeping onderstrepen. Ik twijfelde nog of ik een essay dan wel een roman zou schrijven om mijn literaire carrière nieuw leven in te blazen, en nu bood de revolutie me de kans er op de beste manier aan te beginnen: door het werk van mijn geestverwanten te beoordelen.

Toen we enkele daiquiri's later over de zeeboulevard liepen op weg naar het officiële huis waar we zouden eten, werd de kameraad directeur nog veel spraakzamer.

'Je hebt vast wel over die toestand met Vargas Llosa gehoord, hè... Schandalig. Daarom zeg ik dat we onze oude vrienden niet meer kunnen vertrouwen... Hij is bezig ons allemaal te verraden. Let op mijn woorden: binnenkort kennen we de hele waarheid. Aan mensen zoals hij hebben we geen behoefte in het comité van ons tijdschrift.'

'Hij is een contrarevolutionair,' beaamde ik, zonder te weten waar hij het over had.

'Ik ben blij dat je er net zo over denkt, Quevedo.'

We zouden in een onverbrekelijke omhelzing zijn geëindigd, als de deuren van het restaurant niet opeens open waren gegaan. Tijdens de maaltijd, die verliep op het koortsachtige ritme van steeds meer daiquiri's, legde de kameraad directeur me tot in de kleinste details uit hoe alles met betrekking tot de prijs functioneerde; hij prees de kwaliteit van de dat jaar ingezonden boeken en zei dat we er ongetwijfeld één werk tussen zouden vinden dat opnieuw het amalgaam van kunst en revolutie zou blijken te zijn.

'We hebben ons wel eens vergist, dat moet ik toegeven,' bekende hij me met enige droefheid terwijl hij op een stukje brood kauwde. 'Zoals je weet viel de prijs vorig jaar op Norberto Fuentes die een heel middelmatig boek had ingestuurd... En tot overmaat van ramp sleepten Padilla en Arrufat de prijs van de UNEAC* weg voor naar mijn idee abominabele gedichten, neem me niet kwalijk dat ik het zeg. Jammer. Als niet-geëngageerde schrijvers winnen, wordt de aard van onze prijs in twijfel getrokken.'

* UNEAC – Cubaanse schrijversbond. Heberto Padilla en Antón Arrufat: Cubaanse dichters. (noot v.d. vert.)

De directeur sprak over die mensen alsof ik hen allemaal kende.

'Na wat er vorig jaar is gebeurd zul je het met me eens zijn dat we niet nog eens zo'n fout mogen maken.'

'Natuurlijk niet...'

'Is het volgens jou mogelijk dat een intellectueel geen revolutionair is?' De directeur begon zich steeds meer te herhalen. 'Is het volgens jou mogelijk te pretenderen normen te stellen voor intellectuele, revolutionaire arbeid buiten de revolutie?'

Ik verveelde me. In plaats van antwoord te geven nam ik nog een slok. Ik stortte bijna in.

'Je zult het met me eens zijn dat het antwoord in alle gevallen *nee* is.' Zijn stem ging als een mes door me heen. 'Je kunt geen intellectueel zijn zonder revolutionair te zijn...'

Het was tijd voor de koffie. Mijn hoofd was zo beneveld dat het enkele minuten duurde voordat ik de betekenis begreep van een zinnetje dat de kameraad directeur had uitgesproken alsof het iets onbelangrijks betrof.

'Maar goed, laten we het over vrolijker onderwerpen hebben,' zei hij. 'Van het begin af aan wilde ik je al zeggen dat je je geen zorgen hoeft te maken om dat meisje. De Française.' Hij kon mijn gedachten lezen. 'Knappe griet, dat wel.'

Zijn zogenaamd vertrouwelijke toon beviel me niet. Wat kon de directeur weten van mijn verhouding met haar?

'Weet u waar ze is?'

'In de Sierra, daar doet ze revolutionair werk. Blijkbaar is iedereen heel tevreden over haar.'

'Ik zou haar graag willen zien.'

'Natuurlijk, Quevedo,' snoof hij. 'Je bevindt je op het eerste vrije grondgebied van Latijns-Amerika. Het plan is dat je je over veertien dagen bij haar voegt, wanneer de vergaderingen van de jury achter de rug zijn.'

'Ik zou haar liever *nu* zien...'

'Niet zo ongeduldig, jongen,' lachte hij. 'Laat haar maar een tijdje alleen, dat is precies wat ze wil. Ik ken de vrouwen, Quevedo, en ik verzeker je, als je haar een beetje laat wachten wil ze je des te liever zien...'

'Weet zij dat ik hier ben?'

'We hebben het haar nog niet gezegd. Maar het zal niet lang duren voor ze in de *Granma* leest dat je bereid bent lid van de jury voor onze prijs te worden.'

Omdat ik op het punt stond in een alcoholische slaap weg te zinken, leek zijn uitleg me volstrekt overtuigend. Ze kon wachten, precies zoals de kameraad directeur me had aangeraden. Na dit experiment kon ik me erop laten voorstaan dat ik me, terwijl zij in de Sierra werkte, in dienst had gesteld van een andere revolutionaire zaak. Claire zou trots op me zijn.

'Op de revolutie!' proostte ik.

Ik wist later niet hoe ik in het hotel was teruggekomen.

6.2. DE PRIJZEN

Het was meer of we ons opmaakten voor het bepalen van de toekomst van de mensheid dan voor het toekennen van een prijs. Ik had nooit gedacht dat een literaire wedstrijd met zoveel omzichtigheid en ceremonieel gepaard ging; onze argumenten werden ongeveer tot staatsgeheimen verheven, en hoewel ik totaal geen ervaring had met dit soort bijeenkomsten kon ik me niet voorstellen dat een soortgelijk procédé werd toegepast bij de toekenning van de Nobelprijs. Alsof we een groepje wetenschappers waren dat bezig was met het construeren van een nieuw soort bom, werden we door de autoriteiten van Casa bijeengebracht in een landhuis dicht bij het strand van Varadero, waar we de daaropvolgende veertien dagen in de brandende tropenzon en geïsoleerd van de rest van de wereld gedwongen werden de honderden ingestuurde teksten te lezen.

'Welkom, kameraden van de jury,' zei de directeur met zijn gebruikelijke plechtstatigheid. 'Welkom in Cuba, het eerste vrije grondgebied van Latijns-Amerika.'

Hierop was het applaus van enkele geachte schrijvers te horen – opvallend was de aanwezigheid van een Chileense romanschrijver die scheepskapitein was geweest, en een dichter uit El Salvador of Costa Rica met een melancholiek gezicht: hoewel ik nooit met zoveel intellectuelen had samengeleefd voelde ik me onmiddellijk bij hen thuis; eindelijk had ik mijn natuurlijke omgeving ontdekt. Na het uitwisselen van begroetingen en namen, gekruid met biografische gegevens die de directeur van Casa niet vergat te melden bij iedereen die hij voorstelde, brachten we allemaal een dronk uit op het welslagen van onze onderneming. Het zachte, glanzende zand, de op de oneindigheid lijkende oceaan en de onheilspellende onbeweeglijkheid van de wolken deden inderdaad aan het paradijs denken. Onze gastheer refereerde daarentegen met geen woord aan deze *locus amoenus* en herinnerde ons in de volgende uren slechts aan onze plichten. Het moest ons duidelijk zijn dat we hier ondanks de verzorging en het comfort die ons ten deel vielen, niet op vakantie waren – we werden niet voor niets als 'arbeiders voor de cultuur' beschouwd –, en we hoorden ons niet als een groep luie burgers te gedragen, maar ons te concentreren op onze taak.

'De revolutie ziet zich opnieuw geconfronteerd met de gebetenheid van haar vijanden,' waarschuwde de directeur ons. 'We worden op alle fronten aangevallen, zelfs mensen die er vroeger prat op gingen aan onze kant te staan, keren zich nu tegen ons. Sektarisme en dogmatisme hebben in de kunst altijd een bijzonder gemakkelijke prooi gevonden voor hun blunders…'

De waarheid was dat wij juryleden geen aandacht schonken aan zijn toespraak en niet alleen ontroerd werden door de schoonheid van het landschap, maar ook door de kans wat over literatuur te kunnen praten.

'Op de revolutie, kameraden!'

Die eerste middag heerste er voornamelijk een euforische stemming; we deden allemaal ons best beleefd en solidair te zijn, alsof we de leden van een grote familie waren die elkaar na lange afwezigheid terugzagen. Te midden van de herrie en de gesprekken die op smaak werden gebracht door onuitputtelijke hoeveelheden daiquiri's, gingen de gesigneerde boeken van hand tot hand alsof het visitekaartjes waren. Iedereen luisterde naar de meningen van de anderen, als om te bewijzen dat de woorden in staat waren de wereld te veranderen. Tijdens die uitbarstingen van broederschap deed zich een incident voor: een zwaarlijvige dichter uit Ecuador (of Chili) wilde met alle geweld om middernacht in de golven van de oceaan verdwijnen. Maar dit vermocht de feestelijke stemming niet te bederven want er werd op het juiste moment ingegrepen door enkele agenten van de staatsveiligheidsdienst, die in persoonlijke opdracht van de regeringsleider de taak hadden ons permanent te beschermen.

Misschien kwam het doordat hij het jongste lid van de jury was (en het minst beroemde) of doordat zijn onderkin op die van Althusser leek, maar ik vatte al snel sympathie op voor een Cubaanse dramaturg die tijdens het diner naast me was komen zitten. Als lokale vertegenwoordiger deed hij zijn best even hartstochtelijk als oprecht antwoord te geven op mijn vragen over het eiland en me zowel op de goede kanten te wijzen als op de problemen van een systeem dat, in zijn woorden, bezig was het socialisme naar zijn eigen visie op te bouwen. Hoewel ik van nature niet tot biechten geneigd ben ontstond er een prettig soort medeplichtigheid tussen ons; toen hij klaar was met zijn beoordeling van de revolutie, die in schril contrast stond met de afgewogen toespraak van de directeur van Casa, hielden we ons de rest van de avond bezig met grappen maken over de ijdelheid van de overige gasten die ons, door de alcohol bevrijd van hun communistische ascetisme, de ware dimensies van hun ego lieten zien.

De echte plichten begonnen de volgende ochtend. Volgens het door de directeur van Casa opgestelde programma waren de uren vóór de lunch bestemd voor het lezen van de teksten van de deelnemers aan de wedstrijd, terwijl we ons 's middags per sectie in werkgroepjes zouden verdelen.

'Uw ervaring als psychoanalyticus zal zeer verrijkend zijn voor de beoordeling van het werk van de dramaturgen,' zei de directeur met een samenzweerderig knipoogje tegen mij. 'De psychoanalyse heeft altijd iets van theater, nietwaar?'

Ik was zo tevreden met het idee een rol te spelen in de beslissingen dat ik hem liever niet tegensprak.

'Voor ons van de sectie theater zijn er veel voordelen,' zei mijn Cubaanse vriend. 'Er worden nooit meer dan twintig werken ingestuurd, terwijl er altijd honderden korte verhalen en gedichten binnenkomen... Om maar niet te spreken van de arme stakkers die al die vreselijke, als essays vermomde doctoraalscripties van landbouwkundigen en ingenieurs moeten lezen ...'

Omdat ze zo gewend waren aan deze routine, die alleen werd verstoord door het bericht dat Haydée Santamaría en de regeringsleider misschien op bezoek zouden komen, waren de leden van mijn groep na drie dagdelen klaar met het lezen van de werken die ze moesten beoordelen. Ik ging ervan uit dat de volgende etappe even vlot zou verlopen, maar in de loop van de volgende dagen vervielen mijn collega's tot een aanstekelijke luiheid, alsof hun kritisch vermogen in slaap sukkelde door de mengeling van tropisch klimaat, clausuur en clanleven. Langzamerhand maakte de solidariteit van het begin plaats voor een sfeer van strengheid, die al spoedig vergiftigd werd door argwaan over ieders ware intenties. Hoewel zich onder de leden van de jury enkele van de befaamdste intellectuelen van het moment bevonden, werd hun gedrag steeds grilliger. Ik had gedacht dat onze middagdiscussies vruchtbaarder zouden zijn, maar ik merkte al gauw dat schrijvers saaier, grimmiger en maniakaler kunnen zijn dan politici. Ik wil mijn collega's niet tekortdoen, maar ik vond ze vaak echt onverdraaglijk. Ze waren zich veel te veel bewust van hun belangrijkheid en waren niet zuinig met hun klachten, alsof hun marxistische nederigheid verroest was door de hitte en het zeezout.

'Het is elk jaar hetzelfde,' vertrouwde mijn Cubaanse vriend me toe. 'Dit is de eerste keer dat ik in de jury zit, maar vroeger deed ik mee aan het organiseren van dit soort ontmoetingen... Je hebt geen idee wat voor nachtmerrie dat is.'

'We moeten toegeven dat de kunst geen betere mensen van ons maakt,' beaamde ik op het moment dat een Argentijnse dichter van ons eiste naar het sonnet te luisteren dat hij net had geschreven ter ere van de regeringsleider.

De Cubaanse dramaturg vond mijn opmerking blijkbaar geweldig, want hij maakte er een soort refrein van dat hij steeds gebruikte wanneer een van onze collega's over de schreef ging. Want hoewel het in theorie ons doel was de belangrijkste korte verhalen, gedichten en toneelstukken te ontdekken, werd het, zodra de discussies begonnen om de winnaars te bepalen, al snel duidelijk dat elk jurylid zijn best deed zijn eigen mening door te drukken zonder rekening te houden met die van de anderen. Niemand durfde het toe te geven, maar de literaire confrontaties waren een vermomming voor een genadeloze oorlog. Daar de werken dus onmogelijk objectief konden worden geëvalueerd, was het enige wat telde de kracht van de argumenten die werden gebruikt om de kandidaten te verdedigen.

Voor het geval het virus van het wantrouwen nog niet genoeg was om ons te demoraliseren, moesten we ook nog de steeds nadrukkelijker aanbevelingen verdragen die de directeur van Casa verwoordde tijdens de lunch en het diner. Misschien omdat hij me van het begin af aan als een van zijn bondgenoten beschouwde, viel hij mij in de wandelgangen niet lastig met zijn commentaren, maar andere juryleden herinnerde hij voortdurend aan hun plicht de burgerlijke cultuur uit te roeien die zo stevig in de marges van de revolutie gevat zat.

'Dat wil zeggen dat alleen werken kunnen winnen die onbetwistbaar dezelfde esthetische principes uitdrukken als die van de kameraad directeur.'

De woorden van mijn Cubaanse vriend gaven me een heel klein beetje hoop: die jonge dramaturg was allesbehalve een *gusano* of verrader, en toch permitteerde hij zich kritische opmerkingen die als hapjes frisse lucht waren bij de druk die op ons werd uitgeoefend. In tegenspraak met de ogenschijnlijke vrijheid die ons was beloofd, werden we onophoudelijk in de gaten gehouden door een hogere macht. Niemand beoordeelde onze inspanning – in onze geest bestond geen censuur, niet eens als mogelijkheid –, maar allen deden we van tijd tot tijd een gewetensonderzoek om te ontdekken wat onze zonden waren.

'De vijanden van de revolutie bevinden zich overal,' waarschuwde de directeur ons. 'Weest u voorzichtig: in elke tekst die we lezen kan verraad binnensluipen... Dit jaar kunnen we ons geen vergissing permitteren en de prijs toekennen aan het werk van een contrarevolutionair.'

De logische strekking van deze waarschuwing bezorgde ons een schok: als er achter elke tekst een vijand verstopt kon zitten, zoals de kameraad directeur beweerde, zou dat dan niet ook kunnen gelden voor ons, degenen die de teksten beoordeelden? De argwaan stapelde zich op; van nu af aan moesten we er bij het verdedigen van een gedicht, een kort verhaal of een toneelstuk zeker van zijn dat we geen instrument van een samenzwering waren: als je het werk van een dissident verdedigde betekende dat *ipso facto* dat je het met zijn ideeën eens was. Om ons gerust te stellen zei de directeur van Casa dat deze voorzorgsmaatregelen geen beperking van onze vrijheid betekenden.

'Integendeel,' legde hij uit, 'door strengere voorzorgsmaatregelen te nemen voorkomen we dat er onder de winnaars iemand tussendoor glipt die ons eigenlijk wil vernietigen.'

'Dat is altijd het argument van de bureaucraten,' fluisterde de jonge Cubaanse dramaturg me in het oor. 'Hij heeft niet in de gaten dat de grootste verdienste van de revolutie ligt in het feit dat zij in staat is zich te vernieuwen…'

Toen ik dit hoorde was het voor mij duidelijk dat er op het eiland twee tegengestelde stromingen woonden: aan de ene kant had je mensen die, zoals de directeur van Casa, een als tolerant vermomd, autoritair systeem bleven opleggen, en aan de andere kant iemand zoals mijn vriend die de ware aspiratie van de geëngageerde intellectueel vertegenwoordigde, de man die zijn vrije geest wist te behouden zonder daarmee zijn idealen te verraden. Helaas was gezond verstand schaars: na twaalf dagen internering was het alsof de zenuwcellen van de schrijvers waren aangetast door een degeneratieziekte. Waar eerst enthousiasme, vertrouwen en een geest van samenwerking heersten, was nu alleen nog een wolk van gebetenheid en onderhuidse gewelddadigheid waar te nemen: niemand vertrouwde niemand. Al gauw gedroegen we ons als proefkonijnen tijdens een experiment voor het meten van het tolerantieniveau van intellectuelen onder elkaar.

Gedurende een van onze laatste sessies werd het stuk dat luisterde naar de weinig verfijnde freudiaanse titel *Het begin van de illusie* met verve verdedigd door het Venezolaanse jurylid. In dit stuk werd door middel van de oneindige hoeveelheid ontberingen van een landarbeidersgezin een portret geschetst van de mislukking van de suikeroogst van tien miljoen ton. De overige juryleden konden het niet met elkaar eens worden over de waarde van het stuk: terwijl de reconstructie van het enthousiasme waarmee het Cubaanse volk aan het werk was gegaan volgens sommigen het engagement weerspiegelde waarnaar we op zoek waren, was het volgens anderen een contrarevolutionaire daad om over een mislukte onderneming te vertellen. Ik had tot dan toe nog geen woord durven zeggen, maar na de vijfde daiquiri van die middag raakte ik zo opgewonden dat ik me niet kon inhouden: 'Met alle respect, kameraden van de jury, staat u me toe een opmerking te maken. Wat voor zin heeft het over een stuk te discussiëren dat, ik aarzel het te zeggen, het ergste is dat ik ooit heb gelezen? De auteur heeft er geen flauw idee van wat een dramatisch conflict is, om nog maar te zwijgen van de schrijffouten die in elke zin te bespeuren zijn… We zouden dit stuk moeten vergeten en het moeten hebben over het revolutionaire karakter van een stuk dat tenminste wel goed geschreven is…'

Ik had blijkbaar iets heiligschennends gezegd, want iedereen keek me woedend of minachtend aan.

'Onze kameraad de Mexicaan hier blijkt een taalpurist te zijn,' oordeelde de man uit Uruguay. 'Ik geloof dat hij niet begrepen heeft dat de auteur de taal van het volk overneemt... En helaas heeft het volk geen boodschap aan de normen van de Koninklijke Academie...'

Het was alsof deze diskwalificatie als startschot diende, want de anderen steunden het stuk niet alleen, ze verdedigden en prezen het luidkeels tot de avond viel. Het kon hun weinig of niets schelen dat ik uitlegde dat linguïstisch realisme niet hetzelfde was als komma's rondstrooien alsof het vogelzaad was, en dat het nog wel te begrijpen was dat de auteur geen verschil maakte tussen de *z* en de *s*, maar niet dat hij die letters zonder logica door elkaar gebruikte...

Ik had een onverwacht wonder bewerkstelligd: door mijn toedoen waren ze het voor het eerst allemaal met elkaar eens en stortten ze zich allemaal, met als enige uitzondering mijn Cubaanse vriend, op mij en verweten me mijn burgerlijke vooroordelen. Opeens konden de andere toneelstukken die aan de wedstrijd meededen hun niets meer schelen: het eind van het liedje was dat *Het begin van de illusie* voldoende stemmen kreeg om de prijs in de wacht te slepen.

'Zo gaat dat,' zei mijn vriend zachtjes. 'Het zijn nooit de mensen die het verdienen die de prijzen winnen, maar altijd degenen die de meeste stemmen bij elkaar schreeuwen. Leden van literaire jury's zijn net als diplomaten van de Verenigde Naties.'

'Gefeliciteerd, Quevedo,' zei de directeur van Casa in een onderonsje. 'Ik heb gehoord dat jouw optreden beslissend is geweest...'

Hoe moest ik zijn woorden interpreteren? Waren ze spottend of dreigend bedoeld? Een van de leden van mijn groep – misschien de Venezolaan – had hem ongetwijfeld over mijn ontwikkeling gedurende het vonnis verteld.

'Ik heb alleen gezegd wat ik dacht...'

'Niet zo bescheiden, jongen,' zei hij en nam me mee om een daiquiri te gaan drinken. 'Ik heb Lacan ook gelezen, wat dacht je. Het was geniaal wat je deed: omdat ze het maar niet met elkaar eens konden worden, besloot je als advocaat van de duivel op te treden. Wat een zet, Quevedo!' Hij stootte me aan met zijn elleboog. 'Dankzij jou is de prijs gevallen op een stuk dat zonder enige twijfel de volmaakte eenheid van kunst en politiek engagement uitbeeldt...'

Sindsdien week de directeur niet meer van mijn zijde en hij nam me onder zijn vleugels. Terwijl hij zich tegenover de anderen hooghartig en argwanend bleef gedragen – 'ik zei toch al dat we hen ondanks alles niet kunnen vertrouwen,' bekende hij me –, was hij tegenover mij een en al vriendelijkheid. Om een reden die ik in die tijd nog niet kon bevroeden, misschien gewoon omdat ik in tegenstelling tot de anderen geen schrijver was, beschouwde hij mij als een van de zijnen. Tijdens de plechtigheid van de prijsuitreiking die enkele dagen later plaatsvond, behandelde hij me als een van de belangrijkste gasten en fluisterde me de hele tijd in mijn oor wie van de aanwezigen onze potentiële vijanden waren.

'Die vent daar, bijvoorbeeld,' zei hij en wees op de zaakgelastigde van Chili, 'die heeft ons een massa problemen bezorgd. Hij geeft zich uit voor schrijver en bezoekt kringen waar hij niet thuishoort… Maar die daar, dat is Régis Debray…'

Inderdaad. Ik herkende het uitgemergelde, breekbare gezicht dat me zo had geïnspireerd toen ik nog in Frankrijk was. Hij was net uit een Boliviaanse gevangenis gekomen, waar hij was opgesloten na de dood van Che. Ik dacht er even over hem te begroeten, maar door zijn overmatige verlegenheid hield hij zich afzijdig van het feest…

'Maak je geen zorgen, je zult heel gauw bij je vrouw zijn.' De kameraad directeur kon mijn gedachten lezen. 'Maar eerst vraagt de revolutie nog een andere dienst van je.'

6.3. DE NAAM VAN DE VADER

'Gaat u liggen!'

Ik ontweek zijn ogen en verschanste me achter een bijna idioot stilzwijgen, net zo bang als Odysseus voor de blik van de cycloop. Hoe had ik hem zoiets vernederends durven vragen? Het was absurd zijn brede lichaam uitgestrekt te zien liggen over vier moeizaam op een rij gezette stoelen, alsof hij een societydame was die een elektrisch lichtbad nam. (Volgens zijn adjudanten was er in de meubelzaken in de buurt geen divan te vinden die groot genoeg was voor zijn omvang.) En bovendien wilde ik beslist naast hem zitten om gebruik te kunnen maken van deze tactische winst, zo trots als een bioloog die het gedrag van een zeldzaam soort hagedis bestudeert. Het voorstel op zich was al een belediging: een hulpeloze reus kan alleen tederheid of hoon verwachten.

Hij had aan één gebaar genoeg om me te laten inzien dat ik mijn functie had overschat: hij was niet zomaar een man maar een held, een wezen dat het midden houdt tussen menselijk en goddelijk – en ook nog iets monsterlijks heeft –, en daarom beging ik, eenvoudige sterveling (en bovendien een Mexicaan), heiligschennis door hem te behandelen als de eerste de beste zelfgenoegzame arts die de zwakheid van zijn patiënten te kijk zet. Door zijn schaduw over mij heen te laten vallen bracht hij me terug tot mijn dierlijke status, terwijl hij zijn natuurlijke macht toonde; ik kon zijn gezicht bijna niet zien, maar een glimpje van zijn glinsterende baard was voor mij voldoende om zijn minachting te herkennen. In het tegenlicht leek hij net een profeet die in de vertragende sfeer van de tropen geconfronteerd werd met mijn onbillijke gebrek aan geloof.

'Ik dacht dat het voor u comfortabler zou zijn,' fluisterde ik.

Zijn blik was dodelijk: ik mocht mezelf al voldoende gelukkig prijzen in zijn gezelschap te verkeren (hoeveel van zijn getrouwen vochten om een audiëntie!) en er was geen sprake van dat ik hem voorwaarden kon stellen. Hij was de man die Geschiedenis schreef – liever gezegd: die haar dicteerde – en hoe goed opgeleid of wijs ik naar mijn eigen idee ook mocht zijn, hoe veel revolutionaire arbeid ik had verricht of hoe veel aanbevelingsbrieven uit Frankrijk ik ook bij me had, ik was niet meer dan een tolk. Zo hij ermee ingestemd had mij te raadplegen (bij wijze van spreken), zo hij uiteindelijk had besloten mij een beetje van zijn tijd te gunnen – enige fragmenten van zijn leven, wat al een onverdiend loon was –, kwam dat niet door mijn academische importantie en al helemaal niet door mijn sympathie voor zijn zaak, maar door mijn veronderstelde vermogen hem van zijn slapeloosheid te genezen.

Hij wilde niet dat ook maar iemand twijfelde aan zijn helderheid van geest, hij vroeg alleen de mening van een expert die hem zou kunnen helpen dat deel van zichzelf te kalmeren dat hem 's nachts wakker hield. Volgens deze zienswijze was ik niet anders dan een 'arbeider van de geest', niet veel anders dan een loodgieter of een meubelmaker: zodra het mankement (zijn slapeloosheid) was verholpen, mocht ik vertrekken en blij zijn dat ik mijn taak had uitgevoerd. Dat was alles. Onze betrekking zou absoluut niet *persoonlijk* zijn: net als de sjamanen of *santeros* die zijn landgenoten in het geheim raadpleegden, hoefde ik alleen maar licht te werpen op zijn toekomst. En daarna moest ik zoals elke priester mijn mond houden.

'Denkt u dat ik geïnteresseerd ben in comfort?' Hij verborg zijn woede achter een volmaakte zelfbeheersing. 'Dat iemand als *ik* geïnteresseerd is in comfort? Comfort voor iemand als ik, die maanden in de bergen heeft gezeten zonder zich te douchen, zonder zelfs maar water aan te raken, en die in grotten of loopgraven in het oerwoud heeft geslapen, overgeleverd aan de wilde dieren, vies, stinkend...'

Hij had een nauwkeurige, zeurderige, een beetje nasale stem, ik had het gevoel dat ik een sportverslaggever hoorde of een bescheiden advocaat. Hij bleef nog een hele tijd doorgaan over mijn omkoopbaarheid: zag ik niet in dat het comfort een uitvloeisel was van de zwakke burgerlijke moraal...?

Terwijl hij voortging met zijn gemopper, betreurde ik de paradoxale toestand dat ik weer was teruggekeerd tot de psychoanalyse. Toen ik Frankrijk verliet om Claire te volgen, meende ik dat mijn klinische carrière daarmee definitief was afgesloten. Nu ik volledig was ingebed in de revolutionaire actie was ik meer geïnteresseerd in het leren omgaan met mitrailleurs en explosieven dan in de onwaarschijnlijke schizofrenie van een stel verstokte burgers. Termen als 'fallus', 'spiegelstadium' of 'object' klonken me opeens niet alleen geheimzinnig, maar leeg in de oren. En nu was ik hier, zo ver verwijderd van het structuralisme als je je maar kunt voorstellen, midden in een oerwoud dat het tegenovergestelde was van de werkgroep van Lacan, en nu werd ik opeens gedwongen mijn status van analyticus weer tot leven te laten komen.

'... niets, hoort u me? *Niets.* Ik geef niets om comfort. Ik heb er lak aan. Dus als u het echt comfortabeler wilt hebben, gaat u dan zelf maar liggen...'

Omdat ik heel ergens anders was met mijn gedachten was ik de draad van zijn betoog kwijtgeraakt en begreep ik niet dat die laatste zin geen retorische overdrijving of spottende suggestie was, maar een bevel. Een duidelijk en direct bevel.

'Ik zeg u dat u moet gaan liggen!'

Hij hoefde het geen twee keer te zeggen. Ik stond op uit de fauteuil die hij me aan het begin van de sessie had aangeboden, en ging languit op de rieten stoelen liggen. Dit moest een geheel nieuwe variant op de psychoanalytische techniek zijn: terwijl de patiënt door de kamer ijsbeert blijft de analyticus – ik dus – op de geïmproviseerde divan liggen.

'Maar wilt u niet liever gaan zitten?' drong ik aan.

'Nee.'

'Goed, als het voor u zo comfortabeler…'

Of had ik moeten zeggen oncomfortabeler? Toen de directeur van Casa de las Américas me had overdragen aan de agenten van de staatsveiligheidsdienst, had ik nooit gedacht dat die me naar hem zouden brengen. Doordat er maar geen eind leek te komen aan de tocht of doordat het zo'n warme, geurige avond was, nam ik aan dat ze me naar een trainingskamp of een militair gebouw brachten; maar in plaats daarvan zetten ze me af bij dit landhuis dat werd bewaakt door een piket trage soldaten. 'Weten jullie wat mijn taak hier is, kameraden?' vroeg ik, maar geen van hen waagde het me te antwoorden. Toen ze mijn blinddoek afdeden, gaf een secretaris me de raad niet ongeduldig te worden. 'U zou trots moeten zijn, kameraad,' legde hij uit. 'Hier komen alleen zijn intiemste vrienden op bezoek.'

De staat van de kamer was niet sober, maar eerder beklagenswaardig te noemen. Zo dit landhuis in vroeger tijden een zekere provinciaalse grandeur had uitgestraald – hier en daar zag je de schaduw van de schilderijen nog op het behang –, was nu aan niets meer te merken waarom dit de lievelingsvertrekken van mijn gastheer waren. Afgezien van een eikenhouten tafel en een paar van de kust aangevoerde hangmatten was het een troosteloos toneel: grijzig, amper schoon, met een flessengroen tapijt op de grond en gedempt licht van een paar lampen die hun in een punt uitlopende koppen, net slapende kraanvogels, naar de grond richtten. Volgens hem zou de decadentie van deze plek vast en zeker passen bij een decadente activiteit als de psychoanalyse.

Na enkele seconden te hebben gewacht waarin ik probeerde te wennen aan mijn nieuwe horizontale perspectief, waagde ik het de sessie te heropenen.

'Laten we maar beginnen. Ik luister.'

'Ze zeggen dat u goed kunt luisteren…'

Voor een wantrouwig iemand als hij was het vast heel ongemakkelijk zijn zorgen te delen: zoals hij me later onthulde had hij niet meer gebiecht sinds het eind van zijn middelbare school, bij de paters op de

Lasalleschool, vijfentwintig jaar geleden. Om zich beter op zijn gemak te voelen haalde hij een havana uit zijn binnenzak, rook eraan, sneed hem af volgens het bekende ritueel en bracht hem naar zijn lippen alvorens een mondvol rook uit te blazen ter hoogte van mijn gezicht.

'Als u zegt dat de sigaar een fallisch symbool is, dan zweer ik u bij mijn moeder dat we u hier ter plaatse laten castreren.'

Hij was kennelijk goed op de hoogte van het freudiaanse jargon; ik probeerde te glimlachen, maar de strenge rimpel tussen zijn wenkbrauwen deed me inzien dat hij het serieus meende. Door deze waarschuwing vergat ik een theoretische verhandeling te houden over de lacaniaanse figuur van in-naam-van-de-vader, en ik zei expres niets over de last die het moest zijn zo'n voorname en dreigende achternaam als de zijne te dragen. Om het ijs te breken vroeg ik: 'Is het uw eerste keer?'

'...'

'De eerste keer dat u zich aan een analyse onderwerpt?'

'Ik onderwerp me nergens aan.'

'Ik bedoel of het de eerste keer is dat u een... analyticus raadpleegt.'

'En ik hoop dat het ook de laatste is.'

'Waarom?'

'Freud lijkt me een kletsmajoor.' Af en toe was zijn taalgebruik zo subtiel dat het leek alsof hij zijn taalbeheersing wilde bewijzen. 'Wordt de wereld in beweging gebracht door de strijd tussen de instincten van leven en dood? Door de triomf van het libido? Denkt u dat ik hier zou zijn als seks voor mij het allerbelangrijkste was? Moeten ze net tegen mij zeggen dat het enige wat ik heb gedaan is proberen mijn vader te vermoorden... Of dat mijn fixatie op mijn moeder de oorzaak is van onze overwinning... En waar was mijn doodsdrift toen ik ontsnapte aan de aanslagen van de CIA? Denkt u ook niet dat dit allemaal gelogen is? Gelooft u echt in die leugens? Gelooft u ze *echt*...?'

Gelukkig stond hij me niet toe hem in de rede te vallen, want op zo'n directe vraag had ik geen antwoord geweten: als ik ja had gezegd, dat ik inderdaad in die theorieën geloofde, of liever in de meest gecompliceerde uitwerkingen ervan en niet in de ijdele popularisering van hun inhoud, liep ik het risico opschepperig te klinken en hem opnieuw kwaad te maken; en in het andere geval, als ik hem gelijk gaf en hem mijn scepsis toevertrouwde, zou hij me er vast en zeker zonder pardon uit gooien: hoe geheimzinnig zijn beslissing ook mocht zijn, het was duidelijk dat hij me had laten komen omdat ik psychoanalyticus was.

Dankzij zijn neiging tot ellenlange uiteenzettingen kon ik aan dit dilemma ontkomen en in de volgende minuten (misschien wel een uur) hoorde ik hem oreren over het leven en het werk van Freud. Ik stond versteld van zijn kennis over dit onderwerp: hoewel hij in eerste instantie de massa gemeenplaatsen herhaalde die typerend is voor de critici van ons werk, ging hij langzamerhand over tot commentaren en overpeinzingen die je alleen zou verwachten uit de mond van specialisten. Na een treffende opsomming te hebben gegeven van de belangrijkste bijdragen van Freud, commentaar te hebben geleverd op diens breuk met Jung, het te hebben gewaagd de – moeizaam uitgesproken – namen te noemen van Ferenczi, Adler, Rank en Fromm en te zijn uitgevaren tegen de mensen door wie de psychoanalyse was veranderd in een therapie voor gepensioneerden, keek hij me eindelijk weer aan.

'Ze hebben me verteld dat u lacaniaan bent.'

'Nou ja…'

'Die Lacan heb ik niet gelezen. Kunt u me zeggen in welk opzicht zijn analyse verschilt van die van Freud?'

'Dat is niet zo eenvoudig uit te leggen. Als we beginnen met…'

Ik had de basisprincipes van de lacaniaanse praktijk nog niet eens uitgelegd, of hij liet zijn knokkels al kraken. Hij was een man van de actie, geen theoreticus; de betekenis van de dromen, de penisnijd en de castratieangst leken hem onderwerpen die dichter in de buurt van de poëzie lagen – en dus van fictie, valsheid en laagheid – dan van de werkelijkheid. Tot dan toe wist ik niet dat hij een bewonderaar van Plato was, maar via deze omweg bekende hij me dat hij met plezier een wet zou ondertekenen die het ijdele werk van de dichters zou verbieden door hun te dreigen dat ze zijn Republiek – zijn eiland – voorgoed moesten verlaten.

'Die flikkers zijn nergens goed voor,' mompelde hij opeens, met zijn tanden zijn sigaar kapotbijtend. 'De revolutie kan hun heel weinig schelen, ze geven alleen om woorden… En waar zijn woorden goed voor?'

Het was toch vreemd deze uitval te horen uit de mond van iemand als hij die er zo van genoot de ene zin op de andere te stapelen. Hierna moest ik opnieuw een uitval tegen de schrijvers – die compromisloze strebers, die bloedzuigers, die ratten – en ook nog een nieuwe verdediging van de revolutie aanhoren, maar opeens zweeg hij zonder waarschuwing vooraf. Hij zag er vermoeid uit. Ik lag vanuit mijn vreemde positie naar hem te luisteren. Zijn omvang, die er onder deze hoek nog indrukwekkender uitzag, bezorgde me een complex.

'Ik kan me niet concentreren,' zei hij verontschuldigend.

'Mag ik opstaan?'

'Natuurlijk, moet ik u soms overal bevel voor geven?'

Zijn havana was op. Hij klapte spontaan zijn hakken tegen elkaar en verliet het vertrek zonder nog iets te zeggen.

'Tot morgen, commandant.'

Wie heeft verdomme beweerd dat de horizontale positie ideaal was voor een analyse? Mijn rug brak bijna. Buiten stond de agent van de staatsveiligheidsdienst me met een kwaadaardig lachje op te wachten. Met zijn slecht geknipte dikke snor en één ironisch opgetrokken wenkbrauw vertoonde hij een lichte gelijkenis met Mexicaanse filmsterren uit de goede oude tijd.

'Hoe is het u vergaan, kameraad analyticus?'

'Goed, geloof ik,' zei ik, en toen ik zijn verbazing zag herstelde ik, '*heel* goed. En zou een van u nu zo aardig willen zijn me terug te brengen naar Havana?'

Achter de jonge kapitein (of wat hij ook was, militaire onderscheidingstekens heb ik nooit kunnen lezen) barstte een groepje rekruten brutaal in lachen uit.

'Ha, wat een grapjas die Mexicaan,' zei hij terwijl hij een armzalige poging deed om mijn accent te imiteren. 'Ik ben bang dat dát onmogelijk is, kameraad.'

'Ik moet vandaag in de stad zijn.'

'Ik zei u toch al dat het onmogelijk is. Orders zijn orders, jongen.'

'Maar hoe lang denkt u me hier vast te houden?'

'Vasthouden? Niemand houdt u hier vast, kameraad analyticus.' Hij sprak de zin langzaam uit, met pauzes tussen elke lettergreep. 'U kunt gaan wanneer u wilt, hoewel ik het u niet zou aanraden. Want stel dat de commandant op het idee komt naar u toe te gaan en u niet aantreft? Hij houdt ervan tot diep in de nacht te werken en misschien komt hij daarna wel op het idee met u te willen praten, u weet wel, om zijn geest te laten uitrusten…'

Ik was een gevangene geworden. Of liever gezegd een aspirant-revolutionair die met geweld aan zijn vervloekte status van psychoanalyticus vastzat.

'En tot wanneer gaat dit duren?'

'U bent de expert, kameraad. Als de commandant niet meer met u wil praten, zal hij het u wel laten weten. Speelt u domino? We gaan zo met een partijtje beginnen... De nacht is lang...'

De volgende twee uur zat ik met een ongebruikelijk aantal stenen te spelen, terwijl mijn kameraden bewakers argwanend toekeken. Mijn partner, een slaperige, rancuneuze neger, wekte de indruk steeds zijn mitrailleur te willen grijpen als ik me vergiste met tellen. Toen we klaar waren legden ze wat dekens op de meubels en maakten het zich zo gemakkelijk mogelijk. Er zat niets anders op dan hun voorbeeld te volgen.

'Welterusten, kameraad analyticus.'

Ik werd verder niet lastiggevallen. De commandant worstelde vast en zeker met staatszaken die veel belangrijker waren dan dingen als het aan mij toevertrouwen van zijn meningen over Freud, dus dacht ik dat er vroeg of laat wel een eind zou komen aan deze kidnapping. De volgende ochtend gaven ze me een ontbijt, lieten me in de omgeving wandelen – de commandant zou 's avonds terugkomen, als het koeler was – en dwongen me vanaf acht uur klaar te zitten. Om twee uur 's nachts maakte de korporaal (of wat hij maar was) me ruw wakker: de commandant verwachtte me in de salon. Ik begon al vertrouwd te raken met dit landhuis dat na de triomf van de revolutie gevorderd was.

'Goedenavond, dokter.'

'Goedenavond, commandant.'

Hoewel het onder mijn vrienden van goede smaak getuigde hem bij zijn voornaam te noemen – alleen zijn critici noemden hem bij zijn achternaam –, durfde ik me niet zo familiair op te stellen. Ik ging net als de vorige keer berustend op de stoelen liggen in de hoop dat hij me mijn arrogantie zou vergeven en me toestemming zou geven om te gaan zitten, maar mijn comfort liet hem volstrekt koud.

'U vindt het toch niet erg dat ik onze gesprekken opneem, hè? Het is niet dat ik u niet vertrouw, Quevedo, maar als u later zo onhandig bent om te vertellen wat we hier besproken hebben, heb ik tenminste iets om het te ontkennen...'

Over het algemeen zijn het slechte analytici die aantekeningen maken of de sessies opnemen, maar in deze omgekeerde wereld verbaasde niets me meer. De commandant was tegelijk de beste en de slechtste patiënt voor een lacaniaan: aan de ene kant respecteerde hij me in de rol van degene die hem eenvoudig tot een vertoog provoceerde en vroeg hij me nooit om mijn mening, maar aan de andere kant was het onmogelijk korte sessies met hem te houden. Ik deed weliswaar geen pogingen hem tot zwijgen te brengen maar wel om zijn wijdlopigheid te beperken, en toch was het me elke keer weer onmogelijk een punt te zetten achter de sessies: hij liet hoogstens toe dat ik enkele onomatopeeën in zijn woordenbrij inlaste.

Hoeveel nachten was ik onderworpen aan die routine, aan dat vreemde vertoon van vertrouwen, aan dat revolutionaire privilege, aan die marteling? Het was duidelijk dat er geen andere patiënten op me zaten te wachten in een hypothetische wachtkamer en dat het ook niet mijn bedoeling was hem een uurtarief te laten betalen, maar als we bedenken dat de sessies om twee uur 's nachts begonnen en dat ik in mijn ruggelingse positie moest blijven liggen, dat er amper genoeg licht was en dat hij drie of vier uur lang niet stopte met praten, was mijn inspanning om helder van geest te blijven onmenselijk. Als we hierbij optellen dat de leden van de staatsveiligheidsdienst me voor dag en dauw wakker maakten en me 's morgens dwongen om mee te doen met voetballen en 's middags met hun partijtjes domino, dan was het niet verwonderlijk dat ik door mijn eigen slaapgebrek in een hallucinerende toestand geraakte. Ik veranderde in een personage uit een omgekeerde *Duizend-en-één-nacht*, een Sheherazade die naar de tragische verhalen van de sultan moest luisteren met het risico dat die haar de kop zouden kosten als ze in slaap viel.

'Heb ik u dat verhaal aan boord van de *Granma* al verteld?' Hij gaf me niet eens de kans te antwoorden. 'Moet u horen…'

Ik was zijn ideale publiek geworden, iemand naar wie hij niet hoefde te kijken, maar die verplicht was naar hem te luisteren, en ik hoorde hem op zijn dooie gemak zijn verhaal vertellen alsof hij voor een microfoon op het Plein van de Revolutie stond. Met ieder ander mens zou ik tegen die tijd al aardig zijn opgeschoten met de analyse, maar met hem was het een onmogelijke taak. Tijdens de eerste zittingen had ik mijn best gedaan de oorzaken van dit verstoppertje spelen te achterhalen, maar ik kwam tot de conclusie dat hij er juist van genoot die waterval van woorden te produceren: hij praatte en praatte om niets te zeggen.

Ik had kunnen denken dat hij me alleen als voorwendsel gebruikte, als hij er niet op had aangedrongen dat ik hem van zijn gebrek aan slaap moest bevrijden. Van jongs af aan had hij aan zware slapeloosheid geleden. In het begin had hij dit niet alleen niet erg gevonden, maar het had hem ook nog een voorsprong bezorgd op zijn tegenstanders. Tijdens zijn gevangenschap op Isla de Pinos en later, tijdens zijn ballingschap in Mexico waar hij zijn opstand tegen Batista voorbereidde, en op het laatst tijdens de gevechten in de Sierra Madre was het een groot voordeel geweest dat hij negentien of twintig uur per dag wakker kon blijven. Maar toen de overwinning eenmaal was behaald, kon hij niet meer van die gewoonte afkomen. Was het tijdens de eerste maanden van zijn regering nog gemakkelijk geweest de extra tijd op te vullen door de rapporten – meer dan vijftig per dag – te lezen, of op de gekste uren bijeenkomsten te beleggen met zijn medewerkers of eenvoudigweg liefdesromannetjes te lezen, nu begon het gewicht van al die uren wurgend te worden. Hij had de slaap vermoord, net als Macbeth.

'Neemt u me niet kwalijk dat ik u onderbreek, commandant,' waagde ik het op een middag te zeggen. 'Heeft u wel eens gedichten geschreven?'

Hij had mijn vraag niet verwacht. Hij was in de loop van de vorige zittingen zo heftig tekeer gegaan tegen de dichters dat het bij me opkwam dat een van de sleutels van zijn slapeloosheid in die aversie moest worden gezocht.

'Ik, gedichten?'

'Of althans een paar versjes?'

'Ik heb geen tijd voor dat soort dingen.'

'Maar u heeft veel vrienden die schrijver zijn.'

'Vrienden?'

'García Márquez, Cortázar, Benedetti...'

'Nou ja, Che heeft een keer een gedicht voor me geschreven.'

'Che?'

'Eerlijk gezegd was het niet zo best.'

'Maar is het nooit in uw hoofd opgekomen?'

Ik waagde het me een beetje op te richten om zijn gezicht te kunnen zien. De commandant liep rondjes door de kamer met zijn handen op zijn rug en bewandelde de weg terug naar zijn jeugd.

'Nou ja, zoals iedereen.'

'Zoals iedereen.'

'Weet ik veel, man… Een keer. Voor een vrouw…'

Dus net als elke goede Latijns-Amerikaanse revolutionair was de commandant in wezen een romanticus.

'Herinnert u het zich nog?'

'Natuurlijk niet!'

Hoe onwaarschijnlijk het ook moge lijken, na enkele ogenblikken begon hij er in stilte over te piekeren. Hoe zou hij toen zijn geweest, toen hij nog in staat was een gedicht te schrijven? Zijn stem werd hoger alsof hij de stem nabootste uit de tijd dat hij rechten studeerde. Volgens zijn berekeningen moest zijn betreurenswaardige ontmoeting met de poëzie hebben plaatsgevonden aan het eind van de jaren veertig, toen hij samen met twee van zijn zusters een huis deelde en in een Ford V-8 reed die zijn vader enkele maanden eerder voor hem had gekocht.

'Weet u hoe ik in die tijd werd genoemd?' brulde hij ongedwongen, bijna trots. 'De Gek.'

Gek, omdat hij zich op alle terreinen van de anderen wilde onderscheiden, wat hem alleen lukte bij de sport. Gek, omdat hij, zoals hij als pitcher bij het honkballen elke keer weer bewees, niet tegen zijn verlies kon en zich door zijn ergernis liet meeslepen. Gek, vanwege zijn vroegtijdige bewondering voor fysieke kracht. Gek, omdat hij zich tijdens de les verveelde, zijn leraren minachtte en geen belangstelling had voor het academische leven. Gek, omdat hij, ondanks zijn faam als oproerkraaier, ervan overtuigd was dat hij op een dag één regel zou schrijven in de geschiedenis van het eiland. En tot slot ook gek, omdat hij bereid was tegen elke prijs te bereiken wat hij beoogde.

Toen ik hem over zijn studententijd hoorde vertellen zag ik een glimp van tevredenheid in zijn blik. In 1947 nam zijn leven een radicale wending: hij gehoorzaamde de bevelen van zijn vader niet langer en onttrok zich aan de plicht elk weekend naar Las Manacas terug te gaan; hij was niet langer een 'politieke analfabeet', dankzij de invloed van zijn vriend Pepe Pardo die hem in contact bracht met de leiders van de Revolutionaire Socialistische Beweging; hij ging een guerrillacursus doen in Cayo Confite*; en tot slot trouwde hij in 1948 met zijn eerste vriendinnetje, Mirta Díaz-Balart, wier familie een van de rijkste van het eiland was.

'Schreef u een gedicht voor haar en is ze daarom met u getrouwd?'

'Nee, het was niet voor haar… In die periode verknoeide ik al geen tijd meer aan dat soort dingen, dat heb ik u al gezegd. Ik was met serieuzere zaken bezig. Mirta studeerde filosofie, ze was niet het soort meisje dat bloemen of gedichten eiste.'

'Hoe zat het dan?'

'Het gebeurde wat eerder, in april.'

'De lente, een mooie tijd voor de liefde.'

Hij was meer ontspannen dan anders, maar door mijn ironie had ik bijna alles verpest.

'Mag ik doorgaan?'

'Natuurlijk, commandant. Neemt u me niet kwalijk.'

'Mijn vriend Rafael del Pino en ik maakten een reis naar Bogotá waar we aan een studentenbijeenkomst zouden deelnemen.' De woorden kwamen niet stuk voor stuk, maar in vlagen of golven uit zijn mond. 'Een vreselijk hotel trouwens…'

Nadat ze een wandeling door de Colombiaanse hoofdstad hadden gemaakt – hij wist niet dat er geen tropisch klimaat heerste in Bogotá, en had alleen dunne jasjes bij zich –, haalde Del Pino hem over de minder aanbevelenswaardige buurten van de stad te bezoeken; zijn vriend was niet alleen van plan de armoede aldaar te bestuderen, maar ook nauwer in contact te komen met de lokale jongedames die volgens iedereen de mooiste van het hele continent waren.

'Natuurlijk interesseerden die vrouwen me niet,' verklaarde hij, 'ik was veel te veel bezig met de politieke onrust die er in die dagen in dat land heerste, maar op het laatst kon ik geen weerstand meer bieden aan het verzoek van mijn vriend.'

'Ik neem aan dat u al seksuele ervaringen had gehad, commandant.'

'Neemt u me niet kwalijk, maar dat gaat u niets aan.'

Hij durfde niet al te uitbundig over zijn ontmoeting te vertellen, maar het meisje dat hem te beurt viel maakte een diepere emotie in

---

* Cayo Confite – eilandje boven de noordkust van Cuba, waar militaire trainingen werden gegeven. (noot v.d. vert.)

hem wakker dan de pure vleselijke lust. Nadat hij enkele uren met haar samen was geweest, was hij ervan overtuigd dat dit meisje niet zo verder mocht leven. Met andere woorden, hij kon het idee dat ze na hem nog andere mannen zou ontvangen niet verdragen. 's Ochtends biechtte hij aan Del Pino op dat hij vastbesloten was haar te redden. In de loop van die vroege ochtend, toen hij zich het hoofd brak over hoe hij haar mee zou nemen naar het eiland zonder zijn verloving met Mirta – en zijn politieke toekomst – in gevaar te brengen, liet hij zijn pen over de bladzijden van een schrift glijden en ontdekte een paar uur later dat hij een gedicht had gemaakt. Een lang liefdesgedicht.

'Net zo kitscherig en leeghoofdig als alle andere.'

Hoe slecht zijn verzen ook mochten zijn, hij kon de verleiding niet weerstaan ze aan de vrouw te geven die hem ertoe had geïnspireerd. Hij sloeg geen acht op de eerste spottende opmerkingen van zijn vriend en rustte niet voordat hij haar had gevonden.

'In die tijd was ik naïef, maar niet achterlijk. Ik was helemaal niet verliefd of zo, maar ik kon de onrechtvaardige situatie waarin dat meisje leefde gewoon niet verdragen... Natuurlijk heb ik haar het gedicht gegeven, dat had ik per slot van rekening al geschreven, maar ik verwachtte niet dat ze verliefd op me zou worden.'

Nee, natuurlijk niet; maar dat was nu juist wel wat er gebeurde. Ik voelde de verleiding te insinueren dat de jongedame door de verzen van die ruwe, verliefde eilandbewoner misschien alleen een kans had gezien om aan haar ellende te ontvluchten, maar het belangrijkste was dat de commandant twintig jaar later nog geloofde in zijn jeugdige romantiek.

'Mag ik u gelukwensen. Ik begrijp niet waarom u de poëzie wantrouwt terwijl ze indertijd zo nuttig voor u was...'

Als ik had gedacht dat zijn furie al was verminderd, dan wist ik niet in hoeverre hij zijn emoties onder controle had.

'Sta maar weer op, man.'

Even dacht ik dat hij zijn hartstocht voor het boksen op me wilde testen.

'Herinnert u zich echt geen enkele regel meer?'

'Wat doet dat er nou toe, Quevedo. Is het niet zo dat de lacanianen de patiënt laten praten? En zei u niet dat uw rol beperkt was tot het uitlokken van het "vertoog van de Ander", dat wil zeggen het *mijne*? Nou, houdt u dan uw mond! Zij was net zo, net zo'n kletskous als u. En tot overmaat van ramp was ze verliefd op me. Door de verzen was ze verliefd geworden. U mag eraan twijfelen, maar het was zo.'

Anderhalf uur lang vertelde de commandant me vervolgens het verhaal van de verliefde Colombiaanse: het avontuur was niet van bijzonder lange duur, slechts zolang hij in Bogotá verbleef, maar hij kwam steeds op dezelfde argumenten terug om me een volledig beeld te schetsen van het meisje. Op het laatst was zijn verhaal alleen maar warriger geworden. Kort samengevat gebeurde er het volgende: hij had zich als idealist *malgré tout* in zijn hoofd gezet dat hij haar wilde redden, wat overigens hét onderwerp was van alle romans en radioprogramma's in die tijd: de zondares die wordt gered dankzij het geloof van de revolutionair. Achter dit beeld verborg hij natuurlijk wat hem dwarszat: niet dat hij weer met haar naar bed moest en nu zonder te betalen, zoals hij dacht, maar het feit dat hij haar als de eerste de beste bourgeois had gebruikt en haar met lompe liefdesgedichten had betaald... Niet zonder enige angst bood ik hem deze verklaring aan.

'Hmm, en is dat een zonde?'

'Zonden spelen hier geen rol, commandant. Voelt u zich schuldig?'

Wat een vraag. Hij schuldig? Natuurlijk niet. Maar omdat zijn revolutionaire ethiek een merkwaardige mengeling van joods-christelijke moraal en communistisch ascetisme was, moest hij enige wroeging fingeren.

'En wat gebeurde er daarna?'

'De volgende dag werd er een beroemde Colombiaanse politicus vermoord, een gebeurtenis die in de volksmond de *Bogotazo* heet, de klap van Bogotá, waardoor de stad in een kruitvat veranderde. Del Pino en ik deden mee aan de protestdemonstraties omdat we ervan overtuigd waren dat het de schuld van de regering was. Zij was de hele tijd bij me in die dagen, totdat de politie ons aanhield. Dankzij de tussenkomst van de Cubaanse ambassadeur konden we per vrachtvliegtuig naar het eiland terugkeren.'

'En het meisje?'

'Ze kwam naar het vliegveld om me te zoeken. Wie weet hoe het haar is gelukt door de controles te komen! Die vrouw wist van aanpakken. Onder aan de trap van het vliegtuig eiste ze dat ik de beloften zou nakomen die ik in het gedicht had gedaan. Ik probeerde haar uit te leggen dat mijn positie veranderd was: ik kon haar niet meenemen in deze omstandigheden. Wij werden het land uit gezet! En weet u wat ze deed? Ze eiste een openbare verontschuldiging van me. Ze zei dat ik moest toegeven dat ik haar valse beloften had gedaan en anders zou ze een kopie van het gedicht aan de pers geven.'

Het verhaal klonk als een komedie: als ik me voorstelde hoe zijn vijanden dit gedicht hadden kunnen gebruiken, kreeg ik al bijna medelijden met hem.

'En u moest uw verontschuldigingen aanbieden.'

'Dat was het einde van mijn carrière als dichter. De Colombiaanse pers heeft het verhaal verteld, maar gelukkig vergiste iemand zich bij het overschrijven van mijn naam.' De commandant stopte even. 'Maar zegt u eens: wat zou u in mijn plaats hebben gedaan?'

Nu ik opeens voor het blok werd gezet erkende ik dat ik dezelfde beslissing zou hebben genomen.

'Echt waar?'

'Ik denk dat u deed wat iedereen in uw geval had gedaan,' bevestigde ik.

'Vindt u het niet onwaardig?'

'Echt niet, nee. Ik geloof dat het een volmaakt rationele beslissing was.'

De commandant barstte in lachen uit.

'Ziet u nou dat ik gelijk had? De poëzie dient nergens toe. Ze laat ons alleen maar leugens zeggen, realiseert u zich dat? We kunnen haar beter vergeten.'

'Dat weet ik nog niet zo zeker, commandant...'

Tegen die tijd had hij al besloten een eind te maken aan deze sessie. Hij gaf me een schouderklopje en vertrok, tevreden omdat hij de partij had gewonnen. Toen ik weer alleen was trok ik mijn conclusies: hoewel hij een overwinning meende te hebben behaald, was deze geschiedenis vanuit analytisch oogpunt zeer veelbetekenend. Om te beginnen was daar het spookbeeld van de commandant: door met de jonge Colombiaanse naar bed te gaan schakelde hij de revolutie uit en werd hij een romantische bourgeois. Hoewel hij zijn best deed zijn minachting voor de literatuur te onderstrepen, verborg de daad van het schrijven van het gedicht het verlangen om die grote Ander te vernederen. In dit opzicht was het zonneklaar dat zijn slapeloosheid een symptoom was waardoor hij terugkeerde naar zijn oorspronkelijke roeping: als hij wakker bleef was dat omdat hij al zijn tijd aan zijn politieke engagement moest wijden, niet aan de liefde en de poëzie. Door hem te dwingen haar in het openbaar te verloochenen had die vrouw zijn zwakke punt en zijn gebrek aan idealen te kijk gezet: en vandaar dat de commandant, die de dichters nu zo verfoeide, eigenlijk zichzelf aanviel…

Helaas gaf hij me geen kans de analyse voort te zetten. Na die sessie zijn we nog ongeveer veertien dagen doorgegaan met onze gesprekken, maar zonder een stap verder te komen met de genezing. Hij palaverde maar door en stond stil bij alle mogelijke onderwerpen. Wat was dit voor analyse? Ik deed mijn best hem van zijn stuk te brengen, maar het lukte me niet. Zelfs zijn lichtgeraaktheid werd minder. Het was net alsof dat gesprek over de poëzie zijn toch al matige belangstelling voor de analyse had weggevaagd. Wat mij betreft, ik had alleen maar enorme zin om te slapen. Ik moest een eind maken aan dit bedrog: de sessies waren vruchteloos voor hem en schadelijk voor mij. Maar ik had geen keus.

Toen de kolonel of de generaal van de staatsveiligheidsdienst (zijn rang was me nu om het even) me die nacht om twee uur wakker maakte, stak ik de binnenplaats van het landhuis over als een beklaagde op weg naar de muur. De commandant wachtte me op met een havana in zijn mond. Ik liet me niet uit het veld slaan en zei dat er een eind moest komen aan onze relatie.

'Dat is precies wat ik u wilde zeggen!'

Zijn antwoord verrastte me zo dat ik amper merkte wanneer ik precies zijn armen om me heen voelde. Ik werd bijna gesmoord door zijn rafelige baard en ik snapte niet waarom hij zo opgetogen was.

'Gisteren heb ik voor de vijfde achtereenvolgende nacht zes uur geslapen!' riep hij stralend uit. 'Zes uur, Quevedo! De mensen die zeiden dat u de beste was, hadden gelijk. Tot nu toe had niets geholpen! Pillen niet en hypnose niet! Alleen mijn gesprekken met u hebben gewerkt. Ik weet niet hoe ik u moet bedanken…' Misschien had ik hem moeten confronteren met de waarheid en zeggen dat ik niet geloofde dat ik ook maar iets had uit te staan met de verdrijving van zijn slapeloosheid, maar ik was zo moe dat ik er liever het zwijgen toe deed.

'Kan ik dus vertrekken?'

'Natuurlijk, stel je voor!'

'Ik zou graag morgenochtend weggaan als het kan…'

De commandant riep zijn secretaris en gaf hem instructies me zo vroeg mogelijk naar de stad te brengen. Hij gaf me nog een schouder-klopje en vereerde me voor hij vertrok met een militaire groet. Terwijl de jeep me naar Havana vervoerde, probeerde ik dit analytische succes te begrijpen. Zouden we echt iets in hem hebben geraakt dat hem deed huiveren? Of was het einde van zijn slapeloosheid een toevallige sa-menloop van omstandigheden?

Enkele dagen later, even nadat ik Claire had gevonden in de provin-cie Oriente, begreep ik eindelijk wat er gebeurd was. We stonden ge-parkeerd in een klein dorp, niet ver van de Sierra Maestra, en ik hoorde het bericht over de radio: tijdens een intensief proces van zelfkritiek – en achtentwintig dagen opsluiting – had de dichter Heberto Padilla een openbare bekentenis afgelegd en toegegeven dat hij het imago van de revolutie had geschaad door zijn gedrag en zijn geschriften. Ik hoef-de het eind van zijn verhaal niet te horen om te begrijpen dat de com-mandant bij hem op bezoek was geweest. Logisch dat hij nu weer kon slapen.

6.4. WEERZIEN IN DE SIERRA MAESTRA

Terwijl ik heuvel op heuvel af over een bochtige weg naar de Sierra reed, probeerde ik de zinnetjes te bedenken die Claire ervan moesten over-tuigen het eiland te verlaten. Zo mijn wantrouwen ten aanzien van de bemoeienis van de politiek met de kunst al was gewekt door de manier waarop de werken die de prijs zouden krijgen werden geselecteerd, na de zelfkritiek van Padilla moest ik mijn revolutionaire overtuigingen geheel herzien: de haat van de commandant jegens de dichters buiten beschouwing gelaten, onthulde deze weinig verfijnde geschiedenis het gebrek aan artistieke vrijheid in zijn domeinen. Het leed geen twijfel: telkens wanneer de revolutie aan de macht kwam raakte ze gecorrum-peerd, zoals het geval van de Sovjet-Unie aantoonde. Cuba was geen plaats voor ons.*

* Volgens Pérez Avella vergist Quevedo zich in de jaartallen, of gooit hij die te zijnen gunste door elkaar. Als zijn twijfels over het Cubaanse systeem dateren uit de tijd van 'het geval Padilla' (1971), is het onbegrijpelijk waarom zijn openlijke breuk met Cuba pas ver in de jaren tachtig plaatsvond. *Op.cit.*, p.281 (noot v.d. uitg.)

Met een vrijgeleide waarop de handtekening van de commandant stond kon ik zonder problemen het trainingskamp binnen gaan. Als een zenuwachtige puber legde ik de soldaat die de toegang bewaakte uit wat de reden was van mijn bezoek.

'Ik ben op zoek naar Claire Vermont,' zei ik tegen hem. 'Dat meisje uit Frankrijk. Weet u waar ik haar kan vinden?'

'Die is nu op de schietbaan,' antwoordde hij.

'Kunt u me zeggen hoe ik daar moet komen?'

'Ik loop wel even met u mee...'

'Dat hoeft niet, als u me alleen maar de weg wijst.'

Door die aanbevelingsbrief had ik hem opdracht kunnen geven een berg te verplaatsen. Ik moest haar onder vier ogen spreken, buiten het gezichtsveld van die soldaten. Toen ik bijna verzengd was door de hitte, herkende ik eindelijk haar silhouet achter de struiken: haar huid schitterde tussen de overdaad aan groen, oker en oranje. Claire was in uniform aan het oefenen met een aanvalswapen. Ik ging voorzichtig naar haar toe en legde zonder er verder bij na te denken mijn vingers in haar nek. Van schrik schoot ze luidruchtig mis.

'Wat doe jij hier?'

'Ik kom je halen... Ik moet met je praten.'

Ik mocht haar niet omhelzen.

'Ik had al gehoord dat je op het eiland was...'

'Ik moet je vertellen wat er in deze dagen is gebeurd. Ik ben jurylid geweest voor de Prijs van Casa de las Américas. En daarna,' ik probeerde de spanning op te voeren, 'daarna heb ik hém leren kennen... De commandant...'

Haar houding veranderde drastisch en ze vroeg me haar alles te vertellen over mijn ontmoeting met de leider.

'Helaas,' onderbrak ik haar juichstemming, 'is niet alles zoals het lijkt... ik heb enkele dingen gezien die, hoe zal ik het zeggen, bepaald niet transparant waren ... We moeten praten...'

Ik probeerde zo objectief mogelijk te zijn en vertelde haar mijn teleurstelling in het geval Padilla. Ik wilde het gedrag van de dichter niet helemaal verontschuldigen, maar het leek me dat het regime hem tot deze laagheid had gebracht; en hoewel hij een paranoïde en exhibitionistisch type was, was de aan hem opgelegde censuur onaanvaardbaar.

'Padilla is een contrarevolutionair,' antwoordde Claire ronduit. 'Dat weet iedereen... En nu heeft hij het zelf ook toegegeven.'

Ik wilde mijn kalmte niet verliezen. Hier in deze uithoek van de Sierra kon zij niet op de hoogte zijn van de repercussies van dit geval. Daarom vertelde ik haar iets dat de Cubaanse dramaturg mij weer had verteld. Zo'n tien linkse intellectuelen in Frankrijk, die tot nu toe erkende aanhangers van Cuba waren geweest, hadden manifesten gepubliceerd in *Le Monde* om te protesteren tegen de slechte behandeling die Padilla had ondergaan.

'Dat heb ik al gehoord,' zei Claire op klaaglijke toon, geheel verblind. 'Dat is allemaal het gevolg van een samenzwering die Padilla zelf op touw heeft gezet... Daarom waren Cortázar en García Márquez tegen publicatie van dat verhaal...'

Claire was kennelijk ook op de hoogte van de berichten van overzee. Veel later stelde ik vast dat ze gelijk had: onder druk van Cuba hadden beide schrijvers hun naam van de lijst laten schrappen. Dit was voor Claire voldoende om mijn argumenten te verwerpen, want ze was ervan overtuigd dat Padilla een verrader was. Door die trainingsweken was ze nog onverdraagzamer geworden; ze accepteerde geen enkele kritiek op Cuba, of liever gezegd, ze bezat het nodige talent om elke beschuldiging te rechtvaardigen. Zoals zoveel jongeren in die tijd was en bleef ze gehypnotiseerd door de commandant. Zelfs ik, die hem van dichtbij had gezien, bleef me afvragen waar zijn magnetische kracht op berustte. Ik hield op het laatst maar mijn mond om een definitieve breuk te voorkomen. We liepen in een treurige stilte naar het kamp terug.

In de loop van de volgende weken probeerden we geen ruzie te maken. Ver van de herrie van Havana – een draagbare radio was ons enige contact met de buitenwereld – concentreerden we ons op onze respectievelijke activiteiten: zij hield zich bezig met het verbeteren van haar schot en ik met het schrijven van een essay onder de titel 'De Grote Hypnotiseur'. In die dagen ontdekte ik eerst tot mijn schrik en later met trots dat ik niet langer wilde veinzen: ik was *geen* man van de actie. De hitte steeg tot meer dan veertig graden in de schaduw en mijn conditie was nogal verzwakt na de hongerstaking in Parijs. Ik wilde graag rondjes hardlopen over het veld, maar ik kon het ritme van de militaire instructeurs absoluut niet bijhouden. Claire hield vol dat het op mijn leeftijd nog mogelijk was alle beperkingen te boven te komen, maar mijn vermoeidheid was groter dan mijn verlangen.

'Het spijt me, Claire,' zei ik toen ik mijn enkel had verstuikt. 'Ik doe mijn uiterste best, maar dit is niets voor mij… Ik ben over de veertig… Ik geloof dat ik de zaak beter op een andere manier kan dienen …'

'Heb ik je soms gevraagd achter me aan te komen?' zei ze bestraffend.

'Het is geen verwijt. Ik ben uit eigen wil gekomen, omdat ik in de revolutie geloof en omdat ik bij jou wil zijn. Ik heb er geen spijt van. Ik denk alleen dat mijn plaats misschien niet op het slagveld is…'

'En dus?'

'Ik weet het nog niet zeker,' loog ik.

We staakten ons gesprek, dat gevaarlijk dicht in de buurt van een ruzie kwam, voordat een van ons beiden zijn kalmte zou verliezen. Ik had haar lief, ik had haar ongetwijfeld lief, maar ik wist zeker dat we het in deze omstandigheden geen van tweeën nog lang zouden uithouden. Ik wist eindelijk wat ik wilde gaan doen: schrijven zoals Lacan en Althusser, zoals Barthes en Foucault. Zo ik het niet aan Claire durfde op te biechten, kwam dat doordat schrijver zijn op Cuba in die periode betekende dat je je identificeerde met de vijanden van de revolutie. Op dat moment dreef het lot onze wegen opnieuw uit elkaar.

Een militair van lagere rang berichtte ons dat de commandant had besloten een officiële reis naar Chili te maken om een bezoek te brengen aan zijn vriend Salvador Allende, de eerste door het volk gekozen marxistische president van Latijns-Amerika.

'En wat heeft dat met ons te maken?' vroeg ik de boodschapper.

'De commandant heeft instructies gegeven dat u met hem meegaat.'

'Alle twee?'

'Zo luiden zijn orders.'

Claire en ik waren het eindelijk ergens over eens: het was onmogelijk nee te zeggen.

7

Afscheid van de wapens

Het is op dit moment beter te stoppen, want de reden waarom intellectuele analisten, redelijk volwassen, vaak heel subtiele, niet-racistische lieden en bovendien 'lacanianen', hebben moeten bijeenkomen vanwege hun angst voor Lacan of voor X... teneinde zich gekoesterd te voelen, deze reden gaat analytici verre te boven, want in vele andere organisaties, in het bijzonder bij arbeidersorganisaties, kun je iets vergelijkbaars vinden...
ALTHUSSER, *Aanvullende gedachten over de bijeenkomst in hotel* PLM-*Saint-Jacques*

7.1. DE ANDERE REVOLUTIE

Vroeg in de ochtend van 10 november 1971 beklommen Claire en ik het trapje van de Il-62 die door de Sovjets aan de commandant ter beschikking was gesteld. Intussen bereidde de rest van het uitgebreide gezelschap zich al voor op het begin van de historische reis naar Zuid-Amerika.

'Ik voel me prima,' zei hij trots tegen de reporters die hem onder aan de vliegtuigtrap opwachtten. 'Jullie weten hoe gezond het is 's morgens vroeg op te staan. Het heeft de laatste dagen veel geregend. Ik was een beetje verkouden, maar dat is alweer over en nu ben ik in uitstekende vorm.'

Met deze woorden ontkrachtte de regeringsleider van Cuba de geruchten dat hij zwaar ziek was geweest na het recente bezoek van de minister van Buitenlandse Zaken van de Sovjet-Unie. Het was waar: hij was niet alleen van de koorts en de slapeloosheid af, hij had ook het historische besluit genomen te stoppen met het roken van zijn geliefde sigaren om zijn volk het goede voorbeeld te geven.

Zodra de kruishoogte was bereikt, verliet de commandant zijn privé-vertrek om zijn gezelschap te begroeten; toen hij bij de stoelen kwam waar Claire en ik zaten, toonde hij me zijn waardering door me een stevige klap op de schouder te geven.

'Quevedo,' riep hij uit alsof mijn naam voldoende was om onze gemeenschappelijke geschiedenis samen te vatten.

Voordat ik van zijn klap was bekomen, had Claire hem al haastig de hand gedrukt.

'Aangenaam, juffrouw,' fluisterde onze gastheer met een knipoogje. 'Dokter Quevedo heeft ons goed geholpen... En daarom ga ik hem even van u afpakken, als u het niet erg vindt.'

'Alstublieft, commandant.'

Het irriteerde me dat zij hem zo blind bewonderde; het leek me onnatuurlijk dat een radicale linkse militante zich gedroeg als een Beatlesfan.

'Ik ben blij dat u zo goedgehumeurd bent, commandant,' zei ik terwijl we naar zijn cabine liepen.

'Bent u wel eens in Chili geweest, Quevedo?'

'Nee.'

'Voor ons is het geval Chili een hoopvolle en tegelijk onbekende zaak. Een revolutie die triomfeert door middel van burgerlijke verkiezingen... Allende is een slimme kerel, daar is geen twijfel aan, maar hij is geen man van de actie. Ik herinner me dat hij toen hij nog senator was, gekleed ging als van die kapitalistische bureaucraten, altijd met een aktetas in zijn hand... Maar hij heeft lef... Deze reis zal een klap in het gezicht zijn van Nixon, maar tegelijk zullen we de Chilenen meer onder druk zetten. We moeten goed opletten...'

'En wat moet ík doen?'

'Ik heb u meegenomen om hen te observeren, Quevedo... Liever gezegd: om hen te bestuderen. Allemaal... de regering van de Unidad Popular*, de mensen van de andere partijen, de militairen, de oppositieleiders, de studenten... En Allende zelf natuurlijk. We moeten de yankees vóór zijn. Eerder dan zij voorspellen wat er gaat gebeuren...

* Volksunie, naam van de partij van Salvador Allende. (noot v.d. vert.)

214

De toekomst van de revolutie in Latijns-Amerika hangt af van het Chileense experiment, begrijpt u?'

'Ik ben maar een eenvoudige psychoanalyticus… Of dat was ik althans.'

'Observeert u hen… Geheime gebaren, tekens, symptomen… Ik heb een diagnose nodig, niet alleen van Allende, maar van de hele linkse beweging in Latijns-Amerika. Niet zo bescheiden, Quevedo. U zult bovendien tijd genoeg hebben…'

'Tijd genoeg?'

'Voor mij is deze reis belangrijker dan welke reis dan ook. Ik heb Allende al gewaarschuwd: we blijven minstens een maand in Chili.'

'Een maand?'

'We hebben een totaalbeeld van de situatie nodig.' Nu hij niet rookte leek de commandant net een kind dat zijn lievelingsspeeltje kwijt is. 'Goed, nu moet ik de toespraak voorbereiden die ik zal houden als we op het vliegveld van Santiago landen. De beste verdediging is de aanval, Quevedo, en ik heb heel veel te zeggen…'

Zodra ik weer op mijn plaats zat bestookte Claire me met vragen: ze begreep niet dat de leider zo vertrouwelijk met me omging. Maar ik voelde me dubbel gevangen, zowel door haar als door de commandant, met andere woorden door de tirannie van hen beiden.

Toen we eindelijk op Pudahuel waren geland werd de commandant toegejuicht door een enthousiaste menigte. De functionarissen van de Chileense buitenlandse dienst legden echter uit dat het volgens het protocol verboden was dat een eenvoudige regeringsleider het woord voerde op het vliegveld. Woedend stopte hij de tweeënveertig blaadjes met zijn toespraak weg voor een betere gelegenheid.

'Iemand zou hier een film van moeten maken,' was zijn enige commentaar tegen de journalisten toen hij de vliegtuigtrap af liep en naar de juichende menigte wees, 'en die als cadeautje naar Nixon sturen…'

Sinds die eerste verklaring verscheen de commandant voortdurend op de radio, de televisie en in de kranten alsof hij de nieuwe presentator van het Chileense politieke spektakel was. Voor mij betekende de kans om hem tijdens al zijn activiteiten te begeleiden – hij stond erop dat ik aan zijn zijde bleef en hem mijn indrukken in het oor fluisterde – niet alleen een rijke leerschool over het functioneren van de grote politiek, maar ik kreeg zo ook de gelegenheid iets te zien van zijn beheersing van de schijnwerpers en van zijn vermogen het publiek in te pakken. Zijn agenda leek niet op die van een staatshoofd tijdens een officieel bezoek, maar op die van een presidentskandidaat.

Behalve talloze bijeenkomsten met Allende – om een beetje uit te rusten maakten ze samen een bootreis naar Patagonië en Vuurland – had de commandant ook ontmoetingen met arbeiders, ambtenaren, vrouwen, landarbeiders, academici, studenten en kerkelijke autoriteiten; hij bezocht fabrieken, scholen, mijnen, ziekenhuizen, universiteiten en werkkampen; hij gaf tientallen interviews; hij danste met een van zijn eigen soldaten; hij hield enkele lezingen; hij verscheen in alle damesbladen; hij bracht een eerbetoon aan Bernardo O'Higgins*, José Martí** en Che Guevara; hij nam een flesje Coca-cola in ontvangst dat een student hem aanbood; maar wat hij vooral deed was praten, praten en nog eens praten... De betekenis van zijn woorden ontging me: blijkbaar was het niemand duidelijk, noch de leden van het begeleidende gezelschap, noch de journalisten en misschien ook Allende zelf niet, of hij de Chileense versie van het socialisme goedkeurde of die heimelijk bekritiseerde; of hij tevreden was over de resultaten of zich zorgen maakte over de afwijkingen...

Zoals alle sterren overkomt nadat de impact van hun eerste verschijningen in het openbaar is verwerkt, was het effect van de voortdurende herhaling van zijn beeld en zijn stem tegengesteld aan het gewenste doel: bewonderaars begonnen genoeg te krijgen van zijn alomtegenwoordigheid, terwijl de vijandige houding van zijn critici alleen maar sterker werd toen ze merkten dat hij zich dag na dag en uur na uur onherroepelijk met de interne zaken van het land bemoeide. Ook Allende zelf werd steeds onrustiger. Ondanks hun ideologische overeenkomsten belichaamden zij de twee uitersten – de tropen en het verre zuiden – van links in Latijns-Amerika, en ook qua persoonlijkheid waren ze elkaars tegenpool: doctor Allende was een keurige, minutieuze, dorre, formele en enigszins terughoudende man, terwijl de Cubaanse leider een radicaal, extrovert en pantagruelesk karakter had. Na veertien dagen was de befaamde gast veranderd in een van de vele

---

* 1778-1842, Chileens diplomaat en militair in de onafhankelijkheidsstrijd

** 1853-1895, Cubaanse schrijver, dichter, journalist en politiek leider in de onafhankelijkheidsstrijd. (noten v.d. vert.)

rampen waaraan de toch al wankele regering van de Unidad Popular moest zien te ontsnappen.

Het duurde niet lang voordat het tot een crisis tussen beide regeringsleiders kwam. In het nauw gebracht door een Congres waar de oppositie de meerderheid had, en door de vijandschap van rechts, ontevreden militairen en de onlangs onteigende Noord-Amerikaanse ondernemingen (en niet te vergeten de geheime acties van de CIA), kreeg Allende op 1 december een 'mars van pannen en deksels' te verduren in de belangrijkste straten van Santiago, die door honderden middelrijke en zeer rijke vrouwen was georganiseerd. Onder hun leuzen was een opvallende kreet die tegen de bezoeker was gericht: 'We moeten jou hier niet!'

Terwijl Claire en ik de protestmarsen in de gaten hielden, moest ik er de hele tijd aan denken dat ze sprekend op de demonstraties in 1968 leken, al was het ideologische profiel daarvan precies het tegenovergestelde. Net als toen begon de mars vreedzaam, maar op een gegeven moment ging een stel oproerkraaiers geweld gebruiken, dat snel werd beantwoord door de ordetroepen in de buurt van het Monedapaleis. De spiraal van protest tot onderdrukking hernam voor de zoveelste keer zijn onherroepelijke loop. Uren later deed het schouwspel volledig denken aan de straten in het Quartier Latin: traangas, door de lucht vliegende stenen, stralen ijskoud water, bloedvlekken op het plaveisel, herrie van ambulances en politiejeeps en heel veel geschreeuw...

'Fascisten!' riep Claire rood van woede, toen ze hoorde dat de commandant wakker en afwachtend en met een mitrailleur onder zijn arm in zijn hotelkamer opgesloten zat. 'Dit is allemaal door de CIA georganiseerd!'

Het was waar. De commandant begreep overigens niet waarom Allende toeliet dat die door de yankees betaalde provocateurs zoveel vrijheid genoten en waarom hij hen niet krachtdadig onderdrukte. Hoewel de regering de noodtoestand had afgekondigd en het Chileense leger de controle over de stad had overgenomen, bleef de regeringsleider van Cuba ervan overtuigd dat dit het einde was van het Chileense marxisme.

'Allende steekt zijn hoofd in de strop als hij het leger de situatie laat controleren,' barstte hij uit. 'Zijn ware vijanden zijn de generaals. De doctor zou betrouwbare stoottroepen moeten instellen in plaats van te vertrouwen op burgers die hem uiteindelijk zullen verraden. Ik vergis me nooit, Quevedo… Maar goed, het is duidelijk dat we niet langer welkom zijn, dus kunnen we maar beter zo snel mogelijk vertrekken.'

Zoals gewoonlijk had hij overal verklaringen voor. Alleen zijn laatste woorden luchtten me op: ik ging snel op zoek naar Claire om haar het nieuws te vertellen.

'Het besluit is al genomen,' zei ik terwijl ik haar omhelsde. 'Overmorgen vertrekken we na een laatste optreden in het nationale stadion.'

Claire was net klaar met het inpakken van haar spullen en keek me bedroefd aan.

'Het spijt me, Aníbal,' zei ze. 'Ik ga nergens naartoe.'

'Wat?'

'Ik blijf. Ik moet een opdracht uitvoeren, net als jij… Denk je dat ik alleen mee ben gegaan om jou gezelschap te houden?'

'O ja? En wat is dat dan voor belangrijke taak?'

'Het is beter dat je het niet weet.'

'Alsjeblieft, Claire.'

'Je hebt gezien waartoe de militairen in staat zijn… We hebben vastgesteld dat een van hen een enorme hoeveelheid geld heeft gekregen van de CIA…'

'Wat ben je van plan te doen? Hem uit de weg ruimen?'

Ik versteende toen ze zweeg.

'De yankees hebben duizenden dollars geïnvesteerd om Allende te ondermijnen. Als ze zo doorgaan kopen ze het hele leger.'

'Ja, Claire, maar waarom moet jij ingrijpen?'

Ze deed haar koffer dicht.

'Het uur van scheiding is aangebroken, Aníbal.' Ze kuste me op de lippen. 'Als alles goed gaat zien we elkaar spoedig in Havana…'

'Ik blijf bij je.'

'Nee.'

'Ik denk er niet over weg te gaan zonder jou. Niet nog eens.'

Ik drukte haar stevig tegen me aan. Zonder een seconde te twijfelen, alsof het een doodnormale reactie was, draaide Claire met één beweging mijn arm om.

'Sorry, Aníbal, maar je laat me geen andere keus,' fluisterde ze medelijdend in mijn oor. 'We zijn in oorlog. Dit is de enige manier om ons te verdedigen.'

Althusser en Lacan ontmoetten elkaar voor het laatst in maart 1980, bijna aan het eind van hun leven, als gesloopte, oude mannen. De een had, bevangen door gebrek aan genegenheid, rancune of misschien waanzin, in die tijd besloten zijn school voor eens en voor al te sluiten, en de ander, die de excentrieke woordvoerder van zijn patiënten was geworden, behield zich het recht voor bezwaar te maken tegen deze laatste daad van tirannie. Als hun strijd niet zo grotesk was geweest – twee oude centauren die aan de dood en de vergetelheid proberen te ontsnappen –, had deze scène op een begrafenisritueel geleken. Het was heel lang geleden dat Lacan, louter gewapend met moed, in staat was zijn woorden te laten vlammen of zich weer als een feniks te verheffen en, terwijl je dacht dat hij verslagen was, weer uit te roepen: 'ik sticht...' En hetzelfde gold voor het beeld van die sombere, teruggetrokken Althusser die niet meer in staat was zijn stem te verheffen tegen zijn leermeester – die heksenmeester – die hem zo vaak minachtend had behandeld. Ditmaal, het zou de laatste keer zijn, wisselden ze allebei weer van rol: vooraan op het podium sprak de psychoanalyticus met bibberende stem; hij las enkele aantekeningen voor die uit zijn vingers gleden en debiteerde mislukte woordspelletjes die niet grappig waren, verdwaald in zijn doofheid; in de zaal bemoeide de patiënt zich te midden van de menigte schaamteloos met alle gesprekken, geheel bereid de samenzwering tegen zijn rivaal uit te breiden.

Lacans gedrag was al sinds enkele maanden misschien niet helemaal uitzinnig, maar wel wispelturig genoeg om zijn volgelingen te alarmeren. Hij had nooit de gave gehad om naar kritiek te luisteren, maar nu bracht zijn arrogantie hem tot een soort autisme. Door het jarenlange spreken tijdens zijn werkgroepen, door de woorden en de lettergrepen telkens weer uit te knijpen had hij ze uiteindelijk van elke betekenis ontdaan. Zoals zijn sessies steeds korter werden (het kwam zover dat hij tien patiënten per uur ontving), waren zijn lezingen ook tot een minimum teruggebracht, en het enige wat hij uitsprak – het enige wat hij kon of wilde uitspreken – was soms alleen een ronduit 'nee'. Een nee dat deed denken aan zijn gierigheid: nu hij begreep dat bankbiljetten uiteindelijk niets anders dan metaforen voor de rijkdom waren, was Lacan de laatste jaren begonnen goudstaven te verzamelen, het symbool dat Freud met uitwerpselen associeerde, maar dat Lacan zelf als zijn enige band met de werkelijkheid beschouwde.

Althusser had een omgekeerde evolutie doorgemaakt. In een poging zich te ontdoen van de theorieën die hij in de loop van zijn leven zo nauwkeurig had opgebouwd, verloochende hij deze abstracte en onpersoonlijke constructies nu en verdedigde hij op zijn tweeënzestigste opnieuw de weg van de actie. Jarenlang had hij zijn leerlingen aangemoedigd zich bij de revolutionaire strijd aan te sluiten, terwijl hij zichzelf bezijden het geweld hield; maar nu, meer dan tien jaar na de demonstraties van 1968, bracht een geheime kracht hem terug naar de strijd. Hij kon de onverschilligheid niet langer verdragen, hij moest schreeuwen, zich opwinden, de wereld op zijn kop zetten.

Op 5 januari 1980 had de psychoanalyticus een brief laten rondgaan waarin hij, zonder zijn onvermijdelijke woordgrapjes te vergeten – *Je père-sevère*, definieerde hij zichzelf –, met één pennenstreek de École Freudienne in Parijs afschafte. Voor de aanwezigen was het een goed bericht dat de meester eindelijk zijn mond opendeed in plaats van voortdurend te zwijgen, zoals hij de laatste weken had gedaan, en ze protesteerden amper toen ze zijn gestotter hoorden. Lacan, die een slechte kopie van zichzelf was geworden – een onvolmaakte en broze golem – deed tijdens de daaropvolgende bijeenkomsten van zijn werkgroep niets anders dan op zeurderige toon steeds dezelfde tekst voorlezen (die, volgens zeggen, door Jacques-Alain Miller was geschreven).

Op de middag van die achttiende maart in 1980 was hij daar in hotel PLM-Saint-Jacques ook juist mee bezig ten overstaan van honderden analytici van zijn school die de collectieve zelfmoord probeerden tegen te houden, toen Althusser met geweld de ruimte binnen kwam.

'Heeft u een uitnodiging?' vroeg een zaalwachter.

'Jawel, niet van God de Vader maar van de Heilige Geest, een andere naam voor het libido,' antwoordde de filosoof olijk.

Toen Jacques-Alain Miller, die gastheer en familielid tegelijk was, merkte dat zijn vroegere leraar de zaal binnen was gekomen, leidde hij hem naar een stoel op de achterste rij in het auditorium. In plaats van naar Lacan te luisteren verdiepte Althusser zich liever in de pagina's van *Le Monde*, want alles wat de in een felgekleurd tweedjasje gestoken psychoanalyticus op het podium stotterend uitbracht, verveelde hem.

Toen hij hem daar zo in de verte zag staan kon hij er met zijn verstand niet bij dat het publiek hem niet uitfloot. Maar hij begreep dat die analytici, hoe briljant ze ook waren, eigenlijk nog altijd bang waren voor de toorn van de meester. Ondanks diens gezwam bibberde de menigte nog altijd in zijn aanwezigheid. Althusser ook, maar na vele arrogante behandelingen was hij zijn angst voor hem kwijtgeraakt. Nu was Lacan in zijn ogen een ongelukkige en belachelijke harlekijn.

Op verzoek van de celebrant waagden enkele leden van de school zich op het toneel, terwijl hun goeroe afwezig toekeek. Op dat moment liep Althusser, helder van geest en stralend, de hele zaal door en deed een aanval op het spreekgestoelte. Zijn vastberadenheid (*grandezza*) was zo duidelijk dat niemand hem durfde tegen te houden.

'Al is er geen dagorder, ik beweer dat deze bijeenkomst toch wel enkele doelstellingen heeft,' riep hij met stevige stem uit: 'ten eerste, de juridische kwestie van de bijeenkomst van morgen, 16 maart: de vraag of er al dan niet moet worden gestemd over opheffing; ten tweede de kwestie van het gedachtegoed van Lacan, de vraag of het bewaard moet blijven of niet; ten derde de kwestie van de analytici, uzelf, en ten vierde, de allergrootste kwestie, de oogappel en de hel van alle kwesties: wat te doen met de honderdduizenden, misschien wel miljoenen geanalyseerden die geanalyseerd worden door analytici die zich vastklampen aan het gedachtegoed of de persoon van Lacan. Dit is de verantwoordelijkheid der verantwoordelijkheden of de onverantwoordelijkheid der onverantwoordelijkheden, want zonder gevallen te citeren die iedereen kent, is het uiteindelijk een zaak van leven of dood, van overleven, van wedergeboorte, van gedaanteverwisseling of zelfmoord.'

De aanwezigen, die in hun hemd waren gezet, durfden geen antwoord te geven. De gek – want Althusser was, althans tot dan toe, 'de gek' – was weer bij zinnen gekomen. En wat erger was, hij stak de draak met hen. Net als in het verhaal waarschuwde de dorpsgek die moed had gekregen, met een bijna duivelse wijsheid: de koning is naakt. Ik ben niet gek, *hij* is gek, zijn licht en zijn leider, zijn meester is gek. *De koning is getikt.* En hoe moeten we nu bidden tot een zwakzinnige god? Door zijn school af te schaffen en zelf mee te helpen aan zijn eigen vernietiging had Lacan alle regels gebroken en de grenzen van zijn helderheid van geest overschreden; rebels tot het laatste moment had hij de stervelingen achter zich gelaten en verdronk hij liever in de duisternis van het delirium dan zich op te sluiten of spijt te betuigen. Die middag speelde Lacan tijdens de ontmoeting in hotel PLM-Saint-Jacques voor de laatste keer zijn rol van normaal mens die kiest voor de waanzin; maar Althusser koos voor de rol van gek die weer helder van geest wordt. Eindelijk raakten de uitersten elkaar.

7.3. DE WIJNCLUB

Toen ik weer bij zinnen kwam viel er geen spoor meer te bekennen van Claire: ze was er weer vandoor gegaan, bereid zich in een nieuwe gewelddadige actie te storten zonder dat onze toekomst haar iets kon schelen. Wat moest ík nu doen? Achter haar aan gaan door de straten van Santiago? Dacht ze er nooit over om op te houden? Wat had het voor zin te klagen? Mijn treurige litanie drukte alleen mijn verbittering uit. Natuurlijk zou ik haar weer gaan zoeken! Dat was mijn weg!

Het was het verstandigst naar het nationale stadion te gaan, waar de commandant zijn laatste openbare optreden in Chili zou hebben. Ik nam een taxi en reed dwars door de stad die het synoniem van de tragedie zou worden. Ik passeerde de controleposten en begaf me naar het gebied van de kleedhokjes waar het kantoor van de staatsveiligheidsdienst tijdelijk was gevestigd. Het schouwspel dat ik zag door de hekken die me van het speelveld scheidden, was bloedstollend: de steunbetuigingen en het applaus kwamen van een groep die veel kleiner was dan verwacht. De commandant had zich zo uitgesloofd dat hij zijn fans op de vlucht had gejaagd.

Helemaal aan de andere kant van het stadion stond de commandant, als een enorme staak midden in de aarde; woedend en gedesillusioneerd beëindigde hij het felle pleidooi waarmee hij afscheid nam van het ondankbare Chileense volk; doctor Allende, die naast hem stond, liet de heftige verwijten met geveinsde minzaamheid over zich heen gaan. Nadat hij had gesproken over de solidariteit die hij een broedervolk had willen betonen, erkende de Cubaanse leider dat zijn aanwezigheid de regering van de Unidad Popular in nog grotere problemen had gebracht, maar onmiddellijk daarna betreurde hij de aanvallen van de pers op zijn persoon. Tot besluit veroorloofde hij zich, als de slechtaard in een melodrama, een laatste arrogantie ten overstaan van de Chileense televisiecamera's.

'Nu zeg ik niks meer!' riep hij opeens uit.

Het was ongetwijfeld een van zijn kortste toespraken. Teleurgesteld scandeerden zijn bewonderaars zijn naam, maar bepaald niet om hem toe te juichen. De commandant bleef onverstoorbaar (of liever gezegd, tot op het laatst met gekrenkte trots) en ging niet door de knieën: 'Ik dank jullie hartelijk voor de vriendelijkheid en het geduld, maar jullie weten heel goed dat ik moet vertrekken. Ik ben hier niet meer nodig…'

Allende voerde nog het woord om afscheid te nemen van zijn gast, maar het was duidelijk dat het schouwspel ten einde was, en net als bij een voetbalwedstrijd begon het publiek de zitplaatsen in het stadion al te verlaten. De commandant, nog altijd in zijn rol van *prima donna*, verliet de tribune en stapte omringd door zijn gevolg van bewakers en secretaressen snel in zijn officiële auto. Hoe ik ook mijn best deed, ik kon Claire niet ontdekken in het begeleidende gezelschap. Geobsedeerd als ik was meende ik haar te herkennen in elke blonde, jonge vrouw – vermenigvuldigd tot in het oneindige – die de trappen af liep en de straat op ging, maar ik merkte steeds weer dat ik me vergiste. Op het laatst bleef ik op een straathoek staan en stortte in, ontroostbaar. Ik moest het accepteren: het vliegtuig van de commandant zou de volgende dag vertrekken en ik kon niet anders doen dan aan boord gaan; maar Claire zou in Chili blijven, aangestoken door de dood en ver van mij vandaan.

In een uiterste krachtsinspanning gaf ik mezelf een laatste kans: ik zou blijven lopen tot het licht werd, niet zozeer in de hoop dat ik haar zou tegenkomen, maar om afscheid te nemen van de straten van Santiago. De stad was in slaap gesukkeld en kwam langzamerhand tot kalmte, bevrijd van de vloek. Ik voelde me gedeprimeerd en stapte een klein café binnen.

'Bestelt u alles wat u wilt, behalve een *pisco sour**.*'

Een jongeman met uitpuilende ogen lachte cynisch naar me; door zijn warrige lange haar en zijn tamelijk intelligente blik meende ik dat ik met een dichter te maken had.

---

* Cocktail van druivenbrandewijn, pisco, met citroensap, suiker en eiwit. (noot v.d. vert.)

'Een glas rode wijn,' vroeg ik

'Mexicaan, hè? Ik heb altijd al naar Mexico gewild…'

Om zijn houterigheid te verbloemen stak hij me de hand toe; hij zei dat zijn achternaam Belano was en tegen mijn verwachtingen in was hij geen schrijver, maar een ambtenaar.

'Ik ben aangesteld op de afdeling van de landbouwkundige dienst,' zuchtte hij. 'Veel interessanter werk dan het lijkt.'

Ik deed net of ik belangstellend naar hem luisterde. Zijn eigen waarschuwing in de wind slaand dronk hij de ene pisco sour na de andere, met als enige effect een verweking van het hoornvlies. Vastbesloten mij van zijn diepe vaderlandsliefde te overtuigen, stond hij erop de voordelen die hij van zijn werk had met me te delen, zoals een bezoek aan de wijnproducerende gebieden in het land.

'Ik proef alle Chileense wijnen,' zei hij opschepperig. 'Sommige zijn fantastisch, niet als deze smerige pisco sour… Heb je sjoege van wijnen?'

'Een beetje…'

Hij voelde zich ongemakkelijk door mijn antwoord.

'O ja? Mexicanen drinken alleen zo'n bleek drankje dat bijna net zo vies is als pisco,' verweet hij me, terwijl hij weer een slok nam van het zijne. 'Tequila, bah…'

'Maar ik woon in Frankrijk…'

'O natuurlijk, Franse wijnen!'

Hierna kreeg ik een spoedcursus wijnbouwkunde over me heen die hij me per se wilde geven. Misschien omdat ik niets beters te doen had of omdat ik genoot van zijn beschrijvingen, durfde ik hem niet de mond te snoeren: die nacht wachtte niemand op me.

'Ik heb je oordeel nodig,' zei hij terwijl hij me bij de arm pakte. 'Ga even met me mee.'

'Waarnaartoe?'

'Ik wil je een paar echte Chileense wijnen laten proeven…'

'Het is al laat,' zei ik verontschuldigend. 'Misschien een andere keer.'

Ik haalde mijn portefeuille tevoorschijn om te betalen en te vertrekken. Mijn geïmproviseerde drinkmaat vond dit niet goed; hij sloeg in één keer zijn laatste pisco sour achterover en legde wat bankbiljetten op de tap.

'Kom mee.'

'Ik kan niet...'

'Het is maar een klein tochtje, joh.'

Waarom heb ik hem niet laten stikken? Het was stom om met een man mee te gaan die de hele avond aan één stuk door had zitten drinken. Terwijl hij naar me knipoogde alsof we oude maatjes waren (door de alcohol, die altijd verbroedert), opende hij het portier van zijn auto voor me, een enorme, haveloze, metallicblauwe Impala, en ging achter het stuur zitten met dezelfde strenge en spottende grijns als in het begin. De pisco's hadden zijn helderheid nog steeds niet vertroebeld: hij reed zelfverzekerd, amper afgeleid door zijn eigen commentaren.

'Het zijn heel speciale lieden,' zei hij. 'Maar het zijn mijn vrienden. Het kan ze niet schelen dat ik voor de regering werk of dat ik voor Allende heb gestemd... Als je van wijn houdt, overwin je alle verschillen...'

Na enkele kilometers verdwenen de lichtjes van Santiago in de verte; we lieten de bergen achter ons.

'Er zijn geen wijnstokken in het Monedapaleis,' zei hij om me te kalmeren toen hij mijn onrust opmerkte.

Wat deed ik op een Chileense autoweg in gezelschap van iemand van wie ik niet wist of hij gek was of dronken of alle twee tegelijk? Ik voelde de angst als een bloedzuiger langs mijn benen omhoogkruipen, maar het was te laat om terug te gaan.

'Een sigaret?' Hij wees op het handschoenenkastje.

Ik schudde van nee. De auto vervolgde zijn razende tempo: de silhouetten van de bomen schoten langs mijn ogen als de wijzers van een op hol geslagen horloge. Na een tijdje te hebben gezwegen verminderde mijn gids eindelijk snelheid.

'We zijn er,' zei hij ter geruststelling. 'Zeg, hoe heet je eigenlijk?'

'Aníbal...'

'Heel goed, Aníbal... Ik moet je voor één ding waarschuwen. Ik heb je al gezegd dat het rare mensen zijn. Laat hen praten... En vooral geen woord over de politiek.'

De Impala reed over een weg met aan weerskanten essen tot we de verlichte ramen van een enorm landhuis zagen. We parkeerden de auto en er kwamen wat bedienden naar ons toe – of liever bewakers, want ze waren gewapend. Belano groette hen joviaal.

'Don Gustavo heeft bezoek,' waarschuwden zij hem.

'Zeg hem dat ik een Mexicaanse vriend bij me heb die zijn wijn wil proeven...'

De bewaker kwam enkele minuten later terug.

'Loop maar door, Belano. Jij krijgt ook altijd je zin...'

We liepen het huis in, maar in plaats van naar de eetkamer te gaan, waar een luidruchtige bijeenkomst was – je hoorde flarden van gesprekken, klinkende glazen, een enkel uitschietend lachje – namen we plaats in een aangrenzende, kleine salon. Bijna onmiddellijk kwam don Gustavo aanlopen om ons te verwelkomen; enigszins ongemakkelijk omhelsde hij mijn begeleider en daarna heette hij mij hartelijk welkom. Het was een lange, gespierde vent van ongeveer vijftig, met een sportief uiterlijk en babywangen.

'Dit is mijn Mexicaanse vriend Aníbal...'

'Quevedo,' vulde ik aan.

'En waar houdt u zich mee bezig, meneer Quevedo?' vroeg don Gustavo.

'Ik ben... psychoanalyticus.'

'Wat goed, een Mexicaanse psychoanalyticus die van wijn houdt! En wat doet u in ons land, dokter Quevedo? Want ik moet u toch dokter noemen, nietwaar?'

'Ik ben hier voor een congres.' Ik begon zenuwachtig te worden.

We volgden hem naar de eetkamer waar een groepje van vijf of zes mensen, allen van het mannelijke geslacht en reeds op leeftijd, overvloedig zat te drinken en te roken. Het diner moest enkele minuten daarvoor zijn afgelopen: de tafel was een slagveld, op het tafelkleed lagen massa's kruimels en twee reusachtige, zilveren dienbladen vol witte, glinsterende botten. Ondanks de rook zweefde de geur van gestoofd vlees nog in de lucht. Don Gustavo gaf opdracht twee stoelen bij te zetten.

'Dokter Quevedo is psychoanalyticus,' zei hij tegen de anderen en overhandigde me een vol glas alsof het een estafettestokje of een onderscheidingsteken betrof. 'Dit is voor u...'

Mijn Franse vrienden indachtig, draaide ik het een paar keer rond, deed alsof ik het bouquet opsnoof, en proefde luidruchtig.

'En?'

'Fantastisch.'

Don Gustavo barstte in lachen uit.

'Hoorden jullie dat? De dokter vindt hem fantastisch.'

Het gezelschap begon eenstemmig te applaudisseren alsof hij een mop verteld had.

'Ik stel voor te toasten op onze psychoanalyticus, de wijnexpert!'

Die oude mannen dronken steeds enthousiaster op mijn gezondheid.

'Vóór jullie komst hadden we het over onze bezoeker… Vinden jullie het geen schandaal? Zelfs iemand als jij, Belano, die voor de regering werkt…'

'U weet dat ik geen politieke meningen heb, don Gustavo.'

'Zo brutaal als die avonturier uit het Caribische gebied zich met de interne zaken van een land bemoeit, dat hebben we nog nooit meegemaakt!' schreeuwde een lange, slanke man met dunne, grijze haren.

'Het is treurig!' voegde een dikzak eraan toe terwijl hij aan zijn glas lebberde.

'Schandelijk!' vulde de allerjongste aan, een bedrijfsadvocaat met een dikke, rossige snor.

'Wat vindt u daar nou van, dokter? Zou uw regering die Caribische avonturier toestemming geven om een maand in Mexico-Stad te blijven als hij op bezoek kwam?'

'Het is onze eigen schuld dat we toegeven aan de grillen van die man,' zei een kleine man met een woeste blik, die me geen kans gaf te antwoorden. 'De Cubanen willen dat Chili ook een communistische dictatuur wordt…'

Ik had ditzelfde soort betogen al duizend keer gehoord, maar ik vond het paradoxaal ze hier op een Chileens landgoed te horen, terwijl ik op dit moment eigenlijk in een andere uithoek van het land aan tafel hoorde te zitten in gezelschap van het doelwit van mijn disgenoten.

'De gebeurtenissen tijdens de mars met de pannen bewijzen dat ze zullen doorgaan… Binnenkort worden de vrijheden opgeschort!' vatte don Gustavo de situatie samen.

De wijnminnaars waren razend en besloten hun opwinding te blussen met een nieuwe fles. Hun zorgen vergetend concentreerden ze zich op de proeverij, alsof niets de moeite waard was behalve de alcoholmoleculen die langzaam maar zeker over hun tong gleden.

'Onze strijdkrachten weten geen respect af te dwingen!' oreerde de dikzak terwijl hij de rode straaltjes wegveegde die langs zijn mondhoeken naar beneden liepen. 'Wat kun je verwachten van een land waar de militaire eer geen rol meer speelt?'

'Als de militairen echte patriotten waren deden ze niet langer aan het spelletje van de doctor mee,' klaagde de man met het schaarse, witte haar.

'Wat een treurig schouwspel,' gaf don Gustavo toe. 'Niets ergers dan militairen die zogenaamd uit loyaliteit onze hoogste principes verraden en zulke verschrikkelijk dingen doen als op de eerste dag…'

'Laten we hopen dat het Chileense volk bij de volgende verkiezingen bewijst dat het zijn lesje heeft geleerd,' zei de roodharige advocaat tot slot. 'Laten we drinken op de spoedige vernietiging van de Unidad Popular...'

'En als Allende wint?' vroeg ik.

Er viel een stilte.

'Maakt u zich geen zorgen, dokter Quevedo,' zei de grijsaard. 'Dat zal *niet* gebeuren.'

Don Gustavo had zijn beste fles voor het laatst bewaard.

'U bent precies op het goede moment gekomen. We maken niet alle dagen zo'n fles open. Geen betere weerspiegeling van de Chileense geest dan dit kunstwerk.' Don Gustavo schonk in alsof hij een oud ritueel uitvoerde. 'Wat is een gedicht van Neruda vergeleken met een goede wijn? Dit is de enige echte poëzie. Proost!'

Het was ongetwijfeld een van de beste wijnen die ik ooit had geproefd. Allende kon wachten. Voor deze welgestelde mannen was het nog mogelijk de beestachtigheid van de politiek te bezweren.

7.4. DE COMMANDANT OP GROTE HOOGTE

Aan boord van de Sovjetrussische Il-62, die ons naar Cuba terugbracht, vroeg de commandant me hem een samenvatting te geven van mijn indrukken van het Chileense socialisme. Nadat hij me had berispt omdat ik niet met hem was meegegaan naar het nationale stadion, dwong hij me een van zijn monologen aan te horen. Het zou onzinnig zijn geweest hem tegen te spreken: ik had hem nog nooit zo woedend gezien; in vergelijking met deze woedeuitbarsting was die tegen Padilla kinderspel.

'Wilt u mijn diagnose horen, Quevedo? De patiënt is ten dode opgeschreven.'

Hoewel zijn conclusie op tegenovergestelde redenen was gebaseerd, stemde ze overeen met de mijne. Het verbaasde me niet dat hij zich vervolgens te buiten ging aan een verhandeling over de zaken waardoor Allende naar zijn mening te gronde zou gaan. Zijn ideeën daaromtrent konden in één enkele worden samengevat: gebrek aan karakter. Het ontbrak de doctor, zoals de commandant vanaf het begin had geconstateerd, aan lef en doortastendheid, de man was een bureaucraat of, erger nog, een mengeling van beroepspoliticus en idealist. Hoe kon zo'n man een ingewikkeld en roerig land als Chili onder controle houden? Als hij niet eens de confrontatie aandurfde met de gemakzuchtige, schurftige honden van het Congres, hoe zou hij dan opgewassen zijn tegen de hebzucht van de ondernemers, de kleingeestigheid van de militairen, het geld van Washington en de manipulaties van de CIA?

'En het ergste is nog wel dat we hem niet mogen helpen,' brieste de commandant. 'Hoe moeten we hem steunen als hij onze vrijheid inperkt? We moeten hem tegen zijn wil beschermen, maar daardoor wordt alles moeilijker...'

Ik dacht aan Claire: dat was de reden waarom ze naar Chili was gegaan, om een van de geheime bewakers van de revolutie te worden wier taak het was de president in het oog te houden – diens vijanden uit te schakelen – zonder dat hij het zelf wist.

'Maar goed, Quevedo, ik heb u niet laten roepen om me te beklagen over deze aangekondigde ramp,' brulde hij. 'We moeten nog uren vliegen en ik heb geen zin om rapporten te lezen... Laten we de tijd liever gebruiken om nog een analytische sessie te houden, wat denkt u ervan?'

'Commandant, ik...' fluisterde ik, hoewel ik wist dat elke vorm van tegenspraak zinloos was. 'Moet ik gaan liggen?'

'Welnee, man, dat hoeft niet,' lachte hij. 'Laten we het maar een keer doen zoals het hoort. Deze stoel is nou niet bepaald een divan, maar hij is goed genoeg, denk ik.'

Hij ging achterover liggen in zijn stoel, terwijl ik in de rij achter hem bleef zitten, zonder te weten wat ik moest doen.

'Nou? Vraagt u me maar iets, Quevedo, wat u maar wilt.'

Mijn hoofd was leeg, afgestompt door de last van de vorige dagen.

'Gaat u soms weer met dat lacaniaanse systeem van u beginnen?' donderde hij. 'Dat verbied ik u! Laten we een orthodoxe sessie houden, zoals Freud ze voorschreef, vooruit, dit is uw enige kans. Vraagt u maar wat u wilt. Het is een bevel!'

'Goed dan,' antwoordde ik eindelijk met trillende stem; ik wilde niet al te onbehoorlijk en niet al te lauw klinken. 'Vertelt u me over uw vader...'

'We gaan niet door met die stomme familiezaken, Quevedo!' mopperde hij. 'Vraagt u iets dat echt belangrijk is. Wacht, ik zal u een handje helpen. Vraagt u me bijvoorbeeld: wat betekent het socialisme voor u, of: wanneer bent u communist geworden?'

Aangemoedigd door zijn voortvarendheid vroeg ik hem zomaar, zonder erbij na te denken: 'Denkt u echt dat de geschiedenis u zal vrijspreken?'

Hij trok zijn neus op en streek langs zijn baard.

'Twijfelt u daaraan?' vroeg hij dreigend.

'We hadden afgesproken dat ík de vragen zou stellen, nietwaar?'

'Natuurlijk zal de geschiedenis me vrijspreken, Quevedo!' riep hij uit zonder met zijn ogen te knipperen. 'Het werk van de revolutie zal blijven bestaan lang nadat ik ben overleden'

'Die frase heeft me altijd geïntrigeerd,' viel ik hem in de rede. 'Maar vertelt u me dan eens, commandant, waarvan u vrijgesproken zult worden? *Vrijspreken* is een heel sterk werkwoord, vindt u ook niet? Het suggereert iets negatiefs of althans iets duisters; en tot overmaat van ramp heeft het een religieuze bijklank...'

Het vliegtuig ging door een luchtzak.

'Zo is de politiek, Quevedo, dat weet u. Bepaalde dingen moeten worden geofferd ten behoeve van nog belangrijker zaken...'

'De levens van enkelen ten behoeve van de levens van de meerderheid...'

'Zo is het.'

'De vrijheid ten behoeve van de gelijkheid...'

'Doet u zich niet slimmer voor dan u bent, Quevedo.' Hij kwam een beetje overeind en richtte zijn ondoorgrondelijke blik op me. 'Een mens is verplicht moeilijke beslissingen te nemen, hoe pijnlijk die soms ook blijken te zijn.'

'Heeft u ergens spijt van?'

'Nee.'

'Nergens van?'

'Nergens van.'

'Alstublieft, commandant, dat is niet menselijk meer… Heeft u zich nooit vergist?'

'Zoals iedereen, Quevedo. Maar in plaats van er spijt van te hebben zie ik liever de gevolgen van mijn daden onder ogen. Ik leer er liever van om niet nog eens dezelfde fouten te maken. Wat zou het voor nut hebben me te beklagen? We moeten voort ondanks alles en ondanks allen…'

'Waarom?'

Hij leek het niet te begrijpen.

'Wat zegt u?'

'Waarom eigenlijk?' drong ik aan.

'Waar heeft u het over?'

'Over alles. Over dit vliegtuig, dat van Santiago de Chile naar Havana vliegt, over de overval op de Moncadakazerne, over de triomf van de revolutie; kortom, over al die dingen… Waarom?'

'Wat is dat nou voor vraag?' zei hij geschrokken. 'Het antwoord is heel eenvoudig. Om het volk te dienen, om betere levensomstandigheden te creëren, om…'

'Nee, nee,' viel ik hem in de rede. 'Op dit moment interesseren de andere mensen me niet. U staat hier niet voor een microfoon op het Plein van de Revolutie, maar tegenover een analyticus. Wat wilt *u*? Wat *verlangt* u? Met alle respect, maar het lijkt me dat het in uw geval niet alleen maar om macht gaat, en natuurlijk bent u niet geïnteresseerd in geld of vrouwen…'

'Ik begrijp niet waar u heen wilt.'

'Waarom heeft u er behoefte aan dat de geschiedenis u vrijspreekt? Wat is uw zonde?'

De commandant stond op, immens en dreigend. Dit keer was ik niet onder de indruk.

'Hoezo zonde!' barstte hij uit.

Er kwam een jonge officier de cabine in om te zien of alles goed ging, maar de commandant stuurde hem met een bruusk handgebaar weg.

'Dus? Wat zoekt u, wat jaagt u na, commandant? Erkenning? Transcendentie? Onsterfelijkheid?'

'Nee!'

'Laten we een experiment doen. Stelt u zich voor dat het niet zo loopt, dat de geschiedenis u niet vrijspreekt. Stelt u zich het ergste scenario voor: stel dat we twintig jaar verder zijn en dat de Sovjet-Unie afbrokkelt, dat het eindelijk op de knieën is gekregen door de Verenigde Staten. Stelt u zich voor dat het communisme een reusachtige vergissing is. En dat uw regering als een gewone dictatuur wordt beschouwd…'

Voor het eerst vertrok het gezicht van de commandant; hoewel hij zich groot probeerde te houden schitterde er angst in zijn pupillen.

'Hoe durft u?' beet hij me minachtend toe terwijl hij me bij de keel greep.

'Wordt u niet boos, commandant, het is maar een psychoanalytisch spelletje,' zei ik ter verontschuldiging. 'Het is altijd de moeite waard het ergste dat ons kan overkomen in het achterhoofd te houden.' Toen pas liet hij me los. 'Denkt u er alstublieft even over na.'

'Onmogelijk.'

'Onmogelijk? Soms kun je niet alles onder controle hebben, commandant. Zelfs iemand als u niet. En als niemand u vergiffenis schenkt voor uw zonden? En als de geschiedenis u niet vrijspreekt?'

De commandant deed er het zwijgen toe, onverschrokken. Nu richtte hij zich niet tot mij maar tot zichzelf, of misschien tot de geschiedenis waarvoor hij zo'n eerbied leek te hebben: 'onmogelijk', mompelde hij nog eens binnensmonds, en daar ging hij de hele tijd mee door alsof hij zijn verstand verloren had. Het duurde niet langer dan enkele seconden, en meteen daarna was hij weer uit die trance terug.

'Bedankt, dokter Quevedo,' zei hij zelfverzekerd. 'Dit was een zeer leerzame sessie, maar ik ben moe en ik moet gaan slapen nu ik het kan. Vindt u het erg om me alleen te laten?'

'Nee, natuurlijk niet.'

Ik liet hem daar achter, achteroverleunend, afwezig, eenzaam. Eenzamer dan ooit.

Zodra de Il-62 in Havana was geland, haastte de commandant zich ten overstaan van een enthousiaste menigte te verklaren dat hij door zijn reis naar Chili radicaler was geworden dan ooit. Meteen hierna liep hij samen met zijn broer weg en vroeg de journalisten die hem belaagden naar de resultaten van het Cubaanse honkbalteam. Alles was eindelijk weer bij het oude.

Gebruikmakend van de drukte ontsnapte ik uit het officiële gevolg, belde mijn vriend de Cubaanse dramaturg en vroeg hem naar de bar van hotel Habana Riviera te komen.

'Broeder,' zei hij terwijl hij mij omhelsde. 'Hoe is het allemaal gegaan?'

Hij zag er rustiger en minder zenuwachtig uit dan anders in zijn smetteloos witte pak. We besloten een wandeling te maken over de zeeboulevard; het licht was moeilijk te beschrijven: helder, diep, doorzichtig. Mijn neerslachtigheid verdween door het gemurmel van de Caribische zee naast ons.

'Wat is er met je, jongen?'

Ik moest biechten. Zonder Lacan, zonder Claire of een vertrouwde collega had ik niemand anders aan wie ik mijn groeiende scepsis ten aanzien van de revolutie kon toevertrouwen.

'Het Cubaanse regime heeft succes omdat het niet langer socialistisch is,' beklaagde ik me, 'terwijl het Chileense op het punt staat ten onder te gaan omdat het trouw blijft aan de ideeën van het socialisme. Beide experimenten zijn even frustrerend: het is net alsof er geen tussenweg is tussen tirannie en chaos.'

Misschien projecteerde ik mijn persoonlijke rancune op de politiek, maar ik moest mijn pessimisme uitspreken... Mijn vriend hoorde mijn heftige kritiek met voorbeeldig geduld aan; hij was het niet altijd met me eens – hij schrok zelfs toen ik het waagde te beweren dat Cuba in de richting van het stalinisme ging –, maar hij was tenminste bereid met me te discussiëren. Hij geloofde net als ik in de macht van de kritiek, in de dialectiek die nou juist de essentie van het marxisme was. Nee, ik was niet te streng: ik probeerde gewoon logisch te zijn.

Toen we afscheid van elkaar namen dacht ik dat alles nog niet verloren was: als er in Cuba meer mensen bestonden zoals hij, die bereid waren de revolutie van binnenuit te vernieuwen, was er misschien nog hoop voor de toekomst. Ik ging enigszins gekalmeerd naar het hotel terug. Wat moest ik nu doen? Op Claire wachten? Teruggaan naar Frankrijk? Of misschien naar Mexico? Ik liep naar de bar en dronk een paar daiquiri's voordat ik naar mijn kamer ging.

Ik werd door aanhoudend geklop uit mijn slaap gehaald; ik opende met moeite mijn ogen en keek op mijn horloge: halfvier. Ik dacht dat ik een nachtmerrie had, maar het lawaai werd erger en ging gepaard met steeds luider geroezemoes. Op dit uur van de nacht was er maar één verklaring mogelijk: de commandant zou weer opdracht hebben gegeven mij tussen de lakens vandaan te halen omdat hij wilde dat ik een van zijn nachtelijke betogen zou aanhoren. Slaperig opende ik de deur voor een onverstoorbare agent van de staatsveiligheidsdienst.

'Ja, ja, ik weet het al,' zei ik ongeduldig. 'Wacht u even.'

Ik deed de deur voor zijn neus dicht. Ik waste genietend mijn gezicht, schoor me en kleedde me bedachtzaam aan.

'Goed, ik ben klaar.'

'Neemt u al uw spullen mee,' beval hij.

'Gaan we weer op reis?'

Ditmaal had de commandant een vent naar me toe gestuurd die niet van zijn stuk te brengen was en totaal geen gevoel voor humor had.

'Al uw spullen,' herhaalde hij.

Onderweg door de verlaten straten van Havana deed mijn begeleider niet eenmaal zijn mond open; hij wilde niet zeggen waar hij me heen bracht en natuurlijk ook niet wat zijn orders waren. Pas heel laat realiseerde ik me dat we over de weg naar het vliegveld José Martí reden. Als deze nieuwe reis maar niet zo lang zou duren als de vorige… Enkele kilometers voordat we bij de terminal kwamen, stopte de agent voor een opvallend militair gebouw en liet me achter bij twee agenten die even zwijgzaam waren als hij en die me naar een kleine kamer escorteerden.

'U zou me op z'n minst kunnen zeggen waar we naartoe gaan,' protesteerde ik vergeefs. 'Goed, goed… Ik wacht wel op de commandant…'

Maar de commandant is nooit gekomen. Om ongeveer zeven uur – de zon was al op – kwam een neger in militair uniform mijn cel binnen.

'Vertelt u me eindelijk waar we naartoe gaan?'

De neger grijnsde; ik had nooit gedacht dat dit het laatste blijk van vriendelijkheid zou zijn dat ik op het eiland zou aanschouwen. De volgende dag werd ik na een langdurig en intensief verhoor waarbij ik gedwongen werd gedetailleerd over elk aspect van mijn verblijf in Cuba en Chili te vertellen, om vijf uur 's middags gedwongen op een lijnvlucht gezet. Het regime had besloten me het land uit te gooien: slechts door de grootmoedigheid van de regeringsleider was ik behoed voor de gevangenis.

Deel twee

III

Quevedo door Quevedo

Indien het krachtens een verwrongen dialectiek noodzakelijk is dat in de tekst, vernietiger van elk subject, een subject is dat moet worden liefgehad, wordt dat subject verspreid gelijk de as die men na de dood in de wind strooit.

BARTHES, *Sade, Fourier, Loyola*

Je staat op het punt om in huilen uit te barsten. Een waterige lijn tekent de contour van je oogleden af. Maar er gebeurt niets. We drinken de laatste slok uit onze glazen – jij witte martini, zoals altijd, en ik kir – en ik haal snel wat bankbiljetten tevoorschijn die ik op tafel leg. Andere mensen praten. We lopen snel – we moeten op tijd komen voor onze afspraak –, en ik weet niet eens of jouw verdriet echt is of dat ik het heb verzonnen.

Sinds mijn terugkeer uit Cuba ga ik niet meer naar de werkgroep van Lacan en stap ik over naar de colleges die Roland Barthes op de École Supérieure des Études geeft. Groter tegenstelling is niet denkbaar. Lacan is een dionysisch en Barthes een apollinisch type. Lacan verleidt met de sensualiteit van zijn argumenten, met zijn onverbiddelijke en bijtende intelligentie, met zijn linguïstische boutades en met de macht die hem de gelegenheid biedt zich te gedragen als een donderende god ten overstaan van een groep stervelingen; Barthes gebruikt de tegenovergestelde formule: hij is niet minder een verleider – op zijn eigen manier is hij een nog doorgewinterder Don Juan dan de psychoanalyticus –, maar hij neigt meer naar de subtiliteit van de insinuatie. Lacan verovert zijn publiek door het zijn ziel af te nemen; Barthes door te doen alsof hij de wil van zijn luisteraars even leent. Kortom, Lacan geniet ervan zich voor te stellen dat hij vanuit de andere uithoek van de zaal naar zichzelf zit te kijken, terwijl Barthes ervan geniet naar zichzelf te luisteren en te gissen dat elk van de zinnen die hij uitspreekt het juiste oor binnenglijdt.

In eerste instantie kan ik het niet geloven. Maar daar staat het, voor mijn ogen, een klein, rond blikje, zoiets als een sardienenblikje, dat zorgvuldig wordt bewaard in een kast. Ik denk: zou het echt nodig zijn dat *ding* zo zorgvuldig te beschermen? Onmiddellijk antwoord ik: als er een groep mensen bestaat die het per se wil exposeren en als er ook nog eens veel mensen in een lange rij staan om ernaar te gaan kijken – net als ikzelf –, dan zal er ook wel iemand bestaan die het wil stelen. In tegenstelling tot wat u zou denken bevind ik me niet op een markt of in een kruidenierswinkel, maar in een vermaarde galerij. De schepper van dit werk – de term is hier toepasselijker dan ooit – is een Italiaan, Piero Manzoni. Hij heeft dertig gram – en geen grammetje meer of minder – van zijn eigen *Merda d'artista* (1961) ingeblikt, zoals op het bordje ernaast staat aangegeven. Ik stel me voor dat een van de negentig stukken van deze serie op dit ogenblik de schoorsteenmantel, de salon of de slaapkamer van een trotse verzamelaar siert. Tot nu toe was mijn contact met de wereld van de moderne kunst nihil. Misschien dat ik me daarom zo zenuwachtig voel en deze ervaring onderga als een openbaring. Wat een geniale ingeving, zeg ik tegen mezelf. Dit is pas echt revolutionair.

'Aníbal?'
Ik kan het niet geloven: jouw stem door de telefoon.
'Claire?'
'Ja.'
'Wanneer ben je aangekomen? Hoe gaat het met je?'
Ik heb al meer dan een jaar niets van je gehoord. Door de berichten die de laatste dagen uit Chili kwamen, balanceerde ik op het randje van de hysterie. Ik heb het voorgevoel dat je iets vreselijks is overkomen.
'Goed.' Je stem klinkt vastberaden, lichtelijk vlak.
'Ik heb op allerlei manieren geprobeerd iets over je te weten te komen. Ik heb zelfs de Mexicaanse ambassade ingeschakeld...'

Niets in je stem verraadt je. Je wilt me niet ongerust maken, of liever, je verdraagt het niet de nederlaag in je eigen lichaam te herbergen.

'Kun je me komen ophalen?'

'Natuurlijk!' Ik barst bijna in snikken uit. 'Waar ben je?'

Je legt me uit dat je net met de trein uit Berlijn bent aangekomen. Je belt vanuit een telefooncel op het Gare de l'Est. Sinds ze je hebben vrijgelaten heb je de halve wereld afgereisd. Je bent uitgeput, je valt bijna flauw.

Vertwijfeld neem ik een taxi. Mijn hart bonst zo hard dat het lijkt alsof het me wil verwonden. Eindelijk zie ik je, of liever ontdek ik je silhouet – je bent magerder dan ooit, je bent niet meer dan de schaduw van jezelf –, en ik sla haastig mijn armen om je heen.

'Is het niet grappig?' zeg je. 'De laatste keer zag ik je uit de verte in het nationale stadion in Santiago tijdens de toespraak van Castro. Dat was ook de plaats die de militairen kozen om ons op te sluiten na de coup... Zie je wel? Ik had gelijk. *Toen* hadden we hen nog kunnen tegenhouden.'

Ik spreek je niet tegen. Ik leg alleen maar mijn hand in het kommetje van jouw hand.

Net als Barthes ben ik diep teleurgesteld in de revolutie, maar in tegenstelling tot hem vind ik dat die uitdaging is overgeheveld naar de wereld van de moderne kunst. Zodra ik terug ben in Parijs begrijp ik mijn vroegere kameraden niet meer – onwillekeurig doen ze me allemaal aan jouw afwezigheid denken – , ontwijk ik de psychoanalytische cohorte van Lacan en bezoek ik, met als gids Barthes wiens werk ik lees, alle tentoonstellingen in de stad. Het is als het ontdekken van een nieuwe wereld, of liever als het *opnieuw* ontdekken van de wereld: de blik van de kunst installeert zich in mijn blik. In geen enkele discipline – literatuur is niet meer dan een imitatie – beschikt de kunstenaar over zo'n sterke wil tot het nemen van risico's, veel meer nog dan bij politieke acties, als in de beeldende kunst. Eindelijk heb ik het thema gevonden waarover ik wil schrijven.

'Jezus, Aníbal, dat is gewoon een stomme plee.'

Josefa's onbegrip ontmoedigt me niet. De volgende drie uur ben ik geconcentreerd bezig haar de bedoeling van het beeld uit te leggen.

Terwijl ik de ene verklaring na de andere onder woorden breng in een poging de suggestieve kracht van het beeld te bewijzen, realiseer ik me dat dit de clou is. Als het onbewuste net zo gestructureerd is als de taal, voert de hedendaagse kunst die verwantschap tot zijn uiterste consequenties door.

'Snap je het niet, Josefa? Het is Duchamp gelukt de artistieke ervaring aan de objecten te laten ontsnappen en over te hevelen naar de blik van de kijker. En naar het vertoog dat door die blik wordt uitgewerkt. Dit is de grote wraak van de criticus op de kunstenaar: de werken zelf zijn niet langer relevant, ze zijn louter voorwendsels geworden. Het enige wat nog van belang is, is de taal waardoor ze worden gedekt.'

'Ik dacht al dat die rotzooi niet veel waard kon zijn.'

Je bent weer niet dezelfde vrouw als anders. *Dat ben je nooit.* Alleen je groene ogen zijn nog ongedeerd. Ik wacht aan de andere kant van de deur op je, ik ben kapot. Geconfronteerd met jouw ongeluk – of wat ik opvat als jouw ongeluk – troost ik me met de gedachte dat je mij, uitgerekend mij, om hulp hebt gevraagd en niet anderen. Ik houd je gezelschap, niet berustend, maar met een pathetische dosis trots. Hoeveel minuten ben je al binnen? Ik loop heen en weer in de wachtkamer als een vader die op de geboorte van zijn kind wacht, hoewel de situatie in ons geval precies andersom is: ik ben *niet* de vader en waar ik op hoop is dat dit kind *niet* wordt geboren. Ik hoop op zijn *dood.* En dat jij blijft leven. En dat je altijd bij me blijft.

Het leven van Barthes wordt gekenmerkt door een 'teken': zijn ziekte. Door zijn lijden, dat diepgaand literair is, is hij anders dan zijn generatiegenoten – dan de rest van de mensheid – en wordt hij belemmerd in het opbouwen van de universitaire carrière waarvan hij altijd had gedroomd. Tuberculose is voor hem niet zozeer een gewone kwaal als wel een levensbeslissing. Barthes brengt, als een personage uit *De toverberg,* een groot deel van zijn jeugd in de universitaire kliniek van Saint-Hilaire door, waar hij opgesloten tussen de boeken en afgesloten van de wereld de gezonde, frisse berglucht inademt. De ziekte brengt hem tot het schrijven en het schrijven brengt hem terug bij zijn ziekte. Terecht heeft hij geweigerd de straat op te gaan om de hysterische protestdemonstraties van '68 te steunen. In tegenstelling tot veel collega's en vrienden – bijvoorbeeld de leden van de groep Tel Quel, die zich hebben ingescheept voor hun uitstapje naar het maoïsme – zal hij zich altijd verre houden van de actie, daarginds in die variant op een sanatorium voor tbc-lijders die zijn critici minachtend zijn Ivoren Toren noemen.

Net als bij Althusser het geval was weigerde Lacan ook Roland Barthes te analyseren. Het is voor hem ondraaglijk dat zijn patiënten even beroemd – of even maniakaal – zijn als hijzelf.

'Het is een meesterwerk, Josefa.'
  'Die ingeblikte poep?'
  'Probeer het gevoel voor humor te vatten, de minachting voor de wereld van de kunst, de impliciete maatschappijkritiek... Het is briljant! Manzoni voert het spel van Duchamp tot het uiterste door. In plaats van het toilet, laat hij de inhoud ervan zien.'
  'Zou er echt iemand zo gek zijn om het te kopen?'
  'Natuurlijk, Josefa. Het is een *Manzoni*.'
  'Daar twijfel ik geen moment aan.'
  'De handtekening van de kunstenaar *is* de absolute betekenaar, Josefa. De verzamelaar die dit stuk wenst te bezitten moet zijn gewicht in goud betalen. Wat een intelligente bespotting van de frivoliteit, de handelsgeest en de burgerlijke gierigheid!'
  'Ik hoop alleen dat niemand een blikopener meebrengt.'

'Voel je je goed?'
  'Uitstekend,' zeg je, terwijl je zonder droefheid glimlacht. 'Alsof ze een kies hebben getrokken.'
  'Een kies.'
  'Laten we hier weggaan, Aníbal. Ik kan niet tegen die etherlucht.'
  We lopen in een stilte die niets betekent. Ik zou willen dat die stilte onze stilzwijgende medeplichtigheid – of een gedeeld schuldgevoel of schaamte – omvatte, maar we worden onherroepelijk gescheiden door een leegte. Totdat jij met je typische zorgeloosheid, alsof het de gewoonste zaak van de wereld is – iets waar je niet over hoeft na te denken –, mijn arm pakt om erop te steunen.
  Ik word overmand door een bijna pijnlijk geluksgevoel, alsof de

lichte druk van je lijf al genoeg is om me te ontroeren. Ik leid je naar mijn huis – jouw nieuwe thuis, zeg ik – en ik denk hetzelfde als toen ik je voor het eerst zag. Claire, *ik moet je redden, je laten leven.*

Ik loop alle galeries in de stad af alsof ik door een labyrint navigeer. Telkens wanneer ik een van de drempels overschrijd, blijft de leugen buiten en betreed ik de *realiteit.* Wat een energie, wat een opwinding, wat een durf. Zoals elke reiziger overkomt die op een vreemde kust voet aan wal zet, kost het me in het begin moeite me de codes eigen te maken – het mysterieuze taaltje van deze geleerde inheemsen –, maar ik begin hun knipoogjes, hun tradities en hun ceremonies langzamerhand te begrijpen. In het Parijs van de jaren zeventig vormen de beeldende kunstenaars een stam; in grotere mate dan de revolutionairen of mijn maoïstische kameraden, die steeds gedeprimeerder en tot concessies geneigd zijn, actualiseren zij de utopie: zij draaien alle regels om, veroorloven het zich de uitbuiters uit te buiten en in de marge te leven van een maatschappij die hen onderhoudt – door exorbitante prijzen te betalen voor hun grappen –, en die zij voortdurend beschimpen. Hun werk bestaat, zoals dat van de oude barbaren, uit het aanvallen van de comfortabele grenzen van het kapitalisme. Gefascineerd bestudeer ik hen en ben vastbesloten helderheid te brengen in de elementaire structuren van hun verwantschappen. Ik verander niet zozeer in een kunstcriticus als wel in een antropoloog.

'*Merda d'artista* brengt ons in verwarring, maar dit andere stuk van Manzoni vertoont een nog subtielere kwaadaardigheid, Josefa. Opnieuw is hier het centrale element van de hedendaagse kunst aanwezig, de parodie. Kun je de inscriptie lezen?'

Josefa loopt om het op de vloer geïnstalleerde stalen blok heen totdat ze de letters heeft gevonden die op een van de zijvlakken zijn gegraveerd.

'Het staat op zijn kop.' Josefa verdraait haar nek. '*Le... Socle... du... Monde... 1960.*'

'*De sokkel van de wereld*, snap je? Het idee is… dat de hele planeet op deze basis rust. De Aarde *is* het kunstwerk. En Manzoni durft haar vast te zetten! Nog nooit is het concept van de kunstenaar als Schepper zó ver doorgevoerd. Manzoni is God.'

'Wat een slijmbal, zeg!'

Kan het leven van iemand die altijd de pest heeft gehad aan biografieën worden naverteld? Hoe moet ik het bestaan van Roland Barthes, mijn leermeester, in de schijnwerpers zetten wanneer hij het haatte als *mens* te worden bekeken? Hij heeft met zijn werk een pad van artikelen, essays, lezingen en boeken aangelegd ter ontkenning van de geldigheid van de biografische analyse. Barthes weigert te accepteren dat schrijven een vorm van onbeschaamheid is en pakt zijn taak aan met het geduld van een acteur die het toneel betreedt: het is niet zozeer zijn doel zich te vermommen (een ander te zijn), als wel zich op een andere manier te vertonen, met afstand tot zichzelf. Volgens hem moet het 'ik' zich afzijdig houden, op een ongenoemd terrein blijven, zo ver mogelijk van het papier. Ik vermoed dat hij zich zou ergeren als hij mijn woorden hoorde, maar ik kan het toch niet laten ze te formuleren: en als zijn felle verdediging van de tekst nu eens een natuurlijk gevolg was van zijn haat jegens biografieën? En als zijn wil om zich op de teksten te concentreren nu eens dezelfde oorsprong had als zijn verlangen zich verre te houden van de medemensen?

'Het spijt me, Josefa. Het was niet mijn bedoeling je te dwingen weg te gaan.'

'Je bent net zo gek als zij, Aníbal.' Josefa pakt haar laatste spullen in, eerder woedend dan berustend. 'Je weet net zo goed als ik dat dit niet zal werken.'

'Je hebt haar gezien,' zeg ik steeds opgewondener, 'het gaat heel slecht met haar. Ik kan haar nu niet in de steek laten.'

'Nee, terwijl zij jou altijd in de steek laat.'

Josefa's woorden gaan dwars door me heen. Ik aanvaard ze zoals de Heilige Sebastiaan de pijlen moet hebben doorstaan: een bijna zoete pijn, als bewijs van de standvastigheid van zijn geloof.

'Mijn God, Josefa, je weet wat ze haar hebben aangedaan! Die beesten…'

'En jij moet haar redden…'

Zonder nog iets te zeggen hangt ze een paar oude rugzakken met haar kleren over haar schouder en opent met tegenzin de deur.

'Ik zei je toch al dat je helemaal niet zo gauw weg hoeft te gaan,' zeg ik nog eens. 'Blijf nog een paar dagen, dan vind je misschien wat beters.'

'Dank je, Aníbal, maar ik laat jullie liever alleen.' Ditmaal klinkt er geen ironie door in haar stem. 'Ik kom wel terug om mijn werk te doen, maar dwing me niet haar aanwezigheid te dulden.'

Hoewel ik niet wil dat Josefa weggaat – zij is mijn enige steunpilaar in geval van nood –, begrijp ik haar vastberadenheid. Voordat ze vertrekt geeft ze me een kus op mijn wang.

Enkele maanden geleden heeft een scabreus type, wiens naam ik niet durf te herhalen om te voorkomen dat hij aan de vergetelheid ontsnapt, een pamflet over me gepubliceerd – hij heeft de brutaliteit gehad het 'biografie' te noemen – waarin hij zoals hij trots beweert al mijn leugens opsomt en me ervan beschuldigt, zonder bewijzen te leveren, de ergste laagheden te hebben begaan. Hoewel ik zijn duistere gezicht maar een paar keer heb gezien, wijdt hij zijn leven eraan al mijn boeken een voor een kapot te maken. Deze troebele opportunist leeft alleen om mij te haten. Hij beschikt over een eindeloze hoeveelheid tijd, de eruditie van een kruiswoordpuzzelmaniak en de inventiviteit van een sentimentele liederencomponist. Afgunst is niet eens de verklaring voor de hartstocht waarmee hij me probeert te vernietigen; hij is een soort omgekeerde dubbelganger met de obsessie mij kapot te willen maken. Er is bijna iets metafysisch – iets van een verzwakt heldendom of van verraderlijkheid – in zijn behoefte elke bladzij die ik schrijf af te branden. Zijn aanvallen hebben weinig te maken met mijn stijl of met zijn literaire waarden: in zijn duivelse strijd tegen mij is hij bereid zijn eigen prestige te grabbel te gooien. Ik kan niet eens zeggen of hij mijn vijand of mijn tegenstander is – mijn Ridder van de Spiegels –, ik zie hem eerder als mijn schaduw, een zwart silhouet dat me mijns ondanks altijd vergezelt.*

'Het is heel makkelijk de spot te drijven met de hedendaagse kunst, Josefa.'

'Nou, het lijkt me anders nog veel makkelijker die te maken.' Wanneer mijn assistente cynisch wordt, is ze zo'n vrouw die zelden lacht. 'Je hoeft maar een ideetje te hebben, nietwaar? Dat heb jij me uitgelegd. Om de Venus van Milo bijvoorbeeld zo gruwelijk in het paars te schilderen hoef je toch echt niet veel vernuft te hebben...'

* Het is duidelijk dat Quevedo hier verwijst naar Juan Pérez Avella, wiens boek *Quevedo vergeten*, in maart 1989 werd gepubliceerd. (noot v.d. uitg.)

'Dat is een blauw van Yves Klein!'

'En nu ga je me de volgende twee uur zeker proberen te overtuigen van de zogenaamde emotie die dit barbaarse gedoe bij je oproept. Jezus, Aníbal, geloven de kunstcritici zelf echt alles wat ze zeggen?'

Het ergste is dat Josefa niet alleen staat: haar meningen worden – *hélas* – gedeeld door duizenden mensen zoals zij. *De gewone mensen*. Begreep het klootjesvolk Jeroen Bosch, Van Gogh of Picasso soms in hun tijd? Is het soms de taak van het publiek de waarde van een kunstwerk vast te stellen? Onwetendheid is, net als armoede, een endemisch kwaad dat moet worden uitgeroeid; daarom heb ik als kunstcriticus de taak in de *voorhoede* te blijven. Dat wil zeggen, klaar staan om als eerste te schieten.

Je hebt vrijwel geen bezittingen. Ik zie je meer als een franciscaner non dan als een revolutionaire vrouw. Afgezien van een paar foto's en wat ondergoed die je uit je oude familiehuis hebt gehaald, verschijn je hier bijna naakt, alsof je net geboren bent. Misschien is dat ook zo: nadat je je hebt ontdaan van de indringer die door een Chileense militair in je buik was geplant, ben je in het leven teruggekeerd.

'Kom binnen, loop door,' moedig ik je een beetje gegeneerd aan. 'Dit was de kamer van Josefa en nu wordt het de jouwe. Maak het je gemakkelijk.'

Ik durf je niet eens te suggereren het bed met me te delen: je wonden zijn nog te vers en we hebben er alle twee behoefte aan elkaar opnieuw te leren kennen. Je geeft geen antwoord. En als jij ook liever met mij slaapt, maar het ook niet durft te zeggen? Zijn we niet bezig elkaar te veroordelen tot een pijnlijk misverstand?

'Dank je,' zeg je alleen. 'Een prima kamer.'

Ik hoor geen enkel enthousiasme in je stem, hoogstens iets van berusting.

'Ik zal schone lakens voor je halen en wat handdoeken.'

'Dat hoeft niet, die pak ik straks zelf wel. Ik wil nu liever alleen zijn. Ik moet uitrusten. Vind je het erg?'

'Nee, zoals je wilt,' zeg ik verontschuldigend. 'Als je nog wat wilt, roep me dan.'

Ik ga weg en jij doet de deur dicht. Ik laat me op mijn bed vallen en probeer wat te lezen in *L'empire des signes* van Barthes. Ik kan me nauwelijks concentreren: nu ik je niet in mijn armen kan nemen terwijl je slaapt, had ik graag het ritme van je adem willen horen in de verte.

Dit is het begin van mijn kwelling.

Roland Barthes is al tientallen jaren bezig dingen op kleine fiches te schrijven en die te catalogiseren. Iedere keer als hij wordt besprongen door een idee of verrast door een boek of een relevante zin, of als er een vlaag van humor of een ingeving in hem opkomt, maakt hij een aantekening op een kaartje in zijn minutieuze handschrift. Door middel van deze handarbeid – werk van een man die dol is op raadsels – ontcijfert hij de wereld. In tegenstelling tot wat je zou kunnen denken heeft hij niet dezelfde taak op zich genomen als een criticus of een academicus: hij is niet geïnteresseerd in minutieus onderzoek, universele systemen of belachelijke theorieën over het geheel; hij is niet zozeer geobsedeerd door betekenissen als wel door de uiterst subtiele schoonheid van betekenaars. Het is niet toevallig dat hij zich zo aangetrokken voelt tot de Japanse kalligrafie: zijn verlangen lijkt op dat van oosterse kunstenaars die hun penseel over de zijden stof laten glijden alsof ze er een stukje landschap op drukken. Net als zij vermijdt Barthes menselijke figuren, louter oneffenheden – schaduwen – in de geografie: de kosmos is een opeenstapeling van details, knipoogjes en insinuaties. Vanaf de jaren zeventig veranderen zijn woorden langzaam maar zeker in schetsen, en korte tijd later – een klein wonder – in echte tekeningen… De letters die hij schetst verdwijnen niet zozeer maar houden op te *betekenen*: ze veranderen in geometrische figuren, in kleurenvlekken, in bijna kinderlijke wartaal. Geïnspireerd door dit soort schilderkunstig zenboeddisme, verdwijnt zijn 'ik'.

Mijn Voorbeeldige Criticus noemt jou nauwelijks in zijn verderfelijke pamflet. Die lange maanden aan jouw zijde waren misschien niet de gelukkigste – ik zou die opeenvolging van schrik, jaloezie en spijt niet als synoniem van het geluk kunnen kenschetsen – maar wel de dierbaarste van mijn leven. De enige momenten waarop ik mezelf was. De enige *echte* momenten. Maar in zijn boek handelt hij jou met één pennenstreek af, alsof je nooit hebt bestaan. Niet omdat hij me, zoals in andere gevallen, niet begrijpt of niet weet hoe belangrijk je voor me bent, maar omdat hij sterft van jaloezie, al doet hij zijn uiterste best te bewijzen dat hij me haat en minacht. Om wraak te nemen op mij stoot hij jou uit mijn geschiedenis. Alleen al om dit tegen te houden zou het de moeite waard zijn deze bladzijden te schrijven.

'Wat gaat Claire nu doen?'

'Dat heeft ze nog niet besloten, Josefa,' antwoord ik. 'Na alles wat er gebeurd is, heeft ze nergens zin in. Voorlopig zou een van mijn kunstenaarsvrienden haar wel als model willen hebben.'

'Hoor ik het goed, Aníbal, wil je beweren dat Claire Vermont, onze eeuwige revolutionair, voor een schilder gaat poseren?'

'Dan heeft ze het gevoel dat ze nuttig is. Begrijp me goed, ze heeft haar politieke engagement niet opgegeven, alleen lukt het haar dezer dagen niet het vlot te trekken. Ze heeft te veel haat opgekropt.'

'Denkt ze erover weer in psychoanalyse te gaan?'

'Voorlopig heeft ze daar geen belangstelling voor.' Ik ben in de war gebracht. 'En ik ook niet. Hoe lang was ze bij Lacan zonder dat die haar ook maar in de verste verte geholpen heeft? Nee, we zijn het er allebei over eens dat haar wonden langzaam moeten helen.'

'Allebei? Je praat alsof jullie een echtpaar zijn.'

'Misschien is dat ook zo, Josefa,' zeg ik verontwaardigd.

'Echt waar?'

'Ja... op een bepaalde manier.'

Josefa kijkt me met haar priemende ogen onderzoekend aan.

'Heb je al met haar geneukt, Aníbal?'

Ondanks haar onbeschaamdheid verbergt haar vraag een vleugje tederheid. Ik doe liever alsof ik me diep beledigd voel.

'Soms is het niet nodig dat twee mensen de liefde bedrijven om hun liefde op een andere manier te laten opbloeien...'

'Dus je hebt niet met haar geneukt.'

'Jezus, Josefa, dat zou je toch moeten begrijpen. Na alles wat er gebeurd is...'

'Je hebt beslist niet met haar geneukt.'

Josefa's stem wordt zacht en onvermurwbaar. Zoals de waarheid zelf.

Hij heet Albert Girard en hij is net terug uit Italië. Hij is niet al te jong meer – hij zal een paar jaar jonger zijn dan ik – maar zijn gezicht vertoont nog jeugdige trekken: zijn blonde haar komt tot zijn schouders en de lange pluk die over zijn voorhoofd valt verbergt dat hij lichtelijk scheel kijkt. Hij is onstuimig, ruw en onbeheersbaar. Hij kende Asger Jorn van nabij, de Deense schilder die geassocieerd was met de situationisten, en in zijn foto's en schilderijen sijpelt iets door van diens vurigheid en antiburgerlijke woede. Wanneer Yvon Lambert hem aan me voorstelt zegt hij dat hij een van de grote beloften van zijn generatie is (de galeriehouder denkt dat ik dit soort schilderkunst misschien zou willen aanschaffen). Terwijl ik enkele doeken bekijk – een serie montages die een bijna natuurlijke precisie vertonen – raken we in een venijnige discussie verwikkeld. Zodra Girard verneemt dat ik een lacaniaans psychoanalyticus ben, haalt hij me het vel over de oren met het soort arrogantie dat een jong genie eigen is, omdat hij ervan overtuigd is dat ik een typisch lid ben van die kaste van fanatici. Ik vat onmiddellijk sympathie voor hem op en het slot van het liedje is dat we samen gaan lunchen in een brasserie in de Marais. Terwijl we elk een biefstuk tartaar naar binnen werken vertelt hij me over een wereld die bevolkt wordt door individuen – of demiurgen – van wie ik tot nu toe nooit heb gehoord: Lawrence Weiner, Jan Dibbets, Robbert Barry, Joseph Kosuth en de stellen Gilbert en George en Art & Language. Bij het afscheid belooft hij me uit te nodigen in zijn atelier.

In tegenstelling tot wat gewoonlijk wordt gedacht is de hedendaagse kunst de weerspiegeling van de triomf van het woord over het beeld. Een werk is niet van belang om wat het *is*, maar om wat je naar aanleiding ervan zegt, om de geschiedenissen die uit de beelden tevoorschijn komen, om de door de kunstenaar, de criticus en de eenvoudige kijker uitgewisselde verhalen, die *verder gaan* dan de werken.

Mijn Voorbeeldige Criticus zegt – en hij zegt het letterlijk – dat ik op het terrein van de kunst zowel als op alle andere terreinen waarvoor ik me ooit heb geïnteresseerd, 'nooit ergens iets van heb begrepen'. Volgens hem was mijn toenadering tot de beeldende kunst 'even oppervlakkig en even gewaagd' als mijn band met de psychoanalyse van Lacan, het marxisme van Althusser, de literaire kritiek van Barthes of de filosofie van de macht van Foucault.

Even oppervlakkig en even gewaagd. Deze woorden zijn toch zeker de perfecte samenvatting van het wezen van de hedendaagse kunst?

'En jij, heb jij hem al teruggezien?' vraag je mij.

'Lacan?' vraag ik verschrikt. 'Nee, nee.'

Ik drink mijn glas bourgogne haastig, bijna overdreven snel leeg. Mijn antwoord is niet helemaal correct – ik ben hem twee of drie keer tegengekomen en dan hadden we het even over jou – maar ik heb vanavond geen zin om over hem te praten. Ik wil het over ons hebben. Daar *heb ik behoefte aan.*

Ik loop er al dagen over te denken wat ik tegen je zal zeggen, of liever gezegd hoe ik het zal zeggen. Want opeens *weet ik het.* Om de een of andere verborgen reden, uit angst of schaamte ben ik niet in staat geweest het te erkennen, niet eens tegenover mezelf. Hoelang ken ik je al? Drie jaar? Vier? Al doe ik alleen mezelf pijn door mijn gevoelens voor jou te verbergen, ik ben tot nu toe niet in staat geweest mijn verlangen hardop uit te spreken. Ik houd het niet langer uit. Ik moet het je zeggen. Niet zozeer om je iets te onthullen dat jij toch allang weet, maar om je te laten zien dat ik in staat ben de confrontatie met mijn inzicht aan te gaan en het je te melden.

'Ik neem aan dat ik op een goed moment bij Jacques op bezoek moet gaan,' mompel je apatisch. 'Ik wil hem liever zelf vertellen dat ik terug ben.'

'Dat zou het beste zijn.'

Je brengt je glas naar je mond. De wijn is een van onze vaste banden: een brug die we elk vanaf onze oever bouwen en die ons uiteindelijk altijd bij elkaar brengt. We hebben zijn hulp nu meer dan ooit nodig. Anders zouden we verdrinken. Ik bestel nog een fles. Om ons heen raken de tafeltjes langzamerhand leeg.

'Claire,' ik zeg je naam.

'Wat?'

'Ik ken je niet en misschien wil ik je niet kennen, maar ik weet eindelijk wat ik wil: jou volgen in de hoop, alleen maar de hoop, op een dag een glimp van je te zien.'

Misschien komt het door de wijn, door de plotselinge intimiteit tussen ons – Chez Julien is nu helemaal leeg – of door een geheim dat me niet aangaat en waar je me buiten houdt, maar opeens begin je te huilen. Zonder er tweemaal over na te denken ga ik dichter naar je toe, kus je natte oogleden en daal dan af langs je jukbeenderen en je wangen tot ik bij je lippen kom. Voor het eerst sinds lange tijd zijn we samen. Ik heb je terug.

We betalen de rekening en lopen wankelend naar huis met de armen om elkaar heen, alsof we gelukkig waren.

'Blijf bij me,' zeg ik terwijl we de trappen op lopen.

Je omhelst me krachtiger dan ooit.

'Dat kan ik niet.'

'Blijf bij me,' fluister ik.

Je aait mijn gezicht.

'Dat kan ik niet.'

Ik probeer het, als in de bijbel, voor de derde keer en weet dat het de laatste is.

'Blijf bij me,' smeek ik je daar, stuurloos, in het donker.

Je kust me voor het laatst.

'Nee.'

Josefa heeft niet meer dan drie minuten nodig gehad om de catalogus van Girard, die ik haar heb gegeven, te bekijken. Zelfs wanneer ik haar uitleg dat de kijker het werk met zijn verbeelding moet voltooien om de hedendaagse kunst te kunnen waarderen, wek ik geen nieuwsgierigheid bij haar op. Ik ben de hele middag al bezig haar mijn plotselinge enthousiasme voor het werk van Girard uit te leggen, wiens atelier ik de dag daarvoor heb bezocht, maar ze lijkt niet geïnteresseerd.

'Het spijt me, Aníbal, *caramba*, ik begrijp niet hoe je die troep goed kunt vinden,' roept ze terwijl ze het boekwerk dichtslaat.

Het lukt haar voor het eerst mijn irritatie op te wekken.

'Waarom moet jij altijd zo grof in de mond zijn, Josefa?' Ik eis een verklaring.

'Dan kunnen de critici niet zeggen dat er in dit boek geen *couleur locale* te vinden is.'

Hoewel hij door toedoen van de studentenbeweging de incarnatie van de intellectuele mandarijnen is geworden – je hoeft alleen maar te denken aan de leus 'De structuren gaan de straat niet op' –, verbergt Barthes niet dat het voor hem ongemakkelijk is les te blijven geven op de École des Hautes Études. Hij verdraagt het niet dat zijn naam voor-komt op de misdadigerslijst die de jonge radicalen hebben opgesteld. Geobsedeerd door het verlangen te vluchten – of liever gezegd: te ver-dwijnen –, aanvaardt hij de uitnodiging van een vroegere leerling om les te gaan geven aan de universiteit Mohammed v. Zoals Foucault en-kele jaren eerder in Tunesië, stelt Barthes zich voor dat hij in Marokko de vrijheid en de vrede zal vinden die hem in zijn vaderland onthou-den worden. Helaas zijn de studenten in Rabat nog feller dan die in zijn vaderland, en omdat ze vastbesloten zijn de revolutie te ontkete-nen zullen ze zijn onverschilligheid jegens het marxisme niet dulden. Barthes, die in die miniatuurversie van het Parijs van het jaar '68 is te-ruggevallen tot de status van paria, schrijft in het geheim een boek dat het midden houdt tussen een dagboek, memoires, fictie en aforismen: *Incidents.* Ingesloten door de Geschiedenis, waar hij zo'n hekel aan heeft, veroorlooft Barthes het zich voor het eerst zichzelf te zijn. Al-thans bijna.

Waarom voel jij de behoefte – de plicht – me altijd hetzelfde teken te geven: *nee?*

'Denk eraan, meneer, je moet nooit een Marokkaan in huis nemen die je niet kent, zegt deze Marokkaan die ik in huis heb genomen en die ik niet ken,' schrijft Barthes in *Incidents*. Wat een subtiele weergave, in slechts twee regels, van zijn zwakte!

'Wat vond je van Girard?'
'Wil je een eerlijk antwoord?' vraag je me. 'Heel arrogant. Oef, wal-gelijk.'
Het is waar, jouw ontmoeting met hem begon niet best. Ik had je meegenomen naar het atelier van Girard zonder hem vooraf te waar-schuwen, en we troffen hem in bed met een van zijn minnaressen. Hoewel hij zijn naaktheid probeerde te verbergen, was het niet moei-lijk te raden dat we hem onderbraken.
Eerlijk gezegd voelde ik me zeer ongemakkelijk toen hij ons binnen-liet en we langs de vrouw moesten lopen, die ons met een minachtend trekje op haar gezicht bekeek. Zij was door haar verschijning (geblon-deerd haar, grote borsten, geschoren geslacht) de vulgariteit in eigen

persoon. De vraag die jij en ik onszelf in stilte stelden was duidelijk: hoe kan een echte kunstenaar zich aangetrokken voelen door iemand als *zij*?

'Ik weet dat hij je vriend is, Aníbal, maar ik geloof niet dat het een goed idee is dat ik ga werken voor iemand die van het begin af aan zo'n slechte indruk maakt,' zei je ter verontschuldiging. 'Het spijt me, maar ik doe het liever niet.'

'Maar heb je zijn werk gezien?'

'Ja.'

'Vind je het niet fascinerend?'

'Ik zou dat woord zelf niet gebruiken,' houd je vol. 'Zijn fotoseries hebben iets, hoe zal ik het zeggen, iets sinisters.'

'Precies! Dat trekt me juist zo aan, Claire: zijn vermogen om verwarring te stichten. Hij laat amper vormen zien en toch bedreigt hij ons…'

'Irriteert hij ons, zou ik liever zeggen…'

'Het is jouw beslissing. Neem de tijd.'

'Dank je wel, Aníbal, maar ik vrees dat ik niet van mening verander.'

Nog een scène in Marokko. Als Barthes op bezoek is bij vrienden, laat hij hun de foto's zien die hij op de kamelenmarkt van Goulimine heeft gemaakt.

'Ze zijn niet zo goed, hè?' zegt hij ter verontschuldiging. 'Eerlijk gezegd was ik het meest geïnteresseerd in de kamelendrijvers…'

We wonen in hetzelfde huis, maar ik weet nauwelijks iets van je. We praten dagelijks, we ontbijten samen, we komen elkaar toevallig tegen in de badkamer of in de keuken, soms gaan we samen dineren of naar de film. We delen een zekere *intimiteit*. En toch bestaat er een barrière tussen ons die niet alleen fysiek is (de altijd gesloten deur van jouw kamer) maar ook psychologisch (jouw onvermogen je te laten kennen). Wat ik ook doe, je laat me niets zien, nog geen glimpje van waar jouw verlangen naar uitgaat. We kunnen uren met elkaar praten, maar net als Barthes verberg je alles wat je overkomt. Het is jouw obsessie mij op afstand te houden. Mij je mysterie (of je stilte) op te leggen. Alsof jouw daden de drukletters waren in een tekst en jij, de schrijfster, aan een andere wereld toebehoorde.

Een van de stukken van Art & Language waar Girard zo van onder de indruk is, heeft als titel *100% Abstracto* (1968), en kan op deze bladzij worden gereproduceerd:

53.5 %
17.3 %
12.2 %
17.0 %

'De titel zegt alles, Josefa. Als je twijfelt, kun je zelf de optelsom maken.'

De werkgroep van Barthes begint elke dag meer op die van Lacan te lijken. Parijs raakt vol spektakels voor ieders smaak. Nu hij na al die maanden van boetedoening in Marokko weer een aandachtspunt is geworden, snellen tientallen leerlingen en toehoorders toe om naar hem te luisteren. Gezien het ruimtegebrek in het gebouw aan de rue Tournon verhuizen we naar een zaal die gehuurd is van de Franse Theosofische Vereniging, maar uiteindelijk gaan we vanwege talloze protesten toch weer terug naar het oorspronkelijke adres. Barthes doet zijn best om het aantal deelnemers terug te brengen – hij verdeelt de groep in drieën, stuurt mensen weg die niet ingeschreven staan (zoals ik), wordt stug en onaardig –, maar zijn pogingen zijn vergeefs. Dan legt hij zich erbij neer: eind 1973 kan hij zijn sterrenstatus niet meer ontlopen.

Ik word midden in de nacht wakker. Ik vergis me niet: ik hoor je in de verte huilen. Ik ga stilletjes naar je kamer, alsof ik een indringer ben; voor een keer heb je je deur halfopen gelaten. Ik herken je gesnik. Zogenaamd uit beleefdheid roep ik je naam en zonder op antwoord te wachten stap ik de duisternis binnen. Daar zie ik je op het bed zitten, voorovergebogen als een kleine, witte piramide, het silhouet van een spook. Ik kom langzaam dichterbij, bang de betovering te verbreken, en sla mijn armen om je heen. Als mijn handen je blote schouders aanraken, krijg ik een koude rilling.
'Gaat het goed met je?' fluister ik.
Je legt je vingers op mijn mond.
'Neem me alsjeblieft in je armen. Vanavond wil ik niet alleen slapen.'

De restjes licht die door de gordijnen sijpelen brandmerken je huid als een heet kooltje. We gaan zwijgend liggen, jouw gezicht vlak bij het mijne. Zedig maak ik mijn vingers schoon – *mijn* verdriet – met jouw tranen; dan kus ik je oogleden net zo lang tot je inslaapt. De kalmte neemt je in bezit, maar mijn lichaam kan geen weerstand bieden. Mijn erectie is in tegenspraak met de wetten van de gevoelens: ik word overmand door wellust. Ik wacht enkele minuten – of zouden het uren zijn? – maar mijn vlees blijft in dezelfde toestand, valselijk beschaamd. Ik kan mijn verlangen niet weerstaan en glijd onder de lakens die jouw benen bedekken.

Ik begeef me tussen je dijen en kus ze voorzichtig en trillend. Met steeds meer zelfvertrouwen ga ik in tegengestelde richting omhoog, rechtstreeks naar je venusheuvel. Ik duw de stof die je bedekt weg – ik weet niet wanneer je wakker bent geworden – en duw mijn gezicht in de holte van je geslacht. Ik ruik je. Ik raak je aan. Ik proef je. Eindelijk word je echt. Even later hoor ik je eerste gehijg. Je houdt me tegen. Je omhelst me. Je troost me. Ik tril nog steeds, terwijl ik in slaap val, beschermd door het kloppen van jouw hart.

Ik begin te schrijven. Dat wil niet zeggen dat ik het vroeger niet heb gedaan, maar nu beschouw ik het als een inaugurele daad. Het gaat niet om wetenschappelijke artikelen of literatuur, maar om kleine overpeinzingen over hedendaagse kunst (tussendoor geef ik commentaar op mijn leven). Kleine stukjes, schetsen, aantekeningen waarin ik mijn verbazing kan verklaren over een werk of een kunstenaar. Na een paar maanden heb ik al honderden fiches bij elkaar...

Ik verzoek Josefa me te helpen die te ordenen, en zij dringt erop aan dat ik ze publiceer. Na verschillende pogingen krijgen we eindelijk een positief antwoord: de *Journal de Grenoble* (Rhône-Alpes) geeft me een contract als vaste medewerker voor iedere week een stukje. In het begin houd ik me alleen bezig met onderwerpen die met de Europese avant-gardekunst te maken hebben (mijn column heet niet voor niets 'De hoorns van Europa'), en pas later veroorloof ik me uitweidingen over andere zaken – politiek, gewoonten, mode, muziek, gastronomie of de *Quichot* –, geheel in de voetsporen van *Les mythologies* van Barthes. Het betaalt niet slecht en dat is maar goed ook, want na zoveel jaren zonder inkomsten is mijn spaargeld bijna op.

In *Barthes par Barthes*, een soort fragmentarische autobiografie in de derde persoon, schrijft de auteur: 'Een *afbeelding* van zichzelf verdraagt hij slecht, hij lijdt wanneer zijn naam wordt genoemd. Hij meent dat de volmaaktheid van een menselijke relatie ligt in de afwezigheid van dat beeld: daarom wil hij de *bijvoeglijke naamwoorden* die de mensen voor elkaar gebruiken afschaffen; een relatie die bijvoeglijke naamwoorden gebruikt staat aan de kant van het beeld, aan de kant van de overheersing en de dood.'

Hoe moet je dan tegen de ander zeggen dat hij je *geliefde* is?

'Wanneer is het begonnen, zei je?' vraagt Josefa me.

'Veertien dagen geleden,' beken ik.

'En die hoerenmeid had het niet tegen je gezegd?'

'Noem haar alsjeblieft niet zo, Josefa...'

'Wat was het excuus van *mademoiselle* dan wel?'

'Volgens haar wandelde ze toevallig door de rue Gambetta en toen herinnerde ze zich dat de studio van Girard daar niet ver vandaan is. Ze belde aan en praatte even met hem en daarna heeft hij haar overgehaald voor hem te poseren.'

'Als het allemaal zo *toevallig* was, waarom heeft ze het jou dan niet meteen verteld?'

'Ze schaamde zich.' Zelfs ik geloof die verklaring niet, maar ik doe alsof om zo mijn jaloezie te temperen. 'Omdat ze zich eerst zo onaardig over hem had uitgelaten dacht ze dat ik haar zou verwijten dat ze niet logisch redeneerde...'

'En ze heeft jou ervan overtuigd dat hun relatie *zuiver professioneel* is...'

'Dat zegt ze, ja.'

'En jij gelooft haar, Aníbal?'

'Ik weet het niet.'

'Denk je dat hij *wel* met haar neukt?'

Ik doe er enkele seconden het zwijgen toe. Lang genoeg om ervoor te zorgen dat mijn woede wordt versneden met mijn zelfmedelijden.

'Ik zei je toch al dat ik het niet weet.'

Het werk is een lange fotomontage. De beelden glijden als slangen over de hele lengte van de muur. Ze vormen geen rechte lijn (te voorspelbaar), maar een soort horizon die deint als een woeste zee. Het bordje meldt: ALBERT GIRARD, MIJN STUDIO (olieverf op doek, 1974). De eerste figuren zijn bijna abstract: witte muren, het bovenste deel van een kast (de deur op een kier), de radiator, een wasbak... Daarna, op het centrale paneel, een werktafel (tubes verf, allerlei papieren, kladversies, puntenslijpers, driehoeken, flesjes inkt, penselen) en in het midden een enorm, openstaand raam waardoorheen je het nevelige ochtendlicht kunt zien. En tot slot, uiterst rechts, amper herkenbaar, een versiering op de muur: weer is het moeilijk te zien of het een schilderij of een foto is. Alleen ik herken jouw lichtelijk beschaduwde gezicht en op de voorgrond de pijnlijke curve van jouw borsten.

Realiseer jij je dat je sinds we elkaar kennen niets anders hebt gedaan dan mij laten boeten voor jouw schoonheid?

In mijn wekelijkse bijdrage voor de *Journal de Grenoble* schrijf ik: 'Er is iets ziekelijks in het werk van Albert Girard. Je zou hem eerder als een exhibitionist dan als een schepper moeten beschouwen. Niet omdat hij zichzelf afbeeldt, maar omdat hij er geen been in ziet ons zijn kleinzieligheid te onthullen. Op het schilderij *Mijn studio* bijvoorbeeld zijn de onbeduidende verdeling van de beelden, het gebrek aan techniek (hier beschouwd als een karakteristiek), de banaliteit van zijn blik (wie zou geïnteresseerd kunnen zijn in *zijn* studio?) en zijn zelfvoldaanheid het minst belangrijk. Nee, wat wel interessant is (wat wordt onthuld) is zijn geheime fascinatie voor geweld, die verborgen zit in de hoeken, de schaduwen en de breekbaarheid van bepaalde details. Om een moeilijk te achterhalen reden wordt zijn atelier *bedreigend*. Daar, in de ogenschijnlijke netheid van zijn werkruimte (in de banaliteit van zijn bestaan) verbergt zich de kiem van een verraad.'
Ik kan het niet geloven! Girard is opgetogen over mijn artikel.

Ik breng de avond door met Barthes. Het is me eindelijk gelukt hem uit te nodigen om samen te gaan eten in La Coupole. Tijdens het diner is hij zwijgzaam, hij heeft meer belangstelling voor de gedragingen van de andere gasten dan voor een gesprek met mij. Zijn aandacht richt zich geen moment op één enkel ding, zijn blik schiet de hele tijd heen en weer. Zijn handen eigenen zich het bestek toe alsof ze hogedrukspuiten vasthouden. Hij glimlacht nauwelijks om mijn grapjes. Op het laatst heb ik het gevoel dat hij me een vulgair type vindt. Voordat hij weggaat fluistert hij (vriendelijk): 'Het was me een buitengewoon genoegen.'

Hoewel hij vroeger tbc heeft gehad is Barthes een verstokte roker. Lange tijd waren zijn favoriete sigaren Punch Culebras – die eruitzien als pijpenkrullen –, maar hij wisselde onmiddellijk van merk toen hij hoorde dat Lacan die ook het liefst rookte.

Ik ga heel opgewonden naar huis. Ik moet je vertellen over mijn ontmoeting met Barthes, mijn gevoel van verbazing en lichtheid. Ik kom binnen en doe de lamp aan. Ik zie je nergens. Ik loop stilletjes naar je kamer. Je deur is dicht, zoals gewoonlijk. Ik sta op het punt te kloppen als ik binnen stemmen hoor. De ene is van jou, de andere van een man. Ik weet het zeker: je bent met *hem*.

In zijn infame boekje schrijft mijn Voorbeeldige Criticus dat ik nooit nauwe betrekkingen met Barthes heb gehad en dat ons temperament van het begin af aan een afstand tussen ons schiep. Volgens mijn Ridder van de Spiegels was Barthes een gereserveerde, fanatieke man die zijn privacy verdedigde en was ik precies het tegenovergestelde: een extroverte, getikte exhibitionist. Zijn conclusie is simpel: wij konden geen vrienden zijn. Hoe is het mogelijk dat hij zoiets durft te beweren louter op grond van het lezen van onze boeken? De arme man begrijpt er niets van: teksten spreken alleen over andere teksten, ze vormen een gesloten, claustrofobische wereld, zoiets als een extra beveiligde cel; als je er eenmaal in zit, kom je er onmogelijk weer uit. Het mag ongelooflijk lijken, maar Barthes en ik zijn ook *personen*. Mijn Voorbeeldige Criticus heeft ons nooit samen gezien, heeft nooit onze gesprekken gehoord, was er nooit bij als we dineerden of natafelden. Wat weet hij er verdomme van?

'Dus nu gaat ze jouw huis in een bordeel veranderen.'
   'Alsjeblieft, Josefa…'
   'Het is de waarheid,' protesteert ze. 'En wat denk je eraan te doen?'
   'Weet ik niet.'

'Dat wil zeggen: niets.'

'Met haar praten, denk ik.'

'Het is *jouw* huis. Ze moet jouw voorwaarden aanvaarden. Als het haar niet bevalt, gaat ze maar ergens anders heen. Ze is niet armlastig.'

'Misschien praatten ze alleen maar,' troost ik mezelf. 'Ik kan haar ook niet verbieden haar vrienden te ontvangen...'

'Je moet het zelf weten, Aníbal. Als je een hel wilt, kun je hem krijgen.'

Ik heb de hele nacht niet geslapen. Deze keer helpt het helemaal niet om Barthes te lezen: de letters glijden met totale onverschilligheid voor mijn ogen langs en kunnen mijn aandacht niet afleiden van het enige wat me zorgen baart: de geluiden aan de andere kant van de muur. Ik wacht op de klap van de dichtslaande deur (het teken dat *hij* vertrokken is) alsof ik op een wonder wacht. De wijzers van de klok zijn mijn kruis: tien uur, elf uur, middernacht... En als hij al weg is en als ik het in een onbewaakt ogenblik niet heb gemerkt? Ik wil net opstaan, als het begeerde signaal eindelijk komt. Ik ga voor het raam staan en zie hoe je afscheid neemt. Ik vergis me niet: je aanvaardt de kus die hij op jouw lippen drukt. Ik haat je.

De treurigste schepselen zijn niet de mensen die niet in staat zijn lief te hebben, maar lieden zoals jij, die het niet eens verdragen dat ze worden liefgehad.

's Ochtends aan het ontbijt verraadt de stilte me. Jij probeert je normaal te gedragen, maar omdat je je te zeer bewust bent van mijn woede, fingeer je een kalmte die je niet voelt. Je doet je best om te bewijzen dat er niets aan de hand is of liever dat ik me geen zorgen hoef te maken. Je reikt me een kop koffie aan en vraagt of ik goed geslapen heb, niet uit gewoonte maar omdat we op dit moment – als een oud echtpaar – alle twee een scenario volgen en de eerste de beste vergissing een eind kan maken aan onze afspraak. Wat mij betreft, ik doe precies het tegenovergestelde: door te zwijgen leg ik een dubbele claim op je: om wat je hebt gedaan en omdat je mijn lijden niet verlicht. Eigenlijk gaat het erom te kijken wie de koppigste is.

'Je had bezoek...'

Mijn toon is alles behalve terloops.

'Ja, Albert.'

'Eerst noemde je hem Girard.'

'Wat kunnen de dingen veranderen, hè?'

'Nu vind je hem aardig.'

'Ik vind nog steeds dat hij veel te arrogant is. Een echte macho.'

'En dus?' Mijn ondervraging wordt vijandig.

'Niks.'

'Niks?'

'Alsjeblieft, Aníbal. Ik heb model gestaan, daarna wilde hij me naar huis brengen en hier hebben we nog wat zitten praten.'

'Dat was alles. Hij is niet van plan om met je naar bed te gaan.'

'Natuurlijk wel,' geef je gemakkelijk toe. 'Maar *ik niet.*'

Hoewel ik aanneem dat jouw antwoord me gerust zou moeten stellen, gebeurt het tegenovergestelde. Het ergste is dat ik geen puf meer heb om door te gaan; een soort gêne weerhoudt me, niet alleen omdat ik geen recht heb je iets te verwijten, maar omdat ik weet dat claims altijd *belachelijk* zijn. Dus houd ik me in, dat wil zeggen: ik stel de scène uit tot later, wanneer mijn woede groter zal zijn dan mijn schaamte.

Wanneer ik Barthes mijn liefdesgeschiedenis vertel, raakt hij eindelijk op me gesteld. Hij is opgetogen en wordt mijn vertrouwensman, en ik word een van de mensen die hem van anekdotes voorziet. Volop bezig met het schrijven van zijn *Fragments d'un discours amoureux,* moet de criticus een zo compleet mogelijke casuïstiek bijeenbrengen van de woorden die geliefden bezigen, en ik eindig als een van de centrale personages in zijn boek. Achter vele bladzijden herken ik mijn klachten en mijn wanhoop.

In het hoofdstuk 'De jaloezie' schrijft Barthes bijvoorbeeld: 'Omgekeerd conformisme: ik ben niet jaloers meer, ik veroordeel exclusivisten, ik leef met vele anderen, et cetera. Laten we eens zien hoe het werkelijk is: als ik eens probeerde niet meer jaloers te zijn uit schaamte dat ik het wel ben? Jaloezie is verschrikkelijk, het is burgerlijk: het is iets onwaardigs, *jaloezie*: dat soort jaloezie verwerpen we.' Ik schaam me om het toe te geven, maar deze alinea slaat op *mij*. En op mijn stompzinnige verlangen de jaloezie die jij bij me oproept uit te schakelen.

Twee dagen lang komt er niemand bij je op bezoek. Ik ben gekalmeerd en nodig je uit voor een concert (van Boulez, wat misschien niet zo'n goed idee is); je gaat zonder bezwaar mee en je gedraagt je even charmant als altijd. Na afloop praten, drinken en lachen we en worden we een beetje dronken, zoals altijd. En ik vertrouw erop, vergeefs, dat alles weer wordt zoals het was.

'Je hebt de regels van het begin af aan aanvaard, je kunt niet zeggen dat ik je niet heb gewaarschuwd.' Met deze woorden rechtvaardig je elk gedrag (en druk je elk verwijt de kop in). Net als bij het kaarten slinger je me in het gezicht: *meegaan* of *passen*. Maar het is nogal onrechtvaardig dat jij met gemerkte kaarten speelt: jij kunt altijd winnen.

Ik wandel in de buurt van het Île Saint-Louis als ik hem in de verte zie. Op een paar stappen van me vandaan zit hij met zijn lange gestalte geknield op de Seine-oever. Wat doet hij daar? Misschien naar zijn spiegelbeeld kijken? Opeens zie ik dat hij zijn lange vingers in het water laat verdwijnen, en ik stel me voor dat Julio Cortázar niet alleen verfrissing zoekt, maar dat hij de kleine axolotl, die hij uit het aquarium in de Jardin des Plantes heeft gestolen, teruggeeft aan de rivier.

Je weigert me zowel het vertrouwen dat bij vriendschap hoort als de hartstocht die met de liefde wordt geassocieerd. Je hoeft geen psychoanalyticus te zijn om te ontdekken dat jij mij de leegte van je naam kwalijk neemt.

Mijn Voorbeeldige Criticus schrijft dat ik alleen maar toenadering tot Barthes heb gezocht om te profiteren van diens contacten; volgens deze perverse stelling was Barthes' roem in die tijd groter dan die van Lacan, en kon het me daarom niet schelen mijn oude leermeester af te danken. Barthes verschafte me toegang tot de mensen van de groep rond het tijdschrift *Tel Quel*, zoals Philippe Sollers, Julia Kristeva, Severo Sarduy en François Wahl.

Mijn Ridder van de Spiegels vergist zich opnieuw: in die tijd vertoonden Sollers en zijn vrienden pas hun eerste neigingen tot het maoïsme, terwijl ik juist probeerde mijn oude radicale geloof zo ver mogelijk achter me te laten. *Toen zij nog op de heenweg waren, was ik al op de terugweg*. Mijn toenadering tot Barthes had niets met politiek te maken: alle twee bezagen we de verheerlijking van Mao met minachting.

Jij bent niet in staat het woord 'liefde' uit te spreken. Alsof je je tong zou branden wanneer je deze betekenaar zou zeggen. Of erger nog, alsof je je ertegen verzette hem te gebruiken uit angst hem echt te ondergaan. In plaats daarvan blijf je halsstarrig over ons *spel* spreken. Jouw woordenschat is die van een valsspeler: regels, trucs, nederlagen, overwinningen, viltstiften… Misschien denk je daarom wel dat *geven* betekent *verliezen*.

In zijn boek *Fragments d'un discours amoureux* schrijft Barthes: 'Jaloers zijn is normaal. Jaloezie ontkennen (perfect zijn) is dus een wet overschrijden.' Ik ben in dit geval een voorbeeld van het tegenovergestelde. Ik zeg tegen mezelf dat jij anders bent dan andere vrouwen ('je bent gek', 'je bent door de goden aangeraakt', 'je bent volmaakt', of eenvoudig 'ik hou van je') en daarom verdien je een andere behandeling. Jij vindt mij 'speciaal'. Jij demonsteert me jouw liefde (of liever jouw voorkeur) door me jouw liefde juist *niet* te betuigen. Elke willekeurige smoes om argumenten te vinden, niet zozeer voor jouw gekte, maar voor de *mijne*.

'Aníbal, Aníbal,' zegt Josefa met een mengeling van tederheid en bezorgdheid, 'nou moet je me toch eens vertellen: duld je haar om over haar te kunnen schrijven?'
   'Was het maar zo simpel.'
   'Zeg me de waarheid.'
   'Ik ben *niet* bezig mijn geschiedenis met Claire te schrijven. Ik beleef die gewoon.'
   'Maar op een dag zul je het doen. Ik ken je.'
   'Ik weet niet…'
   'Ik wist het, ik wist het!' Josefa viert haar ontdekking. 'Je wilt haar in *jouw* personage veranderen. Het is jouw manier om wraak op haar te nemen en haar eindelijk te kunnen overheersen.'
   'Je vergist je, Josefa, Claire is onvoorspelbaar. Ik kan haar alleen vrij laten handelen. Dat is haar spel, zoals ze zelf zegt.'

'Goed, maar ze levert je tenminste wel nieuw materiaal op voor je boek.'

'*Nieuw materiaal,*' herhaal ik. 'Schrale troost.'

Barthes' fascinatie voor details: hij heeft aan één penseelstreek genoeg om zijn personage te definiëren. Bijvoorbeeld: elke middag drinkt hij een kop thee in gezelschap van zijn moeder.

Eindelijk worden mijn angsten bewaarheid. Je hebt hem opnieuw mee naar huis genomen. Hoewel er geen tekenen of sporen van zijn aanwezigheid te bespeuren zijn – ik neem zijn geur niet waar en vind ook geen as van zijn sigaren in de badkamer –, zie ik dat jij omgeven bent door zijn aura. Onze geschiedenis herhaalt zich (en is *zo slecht*) dat er niet veel verbeeldingskracht voor nodig is om te begrijpen wat er is gebeurd. Maar mijn verdriet is er niet minder om. *Waarom hij wel en ik niet?* Het is een verschrikkelijke vraag omdat er geen antwoord op is: het ware verlangen kan nooit worden verklaard, ware slechtheid evenmin. Hoewel ik kook van woede, krijg ik toch langzamerhand slaap. Als ik wakker word – het licht komt dwars door de overgordijnen – is het al te laat: hij is al weg. Ik verlaat mijn kamer alsof ik voor een brand vlucht en vind jou in de keuken. Opnieuw de koffiescène. Alleen zal ik het ditmaal niet kunnen verdragen.

'Hij is bij je blijven slapen, hè?'

Slechtgehumeurd ben je niet van plan een duimbreed toe te geven.

'Ja, hoezo?'

'*Hoezo?*'

Ik spreek de lettergrepen rustig en beschaafd uit, opdat de felheid onmiskenbaar is.

'Ben ik jou een verklaring schuldig, Aníbal?'

'Nee,' spreek ik mezelf tegen. 'Of misschien ook wel.'

Ik probeer niet in te storten of wreed te worden. Ik schenk mezelf een kop hete koffie in en ga zo ver mogelijk van je vandaan zitten. In de verte zie ik de schittering van je blote benen onder de tafel. De herinnering eraan maakt me kapot.

'Heb je de liefde met hem bedreven?'

'Wat?'

'Claire, het is een heel eenvoudige vraag. Heb je de liefde met hem bedreven?'

'Ik denk er niet over je antwoord te geven.'

'Waarom niet?'

'Daarom niet.'

Er is geen uitweg, je drijft me in een hoek.

'Ik moet het weten.'

'Ik moet het weten,' bauw jij me na. 'Goed dan. *Ja*.'

En meedogenloos als je bent, voeg je er niets meer aan toe.

'Ja?'

'Dat wilde je toch weten, nietwaar? Nou, daar heb je het,' en je herhaalt: '*Ja, ik ben met hem naar bed geweest*.'

Wat moet ik doen? Jij neemt het initiatief, je laat je niet vangen.

'Wil je dat ik wegga?' vraag je. 'Als jij het wilt, kan ik nu meteen opstappen…'

Nu ben jíj blijkbaar de beledigde partij.

'Zoals je wilt,' zeg ik uitdagend.

'Het zou het beste zijn, Aníbal. Zo kunnen we niet doorgaan.'

Hoewel ik je haat, ben ik toch weer in jouw handen gevallen. Door te spelen. En te verliezen.

'Neem me niet kwalijk,' geef ik toe. 'Ik heb niet het recht iets van je te eisen, dat weet ik.'

'We hebben afgesproken wat de voorwaarden zouden zijn vanaf de dag dat ik hierheen verhuisde,' leg jij me uit, alsof jouw seksualiteit in het huurcontract was inbegrepen. 'Ik wil je geen pijn doen, Aníbal, geloof me. Het is míjn leven. Het spijt me. Zo simpel is het.'

'Goed,' geef ik toe. 'Ik wil niet dat je weggaat. Ik beloof je dat ik zal proberen je niet langer lastig te vallen met mijn jaloezie. Maar ik kan mijn gevoelens ook niet verbergen. Het kwetst me, Claire, ik kan er niet tegen.'

'Maak je geen zorgen, Aníbal. Het is alleen maar seks.'

In plaats van te worden gerustgesteld door jouw verklaring, word ik erdoor verpletterd.

'Ik weet niet of ik op dezelfde manier met Girard kan blijven omgaan.'

'Met Albert?' glimlach je. 'Ach, Aníbal. Híj was het niet, het was een ander. Hij heet Jules… geloof ik. En zal ik je eens wat grappigs vertellen, ik heb niet eens een orgasme gehad.'

Wat er tussen ons is, leg je me uit, is – mag – geen relatie zijn zoals bij een echtpaar. Je vindt het grappiger om te zeggen dat het een verbond is, waarvan ieder van ons het meeste profijt probeert te trekken. Zoals bij elk akkoord breng je een duidelijke scheidslijn aan tussen wat mag en wat verboden is. Met een parafrase op Barthes: ons verlangen wordt uitgedrukt door een heel systeem van tekens. Bijvoorbeeld: ik *kan wel* mijn liefde voor jou uiten, maar ik *kan niet* hetzelfde van jou eisen. Ik *kan wel* proberen jou te verleiden, maar jou *kan* ik *niet* dwingen dit ook te doen. Ik *kan wel* jaloers op jou zijn en dat *kan* ik zelfs ook zeggen, maar van jou *kan ik niet* eisen dat je me niet langer jaloers maakt. Ik *kan* je kussen en soms *kan ik* zelfs de liefde met je bedrijven, maar ik *kan niet* van jou vragen dit ook te doen. Ik *kan wel* alles aan je geven wat ik wil, maar ik *kan niet* verwachten dat ik er iets voor terugkrijg... En jij? Jij bezit maar één verbod. Het merkwaardige is dat het je niet door mij is opgelegd, maar door jezelf: je kunt doen wat je wilt, absoluut alles wat je wilt, op één ding na: toegeven aan mijn wil dit verdomde akkoord te verbreken.

Ik heb het al gezegd: de fascinatie van de Fransen voor China kent geen grenzen. Philippe Sollers, die geheel in de ban is, neemt in april 1974 de groep van *Tel Quel* mee op een rondreis naar het Oosten. Als een intellectuele Marco Polo organiseert hij een pelgrimstocht naar de verste uithoeken van de zijderoute, ervan overtuigd daar in het oude rijk, dat nu een bastion van de utopie is geworden, het toverdrankje te zullen vinden waarmee de toenemende scepsis ten aanzien van revolutionair links kan worden uitgewist. Hij stelt zelf de korte lijst samen van de passagiers die met hem mee zullen reizen: Julia Kristeva, Severo Sarduy, François Wahl, Roland Barthes en Jacques Lacan.

Zodra hij de uitnodiging ontvangt, gaat de psychoanalyticus er enthousiast op in. Zoals gewoonlijk beschouwt hij zich als de meest aangewezen persoon om aan het hoofd te staan van de expeditie: hij heeft wat Chinees gestudeerd op de School voor Oosterse Talen – Lacan weet blijkbaar alles – en hij zegt dat het hem vooral interesseert het onbewuste van de Chinezen te onderzoeken. Hij veronderstelt dat het niet als een taal is gestructureerd maar als een *schriftuur*. Om een reden die hij niet noemt – misschien omdat het niveau van zijn Chinees niet zo hoog is of omdat het onbewuste van de Chinezen hem eigenlijk weinig kan schelen – zegt hij zijn deelname op het laatste moment af.

Ondanks de afkeer die de maoïstische hysterie hem inboezemt, pakt Barthes wel zijn koffers en maakt zich op voor vertrek.

'Jouw obsessie komt al in de buurt van het masochisme,' verwijt Josefa me. 'Eigenlijk vormen jullie het volmaakte paar. Het is verdomme even ingewikkeld om erachter te komen wat zich in haar hoofd afspeelt als om te snappen waarom jij haar maar blijft dulden. De enige oplossing, de enige manier voor jou om je huid te redden, Aníbal, is dat je ophoudt je zorgen te maken over wat zij doet of niet doet. Gebruik haar. Heb lol in het spelletje. En laat haar daarna barsten. Snap je wat ik bedoel? Claire is gewoon een vrouw.'

'Je vergist je, Josefa. Claire is *mijn* vrouw.'

'Waarom? Omdat jij het zegt? Om te kunnen bestaan moet de liefde worden beantwoord. Anders is het geen liefde.'

'O nee?'

'Nee.'

'Maar zij houdt van me, Josefa.'

'Nou is het genoeg, Aníbal!' barst Josefa uit in een plotselinge vlaag van woede. 'Je zult er alleen mee bereiken dat de critici zeggen dat de liefdesscènes het beroerdste deel van dit boek zijn.'

Een volmaakt beeld. Philippe Sollers, Severo Sarduy, François Wahl en Roland Barthes (Julia Kristeva, die een gebloemde blouse draagt) gevangen door de lens, vlak voordat ze het vliegtuig in stappen dat hen na enkele tussenlandingen en eindeloze uren vliegen in China zal brengen.

De tekst onder de foto zou kunnen luiden: *Familieportret met Maoboordje.*

Mijn Voorbeeldige Criticus schrijft dat ik uit Mexico ben weggegaan met het idee in Europa zoveel faam te verwerven, dat ik als een soort *culturele held* naar mijn land kon terugkeren. In zijn verhaal vertoont mijn levensweg een coherent en ordelijk verloop en verschijn ik als een goochelaar die geduldig aan zijn *carrière* bouwt. Mijn Ridder van de Spiegels met zijn simpele geest stelt zich voor dat ik alles van het begin af aan heb gepland, dat ik mijn doel tot elke prijs wilde bereiken.

Dit is een van de vele ongemakken van biografieën *à l'anglaise*: die wekken de indruk dat het leven van de persoon in kwestie de kortste lijn is tussen twee punten, terwijl het in feite een dolende zigzag is zonder enige betekenis. Zo ik mijn vaderland heb verlaten was dat omdat ik me daar gevangen voelde, omdat een patiënt op brute wijze mijn incompetentie had aangetoond of omdat ik het misschien niet meer uithield bij mijn gezin. Ik had het benauwd en moest ervandoor. Had ik maar over de helderziendheid beschikt die mijn Criticus me toedicht: als ik mijn stappen een voor een had kunnen voorzien, had ik mijn uiterste best gedaan hém nooit tegen te komen.

Aan het eind van een van die langdurige diners waar Barthes regelmatig aanzit (en voordat hij met zijn tafelbuurman begint te flirten), vraagt een vriend hem: 'Als Julia Kristeva u te kennen gaf dat er iets tussen haar en u kon gebeuren, zou u dan een uitzondering maken voor uw homoseksualiteit?' Barthes hoeft er niet eens over na te denken. De jonge Bulgaarse, die zijn leerlinge was en bij wier doctoraalexamen hij kortgeleden aanwezig was, heeft hem altijd al bijzonder aangetrokken. 'Zij is de enige persoon op wie ik echt verliefd ben,' antwoordt hij vriendelijk.

Ik wacht ongeduldig op je komst. Ik wil je laten zien dat ik niet boos op je ben en dat ik je voorwaarden accepteer, niet alleen met berusting maar ook met wijsheid. Ik wil je mijn plan tot in de kleinste details uitleggen: aangezien we geen vrienden en geen minnaars zijn, kunnen we op z'n minst *handlangers* zijn. In een wereld waar het onmogelijk is op andere mensen te vertrouwen, zijn jij en ik nog in staat een relatie aan te gaan die alle conventies tart. Ons doel is met elkaar te delen wat onmogelijk met anderen gedeeld kan worden. We zullen een volmaakte eenheid vormen omdat we het concept van eenheid op zichzelf afwijzen. Wat denk je ervan? Ik stel je voor dat we een nieuw verbond sluiten en dat we totaal vrij zijn. Dat zou pas echt *revolutionair* zijn.

De ideeën bespringen me met zo'n kracht dat ik moet gaan liggen. Na al die misverstanden heb ik dan eindelijk een oplossing gevonden voor ons dilemma. Wanneer ik opnieuw naar de klok kijk, stel ik vast dat het drie uur in de nacht is en dat jij nog niet thuis bent. Het is de eerste keer dat je het zo laat maakt zonder me te waarschuwen. De telefoon blijft zwijgen. Ik begin ongerust te worden. Zou je iets zijn overkomen? Ik probeer Barthes te lezen, vervolgens weer wat te slapen – ik moet aanvaarden dat je volwassen bent en dat het niet mijn taak is jou te beschermen – en op het laatst ga ik maar voor het raam zitten en kijk naar de langer wordende schaduwen op straat. De jouwe is er niet bij. Waarom doe je me dit aan? Je houdt totaal geen rekening met mij… Ik stel me alle mogelijkheden voor, steeds geïrriteerder. Het kan me niet schelen dat je de nacht doorbrengt met wie je wilt, maar zou je niet een paar seconden hebben om *mij te bellen*? Ik begrijp je niet, ik begrijp je echt niet.

Om ongeveer zeven uur 's ochtends hoor ik je voetstappen. Wat zal ik doen? Teruggaan naar mijn kamer om de gêne, *mijn* gêne te ontlopen? Of zal ik je meteen uitschelden? Je komt zo snel binnen dat je me niet eens de tijd geeft om een besluit te nemen. Jouw verbazing is identiek aan de mijne. Je probeert je blauwe jukbeen voor me verborgen te houden.

'Jezus, Claire, wat is er gebeurd?'

Ik laat de mogelijkheden de revue passeren: een overval, een verkrachting, een vechtpartij. Ik voel de kleinzielige vertedering al die me de kracht zal geven om je te troosten. Ik probeer je haar te strelen.

'Nee!' Je duwt me weg. 'Laat me alsjeblieft met rust!'

Je sluit je op in je kamer: Ik zie je de hele dag niet meer.

Het moet worden erkend: Barthes verveelt zich in China. Het Oosten dat hem interesseert is niet daar, dat zijn niet de markten, de pleinen, de musea, de kleurige draken of de ingewikkelde ceremonies die de anderen zo fascineren. Natuurlijk zijn het ook niet de officiële rituelen, de verheerlijking van de Grote Roerganger, de bezoeken aan fabrieken, scholen en ziekenhuizen. Wat hem van China interesseert ligt achter ons, in de boeken en vooral in de verfijnde kalligrafie die hij overal ziet zonder haar te begrijpen. Omdat hij genoeg heeft van het kunstmatige enthousiasme van zijn vrienden, trekt hij zich beetje bij beetje terug en blijft liever in het hotel of in de auto terwijl de anderen zich laten doordrenken met de geuren en de essenties van het Oosten. Wat hem het best beviel, zoals hij na terugkeer in een artikel in *Le Monde* schreef, was dat de Chinezen zich in tegenstelling tot westerlingen met hun eigen zaken bemoeiden en hem met rust lieten.

Ik bekijk de afbeeldingen met een mengeling van bitterheid en weerzin. Maar ik houd liever mijn mond. Want het is *kunst*. Een criticus mag geen morele oordelen vellen of zijn gevoelens tonen, laat staan zijn eigen verdriet uiten.

'Het is een nieuwe serie,' legt Girard me trots uit. 'Ik heb hem *De volharding van het geheugen* genoemd.'

'Wat origineel,' lieg ik, met mijn kiezen op elkaar.

Ik bezoek de studio van de kunstenaar als een jaloerse minnaar die stiekem in de laden van zijn geliefde snuffelt. Ik moet aanwijzingen vinden voor mijn argwaan, doen wat je volgens Barthes nooit moet doen: op zoek gaan naar de werkelijkheid – de biografie – onder de tekens.

'Als mensen bepaalde beelden schokkend vinden,' legt hij me vervolgens uit, 'komt dat omdat de kunst zijn vermogen tot ontroeren al totaal is kwijtgeraakt. De kunstenaar is verplicht zich naar de uiterste grenzen te begeven. In onze tijd kan de ware kunst alleen nog het geweld en de dood herscheppen.'

De werken, die niets met zijn beuzelachtige betoog te maken hebben, spreken voor zich. In zijn typische stijl – later zal men spreken van hyperrealisme – heeft Girard op elk doek jouw lichaam gereproduceerd. Het is alsof ik jou op heterdaad betrap. Te midden van woeste penseelstreken – zwart, purper en violet lopen als etterende wonden dwars door je heen – kronkelt jouw lichaam zich in een serie van tientallen verschillende posities, gewelddadigheid in stijgende lijn. Je naakte huid is overdekt met merktekens: schrammen, wonden, blauwe plekken, zelfs straaltjes bloed. Het ergst is je gezicht: hij heeft je schoonheid amper aangetast, maar het is hem gelukt jouw gelaatstrekken een angstaanjagend aanzien te geven. Als hij wilde laten zien dat jij geniet van het lijden, dan is hij daar uitstekend in geslaagd. De krampachtige trek op je gezicht is als die van een heilige die een omgekeerde extase beleeft: de plotselinge versmelting van genot en pijn. Mijn maag draait zich om.

'En?' vraagt Girard zelfgenoegzaam, want hij weet dat het hem is gelukt mij te provoceren.

'Schitterend, werkelijk schitterend,' lieg ik. 'Maar, als ik het zeggen mag, een beetje voorspelbaar.'

'Foucault vond ze prachtig.'

'Foucault?'

'Claire bracht hem mee om mijn werk te bekijken,' zegt hij trots. 'Geniaal, die Foucault.'

Door deze openbaring raak ik nog meer overstuur dan door jouw naaktheid. Dus je hebt Foucault meegenomen? Waarom heb je me dat niet gezegd?

'*Natuurlijk* vond hij het mooi, Albert.' Ik doe mijn best om iets onaardigs te zeggen. 'Jouw beelden lijken zó uit zijn boeken te komen. Jij deelt zijn obsessie voor het delirium en de misdaad.'

'O, Aníbal, dank je wel. Dit is de hoogste lof die ik heb gekregen.'

In de herdruk van zijn boek *Psychopathia sexualis* uit 1890 beschreef de psychiater Richard von Kraft-Ebing (1840-1902) een nieuwe seksuele aberratie en gaf er de eerste klinische definitie van: 'Onder masochisme versta ik een specifieke perversie van de psychische *vita sexualis*, waarbij het individu dat eraan lijdt in zijn seksuele gevoelens en in zijn gedachten wordt overheerst door het idee volledig en onvoorwaardelijk te zijn onderworpen aan de wil van een persoon van het andere geslacht, die hem behandelt als zijn meester en hem vernedert en misbruikt.'

Verderop legde hij uit dat hij deze term had bedacht naar aanleiding van de achternaam van een beroemde romanschrijver, een tijdgenoot van hem, de heer Leopold von Sacher-Masoch. 'Ik voel me gerechtigd deze seksuele abnormaliteit *masochisme* te noemen, omdat deze perversie, die in die tijd praktisch onbekend was in de medische wereld, herhaaldelijk door de auteur werd gebruikt als grondslag voor zijn oeuvre. Zijn geschriften, en met name *Venus in bont, De erfgenamen van Caïn, Liefdesgeschiedenissen, Een gescheiden vrouw* en *De Messalina's uit Wenen,* kunnen regelrecht als masochistische romans worden geclassificeerd. […] De romans van Sacher-Masoch gaan over mannen die als object van hun seksuele verlangen situaties creëren waarin ze onbeperkt onderworpen zijn aan de wil en de macht van de vrouw.'

'Ze wilde het me niet zeggen,' zeg ik.

Nu ga ik bij Josefa op bezoek in de piepkleine studio die ze heeft gehuurd in de rue Vieille du Temple. Bij binnenkomst heb ik het gevoel dat het mijn schuld is dat ze naar dit kleine ballingsoord is verdreven, maar mijn wanhoop is zo groot dat ik me al snel weer op mezelf concentreer.

'En wat denk jij zelf?'

'Het kan geen montage zijn, Josefa,' geef ik toe.

'Je suggereert dat Claires wonden echt zijn…'

'Dat denk ik, ja.'

'Hoe kun je daar zeker van zijn?'

De woorden blijven in mijn keel steken.

'Misschien zou ik het niet moeten zeggen,' zeg ik rillend, 'misschien vergis ik me of zou ik me graag willen vergissen… Ik heb het gevoel dat zij het op de een of andere manier zelf heeft opgezocht.'

'Die klappen?'

'De gewelddadigheid, ja. Eerst Lacan, toen Pierre en de revolutie… En nu… Nu…' mijn stem breekt. 'Ik ben bang dat ze het nu weer bij Girard heeft gevonden.'

Hoeveel weken – of maanden – gaan er voorbij zonder dat ik iets anders over jou hoor dan vage scabreuze geruchten? Je woont in mijn huis en ik heb er geen flauw idee van wat je doet als je weggaat. Nadat ik lange tijd geen pelgrimage naar de rue de Lille 5 heb gemaakt, besluit ik Lacan een bezoek te brengen; daarna doe ik hetzelfde bij de rest van jouw vroegere revolutionaire vrienden… Ze hebben blijkbaar allemaal iets over je gehoord, maar ze durven me geen van allen iets concreets te vertellen. Misschien zijn ze bang voor een schandaal en dekken ze je liever door te zwijgen. Ik ben ontzet, maar pik de idiootste verhalen eruit: dat je lesbisch of biseksueel bent geworden; dat je alle drugs hebt geslikt die er bestaan, zelfs het gevaarlijke Angel Dust; dat je je behalve met sadomasochisme ook met blinde contacten bezighoudt; dat je meedoet aan bijeenkomsten waar alle bezoekers je de een na de ander penetreren; dat er in het Franse intellectuele milieu niemand meer is die jouw geslacht niet kent; dat je een soort heldin van de anticultuur bent geworden; dat filosofen jou analyseren als een tijdssymbool en dat dichters je roemen in pornografische gedichten… En het allerergste is dat je dit niet gedwongen doet of als gevolg van een depressie, maar opgezweept door een ongehoord genot… Het is allemaal flink overdreven, zeg ik om mezelf te troosten, maar later denk ik, zoals Josefa zegt, waar rook is…

De filosoof Gilles Deleuze – eeuwige strijdmakker van Foucault – publiceert in 1968 een kort essay over de roman *Venus in bont* van Sacher Masoch. Hierin beweert Deleuze dat deze praktijk, in tegenstelling tot wat algemeen wordt aangenomen, niet de andere kant is van het sadisme. De masochist is nooit een slachtoffer: hij geniet van de pijn, dat is waar, maar híj is degene die de ander zijn beulsrol oplegt. De hoofdpersoon uit *Venus in bont* – een afspiegeling van Sacher-Masoch zelf – dwingt zijn minnares een contract te tekenen waarin de voorwaarden van de kwelling worden vastgesteld: als zijn minnares hem straft is dat omdat het zo in de clausules staat die door het veronderstelde slachtoffer zelf zijn opgesteld. Terwijl het sadisme verwant is aan de absolutistische monarchie, is het masochisme de volmaakte beeldspraak voor de democratische maatschappij, die wordt geregeerd door regels en wetten... In deze visie prevaleert jouw wil boven *de zijne*.

Ondanks mijn woede en mijn onzekerheid stop ik niet met schrijven. Met dezelfde snelheid als Barthes verzamel ook ik honderden losse alinea's, gedachten en aforismen die ik, wanneer de gelegenheid zich voordoet, opneem in mijn column over beeldende kunst in de *Journal de Grenoble*. Enkele maanden later ontdek ik een berg papier op mijn bureau – losse blaadjes, enveloppen, visitekaartjes, rekeningen van de wasserij en van restaurants en zelfs metrokaartjes – waarop ik in de loop van de tijd niet alleen mijn overpeinzingen over alle mogelijke onderwerpen heb genoteerd, maar ook flarden van mijn eigen geschiedenis. Verbaasd over het dikke pak dat mijn schrijverij heeft opgeleverd, laat ik Josefa de documenten zien. Geduldig en liefdevol scheidt ze het kaf van het koren en verandert ze de chaos in een smetteloos manuscript. Tweehonderd bladzijden waarvan we allebei vinden, zonder angst opschepperig te klinken, dat ze perfect zijn. Mijn bescheidenheid staat me echter niet toe er een andere bestemming voor te bedenken dan mijn bureaula.

'Wat een lulkoek, Aníbal!' zegt Josefa bemoedigend. 'Je kunt die bladzijden toch niet thuis laten beschimmelen?'

'Denk je?'

'Als je het goed vindt, zal ik ervoor zorgen dat er voldoende kopieën komen en ze naar uitgeverijen sturen.'

'Zoals je wilt,' zeg ik plechtig. 'Mijn lot ligt in jouw handen.'

In minder dan twee maanden wordt haar inspanning beloond. Josefa meldt me dat Ediciones Rocinante uit Guadalajara (Mexico) geïnteresseerd is in publicatie van mijn boek. Josefa heeft fantastisch werk verricht. Geen van beiden kunnen we ons op dat moment voorstellen dat dit bescheiden boekje het begin zal zijn van een lange literaire carrière. Als parafrase van *Mythologieën* van Barthes noem ik het mijne *Epifanieën*. De eerste druk, een paperback, nu een bibliografisch juweeltje, verschijnt eind 1975. In mijn vaderland schenkt niemand er aandacht aan.

Zoals iedereen kan vaststellen die het graf van mijn eerste uitgever op de gemeentelijke begraafplaats van Guadalajara bezoekt, is het absoluut gelogen – en gemeen – wat mijn Voorbeeldige Criticus beweert, namelijk dat Andrés Quezada nooit heeft bestaan en dat ík de ware eigenaar ben van uitgeverij Ediciones Rocinante. De arme man verdiende het niet zomaar straffeloos van de aardbodem te worden weggeveegd.

Even foutief – en kleinzielig – is het vermoeden dat Josefa mijn originele manuscript ingrijpend heeft verbeterd toen ze het klaarmaakte voor uitgave. Gelukkig kunnen geïnteresseerden in dit geval bij haar te rade gaan om hun twijfels te laten wegnemen.

'Je moet me helpen, Josefa,' dring ik aan. 'Het is een kwestie van leven en dood. Ik houd het niet meer uit, vertel me wat je over haar weet.'

'Heel Parijs weet het,' zegt ze geërgerd. 'Je kunt jouw Claire niet eens een hoer noemen omdat ze geen geld vraagt voor wat ze doet.'

'Waarom, Josefa? Waarom?'

'Dit is belachelijk, Aníbal. Het lijkt wel of je Lacans publicatie over de gestolen brief niet hebt gelezen…'

'Wat bedoel je?'

'Dat je eigenlijk precies weet wat het antwoord is. Het lag van het begin af aan pal voor je neus.'

Er komt iets lichts in je stem. Alsof je door niets kon worden geraakt, alsof je een geest was en de smarten van de wereld je amper beroerden. Als ik je in een enkel beeld moest bevriezen, zou je ongetwijfeld die ironische, luchtige glimlach vertonen. En toch heeft jouw stem altijd zo'n gepijnigd timbre…

In tegenstelling tot de meesten van zijn generatiegenoten, die steeds meer geneigd zijn zich van het structuralisme te distantiëren, is Barthes er trots op dat hij tot deze kaste behoort. Natuurlijk ben ik een structuralist – bevestigt hij in *Roland Barthes par Roland Barthes* –, mijn studeerkamer in Parijs is namelijk precies zo ingericht als die in mijn buitenhuis. Inderdaad, beide ruimtes zijn niet identiek, maar lijken wel sterk op elkaar: de opstelling van de voorwerpen – papieren, meubels, spullen voor het werk, klokken, asbakken en zelfs boeken – vertoont dezelfde orde. 'Het systeem is belangrijker dan het wezen van de voorwerpen.' Deze geestigheid is zeer typerend voor het temperament van de auteur.

Girard durft niet eens te erkennen dat hij een relatie met je heeft. Bij alle vernissages die achtereenvolgens in de stad plaatsvinden, klamp ik hem aan met het heimelijke verlangen jou aan zijn zijde te vinden, maar hij is onveranderlijk alleen of in gezelschap van een cohorte gezwollen, sponzige vrouwen die gelukkig niet op jou lijken. Wanneer ik het hem op de man af vraag, weigert hij me enige verklaring te geven.

'Ik heb je niets te zeggen over Claire,' antwoordt hij op het laatst. 'Je zou het voor eens en voor al moeten begrijpen, Aníbal, het arme kind wil alleen dat jij haar met rust laat.'

Jou met rust laten? Wat weten Girard of Josefa of de rest van de wereld van wat er tussen ons bestaat? Hoe durven ze me ervan te weerhouden je te zoeken, dat wil zeggen, in leven te blijven?

'Ik moet het uit haar eigen mond horen, Albert,' bijt ik hem woedend toe. 'Alleen als Claire het me vraagt ben ik bereid haar niet langer lastig te vallen. Maar ik moet het uit haar eigen mond horen. Begrijp je?'

'Het spijt me,' zegt hij voordat hij zich weer overgeeft aan zijn vriendinnen, die hem overdreven bewonderen. 'Ik kan niets voor je doen.'

Wat is er gebarsten? Ons akkoord? Onze liefde? Ons *verbond*? Misschien is het alleen zo dat ik me langzamerhand van je bevrijd door je te beschrijven.

Girard is nu geïnteresseerd in 'gedocumenteerde acties'. Niet in de foto's op zichzelf, maar in de unieke en onherhaalbare handelingen die achter de beelden bewaard blijven. Zijn idee is niet zo origineel: hij beweert dat de kunst in het leven zelf ligt, niet in de weergave ervan. En dus stelt hij in navolging van Douglas Huebler series tentoon waarvan de waarde ligt in het in herinnering brengen van de eindigheid van de momenten.

Ik bezoek een nieuwe galerie in de Marais en op een van zijn werken herken ik jouw naakte lichaam (je gezicht is bedekt met een zwarte kap) dat midden op de openbare weg met een zweep wordt afgetuigd voor de kille ogen van de voorbijgangers... De titel van de serie is ook niet bepaald nieuw: *Venus in bont, nummer 5* (1974).

Ik heb nooit een vrouw gekend die mannen zo diep minacht als jij. En het ergste is dat je er zo druk mee bezig bent je door hen te laten veroveren, dat je niet eens in de gaten hebt hoezeer jij hen vernedert.

Ik kan het niet helpen: ik houd je in de gaten. Zo is onze verhouding begonnen, weet je nog, toen jij uit de praktijk van dokter Lacan in de rue de Lille 5 kwam. Misschien moet het ook zo aflopen. Het zit in onze aard. Sinds ongeveer een week blijven we niet meer staan om met elkaar te praten en wisselen we hoogstens een zwakke groet als we elkaar tegenkomen, ons ervan bewust dat woorden onze halsstarrig volgehouden samenleving alleen maar ingewikkelder maken.

Om uit deze impasse te komen, wacht ik op een avond tot je het huis uit gaat en volg ik je zonder dat je het merkt naar een smerige nachtclub op de Rive Gauche. Je gaat dat hol even gemakkelijk binnen als een schim die de Hades betreedt. Ik weet wat voor soort plek dit is en ik kan wel raden wat er daar binnen gebeurt. En dan, terwijl ik op straat sta te vernikkelen van de kou, passeren me enkele bekende figuren die dezelfde tent binnen gaan. Mijn angst bedriegt me niet: het is Girard in gezelschap van Foucault.

Vanaf het moment dat ze elkaar in 1955 voor het eerst ontmoeten, voelen Barthes en Foucault zich tot elkaar aangetrokken. Hun vriendschap verloopt normaal: enkele jaren lang zien ze elkaar elke avond, bezoeken ze dezelfde nachtclub en vieren ze hun respectievelijke veroveringen. Maar opeens knapt hun vriendschap. Jaloezie? Botsing van temperamenten? Te veel samen gedaan? Of, zoals een enkeling boosaardig heeft gesuggereerd, verdroeg Barthes de gewelddadigheid van

Foucault uiteindelijk toch niet? Als een rivier die zich in tweeën splitst gaan hun wegen halverwege de jaren zestig onherroepelijk uit elkaar. Vriendschap en liefde zijn de breekbaarste scheppingen. Beide vertegenwoordigen dezelfde waanzin: het geloof dat mensen elkaar kunnen leren kennen.

Opgesloten in dit lege huis zoek ik mijn toevlucht in het schrijven. Als moeizaam uitgebroede eieren of als excrementen die mijn lichaam hebben verlaten, stapel ik de ene bladzij op de andere. Josefa komt ze elke dag ophalen, vijlt ze bij en rijgt ze aaneen zodat nieuwe manuscripten het levenslicht aanschouwen, die zij met haar bekende ijver naar mijn uitgever stuurt. Alsof het een zonde is – het intellectuele wereldje in Mexico doet halsstarrig alsof ik lucht ben – wordt mijn werk in het geheim, bijna mijns ondanks, gewrocht. Op mijn *Epifanieën* volgen de *Fragmenten van een esthetisch vertoog* (Ediciones Rocinante, 1976), *Zien en appreciëren* (Ediciones Rocinante, 1977), *Hoe 'Om het kapitaal te lezen' te lezen* (Siglo XXI, 1978), *De nulgraad van de schilderkunst* (Joaquín Mortiz, 1979), *De tekst van het genot* (Uitgeverij Era, 1979) en *Duchamp, Debord en Girard* (Siglo XXI, 1980).

Mijn scheppingen maken me niet verwaand, mijn boeken bezorgen me totaal geen trots, verschaffen me geen enkele faam, bieden me geen enkele troost. Ik ben ongevoelig voor de hardnekkigheid waarmee de schaarse lezers op mijn boeken afkomen, ik beschouw ze als puur amusement. Als vergoeding voor de uren waarin ik niet aan jou denk.

Mijn verhouding met Foucault blijft een nerveuze dubbelzinnigheid vertonen. Sinds de eerste keer dat ik hem zag, tijdens die demonstratie eind mei '68, wist ik dat ik hem opnieuw zou tegenkomen. Later ging ik naar zijn lessen in Vincennes en kwam ik hem tijdens verschillende protestacties tegen, maar ik hield me altijd zorgvuldig op een afstand want ik voelde me geïntimideerd door zijn aantrekkingskracht. Toen ik terug was uit Cuba zocht ik hem niet meer op, omdat ik dacht dat onze verhouding voorgoed was verpest.

Maar hoewel ik me verre van hem houd en me beperk tot het aanhoren van geruchten over zijn bizarre verlangens en begeertes, ben ik toch bezig zijn hele oeuvre te herlezen. Het lijdt voor mij geen twijfel dat in dit universum van reuzen waarin ik tot mijn geluk woon, Foucault de allergrootste is. En doordat jij nu een van zijn trouwe volgelingen bent geworden, beweeg ik me weer in zijn richting.

Alweer een 'gedocumenteerde actie' van Girard. Nog altijd met de zwarte kap over je hoofd, maar ditmaal met hoge zwarte laarzen aan, sla jij het naakte lichaam van een man. Als ik me niet vergis is het de kunstenaar zelf.
Venus in bont, nummer 12 (1975).

Na meer dan tien jaar niet met elkaar te hebben gesproken, draagt Foucault Barthes in 1975 voor als kandidaat voor het Collège de France. Er is hier duidelijk sprake van een openbare verzoening. De filosoof is bereid alles te doen om zijn collega's ervan te overtuigen dat ze zijn oude kameraad moeten kiezen. Wat is de reden van deze veranderde houding? Net als toen ze afstand van elkaar namen, verhinderen de discretie van de een en de perversiteit van de ander dat de feiten worden onthuld. Volgens de vrienden van Foucault heeft Barthes om diens tussenkomst gevraagd; volgens de vrienden van Barthes was het allemaal het idee van de filosoof. Hoe moeten we de waarheid vinden? Of liever gezegd, wie maalt erom?

Het is of we ons in verschillende tijden en ruimtes bewegen. We zijn zo breekbaar dat we elkaar proberen te mijden. We voorvoelen allebei dat het geringste contact genoeg is om de storm te laten losbarsten. Hoe treurig het ook mag zijn, het enige wat we doen is een onvermijdelijke breuk uitstellen. We zijn twee dolende kometen die ertoe bestemd zijn tegen elkaar te botsen. Er is geen uitweg.

Hervé Landry, een van Barthes' intieme vrienden, vermaakt zich ten koste van hem en moedigt hem aan lsd te proberen.
'Nee, dank je,' zegt Barthes met een knipoog. 'Het zou hetzelfde zijn als iemand die niet eens een rijbewijs heeft achter het stuur van een Formule 1 te zetten.'

'Foucault zit achter deze hele zaak, Josefa,' leg ik uit. 'Foucault is net Pluto. Hij is de enige die het gedrag van Claire voor me kan verklaren.'
'Je raakt nu echt helemaal de kluts kwijt, Aníbal,' schudt zij me door

elkaar. 'Kun je dan niet aanvaarden dat ze niet van je houdt? Waarom ga je maar door? Je bent nog gewelddadiger dan zij doordat je zo achter haar aanzit. Dat noem ik geen liefde, maar zin om jouw wil per se aan haar op te leggen.'

'Claire is in gevaar,' houd ik krachteloos vol. 'Dat heeft ze zelf niet door, daarom moet ik haar redden. Het is mijn plicht.'

'En als zij niet gered wil worden?'

'Wat een onzin. Je kunt niet toekijken hoe iemand verdrinkt zonder te proberen hem uit het water te halen. Anders zou ik een grote misdaad begaan, Josefa.'

De tijd verandert in een deegmassa. Hij komt en gaat via de slokdarm van het geheugen. Het lukt me niet een van de episodes die ons verbindt door te slikken. Of de pijn die jij me doet uit te kotsen. Ik ben ziek van je. En het ergste is dat het even pijnlijk is om van je te houden als om je te vergeten. Ik ben ongeneeslijk.

Aan het ene uiterste Foucault, die steeds meer geniet van de schandalen, en aan het andere Barthes met zijn obsessie om zijn privé-leven verborgen te houden. Elk vertoon van intimiteit is in zijn ogen een ordinaire uiting van hysterie. Hij verafschuwt de ontwrichting van de zintuigen, de uitingen van geweld of hartstocht – vandaar dat hij zo'n hekel heeft aan de jongeren van '68 – en in het algemeen elk gedrag dat afwijkt van de burgerlijke soberheid, die hij zo bekritiseerd heeft. Hij verfoeit de jaloerse minnaar evenzeer als de dwangmatige revolutionair. Als iemand hem zou vragen naar zijn persoonlijke ethiek tegenover de wereld, zou hij misschien met een zen-achtige koketterie antwoorden: *het beste is om niet te handelen.* Voor Barthes is schrijven de enige perverse handeling die het waard is in het bijzijn van anderen te worden uitgevoerd.

Het is al zover gekomen met mijn Voorbeeldige Criticus dat hij beweert dat de eerste kritiek op een boek van mij in Mexico door mijzelf is betaald: die verscheen in 1976 in *Plural,* het tijdschrift van Octavio Paz, vlak voordat deze dichter zijn werk als hoofdredacteur neerlegde. Als dit waar is begrijp ik niet waarom het zo'n weinig lovende tekst is geworden.

Vlak voordat hij officieel toetrad tot het Collège de France, neemt Barthes in gezelschap van Philippe Sollers deel aan een diner ten huize van minister Edgar Faure. Onder de genodigden is Valéry Giscard d'Estaing, de president van de Republiek. Wanneer deze ontmoeting bekend wordt levert links stevige kritiek op de progressieve intellectueel die heult met de rechtervleugel van de regering. Barthes bloost nauwelijks. Zoals elke burger ervaart hij een vaag gevoel van vreugde wanneer hij de kans heeft om de gewoonten van de machthebbers van dichtbij te bestuderen.

Als ik op een ochtend op straat mijn bitterheid loop te herkauwen, kom ik Cioran tegen, de filosoof van de wanhoop. Als een wezel glipt de Roemeen – alleen verraden door de rimpels in zijn voorhoofd en zijn doorzichtige ogen – uit een *épicerie* met een grote papieren zak vol fruit en groenten. Alsof hij bang is dat iemand zijn kostbare lading uit zijn handen zal rukken, beschermt Cioran die met beide armen en let hij goed op of hij door iemand bespied dan wel achtervolgd wordt. Wantrouwig loopt hij over de stoepen, hij wil beslist niet opvallen. Er glijden dikke zweetdruppels over zijn voorhoofd. Hij snelt door een steeg waar weinig mensen lopen en gaat dan eindelijk het sobere portaal van een huis binnen. Wie zou niet de smartelijke extase van de heiligen, de verleiding van de zelfmoordenaars of de brute hand der beulen bezingen, wanneer het kopen van een krop sla al een heldendaad is?

Enigszins beschaamd stap ik op Barthes af wanneer deze klaar is met zijn inaugurele rede op het Collège de France. In tegenstelling tot wat veel mensen beweren is hij in een feeststemming, alsof alle verwachtingen die hij als jongen koesterde – zijn verlangen naar een succesvolle universitaire carrière – eindelijk zijn uitgekomen. Zijn moeder had niet trotser kunnen zijn.

'Van harte gefeliciteerd, professor,' zeg ik ter begroeting. 'Ik moet u zeggen dat uw lezing briljant was…'

'Bedankt, Quevedo, bedankt …'

Andere handen en andere stemmen eisen hem op.

'Mag ik een momentje van uw tijd kapen, professor?'

'Moet dat beslist nu?'

'Een seconde maar…'

Met begrijpelijke ergernis vraagt Barthes zijn bewonderaars hem even te excuseren en loopt met me mee.

'Wat is er zo dringend, Quevedo?'

'Ik zal uw tijd niet verspillen,' zeg ik. 'Ik wil u alleen vragen een goed woordje voor me te doen bij Foucault...'

'Wat zegt u?'

'Ik heb u al verteld dat Claire zijn vriendin is geworden. Daarom had ik gedacht, als u zo vriendelijk zou willen zijn me bij hem aan te bevelen, dan kan ik misschien bij hem werken...'

Barthes kijkt me medelijdend aan.

'Ik zal zien wat ik kan doen.'

'Het grote probleem met dit boek is dat de actie zich voornamelijk in Parijs afspeelt,' zegt Josefa bestraffend. 'Weet je hoeveel Latijns-Amerikaanse romans zich in die stad afspelen? Honderden, Aníbal, honderden...'

'Maar wat moet ik volgens jou dan doen, Josefa? Moet ik soms in Warschau of Bogotá gaan wonen om de critici niet te ontrieven? Is de concessie dat ik een Mexicaan ben niet voldoende in jouw ogen?'

Barthes heeft me nauwkeurige aanwijzingen gegeven. Ik zoek Foucault op in een café niet ver van zijn huis, in de rue Vaugirard. Ik zie hem onmiddellijk zitten aan een tafeltje achterin, zijn kale kop schittert in het schemeruur. Hij begroet me hartelijk, maar ik hoor een vleugje ironie in zijn woorden. Ik hoef hem mijn geschiedenis nauwelijks te vertellen: dat heeft Barthes al voor me gedaan.

Net als de oude Grieken die hij op dit moment met bijzondere aandacht bestudeert, spreekt Foucault niet rechtstreeks tegen me, maar via parabolen en voorbeelden. Hij is in een soort Socrates veranderd – ook hij beroemt zich erop de jeugd te verpesten – en ik luister naar hem alsof ik een orakel raadpleeg.

'Wat wilt u eigenlijk precies, Quevedo?' vraagt hij.

'Ik moet *weten*,' antwoord ik. 'Dat is alles.'

Foucault heeft plezier in mijn antwoord. Het verbaast me toch wel dat hij, terwijl hij zo druk bezig is met het schrijven van zijn grootse *Histoire de la sexualité*, mijn interruptie zo goedgemutst opneemt.

'Zou u met mij willen samenwerken?'

'Meent u dat serieus?' Ik ben verrast.

'Ik heb een assistent nodig. Een archivaris. Barthes heeft me uw werk van harte aanbevolen. Ik ben net begonnen met een zeer ambitieus project en ik heb behoefte aan een groepje medewerkers. Ik heb het altijd prettig gevonden om in groepsverband te werken.'

'Ik zou het geweldig vinden, professor.'

'U heeft iets dat me aantrekt, Quevedo. Dat wist ik al toen ik u voor het eerst zag bij die demonstratie in '68...'

'Herinnert u zich dat nog?'

'Draait u er niet omheen. Neemt u het aan?'

Ik hoef er niet eens over na te denken.

'Natuurlijk. U kunt op me rekenen.'

En als het waar was dat ik je eigenlijk niet begeer? En als ik niet bang voor je ben of, nog erger, als ik vermoed dat ik je in het echte leven niet zou kunnen verdragen?

In zijn bastaardboekje beweert mijn Voorbeeldige Criticus dat ik, net als ik eerder met Barthes deed, uit eigenbelang contact heb gezocht met Foucault. Nadat ik achtereenvolgens van Lacan, Althusser en Barthes had geprofiteerd, was Foucault de enige die ik nog moest inpalmen, volgens hem. Het komt geen seconde bij hem op dat de menselijke drijfveren, zoals Foucault zelf aangeeft, verder gaan dan de uiterlijke schijn. Zo ik hem besloot op te zoeken, ondanks de angst die hij me inboezemde, was dat niet om van zijn beroemdheid te profiteren, maar om te weten te komen wat hij wist. Opdat hij me zou helpen jou te begrijpen.

Je gaat zoals elke ochtend naar de badkamer. Niets ontroert me zo als de glinsterende druppels die over je borst glijden of de sensatie van breekbaarheid – van dreiging – die jouw natte lichaam bij me oproept. In een andere periode, toen onze intimiteit minder moeilijk was, liep ik gewoon met je mee naar de spiegel en terwijl je je gêne verborg achter een kletspraatje, schonk je mij de schoonheid van je huid. Als een boosaardig cadeau – een van de lacunes die nooit gespecificeerd worden in een contract – genoten we alle twee op dezelfde manier: ik door naar je te kijken en jij doordat je werd bekeken.

Wanneer ik terugdenk aan het beeld van jouw fiere borsten, wier blankheid extra wordt versterkt door je moedervlekken, word ik duizelig. Helaas is het al lang geleden dat we iets dergelijks deelden, en ik weet bij voorbaat dat jij me in dit geval niet zult toestaan jou te bewonderen. Maar ik denk er niet over me in te houden. Ik moet beslist naar jouw lichaam terug, desnoods met het tropische geweld van een arts die jou de pols voelt.

'Wat wil je?' bijt je me boos toe.

Er loopt, als een slakkenspoor, een doorschijnende schaduw van je linkersleutelbeen naar je oksel. Je handen houden de handdoek vast alsof het een tuniek of een harnas is. Ik loop zonder angst op je af, alsof ik je niet liefheb.

'Laat me alleen,' dring je aan.

Je raadt het. Je stem klinkt niet langer als een bevel, maar heeft de toon van een smeekbede.

'Alsjeblieft, Aníbal.'

Zonder zelf mijn bewegingen te begrijpen, ruk ik de lap stof uit je handen en vreet je op. Er is niets erotisch in deze toenadering: mijn daad heeft weinig te maken met van je houden of je uitkleden. Ik gooi je op je rug op het bed, vastbesloten je niet te herkennen, te vergeten dat jij jij bent, je te reduceren tot de afgrond die vóór mij gaapt. Dan ontdek ik de bewijzen tegen je: striemen, blauwe plekken, littekens over de hele lengte van je dijen, je middel en je billen... Ik betast de pijnplekken en begrijp het niet. Razend stort ik me op je.

'Dus jij houdt ervan geslagen te worden,' schreeuw ik.

Als een dolleman ransel ik met mijn handen je benen, je knieholtes en je rug... Je probeert je niet eens te verdedigen, je verandert in een kluwen, je doorstaat mijn woede zonder iets te zeggen, geluidloos huilend. Ik voel dat ik zo meteen instort. Eindelijk sta je op en sluit je je op in de badkamer. Ik blijf alleen achter, oneindig alleen. Zoals altijd, zonder jou.

Ik ben bijna niet in staat het te vragen. *Waarom?*

Nu hij de hoogste top in het academische leven heeft bereikt, geen polemieken meer hoeft te voeren met de universiteitsdocenten en zich niet buitengesloten voelt van de broederschappen der erudieten, neemt Barthes afstand van zijn oude theorieën. Zo hij vroeger boeken schreef als *L'aventure sémiologique* of *Système de la mode*, deed hij dat om aanzien te verwerven onder zijn collega's door een geheel van regels en neologismen te verzinnen waarmee hij zijn gebrek aan nauwgezetheid kon maskeren. Nu hij dankzij de tussenkomst van Foucault van deze ballast is bevrijd, gooit Barthes zijn boeien af en maakt zich klaar om te worden wat hij altijd verlangde te zijn: een eenvoudige commentator. In tegenstelling tot zijn generatiegenoten, die bereid zijn hun principes te verdedigen tot de dood erop volgt, heeft hij nooit van die starre principes gehad – er zijn weinig dingen waar hij zo'n hekel aan heeft als aan heldendom of martelaarschap – en het kost hem totaal geen moeite zijn verleden af te zweren. Ver van de semiotiek en bevrijd van het structuralisme geniet Barthes openlijk van het enige handwerk dat hem vermag te ontroeren: niet alleen het genot van de tekst, maar ook het onherroepelijke genot van de literatuur.

Als ik weer thuiskom, ben jij er niet meer. Dat had ik voorzien en zelfs uitgelokt, maar ik had niet gedacht dat jouw afwezigheid zo troosteloos zou zijn. Ik loop door je kamer alsof ik het kerkhof bezoek. Afgezien van de meubels, kunstmatige en smetteloze dingen, en een kartonnen doos vol boeken die in een hoek is geschoven, zijn er amper nog sporen van jouw aanwezigheid. Zou je van plan zijn om terug te komen en die oude boeken op te halen? Waar zou je nu zijn? Het idee dat je door mijn toedoen verdwaald zou zijn, is bloedstollend, hoewel de gedachte dat je je toevlucht hebt gezocht bij Girard nog erger is. Verblind ga ik ervan uit dat dit het beste is voor ons allebei. Onze samenleving – jij hebt het zelf gezegd – was onmogelijk.

Ik ga terug naar mijn kamer, ga op bed liggen en lees verder in het boek *S/Z* van Barthes. De drukletters slokken me op, redden me van de angst en van mezelf. Misschien heb ik me niet vergist. Ik volg de omzwervingen van Balzac en Sarrazine, zijn dubbelzinnige personage, de enige realiteit die me nog rest. Ik besta evenmin als hij, ik ben alleen een personage, een angstig, verdwaald subject. Een man die net als Don Quichot gek geworden is door de boeken. Een bezeten dolende ridder die, omdat hij niet in staat is zijn dame te redden, haar verkiest te vernederen. Ik kan enkel nog erkennen dat ik een literair stuk ben – een *heel slecht* literair stuk zou mijn Criticus me hebben verbeterd – en dat ik, zoals Barthes stelt, helaas niet daarginds in de buitenwereld besta, maar alleen hier op de bladzijden van dit boek, ver van jouw lippen.

Waar kan ik je vinden? In de pijn die je voor jezelf zoekt of in de pijn die je bij mij veroorzaakt? Of in de wonden die we elkaar hebben toegebracht zonder het te merken?

Buiten mezelf presenteer ik me in de galerie in de Marais waar Girard zijn serie *Venus in bont, 20* (1975) tentoonstelt. Ik herken jouw lichaam aan elke wand: hier je onderarmen, daar je venusheuvel, daar in de verte je navel, je dijen, je billen, je nek, je tepels, je clitoris... De kunstenaar heeft je in mootjes gehakt (tegenwoordig heet dat: *gedeconstrueerd*) en je vervolgens in het openbaar tentoongesteld, schaamteloos, alsof je een rund in het slachthuis bent. Ik verdraag het niet dat hij hoogmoedig zijn triomf over jou, en dus mijn nederlaag, verkondigt. Voordat iemand me kan tegenhouden, stort ik me op een van de stukken en verscheur het met beide handen. De bezoekers van de galerie draaien zich naar me om, ze zijn geschrokken, maar durven me niet tegen te houden. Woedend maak ik jouw foto's een voor een kapot, scheur ze aan flarden en gooi ze op de grond, onverstoorbaar... Het kan me niet schelen dat ik naar de gevangenis moet, het kan me ook niet schelen of ik haat of medelijden oproep bij die hypocriete verzamelaars...

Pas enkele minuten later realiseer ik me dat Girard zelf nog net op tijd is gekomen om de destructie van zijn werk gade te slaan; hij staat op enkele stappen van me af, verlamd, net als de anderen. Ik ben bereid tot het einde te gaan, desnoods slaat hij me verrot voordat hij me aan de politie overlevert. Onverschillig ga ik door met het vernietigingswerk. In plaats van me tegen te houden begint Girard na enkele seconden te applaudisseren. Eerst zachtjes, alsof hij een fluistering ontlokt aan zijn handpalmen, daarna met razernij, met hartstocht... De rest van de aanwezigen voegt zich al snel bij zijn enthousiaste geklap, en opeens ben ik het object van onverwachte toejuichingen. Wanneer een journalist van *Art Press* hem er de volgende dag naar vraagt, verklaart Girard dat ik zijn verlangen om de wereld te atomiseren en de werkelijkheid te verbrokkelen tot de uiterste consequenties heb doorgevoerd door zijn foto's te verscheuren. Mijn performance lijkt hem de volmaakte metafoor voor wat hij altijd heeft nagejaagd: het einde van de Kunst.

In een tekst gedateerd 17 september 1979 die postuum zal worden gepubliceerd, waagt Barthes het kort voordat hij sterft te noteren: 'Ik speelde op zijn verzoek wat op de piano voor O. en op datzelfde moment wist ik dat ik hem had opgegeven; hij had prachtige ogen en een lief gezicht dat nog werd verzacht door zijn lange haar: een delicaat maar ongenaakbaar en raadselachtig mens, lief en afstandelijk tegelijk. Ik heb hem vervolgens laten vertrekken, ik zei dat ik moest werken, terwijl ik wist dat er iets was afgelopen, er was iets afgelopen dat veel verder ging dan hij: de liefde van een jongen.' Als ik het geslacht van het personage zou veranderen en de O. door een C. zou vervangen, zou ik kunnen zeggen dat Barthes ook míjn verhaal vertelt.

Wat ik het meest betreur is dat ik jouw intelligentie niet kan *horen*. Wanneer jij een woord uitsprak, begon dat woord voor het eerst te bestaan.

Terwijl ik naar jou op zoek ben, vind ik Foucault. Na al die jaren, na al die misverstanden en leemtes, na al die samenlopen van omstandigheden, verenigt mijn weg zich met de zijne. Onze wegen waren ertoe voorbestemd elkaar te kruisen. Opeens stel ik me voor dat mijn geaccidenteerde traject geen ander doel heeft gehad dan hem te begeleiden tot de dag van zijn dood. Op een krachtiger manier dan mijn vriendschap met Lacan, Althusser of Barthes, geeft mijn vriendschap met Foucault zin aan mijn bestaan. Precies op het moment dat ik jou opnieuw kwijtraak, redt hij me.

IV

Microfysica van de macht

Een

Don Quichot leest de wereld om de boeken te laten zien.
FOUCAULT, *Les mots et les choses*

Ocosingo, Chiapas, 27 december 1988. Zodra we aankwamen lieten ze ons de foto's van zijn lichaam zien. Of liever gezegd, van zijn vlees dat daar lag en niet menselijk meer was. Het was nog bedekt met vieze dorre bladeren die op zijn huid geplakt zaten, en het deed me in eerste instantie denken aan de macabere installaties van Albert Girard, die ik zo vaak in de Parijse galeries had bekeken. Alleen was de dood in dit geval niet gefingeerd en zou het model nooit meer opstaan om het geld voor zijn diensten in ontvangst te nemen. Dat was het paradoxale: hoewel ik eraan gewend was kunstwerken – oplichterij – te bekijken en te ontcijferen, stond ik nu oog in oog met een intieme barbaarsheid en kon ik de originaliteit van de compositie, de onbeholpenheid van de omkadering of de inconsistentie van de scherptediepte niet beoordelen. Mijn geest bleef blanco, verstoken van esthetische excuses en troost.

In de door de recherche gegraven kuil, hier op de hoogvlakte in Chiapas, lag Tomás Lorenzo terwijl zijn rug uit de modder omhoogstak, als een zinloze zwemmer die het water kwijt is. Ik moet toegeven dat ik op dat moment al wist dat deze massa vlees, botten en bloed – dit stof dat tot stof was weergekeerd – een voor- en achternaam had, maar ik vond het onverdraaglijk deze onschuldige betekenaars in verband te moeten brengen met de resten die de autoriteiten ons lieten zien. Al verwezen de foto's naar de ijdelheid van een collage of een performance, we konden niet vergeten dat de armen die erop te zien waren ooit hadden bewogen – Tomás Lorenzo had zich net zo lang verdedigd tot zijn beulen zijn opperarmbenen kapot getrapt hadden –, dat dit vel ooit ingewanden had omspannen en dat er ooit ideeën over gerechtigheid en vrijheid waren uitgebroed in die door het genadeschot verbrijzelde schedel. Ja, *dat* daar was een mens. Of was het althans geweest.

De foto's van Tomás Lorenzo gingen van hand tot hand, alsof ieder van ons zocht naar bewijzen om onze dagelijkse onschuld terug te krijgen zodra het bedrog of de trucage werd onthuld. Op de ene foto stonden bijvoorbeeld de eeltige voeten van Tomás Lorenzo badend in de gebluste kalk, als de volmaakte uitbeelding van zijn boerentrots; op een andere zijn gespreide handen, waarmee hij niet om medelijden smeekte maar eerder zijn vijanden vervloekte; en op nog een andere foto staken zijn stevige schouders uit boven de aarde van Chiapas die hem bijna bedekte.

Hoewel de foto's van de politieartsen met zo'n professionele zorgvuldigheid waren gemaakt dat ze in de verste verte geen artistieke pretenties hadden, deden ze toch denken aan de pop-artseries van Andy Warhol. Het gezicht van Tomás Lorenzo werd zevenmaal herhaald op zeven identieke foto's; een donker, stug boerengezicht met de breekbaarheid van een lijk waardoor de wreedheid van zijn moordenaars zich duidelijk manifesteerde. Hij was zo hard geslagen dat zijn jukbeenderen tweemaal zo dik waren geworden en zijn lippen tegen zijn gezicht afstaken als een bloederige kwal; door de slecht geheelde wonden was hij niet in een monster veranderd, maar had hij de allure van een precolumbiaanse afgod, zo'n eeuwenoud steenblok dat de tand des tijds en de mensen doorstaat. Op de laatste foto's die waren gemaakt terwijl hij op de plank lag waar autopsie op hem was verricht – je kon je geen gruwelijker plaats voorstellen dan het lijkenhuis van Ocosingo –, was het lichaam van Tomás Lorenzo door het werk van de pathologen in een anoniem, zinloos voorwerp veranderd. De sobere maatschappijhervormer, uitgeschakeld door de sneden in zijn buik en zijn bovenlichaam, was ten slotte verdreven uit de wereld.

Om die bureaucratische smerigheid nog te accentueren lieten de officiële autoriteiten ons ook de papieren zien met een uitgebreide beschrijving van de toestand van het lijk, in een technisch taaltje waarbij elke linguïst zijn vingers zou aflikken: de grootte en het gewicht van zijn organen, de inventaris van de ziektes die hem niet hadden geveld – de trots van een cariës of iets dat hij gebroken had als kind –, de kleur van zijn tandvlees of de lijst van het laatste voedsel dat door zijn darmen zwierf. En als laatste verscholen de conclusies van de experts zich achter de obscene titel: DOODSOORZAKEN.

Was het de moeite waard verder te lezen? We wisten per slot van rekening allemaal dat Tomás Lorenzo niet was overleden door de schedelkneuzingen, het bloedverlies of de schade aan zijn hersens, maar als gevolg van de haat en de maatschappelijke onrechtvaardigheid. De verklaring voor zijn dood moest niet in zijn ingewanden worden gezocht, maar in de beestachtigheid van ons openbare leven. Tomás Lorenzo was niet het eerste slachtoffer van de repressie die in Mexico tegen dissidenten werd bedreven: je hoefde geen oude voorbeelden aan te halen zoals de slachtpartij op de Plaza de las Tres Culturas of de moord op de boerenleiders Rubén Jaramillo en Lucio Cabañas, want de moord op Francisco Xavier Ovando en Román Gil Heráldez, twee mannen die nauw samenwerkten met de presidentskandidaat van de oppositie, Cuauhtémoc Cárdenas, lag ons nog gruwelijk vers in het geheugen. Die moord had vlak voor de frauduleuze verkiezingen op 6 juli plaatsgevonden, toen Carlos Salinas de Gortari zich meester maakte van ons land.

Vandaar dat ik het voorbeeld volg van mijn betreurde leermeester Michel Foucault en in mijn hoedanigheid als directeur van het tijdschrift *Tal Cual* besloten heb om samen met de schrijvers Ernesto Zark, Carlos Monsiváis en Julio Aréchiga deel te nemen aan de commissie die onderzoek moet doen naar de moord op Tomás Lorenzo, een vermaard activist van het Nationale Democratische Front. De moord vond op 7 december van dit jaar plaats in het dorp Oventic, in de provincie Chiapas. Ofschoon bepaalde radicale sectoren erop aandringen de officiële corruptie aan de kaak te stellen zonder dat ze verder iets doen om deze te bestrijden, zijn wij er als aanhangers van dit plan van overtuigd dat onze tussenkomst beslissend kan zijn voor het ophelderen van de feiten. Indien we werkelijk geïnteresseerd zijn in de *waarheid*, en als het waar is dat we *gerechtigheid* voorstaan, is er geen andere weg dan die twee dingen op te eisen. Ongetwijfeld zijn er mensen die hun handen liever niet vuilmaken, maar wij zijn niet van plan met onze armen over elkaar te blijven zitten. Wij zijn bereid het risico

te nemen: als we het niet zouden doen, zou dat een daad van lafhartig-
heid zijn en van medeplichtigheid met de regering. Na de foto's van
Tomás Lorenzo te hebben bekeken, lijdt het geen twijfel dat het onze
plicht is te *handelen*. Ons land moet *weten* wat er gebeurd is. En de
schuldigen moeten worden gestraft.

ANÍBAL QUEVEDO, 'De moord op Tomás Lorenzo, I',
Tal Cual, januari 1989

BRIEF VAN CLAIRE

Parijs, 10 januari 1985

Lieve Aníbal,
   Hoe het verdriet te benoemen zonder het te proeven? Hoe datgene te
bezweren wat ik weet en wat ons vernietigt omdat ik het weet? Hoe te
vergeven zonder te vergeten en hoe te overleven zonder het op te
biechten? Nu begrijp ik waarom jij Frankrijk hebt verlaten. In tegenstelling tot ons, had jij de nodige moed verzameld om dit kerkhof te
ontvluchten. Sinds de dood van Foucault is Parijs veranderd in een va-
gevuur en slechts enkelen van ons realiseren zich dat alles, wee ons, is
afgelopen. Omdat ik niet uit deze gevangenis kan ontsnappen voel ik
me gedoemd dwars door deze bakstenen heen te boren om enkel een
glimp te zien van een paradijs dat nooit meer van ons zal zijn. We zijn
bij het laatste oordeel aanwezig geweest zonder een spier te vertrekken. Wat is er over van onze verlangens en verwachtingen? Foucault
was onze laatste held. In het begin was ik zo razend dat ik wilde blijven
geloven dat de strijd door kon gaan zonder hem, dat ik tegen de autoriteiten kon blijven vechten alsof hij niet gestorven was, maar ik begin
de stank van onze naderende verrotting al te ruiken. Zou het ergens
goed voor zijn om zijn strijd voort te zetten? Zijn dood sluit niet alleen
een tijdperk af, maar ook een manier van denken. Een *epistème*. Zijn
dood begraaft ons. Vind je dat ik overdrijf? Misschien is deze teleurstelling ook zo'n eis van mijn vrouwelijke natuur waar ik deze dagen
zo de pest aan heb. Ik zou me op één ding willen concentreren – op
mijn verdriet of, waarom niet, op de toekomst –, maar mijn hoofd

raakt vol geluiden… Zeg me eens, Aníbal, zouden we inderdaad besloten hebben elkaar kwijt te raken? Ik heb nooit begrepen wat ons precies bindt en al helemaal niet wat ons scheidt. Ik erken alleen dat we, ondanks de afstand en de woede, nu opnieuw hier zijn, verenigd door de briefjes die we weer met elkaar uitwisselen… Misschien zouden we niet zo streng moeten zijn tegen de structuralisten: inhoudelijk hebben we met onze gesprekken – onze ruzies – niet zoveel bereikt, maar het is ons wel gelukt onze respectievelijke plaatsen te behouden, die leegtes waaronder elk van ons evenzeer lijdt. Wat kan ik je nog meer vertellen? Dat Parijs jou niet waard is? Ik neem aan dat het voor jou ook niet gemakkelijk is geweest te vertrekken: teruggaan naar de oorsprong vereist een onvoorstelbare dosis koppigheid en onschuld. Het kost me moeite me jou daarginds voor te stellen, zo dicht bij je kindertijd en zo ver van jezelf (van de man die je nu bent), verdwaald in een stad die, zoals je zegt, niet langer de jouwe kan zijn. *Mexico*: wat een vreemde betekenaar, zo dor en zo plechtig tegelijk. Een plaats waarvan je je de naam niet wilde herinneren… Toen je vertrokken was dacht ik dat je het niet zou uithouden en dat je na verloop van tijd naar Europa zou terugkeren. Wat arrogant van mij! Nu begrijp ik dat je andere plannen had. Een tijdschrift. Daar heb je altijd naar verlangd, hè? Een middel om de macht het hoofd te bieden vanaf zijn grenzen, een wachtpost vanwaar je de maatschappij kunt bekijken en haar onderdrukkers kunt bestrijden. Na de jarenlange leerschool in Frankrijk was het moment gekomen je weg te voltooien. Zoals elke held moest je naar Ithaca terugkeren om je kennis, je *weten*, in praktijk te brengen. Jij hebt je, in tegenstelling tot anderen – onder wie misschien ikzelf –, niet neergelegd bij de rol van erfgenaam van Foucault, maar je hebt besloten zelfstandig te handelen. Jouw terugkeer naar Mexico betekent jouw bevrijding en je laatste eerbetoon aan zijn nagedachtenis. Het project klinkt veelbelovend zoals je het vertelt. Ik hoef mijn vertrouwen in jou niet opnieuw uit te spreken. Hoewel je vijanden niet zullen aarzelen je uit te lachen omdat je zo verfranst bent – hoe is het eigenlijk met je Voorbeeldige Criticus? –, vind ik de titel die je voor je avontuur hebt bedacht geweldig: *Tal Cual*. In het Spaans klinkt het nog stelliger; ik weet zeker dat je collega's in Parijs gevleid zullen zijn. Het enige wat me zorgen baart is de toenemende invloed die Josefa op je heeft. Ze is altijd intelligenter geweest dan ze eruitziet en ook veel gevaarlijker. Ik begrijp dat je haar na zoveel jaar trouwe dienst de post van redactiechef hebt toevertrouwd – de regering van *jouw* eiland –, maar ik smeek je haar goed in de gaten te houden. Geloof me, wij vrouwen herkennen elkaar... Wat kan ik je nog meer vertellen? Het lijkt me beneden onze stand mijn verontschuldigingen aan te bieden voor wat er tussen ons is gebeurd; het enige wat ik eraan toe kan voegen is dat ik de berichten die je me hebt gestuurd – het gruwelijke portret dat je van mij schildert – keer op keer heb herlezen en dat ik er nog steeds van in de war ben, hoewel het lovend bedoeld schijnt te zijn (ik heb wel honderd keer tegen mezelf moeten zeggen dat het lovend bedoeld is). Je vraagt me om iets dat ik je niet kan geven: een verklaring. Die heb ik eenvoudigweg niet. Ik beloof je dat ik er met evenveel ijver en hartstocht als jij naar zal zoeken (en *mezelf* zal zoeken). Van hieruit, over de eindeloze afstand die ons verenigt, beëindig ik deze brief en breng ik een toast uit op *Tal Cual.*

CLAIRE

UIT HET AANTEKENINGENSCHRIFT VAN ANÍBAL QUEVEDO

Is het mogelijk een geëngageerde intellectueel te zijn in Mexico? Deze vraag kwelt me sinds ik terug ben. Hoe autonomie te verkrijgen in een land dat al bijna zestig jaar door dezelfde partij wordt geregeerd? Hoe aan een nieuw avontuur te beginnen wanneer de media, de uitgeverijen en zelfs de universiteit onderworpen zijn aan het repressieapparaat van de staat? Zelfs de meest kritische denkers hebben de macht nodig om te kunnen overleven. Eén blik op de treurige geschiedenis van het merendeel van de Mexicaanse schrijvers is voldoende om volledig ontmoedigd te raken. Er zijn blijkbaar maar twee opties: ofwel een onafhankelijke positie behouden tot de uiterste consequenties, en dus worden vervolgd of stilgezwegen – wat misschien de ergste straf is –, ofwel buigen voor de grillen van de *politieke klasse* en een gedwongen discretie betrachten ten aanzien van de excessen van de PRI* en de regering. Als we hieraan toevoegen dat in Mexico niemand leest – zelfs

* Partido Revolucionario Institucional. (noot v.d. vert.)

niet de mensen die het behoren te doen –, moeten we tot de conclusie komen dat de kritische wil niets dan een illusie is, een abstracte mogelijkheid zonder enige implicatie in het dagelijks leven. Ik begrijp waarom de mensen zo sceptisch zijn bij het verschijnen van een nieuw tijdschrift: niemand kan zich voorstellen dat wij in staat zijn *buiten* het systeem te blijven. Toch leg ik me er niet bij neer. Ik ben ervan overtuigd dat we deel moeten nemen aan de discussies die al enkele jaren worden gevoerd in *Vuelta* en *Nexos*, dat wil zeggen in onze bedeesde varianten van literair rechts en links. In tegenstelling tot deze twee tijdschriften, die al in zo veel intriges met de macht zijn verwikkeld, kan ons tijdschrift een nieuwe wind laten waaien in een burgermaatschappij die schoon genoeg heeft van koehandel en achterbaksheid. Is die poging de moeite waard? Het heeft geen enkele zin deze vraag met woorden te beantwoorden: we moeten handelen.

***

Hoewel ik bijna twintig jaar buiten Mexico heb gewoond, merk ik dat er niets veranderd is. Sommige gezichten zijn wat ouder geworden, een populistische politicus heeft de palmbomen langs de straten gerooid en de kabinetsleden zijn de zonen of de neefjes van hun voorgangers; maar verder is alles bij het oude gebleven. De trage machinerie van de *bijna* enige partij werkt verlammend op elke afwijking van de norm. Desondanks denk ik er niet over naar Frankrijk terug te gaan. Ik vermaak me hier tenminste prima met mijn lessen aan de universiteit, neem deel aan tientallen congressen, lezingen, colloquia en rondetafelgesprekken – ik ben opeens een onmisbare deelnemer geworden – en het is me gelukt mijn tijdschrift op poten te zetten. Ik moet tevreden zijn. Zoals Josefa al zei, even boosaardig als altijd: in het land der blinden...

***

Waarom zijn de machthebbers in Mexico zo bang voor intellectuelen? Op het eerste gezicht zou deze vraag absurd moeten klinken: Mexicaanse presidenten bezitten een onbegrensde macht, ze controleren elk aspect van het nationale leven, ze beslissen over het lot van miljoenen mensen door één enkel bevel te geven – of het soms alleen maar te suggereren –, ze beschikken over eindeloos veel financiële voorraden die ze spenderen zonder aan iemand rekenschap af te leggen – het Congres en het Hooggerechtshof zijn louter concessies aan de legaliteit –, ze hebben het grootste deel van de media in hun macht en kunnen in noodgevallen rekenen op de onvoorwaardelijke steun van het leger. Kortom, ze zijn absoluut de baas in het land.

Waarom zouden ze zich dus zorgen moeten maken als een handjevol ontevreden lieden een paar regels tegen hen schrijft? Het zou een paar critici nooit lukken hun bewind in gevaar te brengen! En toch, als gevolg van een onbegrijpelijk atavisme – een heilige angst voor het gedrukte woord – vrezen die almachtige lieden intellectuelen als de pest. Zoals een olifant bang is voor de dreiging van een muis, slaat Mexicaanse politici iedere keer de schrik om het hart als ze een veeg uit de pan krijgen in de pers en kiezen ze ervoor, naar gelang hun temperament of het geval, die 'kwaadaardige geesten', die 'aankondigers van het verderf', die 'duistere krachten' te vervolgen of om te kopen om zo te verhinderen dat ze doorgaan met hun aanvallen op het welzijn van de natie.

Mexicaanse schrijvers en academici voelen zelf net zo'n angst en fascinatie voor hun regeerders. Het komt daardoor niet zelden voor dat ze toenadering tot de machthebbers zoeken, terwijl ze hen eigenlijk zouden moeten bestrijden, en uiteindelijk in hun web worden gevangen. Volgens lord Ashton corrumpeert de macht en corrumpeert absolute macht absoluut: deze vervloeking voltrekt zich zelden zó perfect: gelijk Icarus op weg naar de zon worden de intellectuelen uiteindelijk altijd door de macht verblind. Hoe deze doem te vermijden? Hoe het virus van nabij te bestuderen zonder zelf te worden besmet? Dat is de grote uitdaging voor *Tal Cual*.

INTERVIEW MET JOSEFA PONCE

Vertelt u ons eens iets over Quevedo's relatie met Michel Foucault.

JP. Die man heeft hem gered, meneer. Ik ben ervan overtuigd dat Aníbal zonder zijn hulp het verraad van die vrouw nooit te boven was gekomen. Hij droomde er al heel lang van met hem samen te werken, dus de uitnodiging die Foucault hem stuurde en waarin deze hem vroeg aan een van zijn projecten mee te werken, kwam als een wonder. Na zijn ervaring als begeleider van de Informatiegroep Gevangenissen, richtte Foucault zijn aandacht op de mechanismen die de gevangeniswereld controleerden en wilde hij een 'genealogie van de moderne moraal door middel van een politieke geschiedenis van de lichamen' samenstellen. Naar zijn idee was de koepelgevangenis, zo'n ronde gevangenis die Bentham had ontworpen om de gevangenen vanuit een centraal punt in de gaten te houden, niet alleen een metafoor voor de moderne maatschappij, maar ook een wezenlijke spil daarvan.

Het was paradoxaal dat Foucault precies op het moment dat hij zijn geloof in de revolutie had verloren, klaar was met zijn boek *Surveiller et punir*. Bijna drie jaar daarvoor waren de laatste resten van Proletarisch Links verdwenen door toedoen van deserteurs zoals Aníbal, en in tegenstelling tot wat er in Italië of Duitsland gebeurde, bleven alleen radicale activisten als Pierre Victor de weg van het geweld verdedigen. In die dagen hadden de maoïsten echter een van hun laatste initiatieven in gang gezet. Ze wezen de juridische bourgeoisinstellingen af en wilden een soort parallelle gerechtshoven instellen in het kader van een strategie die ze *volksgericht* noemden.

Ondanks de sympathie die hem ooit nauw met Pierre Victor had verbonden, kon Foucault niet instemmen met zo'n instelling. Hij wantrouwde elke vorm van onderdrukking, of die nu werd uitgevoerd door de regering of door subversieve groepen. Tijdens een belangrijk openbaar debat met de vroegere secretaris van Sartre verborg Foucault niet dat hij het er niet mee eens was. Volgens hem zou de mentaliteit ten aanzien van de strafoplegging niet veranderen door de burgerlijke gerechtshoven af te schaffen en hun wreedheid over te hevelen naar volksvergaderingen, maar door een vraagteken te zetten bij het begrip gerechtigheid zelf. Zoals te voorzien was leverde deze houding hem de vijandschap op van zijn vroegere kameraden, die al gauw vraagtekens zetten bij de waarde van zijn opmerkingen.

In een poging deze aanvallen te negeren, wijdde Foucault zich vervolgens met hart en ziel aan de samenstelling van het eerste deel van zijn monumentale *Histoire de la sexualité*. Hierin wilde de filosoof niet alleen de noodzaak van het bestuderen van het eigen innerlijk nog eens onderzoeken, maar ook de praktijken en strategieën die in de loop van de tijd waren bedacht om dit proces te begeleiden. Daar had hij Aníbal voor nodig: zijn programma omvatte natuurlijkerwijze een kritisch overzicht van de psychoanalyse. Deze discipline was tot nu toe aan zijn interpretatiedrift ontsnapt, maar nu dacht hij erover te bewijzen dat deze 'geneeswijze door middel van het woord' verwant was aan alle technieken die sinds de oudheid waren toegepast om de waarheid bij de medemens boven tafel te krijgen. Naar zijn mening was de doeltreffendheid van de psychoanalyse gebaseerd op hetzelfde 'mechanisme van de seksualiteit', de christelijke biecht, dat wil zeggen op het idee dat genezing – dat een individu dus weer normaal wordt – afhangt van de erkenning, ofwel tegenover een luisterende analyticus ofwel tegenover een priester, van de seksuele onderdrukking die iemand heeft ondergaan.

Tegen de stroom in dacht de filosoof dat er niet zoiets als één enkele waarheid bestond, en dat de technieken die werden gebruikt om die waarheid vlot te trekken – de biecht en de psychoanalyse – daarom gewelddaden waren tegen de geest en het lichaam van de individuen. Wat gebeurt er in een maatschappij als de onze, waar de seksualiteit niet louter een middel is tot voortzetting van de soort, de familie en het individu, maar evenmin een eenvoudig middel voor het verkrijgen van bevrediging en genot? Hoe is men op de gedachte gekomen dat de maatschappij de bevoorrechte plaats is waar onze diepste 'waarheid' wordt gelezen en tot uitdrukking wordt gebracht? Met hulp van Aníbal probeerde Foucault antwoorden te vinden op deze vragen.

In 1976 verscheen zijn boek *La volonté de savoir*, dat zowel door de kritiek als door het publiek koel werd ontvangen. Wat waren de redenen van deze mislukking? Ik ben niet de meest aangewezen persoon om er een verklaring voor te geven. Eigenlijk was dit boek een voorwoord bij een diepgravender werk – op de binnenflap stond een gedetailleerd plan voor zes delen –, maar hierin kondigde Foucault al aan dat zijn einddoel niet alleen was te analyseren hoe sinds de Victoriaanse tijd de seksualiteit in het Westen werd onderdrukt, maar ook te bestuderen waarom we er in deze tijd nog altijd zo'n spijt van hebben dat dit zo is gegaan. Hij ontkende niet dat de seksualiteit gestigmatiseerd was, maar hij maakte zich zorgen over de felheid waarmee we boetten voor onze censuur. Volgens hem hadden de Victorianen zich inderdaad beziggehouden met het kuisen van het vocabulaire van de seksualiteit, het controleren van de betreffende retoriek en regels en het vaststellen van uitingsnormen, maar sindsdien was het aantal verhandelingen over seks alleen maar toegenomen. Natuurlijk duurde het niet lang voordat zijn tegenstanders hem uitmaakten voor reactionair en sindsdien kwam er geen einde aan de aanvallen op hem.

'Weet je dat Baudrillard net een boek heeft gepubliceerd dat *Oublier Foucault* heet?' vroeg Aníbal me verontwaardigd.

'Maak je niet druk,' stelde ik hem gerust. 'Binnen de kortste keren herinnert niemand zich die naam meer.'

Ondanks de grappen raakte Foucault steeds verbitterder. Hij werd zenuwachtig van de beschuldigingen die in Frankrijk tegen hem werden geuit en accepteerde de uitnodiging van de universiteit van Berkeley om daar in de lente van 1975 als docent te komen werken. Aníbal, die aan de ene kant gebukt ging onder de kritiek op zijn werk in Mexico — Pérez Avella bleef zijn boeken een voor een onderuithalen — en aan de andere kant onder de onvermurwbare stilte van die vrouw, twijfelde geen seconde of hij Foucaults uitnodiging zou aannemen om als onderzoeksassistent met hem mee te gaan naar Californië. Geen van beiden konden ze zich indenken dat hun rancune jegens de moderne maatschappij alleen maar groter zou worden in Amerika.

SLECHTSTE BOEK VAN HET JAAR

Utopieën, van Aníbal Quevedo (Siglo xxi, 1983). Ongetwijfeld een van de meest verwarde, pretentieuze, oppervlakkige en opportunistische boeken, geschreven door iemand die typisch de meest verwarde, pretentieuze, oppervlakkige en opportunistische Mexicaanse schrijver van zijn generatie is.

JUAN PÉREZ AVELLA, 'Het beste en het slechtste van het jaar', *Nexos*, december 1983

Alleen het verdriet. Het is het enige wat ik nog heb, het enige wat me overeind houdt. Zou ik in staat zijn mijn ontbinding te begrijpen in topologische of wiskundige termen? Zou ik, om congruent te zijn met mezelf, moeten tolereren dat mijn hersens mijn ideeën steeds opnieuw herhalen net zo lang tot ze op zijn? Zou ik precies op het moment dat ik naar de oever van de dood glijd in de afgrond van de waanzin vallen? Hoewel ik bijna buiten bewustzijn ben door de drug die me is ingespoten door die idiote arts – de rimpels op zijn gezicht lijken me even vaag als de ondraaglijke druk van mijn familieleden –, bezorgt die me tegelijkertijd een ongewone helderheid van geest. Als ik op mijn oude dag nog in God zou gaan geloven, zou ik me bijna kunnen voorstellen dat Hij me in Zijn oneindige mededogen de vlaag van helderheid, waarmee ik nu word geslagen, heeft toegezonden. Jammer dat ik niet nog veel kindser ben! De helderheid die zich in mijn bewustzijn nestelt, geeft me een soort lichtheid. De schittering biedt me geen verlichting of redding en ook niet eens troost, maar roept tenminste ook geen wroeging op en ik krijg er ook geen mystieke neigingen van. Het is heel eenvoudig: *ik* ben God en *ik* ben dood. Wat een reusachtige vergissing te denken dat je in je laatste seconden je leven voorbij ziet komen alsof je in een filmzaal zit! Wat is dat toch een idioot verlangen van de levenden! Een herhaling van de voorafgaande momenten, een terugkijk op de tegenslagen en de vreugden, een film met een begin, een verloop, een climax en een einde... Wat zou het eenvoudig zijn zo de zin van de geschiedenis – van mijn geschiedenis – te vinden, er een verklaring of verontschuldiging in te vinden voor alles wat we hebben gedaan. Tijdens de doodsstrijd gaat het verleden in rook op. Ik ben niet wat ik ben geweest: ik ben alleen deze innerlijke stem die langzaam maar zeker verdwijnt. Niks geen gehuil, schuldgevoelens of mysteries. Geen redding en geen straf. Verwachtte ik soms dat de dood me *wijsheid* zou geven? Dat ik een soort bewijs van goed gedrag zou krijgen? Zou ik me beter voelen als ik kon bewijzen dat mijn idee over de dood de werkelijkheid benaderde? En als al mijn theorieën en woorden niet zouden dienen om de zin van het leven te begrijpen, maar de uitdrukking – of de bezwering – waren van de eenzaamheid en het verdriet die het bestaan is, de eenzaamheid en het verdriet die mij definiëren? Zo, dus *dat* is de dood. Het merkteken van de afwezigheid. Wat kinderachtig: ik, de grote Lacan, haast me te sterven in hetzelfde gehate ziekenhuis als waar mijn moeder dertig jaar geleden is gestorven – wat een grove freudiaanse metafoor – en waar ik sta ingeschreven onder een naam die niet eens mijn eigen naam is. Ik zou willen zeggen dat ik in dit belachelijke einde een gevaarlijke congruentie zie, maar zelfs deze vergissing vermag me niet te verbazen. Als ik ook maar een beetje kracht had zou ik geen seconde aarzelen om alle aanwezigen hier een klap in het gezicht te geven, al die kraaien die mijn erfenis al op hun tong proeven, en vooral die stompzinnige arts die me niet alleen van mijn pijn, maar ook van mezelf heeft afgeholpen. Dan zou ik misschien in vrede kunnen vertrekken. *Ik ben koppig*, mompel ik binnensmonds... En ik ontneem hem voor altijd het genoegen *mijn* overlijden vast te stellen door zelf te dicteren: *Ik verdwijn...*

ANÍBAL QUEVEDO, 'De laatste dag, I',
Tal Cual, juli 1989

SESSIE OP 15 JULI 1989

Ik begrijp niet waarom ik ermee heb ingestemd hem te analyseren. Uit professioneel verantwoordelijkheidsgevoel, uit medelijden of gewoon uit nieuwsgierigheid? Toen ik het telefoontje van de privé-secretaris van zijn privé-secretaris kreeg, dacht ik dat iemand een flauwe grap met me wilde uithalen, maar toen ik de zurige, nasale stem herkende begreep ik dat het geen spelletje was en dat mijn leven vanaf dat moment helaas minder vreedzaam zou zijn. Na mijn ervaring in Cuba had ik mezelf beloofd me nooit meer te onderwerpen aan de grillen van machthebbers, en toch stond ik opnieuw versteend en verstomd toen ik geconfronteerd werd met zijn slinks geformuleerde verzoek. Kon ik weigeren? Omdat het zo onverwacht was of zo pervers – of gewoon omdat ik zo graag wilde weten –, durfde ik geen nee te zeggen en stemde ik ermee in hem die avond te bezoeken.

Een bediende leidde me door de ruime vertrekken van de ambtswoning en bracht me uiteindelijk in een klein kamertje, waar een indrukwekkende zwartleren divan stond te pronken (heel wat anders dan de tegen elkaar geschoven stoelen van de commandant). Mijn patiënt liet niet lang op zich wachten; hij was min of meer informeel gekleed – een gestreept overhemd, geen das – en hij verjoeg al mijn twijfels zonder omwegen: onze relatie zou binnen de vier muren van deze kamer louter professioneel en nooit politiek zijn, ik mocht zijn woorden niet op de band opnemen en geen aantekeningen maken van wat hij me vertelde. Eigenlijk verplichtte hij me hem te behandelen zoals ik elk ander mens behandelde en geen rekening te houden met zijn positie. Als tegenprestatie zou hij zich aan mijn regels houden en me na afloop van elke sessie mijn honorarium betalen. Het was logisch dat geen van ons de voorwaarden van onze overeenkomst mocht onthullen, laat staan de inhoud van onze gesprekken. Op dit moment is het duidelijk dat ik bezig ben hem te verraden: ik voel me wel een beetje schuldig, maar ik ben niet gek en ik weet dat deze bladzijden mijn enige bescherming zullen zijn voor het geval er iets mis gaat.

Na enkele formaliteiten ontspant hij zich eindelijk en begint, op de divan liggend, te praten. Hij vertelt me, misschien als gevolg van een Freudiaans vooroordeel, een verschrikkelijke gebeurtenis uit zijn jeugd. Blijkbaar had een tragisch ongeluk een einde gemaakt aan het leven van een van hun dienstmeisjes. Een fataal geladen vuurwapen. Een stompzinnige dood.

'Ik heb u al gezegd dat het een ongeluk was.' Hij heeft een heldere, kalme stem en een vlekkeloze dictie. 'We waren kinderen, we waren aan het spelen. Ik had er geen idee van dat het echte kogels waren. Het arme kind klapte voorover, zoals bij doelwitten op de kermis gebeurt, het was verschrikkelijk, maar ik kon me ook niet voor de rest van mijn leven schuldig voelen. Volgens Freud moet je de gevolgen van je daden onder ogen zien en verdergaan... Door deze ervaring ben ik eigenlijk in positieve zin getekend,' – mijn beroemde patiënt twijfelt niet en stottert nooit – 'mijn karakter is erdoor gevormd, omdat het me liet zien wat het resultaat van mijn handelingen kon zijn... Ik was nog maar een kind... Dit was ongetwijfeld mijn eerste contact met de macht... Ik heb vaak gedacht dat ik nu deze positie bekleed dankzij de dood van die ongelukkige vrouw. Door haar offer ben ik een man geworden. Daarom is het nu mijn plicht me op te offeren om het Mexicaanse volk te dienen.'

Als hij klaar is met zijn vertoog vertoont hij niet het geringste spoor van vermoeidheid of verslagenheid. Er glijdt nauwelijks een zweet-druppel over zijn schedel. Het is alsof hij een verklaring in het open-baar heeft voorgelezen. Ik wil hem liever niet vermoeien met mijn overpeinzingen en geheel in de stijl van Lacan beperk ik me ertoe de sessie af te ronden. Ik gun hem niet de lol van een berisping. Onver-stoorbaar vraag ik alleen om mijn geld.

INTERVIEW MET LEONORA VARGAS EN SANDRA QUEVEDO

LV. Wij hebben in de krant gelezen dat Aníbal terug was. U heeft het goed gehoord, hij heeft ons nooit gewaarschuwd.

Onderhield dokter Quevedo geen enkel contact met u sinds hij in 1967 uit Mexico was vertrokken?

SQ. Mijn vader stuurde me altijd een cadeautje voor mijn verjaar-dag... Ik heb nog een pluchen konijn...
LV. Ga je hem weer verdedigen? Nee, Aníbal is ons gewoon vergeten. Dat zou je nu toch eindelijk eens moeten accepteren, Sandra. De ellen-deling vluchtte uit Mexico toen jij nog klein was en de volgende keer dat je hem zag was op de televisie, twintig jaar later.

Dat betekent dat u geen van beiden ooit nog met hem heeft gesproken zo-lang hij in Frankrijk woonde.

LV. Inderdaad. We wisten dat hij leefde, omdat zijn handtekening op de cheques stond die Josefa Ponce ons altijd bleef toesturen...

Zijn financiële verplichtingen is hij dus altijd nagekomen?

SQ. Ja, altijd. Papa was heel gul. Hij is ons altijd geld blijven sturen, zelfs toen hij in economische problemen raakte met het tijdschrift.
LV. Dit kind begrijpt nog steeds niet dat gulheid niet bestaat uit het ondertekenen van een paar cheques aan de andere kant van de Atlanti-sche Oceaan. Aníbal is de meest egoïstische man die ik ooit heb ge-kend. Voor hem is het alsof wij dood zijn. Hij heeft nooit enige poging gedaan om met ons in contact te komen...

Maar toen u wist dat hij terug was in Mexico, heeft u toen geprobeerd met hem in contact te komen?

lv. Sandra wilde hem met alle geweld terugzien. Ik zei dat ik altijd tegelijk haar vader en haar moeder was geweest, maar ze was er niet van af te brengen...

Hoe was de ontmoeting?

lv. Ja, hoe zou die zijn geweest? Verschrikkelijk natuurlijk...
sq. Die mevrouw vraagt het aan *mij*, mama! Het was een onvergetelijke ervaring, dat zweer ik u. Ik zou bijna durven zeggen dat het prachtig was...
lv. O, ja, fantastisch...
sq. Mama! Ik had gehoord dat hij een persconferentie zou geven of zoiets...
lv. Dat was toen hij zijn tijdschrift presenteerde, *Tal Cual*. Wat een snertnaam, vindt u niet? Als hij de moeite had genomen mij om mijn mening te vragen...

Ben jij daar dus onverwacht opgedoken, Sandra?

sq. Ik ging na afloop van de presentatie naar hem toe, zoals al die andere bewonderaars. Hij herkende me natuurlijk niet. Maar ik geloof dat hij me wel een beetje leuk vond, er was iets in zijn ogen, weet u... Iets speciaals.
lv. Sandra!
sq. Ik had echt niet gedacht dat hij er zo uitzag. Ik weet niet hoe ik het moet zeggen. Ik had gedacht dat hij magerder zou zijn, maar hij is de laatste jaren blijkbaar dikker geworden. Zijn ogen waren nog even stralend als op de foto's...

Wat heb je tegen hem gezegd?

sq. Niets...

Niets? Heb je niet gezegd wie je was...

306

sq. Dat kon ik niet. Toen ik eindelijk voor hem stond zag ik een soort breekbaarhcid in zijn blik. Ik mocht deze speciale dag niet voor hem verpesten… Ik voelde dat ik niet het recht had hem zo plotseling met zijn verleden te confronteren. Dus heb ik hem om een handtekening gevraagd en ben weggegaan…

lv. Ik zei u toch al dat dat kind gek is? Als ze toch ongehoorzaam was en zo onverstandig om daarnaartoe te gaan, had ze hem tenminste op zijn nummer kunnen zetten… Jezus, Sandra, je had hem moeten zeggen dat je zijn dochter was, de dochter die hij had verlaten toen ze tien was, en dan eens zien of hij spijt had van die lage daad en of hij stierf van schaamte tegenover al die journalisten…

sq. Het is merkwaardig, maar ondanks die massa mensen die hem bombardeerde met loftuitingen en vragen, had ik het gevoel alsof mijn vader eigenlijk sliep… En ik had niet de moed om hem wakker te maken.

ELENA PONIATOWSKA, 'De familie Quevedo',
La Jornada, 20 mei, 1990

Twee

Lagos, Nigeria, 28 mei 1985

Lieve Aníbal,

In de eerste plaats wil ik je bedanken dat je me op de hoogte houdt van de gebeurtenissen in Mexico! Wat heb jij toch een geduld dat je me al die krantenknipsels, berichtjes en commentaren toestuurt! Ik heb ze nauwkeurig bestudeerd, maar het kost me toch moeite de politieke situatie in jouw land te begrijpen. Ik realiseer me wel dat je een ijzeren wil moet hebben om een onderneming als *Tal Cual* van de grond te krijgen. Ik deel je moedeloosheid. Wanneer het zo veel moeite – en zo veel slapeloze nachten – kost om een idee te verwezenlijken, is het om wanhopig te worden als je moet vaststellen dat anderen je puur uit gemeenheid of jaloezie tegenwerken. Jouw vijanden zitten overal: binnen en buiten. Daarom moet je niet alleen voorzichtig zijn, maar overal tegelijk ogen hebben om de lui die jou in de rug willen aanvallen in de gaten te houden. Ik probeer me voor te stellen hoeveel bureaucratische rompslomp je hebt moeten doorstaan: als je in Mexico een tijdschrift wilt uitgeven – of wat voor project dan ook wilt doen buiten het officiële circuit –, betekent het blijkbaar dat je door een labyrint van papier, obstakels en valstrikken heen moet, en dat je bovendien gewapend moet zijn met een schild om jezelf te beschermen tegen de vraatzucht van functionarissen en inspecteurs. Jouw eindeloze omzwervingen om dat zogenaamde 'certificaat van toelaatbaarheid van inhoud' – wat even idioot klinkt als zoeken naar de helm van Mambrino – te verkrijgen, is daarentegen een geschiedenis die de beste Joseph K. waardig is. Onze vriend Foucault zou het heerlijk gevonden hebben het spinnenweb te bestuderen waarmee de macht de vrije circulatie van papier (en van ideeën) onder controle houdt. Ik kan je alleen maar sterkte toewensen. Wat me ernstiger lijkt is het onbegrip dat jou ten deel valt van de kant van andere Mexicaanse intellectuelen. Hebben ze je echt behandeld alsof je gek was? Begrijpen ze niet dat een nieuwe publicatie altijd een goed bericht is? Op grond van wat je me vertelt, denken veel van je collega's blijkbaar dat het intellectuele leven een nulsomspel is, waarbij de een noodzakelijkerwijs wint wat de ander verliest. Wat een gebrek aan visie. En in een land waar de verdiensten die een tijdschrift oplevert geen doorslaggevende factor is, willen de mensen natuurlijk alleen het monopolie van hun prestige behouden. Omdat de openbare mening permanent met ijzeren hand wordt gemanipuleerd, verlangen ze er alleen naar erkend te worden door diezelfde macht waar ze ogenschijnlijk zoveel kritiek op hebben. Wat een spiegelgevecht! Ik begrijp waarom je collega's zo boos zijn: ze geven niets om jouw politieke neigingen of om jouw verlangen het openbare debat aan te zwengelen, maar ze zijn bang dat ze door jou uit het zicht raken. Alles wat ze doen, hun felste aanvallen op de PRI incluis, heeft geen ander doel dan de aandacht te trekken van de machthebbers; in een gesloten maatschappij is het voor hen de enige manier om succes te behalen. Wanhoop niet: vroeg of laat zul je bereiken dat de beste Mexicaanse schrijvers erom zullen vechten in jouw tijdschrift te mogen publiceren... Ach, Aníbal, het verenigen van *macht* en *kennis* is een bijzonder riskante zaak. Hoewel de resultaten voor jou en je land ongetwijfeld positief zullen zijn – ik geloof net als jij in de noodzaak van vermenigvuldiging van het verzet –, begrijp ik dat je er af en toe over denkt je gewonnen te geven. Als je daarbij nog de obstakels optelt die binnenkort tegen je zullen worden opgeworpen door de macht, raad ik je aan je voor te bereiden op een langdurige periode van orkanen die je moet ontwijken... Ik ben ervan overtuigd dat je eruit komt. Zo is het altijd gegaan. Wat mij betreft dank ik je voor de uitnodiging met je samen te werken, maar je weet heel goed dat ik niet schrijf. *Ik kan niet schrijven.* Ik heb het al zo vaak geprobeerd dat ik mijn onvermogen zonder moeite aanvaard. Ik stel me ermee tevreden dat *jij mij schrijft.* In de tussentijd ben ik hier alle dagen bezig te wennen aan mijn nieuwe leven – een nieuwe etappe zoals jij het noemt – en word ik steeds rustiger. Ik doe geen pogingen meer om mezelf te vinden. Ik heb dankzij Foucault geleerd dat het ons nooit zal lukken onze *waarheid* tot uitdrukking te brengen. Die onveranderlijke waarheid waarnaar ik zo lang heb gezocht bestaat niet en daarom kan ik haar niet vinden via de psychoanalyse, de filosofie of de revolutie. Integendeel, het enige wat ik bezit is die stapel veranderlijke en inwisselbare waarheden die ik met zo veel moeite heb geprobeerd te vergeten en die ik nu als het beste van mezelf beschouw: eindelijk ben ik mijn stemmen de baas. Nu moet ik ophouden: de arm is uitgeput, de geest heeft rust nodig en er is hier nog veel werk te doen... Ik hoop dat de dag van morgen me een beetje meer wijsheid en minder zon brengt.

CLAIRE

EEN BEZOEK AAN HET VOORGEBORCHTE

Oventic, Chiapas, 5 januari 1989. De bewering dat de levensomstandigheden in dit dorp onmenselijk zijn, zou je een slap eufemisme kunnen noemen. Na vier eindeloze uren over een hobbelweg te hebben gereden, zette de jeep die we met de grootste moeite van de regering van de staat Chiapas hadden losgekregen, ons eindelijk af voor een gevaarlijke combinatie van bakstenen, kuilen en struikgewas. 'Welkom in Oventic,' riep onze chauffeur Ramiro, die uit een ander dorp in de streek Las Cañadas kwam. Dit bleek inderdaad *heel* Oventic te zijn: de hutjes stonden zonder enige orde bij elkaar, alsof de hitte belemmerend werkte op de symmetrie. Je hoefde niet eens te vragen of er elektriciteit of stromend water was; om in hun behoefte te voorzien moeten de dorpelingen een halfuur lopen voor ze bij een waterbron zijn, waarvan alleen God weet waarom hij nog niet is opgedroogd. Zelfs de kinderen en de oude mensen leken te berusten in hun lot: het mag als een gemeenplaats klinken, maar op ieders gezicht straalde een lach, alsof ze niets wisten van de marginale positie waarin ze al vijf eeuwen leven.

'Waar slapen we vannacht?' vroeg Ernesto Zark toen zijn vrees dat er in het dorp geen vijfsterrenhotels waren, bevestigd werd.

Ter verhoging van zijn ongenoegen bleek dat de enige lagere school in de streek in een even betreurenswaardige staat verkeerde als de rest van de gebouwen. *Doña* Yolanda Garrido, de voortijdig verouderde directrice van deze instelling, vertelde ons dat het dak na een brand in mei 1977 was ingestort; sindsdien had zij de ene aanvraag na de andere ingediend om de benodigde fondsen te verkrijgen voor de reparatie, maar, zoals een functionaris van de staat Chiapas haar recentelijk had gemeld, de zaak was nog in behandeling.

'Tomás heeft enkele jaren op deze school lesgegeven,' vertelde doña Yolanda trots. 'Voordat hij in Ocosingo op de middelbare school ging werken.'

Als de verhuizing naar dat afgrijselijke gat al een teken van promotie was, moesten de kansen om hier in deze streek vooruit te komen ongeveer nihil zijn. Het is een wonder dat Oventic nog bestaat: in tegenstelling tot andere dorpen bezitten de inwoners hier geen weilanden om hun vee te laten grazen, en door het extreme klimaat kan er maar weinig maïs geoogst worden, wat ook nog weer afhangt van de grillen van de beheerders van de communale gronden. Maar ondanks de marginale positie van Oventic in de staat Chiapas – vóór de dood van Tomás Lorenzo had geen van ons die naam ooit gehoord –, zijn alle ondeugden van het nationale autoritarisme hier te vinden. De PRI heeft de absolute hegemonie waarin de ergste traditie van potentatendom gepaard gaat met een hollende corruptie. Miguel Alba, het dorpshoofd, controleert alle middelen van de gemeenschap. Hij verschuilt zich achter een eeuwenoude corporatieve traditie en gedraagt zich als een tiran die slechts verantwoording aflegt aan zijn eigen grillen en aan de verre wil van meneer de gouverneur. Gezien de enorme ongelijkheid en het ontbreken van democratische instellingen, hebben de geschiedschrijvers herhaaldelijk gezegd dat de Mexicaanse revolutie nooit in Chiapas is doorgedrongen. Het lijkt eerder alsof hier sinds de koloniale tijd nooit iets is veranderd. Een objectief gegeven is voldoende om de achterstand van deze regio aan te tonen: hoewel de vrouwen volledig onderworpen zijn aan de wil van hun echtgenoot, de levensverwachting hier de laagste is van het hele land en dit de meest deprimerende streek is van heel Mexico, werd tijdens de laatste verkiezingen negenennegentig procent van de stemmen uitgebracht op Alba en de PRI.

'Het ongelooflijke is dat er in deze hel iemand als Lorenzo heeft kunnen opstaan,' merkte Monsiváis op.

'Ik raad u aan niet te vroeg te oordelen,' zei Aréchiga. 'Het is onze plicht objectief te zijn.'

'Het enige objectieve hier is de armoe,' protesteerde ik. 'Wil je iets objectievers dan deze al meer dan tien jaar geleden ingestorte school?'

Onze discussie werd onderbroken door Miguel Alba zelf, die onverwacht zijn opwachting maakte om ons officieel welkom te heten; hij was in gezelschap van een dicht opeengepakt gevolg van ambtenaren en politieagenten.

'U bent van harte welkom in ons nederige dorp,' zei hij terwijl hij handen drukte. 'Als u iets nodig heeft, wat dan ook, hoeft u het maar aan mijn assistent hier te vragen, nietwaar, Camilo?'

Camilo Montes, een stugge, teruggetrokken inheemse man, knikte wantrouwig. Later vernamen we dat hij een dubbele taak had. Hij was verantwoordelijk voor de veiligheid van *don* Miguel en hij was de politiechef van het dorp en vandaar dat hij als eerste werd verdacht van de moord op Tomás Lorenzo. Logisch dat zoiets in een plaatsje als dit gebeurde: de moordenaar was zelf verantwoordelijk voor het ophelderen van zijn misdaad. Zijn optreden zou ongetwijfeld door negenennegentig procent van zijn dorpsgenoten worden goedgekeurd. De resterende één procent was dood.

'Het enige wat we nodig hebben is toestemming om met de mensen te praten en een bezoek te brengen aan de plaatsen waar de feiten zich hebben afgespeeld,' zette Monsiváis krachtig uiteen.

'Dat ontbrak er nog maar aan,' zei Alba op slijmerige fluistertoon. 'Montes hier zal ervoor zorgen dat u zich thuis voelt.'

'Wij zouden liever op eigen houtje rondlopen,' zei Zark.

'Op eigen houtje?'

'Meneer Zark bedoelt dat don Camilo ons niet hoeft te begeleiden,' vertaalde Aréchiga. 'Het is niet persoonlijk, maar we moeten dit karwei zelf opknappen, begrijpt u, don Miguel?'

'O, nou, u doet maar wat u wilt, verdomme. Maar als er iets gebeurt, waarschuwt u ons dan wel.'

Na een discussie van enkele minuten over wat we het eerst moesten doen – Ernesto Zark zei de hele tijd dat we ons goed moesten insmeren met muggenolie, terwijl Julio Aréchiga doña Yolanda een schuine mop vertelde –, waren we het erover eens dat we dringend de plaats moesten bezoeken waar Tomás vermoord was voordat Alba of Montes op het idee zou komen daar een pleintje aan te leggen ter ere van hun eeuwige rivaal. Toen we op de aangegeven plaats arriveerden, zagen we dat het al te laat was: de kuil van de foto's die ze ons in Ocosingo hadden laten zien, was verdwenen.

'In dit deel van het land is bouwland buitengewoon schaars,' las Aréchiga ons de les; hij was expert op het gebied van agrarische aangelegenheden in Chiapas, 'dus kunnen we hun niet verwijten dat ze dit als akker gebruiken. Ik vind daar niets vreemds aan…'

Ons eerste plan was mislukt. Zoals Monsiváis insinuerend zei was onze ervaring als detectives gebaseerd op Starsky & Hutch en 007, dus konden we ook niet verwachten dat we van de ene dag op de andere grote vooruitgang zouden boeken. We moesten bedenken dat de vaklui van de regionale politie hun werk al hadden gedaan. Wij waren alle vier schrijver – 'Charly's angels', zoals een medewerker van een uitgeverij ons boosaardig noemde – en het was niet onze taak als detectives op te treden maar om naar het verhaal te luisteren van de mensen die Tomás Lorenzo hadden gekend. Dat was alles.

Nu we het eens waren was onze volgende stap duidelijk: na een paar verkwikkende biertjes te hebben gedronken – Zark nam liever een slok van de *malt whisky* die hij in een leren heupflacon bij zich had – begaven we ons naar het huis van de familie van het slachtoffer. Ons was verteld dat de jongste broer van Lorenzo als enige van de toch al weinige dorpsbewoners bereid was met ons samen te werken.

'Wilt u weten wie mijn broer heeft vermoord?' beet hij ons toe zodra we hem hadden begroet.

'Daarom zijn we hier.'

Niet wetende dat hij met zijn woorden een klassieke schrijver parafraseerde, antwoordde de inheemse jongeman: 'Dit hele achterbakse klotedorp.'

ANÍBAL QUEVEDO, 'De moord op Tomás Lorenzo, II',
Tal Cual, februari 1989

Het boek *Lacaniana*, van Aníbal Quevedo (Joaquín Mortiz, 1984). De Mexicaanse psychoanalyticus presenteert ons nu een boek waarin hij iets zeldzaams voor elkaar krijgt: zijn proza is nog onbegrijpelijker en zijn stijl is nog duisterder dan die van Lacan. Als hij zichzelf niet zo overdreven serieus nam, zou zijn verklaring van het 'object' het verdienen in een bloemlezing van fantastische literatuur te worden opgenomen. Misschien hebben we het niet in de gaten gehad en ligt daar het ware talent van Quevedo.

JUAN PÉREZ AVELLA, 'Het beste en het slechtste van het jaar', *Nexos*, december 1984

DE ANDERE AARDBEVING

Mexico-Stad, 20 september 1985. Slechts enkele uren na de meest verwoestende aardbeving die sinds mensenheugenis in Mexico-Stad heeft plaatsgevonden, zijn de bewoners spontaan en massaal de straat op gegaan om deel te nemen aan de reddingswerkzaamheden. Nadat onze hoofdstad gisterenochtend om kwart over zeven door een aardbeving van 8.1 werd getroffen, waarbij tientallen gebouwen zijn verwoest en een onbekend aantal slachtoffers is gevallen, zijn het de burgers geweest die uitstegen boven de traagheid en het niet-efficiënte optreden van de veiligheidstroepen en zelf tientallen overlevenden hebben gered uit de puinhopen die zich over talloze stadswijken uitstrekken. Hoewel allerlei maatschappelijke organisaties de regering hebben gevraagd een noodplan uit te voeren en de individuele garanties waarin de grondwet voorziet in geval van rampen, op te schorten, is het antwoord van de autoriteiten vrijwel nul komma nul. Het werk van de veiligheidstroepen is tot stilstand gekomen als gevolg van een ondoelmatige uitrusting, interne rivaliteit en bureaucratische traagheid.

Na enkele uren van stilte bevestigde president Miguel de la Madrid tijdens zijn eerste openbare televisieoptreden dat het land geen behoefte had aan buitenlandse hulp. 'Wij Mexicanen zijn opgewassen tegen de omstandigheden,' verklaarde de hoogste gezagsdrager tot verbijstering van de internationale gemeenschap. Desalniettemin zijn allerlei landen, waaronder Frankrijk, al bezig met de voorbereidingen voor het verzenden van enkele tonnen humanitaire hulpgoederen. Intussen redden de inwoners van een van de grootste steden van de wereld zich zo goed en zo kwaad als ze kunnen. In alle wijken van de stad is te zien hoe talloze enthousiaste jongeren geen seconde aarzelen om de puinhopen te beklimmen en op zoek te gaan naar overlevenden. Omdat de klinieken en ziekenhuizen uitpuilen, zijn scholen, overdekte markten en kantoorgebouwen veranderd in opvangcentra. Hoewel voorzieningen als elektriciteit, telefoon en stromend water nog steeds gebrekkig zijn, heerst er een koortsachtig tempo in de stad. Niemand blijft met de armen over elkaar zitten, de solidariteit is verbazingwekkend. Mannen, vrouwen en kinderen werken mee om de getroffenen te helpen en voedsel en medicijnen te verzamelen.

Een van de talloze burgergroepen die buiten de autoriteiten om zijn opgericht wordt gecoördineerd door de psychoanalyticus Aníbal Quevedo. 'De regering is eenvoudigweg verdwenen,' verklaarde de schrijver met op zijn arm een kind wiens benen tussen twee betonblokken hadden vastgezeten. 'Dit is het bewijs dat de PRI corrupt is,' ging hij verder, intussen met het kind bezig blijvend. 'Onze politici kunnen de situatie niet aan. De gewone burgers overtreffen hen. Dit is de enige manier om iets voor elkaar te krijgen na de tragedie.'

De mening van Quevedo, die voortreffelijk Frans spreekt, wordt niet alleen gedeeld door andere intellectuelen van links maar ook door het grootste deel van de inwoners van deze reusachtige stad. De zwaarste beschuldigingen zijn gericht aan het adres van de regent [benoemde burgemeester] van Mexico-Stad, die verantwoordelijk is voor de goedkeuring van de bouwnormen in de stad. 'Als ze in plaats van hun zakken te vullen met *mordidas* [steekpenningen] voor de veiligheid van de burgers hadden gezorgd, zou dit niet zijn gebeurd,' legt Josefa Ponce uit. Zij is de verantwoordelijke persoon in het verzamelpunt dat is ingericht in de kantoren van het tijdschrift *Tal Cual*, waarvan Quevedo de directeur is. 'In de zijlijn van de traditionele structuren organiseert de burgermaatschappij zich,' voegt de vroegere leerling van Jacques Lacan en Michel Foucault eraan toe. Op de vraag of hij erover denkt een concrete actie tegen de regering te ondernemen, zegt Quevedo categorisch: 'Er moeten nog veel levens worden gered.'

Libération, 21 september 1985

UIT HET AANTEKENINGENSCHRIFT VAN ANÍBAL QUEVEDO

De meester en zijn leerlingen hadden me verzekerd dat de duisternis volledig zou zijn – de anonimiteit als garantie – en dat niemand mijn aanwezigheid zou opmerken, maar ik zie nu in dat hun belofte bedriegelijk was of overdreven. De schemering blijkt gefingeerd, het is een verontschuldiging of een verzachtende omstandigheid, een metafoor die is bedacht om mijn paniek te dempen: het licht sijpelt door de fluwelen gordijnen, accentueert de omtrek van de dingen en tekent de silhouetten, de huid en de spieren af... Ik herken inderdaad niemand maar dat komt meer door een persoonlijke poging mijn identiteit uit te wissen dan door de aard van deze plaats. Terwijl ik langzaam tussen de schaduwen door loop – mijn collega's hebben zich verspreid en ik wil liever niet weten waar ze zijn – begrijp ik nog steeds niet waarom ik me hiernaartoe heb laten brengen. Kan ik mijn nieuwsgierigheid de schuld geven of komt het, zoals zij hebben geïnsinueerd, door een minder duidelijke impuls? Ik heb mijn nervositeit tenslotte de hele tijd verborgen gehouden. Ter verlichting van mijn verantwoordelijkheid zeg ik tegen mezelf dat ik *moest* zien wat hier binnen gebeurde, dat ik geen genoegen kon nemen met hun verhalen, en overtuig ik mezelf ervan dat het om een filosofisch experiment gaat. Het ergste is niet dat ik de bedoelingen van de mensen om me heen niet ken of voortdurend de aanrakingen voel of de insinuaties, die langs me afglijden als zalfjes; evenmin maak ik me zorgen over de kreten, het gesteun, de smerige termen of de echo van de klappen. Wat ik niet verdraag is het schrille gelach en de stank. Er is te veel zweet, te veel naaktheid en te veel verrotting. Tastend langs de muren probeer ik mijn weg te zoeken, maar ik stuit onmiddellijk op paren die zich vlak naast me zonder schaamte verenigen of uit elkaar gaan. Zou ik deze grens echt moeten overschrijden om mijn meester te begrijpen, de verschillen tussen genot en pijn uit te wissen en *haar* eindelijk te leren kennen? Moet ik voor één avond in een vrouw veranderen, me voorstellen dat ik in haar huid zit? Opeens verdwijnt de vrees. Ik ben hier geen persoon maar een lichaam dat ter beschikking staat van andere lichamen. Ik voel me zo ver van mezelf verwijderd dat het genot dat me door een anonieme mond wordt verschaft, bijna metafysisch is. Ik weet niet van wie deze lippen, deze armen, deze schouders of haren zijn die ik nu streel. Het doet er niet toe. Ik maak me van hem los en ga verder door de duisternis, terwijl mijn geest wordt verlicht door de flarden kleur als gevolg van het gebruik van LSD. Ik ga een trap af en kom in een soort kelder of kerker; helemaal achterin zie ik een vaag decor met tralies, martelwerktuigen, leren kleding en zwepen die in de lucht hangen. Ik laat de aanstellerige kreten over me heen komen. Zonder me iets te vragen en zonder tegenstand te dulden – mijn aanwezigheid alleen al bevestigt mijn bereidwilligheid – pakken twee grote handen me bij de rug en duwen me in een hoek. Ik stoot tegen de muur en bezeer mijn hoofd. Het moet een grote, krachtige man zijn, want het kost hem nauwelijks moeite me op te tillen. Gelukkig lijkt het niet zo iemand die veel praat en je de hele tijd uitscheldt om zijn opwinding of verlangen op te zwepen. Hij neemt me in stilte, zonder mededogen. Ik voel hem en ik heb er geen spijt van. Of liever, het kan me niet schelen. *Ik ben ik niet.* Geniet ik ervan? De vraag wordt irrelevant. Nu begrijp ik waarom mijn meester hier een grenservaring ontdekte: het dreigende gevaar lijkt niet op iets bekends; niets van wat hier gebeurt heeft met seks te maken, het is iets anders, iets gewelddadigs en wreeds dat onweerstaanbaar is. Het is genoeg geweest! Ik wil ophouden. Na enkele minuten – of zouden het seconden zijn? – wordt de pijn eindelijk echt. Ik vind het schrijnende gevoel eerder beschamend dan hinderlijk. Ik ren als een dolleman naar de uitgang en bots overal tegen dat anonieme gelach. Ik weet dat ik een overwinning heb behaald; maar ik houd het nauwelijks uit. Ik heb een grens overschreden waarvan ik altijd had gedacht dat hij onneembaar was. Nu ben ik een ander, iemand die meer op hém lijkt. Hopelijk kan ik op een dag trots zijn op mijn gedrag. Nu heb ik een warm bad nodig, en veel alcohol...

JP. Het is niet waar! Dat zijn valse, om niet te zeggen perverse geruchten. Aníbal is wel met Michel meegegaan naar Californië, maar dat betekent nog niet dat hij zijn voorbeeld altijd volgde. U weet dat ik niets tegen de gaygemeenschap heb – ik neem aan dat u mijn artikelen over gendertheorie hebt gelezen, meneer –, maar beweren dat Aníbal ook gay was is iets heel anders… Ongetwijfeld komt deze roddel bij Pérez Avella vandaan. Het stukje dat Aníbal zogenaamd in San Francisco heeft geschreven is duidelijk apocrief. Kijk, Michel heeft zelf nooit toegestaan dat zijn filosofie in de verstarde hoek van de homoseksuele subcultuur werd gedrukt, en hoewel hij de initiatieven van die groep altijd heeft gesteund, hield hij zijn seksuele geaardheid liever buiten het publieke domein. Aníbal zou nooit zo onvoorzichtig zijn geweest om zo'n compromitterend stuk te schrijven; hij deed altijd zijn uiterste best om zijn privé-leven geheim te houden.

Het moet gezegd worden dat de jaren zeventig voor iedereen een moeilijke periode waren. Toen ze weer in Parijs terugkwamen hebben zowel Michel als Aníbal een emotionele tijd doorgemaakt. Vóór hun reis naar Berkeley hadden ze ieder een betrouwbare koers uitgestippeld voor hun leven en hun filosofie; na Californië was dat vertrouwen aan diggelen. Let u maar eens goed op de verklaringen die Michel in die tijd aflegde, dan zult u zien dat ze vol tegenspraken zitten. Aníbal miste geen van Foucaults voordrachten op het Collège de France en zei altijd dat de ander met zichzelf leek te worstelen. Parijs benauwde hem. Hij nam andere vrienden, zocht toenadering tot Glucksmann en nam voor goed afstand van Deleuze. Hij flirtte met het liberalisme en compromitteerde zich later met regeringen die wij nu zonder enige aarzeling monsterlijk zouden noemden. Hij heeft zich zelfs door een auto laten aanrijden toen hij zijn huis verliet nadat hij opium had gerookt…

Vlak voor het ongeluk had Aníbal me meegenomen naar de 'franse maatschappij voor filosofie' om naar een lezing van Michel te luisteren met de titel: *Qu'est-que c'est la critique?* Dat moet in 1978 zijn geweest. Het was voor allebei een stimulerende lezing. Ik hoef u niet nog eens te vertellen dat Foucault zijn leven lang geobsedeerd was door de relatie tussen macht en kennis, maar in die tijd vroeg hij zich met name af of de kritiek kon veranderen in 'de kunst om niet te worden geregeerd en daar een prijs voor te betalen'. Tegenover de dwang van de wet – Foucault noemde dit proces *gouvernamentalité* – was de kritiek de enige manier om zich te verzetten.

Na afloop van deze lezing meende Aníbal niet alleen dat hij zijn eigen revolutionaire activiteiten kon rechtvaardigen, maar ook het wisselende gedrag van die vrouw. Als zij de psychoanalyse van Lacan had afgewezen, daarna een extreem linkse militante en uiteindelijk een terroriste was geworden, als zij alle drugs had geprobeerd en had geëxperimenteerd met alle variaties van het genot en *hem* in laatste instantie had afgewezen, moest dat het gevolg zijn van haar onwrikbare verlangen niet te worden geregeerd. Eerlijk gezegd denk ik dat Aníbal zich weer eens een keertje vergiste, maar zelf voelde hij zich er tenminste kalmer onder.

Foucaults onrust werd echter door niemand getemperd. Omdat hij altijd bereid was Parijs te verlaten, accepteerde hij nu een voorstel van de *Corriere della Sera* om als oorlogscorrespondent naar Iran te worden gestuurd, waar de islamitische revolutie het opnam tegen het autocratische regime van de sjah. Het was een oude wens van hem om journalist te worden; hij had zich nooit op zijn gemak gevoeld als schrijftafelfilosoof en hij had er diep in zijn hart altijd naar verlangd een avontuurlijk leven te leiden. Zoals gewoonlijk vergezelde Aníbal hem. Allebei moesten ze aan hun spoken ontsnappen en op reis gaan, op zoek naar een nieuwe grenservaring, ditmaal in het Oosten. Begin 1978 waren zij de enigen die niet in de gaten hadden dat ze op het punt stonden de grootste vergissing in hun carrières te maken.

OPEN BRIEF

Aan de President van de Verenigde Staten van Mexico,

De ondertekenaars geven bij deze blijk van hun grote verontwaardiging over de inefficiënte wijze waarop uw regering, en u in het bijzonder, de crisis te lijf ging die is ontstaan na de aardbeving in Mexico-Stad op 19 september jongstleden. Terwijl honderden mensen het leven verloren tijdens een van de ergste rampen die onze hoofdstad ooit heeft

getroffen, was uw enige zorg dat de burgermaatschappij niet in opstand zou komen tegen de macht van uw partij. In plaats van de inwoners te dienen, vergewiste u zich ervan dat de veiligheidstroepen hen
in de gaten hielden, terwijl u tegelijkertijd een drastische censuur op
de media instelde. Uw gedrag liet niet alleen te wensen over, het was
ronduit misdadig. Een grotere aberratie dan uw eerste verklaringen in
het openbaar is moeilijk voorstelbaar. Dacht u echt dat de mensen zich
zouden bekommeren om de mogelijke afgelasting van de wereldcup
als ze net hun huis, hun bezittingen en hun familie zijn kwijtgeraakt?

U heeft een historische kans gemist, meneer. U kreeg de gelegenheid
uw partij te rehabiliteren en onze stad te herbouwen, maar in plaats
daarvan sloot u zich liever op in uw paleis Los Pinos waar u probeerde
het Internationale Monetaire Fonds, de buitenlandse investeerders en
de FIFA gerust te stellen. Gelukkig voor Mexico – en ongelukkig voor u
en de PRI –, is ons land uw slechte bewind beu. Mexico is wakker geworden. Tegen uw verwachting in heeft u met uw inefficiëntie het land
een grote dienst bewezen: van nu af aan zal het verzet onverbiddelijk
zijn. Het Mexicaanse volk bewijst met zijn reactie op de aardbeving,
dat het niet langer wil worden geregeerd zoals tot nu toe.

ANÍBAL QUEVEDO, JOSEFA PONCE EN NOG HONDERDVIJFTIG
ONDERTEKENAARS,
Tal Cual, oktober 1985

LOUIS ALTHUSSER, GEVANGENE VAN HET GELOOF

Ik ben getuige geweest van mijn eigen dood: mijn leven glipte me tussen de vingers door toen ik mijn echtgenote van het hare beroofde. Ik
hoef hem niet nog eens te beleven. Op de dag dat ik begraven word zal
er niets uitzonderlijks gebeuren; ik besta al meer dan acht jaar niet
meer. Ik zal in rook opgaan zonder dat iemand het merkt. Mijn overlijden zal alleen dienen ter nagedachtenis van het moment waarop ik
me achter de waanzin verschanste en ophield een mens te zijn. Waarom heb ik verdomme gezwegen! Ik had de raadgevingen van mijn
vrienden en de advocaten in de wind moeten slaan en, terwijl Hélènes
lijk nog op de grond lag, moeten schreeuwen: *Ik, Louis Althusser, mijn*

echtgenote gewurgd hebbende... Maar ik deed het niet. Ik gaf er de voorkeur aan te zwijgen en te worden vrijgesproken. Daarom probeer ik nu mijn laaghartige gedrag in dit schrift uit te storten:

Dicht bij haar neergeknield, over haar lichaam gebogen, masseer ik haar hals. Ik zet mijn beide duimen in het holletje in het vlees vlak boven haar borstbeen en verplaats ze langzaam, de ene duim naar rechts, de andere een beetje schuin naar links, naar het hardere gedeelte boven de oren. Ik voel een enorme vermoeidheid in de spieren van mijn onderarmen: het is waar, ik krijg altijd pijn in mijn onderarmen als ik iemand masseer. Hélènes gezicht is onbeweeglijk en kalm en haar ogen, die open zijn, kijken naar het plafond...

Het ergste is dat ik me niet eens kan herinneren wat er daarna is gebeurd. Had ik nog maar een beeld van mijn gekromde knokkels, of een echo van haar wegstervende stem of een restje van het gekreun dat ik in haar keel begroef! Ik ben schuldig, maar er is op mij geen spoor van mijn fout te vinden, alsof ik een perfect alibi heb bedacht. Ik heb de volmaakte misdaad begaan: hoewel ik een mens heb vermoord, ben ik onschuldig geworden door mijn krankzinnigheid. Nadat ze me in slaap hadden gebracht met slaapmiddelen en tranquillizers hebben de artsen me hier op deze prettige plek opgesloten, veilig voor justitie. Dankzij de kleine lettertjes van het *contrat social* – dankzij het onderdrukkingsapparaat van de staat dat ik zo vaak heb aangeklaagd – ben ik tot *non-persoon* verklaard, iemand die zich per definitie niet bewust is van zijn daden. Met één pennenstreek heeft de wet niet alleen mijn delict uitgewist, maar mij ook veranderd in een schepsel dat het verschil tussen goed en kwaad niet kent. Door mijn daad ben ik in het voorgeborchte terechtgekomen: gevangen in deze naamloze nor ben ik ertoe veroordeeld te boeten voor een *non-misdaad* – de kranten noemen het een *incident* – alsof ik de hoofdpersoon was van een misverstand.

Waarom wil ik het me per se herinneren? Waarom wil ik beslist deze leegte verlaten om mezelf uit te roepen tot degene die verantwoordelijk is voor haar dood? Een paar maanden geleden las ik een artikel in *Le Monde* waarin het gruwelijke geval besproken werd van een Japanner die, nadat hij een jonge Nederlandse vrouw had vermoord, door de rechters werd vrijgesproken wegens ontoerekeningsvatbaarheid. Aan het eind van het stuk vergeleek de schrijver mij met die ellendeling en vroeg zich af: 'En het slachtoffer? Er worden nog geen drie regels aan het slachtoffer gewijd.' Enkele vrienden van me raadden me aan een protestbrief naar de krant te sturen; in plaats daarvan moest ik erkennen dat die journalist gelijk had: door een beroep te doen op een legitiem voorwendsel verzweeg ik Hélène voor de tweede maal.

Toen wist ik wat ik doen moest. Had ik indertijd naar mijn vingers gekeken nadat die zich al om haar hals hadden gesloten, ditmaal keek ik hoe ze de pen losieten toen ze klaar waren met de beschrijving van de moord, of althans van het weinige dat ik me ervan herinner. De bladzijden die ik heb geschreven zijn als het te laat gekomen doodskleed dat ik nu eindelijk aan mijn vrouw heb overhandigd. Terwijl ik ze volpende, *was ik aanwezig* bij haar dood: *ik keek toe hoe ik haar vermoordde.* Wie de moed heeft deze biecht te lezen zal zien dat ik geen verontschuldiging, maar juist mijn schuld probeer te formuleren en dat ik daarmee het weinige dat van mij over is, wil opeisen. Als ik mijn memoires schrijf doe ik dat om aan het eind uit te roepen: *Ja, ik heb het gedaan.*

De herhaling van de misdaad heeft me teruggeworpen in andere territoria van mijn verleden. Na deze episode te hebben opgehaald, voelde ik de behoefte de rest van mijn leven onder de loep te nemen. Alsof het verscheiden van Hélène een voorwoord was – een nawoord dat per ongeluk aan het begin van mijn verhaal was geplaatst –, besloot ik een volledig portret van mezelf te maken. Ik weet dat het risico bestaat dat mijn kindertijd, mijn jeugd en mijn volwassenheid al lijken te verwijzen naar die onontkoombare afloop, maar ik denk er niet over te stoppen. Het gaat me er niet om het manuscript naar een uitgever te sturen, ik heb van het begin af aan het idee dat het pas postuum geluk zal hebben. Het is het testament dat ik nalaat aan mijn vroegere leerlingen, aan degenen die het slachtoffer waren van mijn dwaasheid en die, besmet door mijn delict, besloten mijn naam nooit meer uit te spreken.

Geprikkeld door mijn geschriften hebben honderden jongeren de revolutie voor de hele wereld beraamd, vochten ze onophoudelijk voor een rechtvaardiger maatschappij, riskeerden ze hun leven – en hun ziel – om de plannen van een krankzinnige te verwezenlijken. Hoe

hadden ze kunnen bedenken dat hun inspirator gek was? En hoe hadden ze kunnen zien dat achter mijn kille theorieën een misdadiger
schuilging? Toen ze de omvang van het bedrog zagen, restte hun niets
anders dan hun geloof af te zweren, hun engagement te vergeten of in
de anonimiteit te verdwijnen, ervan overtuigd dat ze zich net zo hadden vergist als ik. Tot overmaat van ramp kunnen zij geen enkel soort
gekte aanvoeren en niet profiteren van de uitspraak *niet-ontvankelijk*
waardoor ik werd beschermd. Het is logisch dat ze zich verraden voelen: ik was dan wel de intellectuele auteur van hun opstand, maar zij
hebben hem echt uitgevoerd. Terwijl ik me in mijn kantoor in de rue
d'Ulm tevreden stelde met het stotteren van een paar opruiende zinnetjes, staken zij hun nek uit om de wereld te veranderen. Het is mijn
schuld dat zij nu verloren zijn. Van hieruit bekijk ik hen en zie hen met
gebogen hoofd, vol spijt, gepijnigd, eenzaam... Ik wil helemaal niet uit
de doeken doen wat me ertoe bracht mijn vrouw de nek om te draaien,
ik schrijf deze regels eigenlijk voor hen. Als zij ze ooit zullen lezen, bevrijden ze zich misschien van hun wroeging en zijn ze opnieuw in staat
te strijden voor hun geloof.

AN ÍBAL QUEVEDO, 'De laatste dag, II',
Tal Cual, augustus 1989

Drie

Lofzang op Sacher-Masoch, door Aníbal Quevedo (Era, 1985). De Mexicaanse psychoanalyticus lijdt ongetwijfeld aan een obsessieve neurose: hij is de enige Mexicaanse schrijver die in staat is ons elk jaar een nieuw boek te leveren dat over een wezenlijk ander onderwerp handelt dan het vorige. In zijn geval moet dit helaas niet als een loftuiting worden opgevat. Het talent van Quevedo is allesbehalve universeel te noemen. Integendeel, alles wat hij aanraakt verandert in een fiasco. In zijn handen wordt een aantrekkelijk onderwerp als het leven en het werk van de mislukte Oostenrijks-Hongaarse schrijver niet alleen banaal, maar ook saai. Laten we duimen dat Quevedo op een dag een psychoanalyticus ontmoet die hem van zijn grafomanie kan afhelpen. Dan zal hij genezen zijn en kunnen wij opgelucht ademhalen in zijn stilte.

JUAN PÉREZ AVELLA, 'Het beste en het slechtste van het jaar', *Nexos*, december 1984

JP. Stelt u zich de scène voor, meneer: voor een moskee in een buitenwijk van Teheran staat ons intellectuelen- annex journalistenduo te kijken naar een menigte die elke veertig dagen bijeenkomt ter nagedachtenis van de leerlingen die in de heilige stad Qom zijn vermoord door de geheime politie van de sjah. Onder de hemel van het oude Perzië gedragen Aníbal en Michel zich als van die Engelse reizigers uit de negentiende eeuw, die hun uiterste best doen om door te dringen in de verboden heiligdommen van de islam. Ze zijn zo gefascineerd door de rituelen in die wereld dat ze de dwaasheden ervan niet zien: ondanks hun zogenaamde objectiviteit denken ze dat ze een historische missie vervullen. Ze zijn niet alleen naar het hart van de islamitische revolutie gereisd, ze zijn ook van plan de ongeduldige lezers in het Westen haar mysteries te onthullen. Oordeelt u niet al te hard over hen, meneer, probeert u zich liever in hun positie in te leven. Foucault en Quevedo hebben schoon genoeg van de middelmatigheid van het moderne leven. Na alle mogelijke veldslagen te hebben geleid, hebben ze nu behoefte aan een nieuwe zaak die ze kunnen verdedigen.

Ze zijn zo verblind dat ze de fanatieke uitdaging van de ayatollahs, de intolerantie die in hun smeekbeden verstopt zit en de religieuze onderdrukking die straks in de plaats zal komen van de keizerlijke onderdrukking, niet opmerken. Ze bewonderen liever de veronderstelde spiritualiteit van de revolutionaire beweging, het afwijzen van de tirannie van de sjah en de heldhaftigheid van een volk dat zonder aarzelen de dood tegemoet gaat. Duizenden mensen die bereid zijn zich op te offeren om hun afschuw van het regime tot uiting te brengen: als dit geen grenservaring is, als dit geen idyllische manier is om te protesteren tegen het feit dat je wordt geregeerd, dan heeft Foucault zich vergist toen hij deze uitdrukking formuleerde. Zoals hij in een van zijn reportages voor de *Corriere della Sera* schrijft, is het Iraanse verzet 'de eerste grote opstand tegen het planetaire systeem, de waanzinnigste en modernste vorm van rebellie'.

Zodra hij in Parijs terug was biechtte Aníbal tegenover mij hetzelfde enthousiasme op: 'Je had de energie van die mensen moeten zien, het was alsof we aanwezig waren bij een initiatierite of een primitieve ceremonie. Dat is leven...'

Walgelijke woorden uit de mond van een agnost als hij. Ik moet niets hebben van dat soort uitbarstingen van enthousiasme en heb mijn twijfels tegen hem uitgesproken; als militante feministe koester ik natuurlijk een diep wantrouwen jegens de moslimwereld. Aníbal bleef zich verdedigen, maar voor het eerst had ik de indruk dat hij niet oprecht was. Of liever gezegd, zijn woorden klonken niet zo krachtig als eerst. Terwijl hij de islamitische revolutie verdedigde maakte Aníbal een van zijn terugkerende crises door. De oppositie tegen de sjah was een voorwendsel, een manier om zich aan zijn overtuigingen vast te klampen om niet volledig in te storten.

Iets dergelijks overkwam Foucault. Als u zijn artikelen in de *Corriere della Sera* nauwkeurig leest – hij heeft ze nooit willen bundelen in een boek –, zult u er niet dezelfde vastberadenheid en verontwaardiging in vinden als in zijn andere teksten. Het was alsof die twee mannen zich verplicht voelden tegen de rest van de wereld in te gaan. Aangezien de islamitische revolutionairen een diep wantrouwen opriepen bij de westerse politici, verdedigden zij hen tegen elke prijs. Alleen zo kun je begrijpen waarom ze Khomeini allebei als een verlichte geest beschouwden en niet als een nog ferventere dictator dan de sjah. Zelfs toen de islamitische hordes de controle over het land overnamen en er een gruwelijke slachtpartij plaatsvond, bleven Quevedo en Foucault bij hun bespottelijke verdediging van de revolutie. Het zou veel logischer zijn geweest dat mensen die zo intelligent waren als zij hun vergissing inzagen en probeerden die te herstellen, maar zij zwegen liever en aarzelden niet de door Khomeini afgekondigde executies goed te praten.

Ik herinner me dat er toen naar aanleiding van het artikel dat Foucault in *Le Monde* publiceerde een heftige discussie losbarstte tussen Aníbal en mij. Michel beweerde dat revoluties noodzakelijk en onherroepelijk zijn, en dat wanneer individuen eindelijk besluiten zich frontaal te verzetten tegen het feit dat ze geregeerd worden, er geen macht meer is die hen kan tegenhouden. En vervolgens zei hij dat geweld de prijs was die voor dat ontwaken betaald moest worden. Naar zijn mening zijn alle opstanden ertoe gedoemd het bloed van hun vijanden te laten vloeien.

'Maar jij hebt zelf gezien dat revoluties uiteindelijk altijd gecorrumpeerd worden, Aníbal, jij hebt dat zelf aangeklaagd,' zei ik tegen hem, maar hij verdedigde slechts de gezichtspunten van zijn leermeester.

'Josefa, wat een maatschappij levend houdt is niet de totalitaire macht,' verdedigde hij zich, 'maar dat ene moment waarop, zoals Foucault zegt, de individuen in opstand komen tegen de mitrailleurs en de gevangenissen, ondanks de dreigementen en het geweld, wanneer het leven zich niet langer laat belazeren.'

Hoe moest ik hem aantonen dat zijn redenatie onmenselijk was? Hoe moest ik die waanzin uit zijn hoofd praten? Ja, ja, ik weet best dat het altijd tragisch is te moeten vaststellen dat iemand die je bewondert zich zo radicaal vergist, maar, zonder Quevedo of Foucault tot elke prijs te willen verdedigen, grote mannen maken grote vergissingen. Ik heb het u al eerder gezegd, meneer: je kunt Aníbals gedrag niet verklaren als een pure terugkeer naar zijn leven als militante revolutionair; zijn positie in die dagen had niet veel met politiek te maken. Nogmaals, de schuld van het feit dat hij zijn zelfbeheersing kwijt was, lag bij die vrouw.

Nee, hij had haar niet kunnen vergeten: dat was die arme Aníbal nooit gelukt. Zoals gewoonlijk was zij degene die hem vergat. In 1975 had Foucault haar aan Bernard Kouchner voorgesteld en door diens bemiddeling was ze voor Artsen Zonder Grenzen gaan werken. Het jaar daarop had ze Frankrijk verlaten en zwierf ze, zoals we later hoorden, als hoofd van verschillende humanitaire missies door de landen ten zuiden van de Sahara. Aníbal had pas eind 1978 weer iets van haar vernomen. Ik heb hem nooit zo terneergeslagen gezien als toen. In een kort briefje vertelde ze hem dat ze een dochter had gekregen. Natuurlijk kon dat geen kind van Aníbal zijn. Van wie dan wel? Dat was het ergste. Dat rotwijf heeft hem nooit de naam van de vader willen zeggen.

SESSIE OP 30 JULI 1989

'Het is voor u dus nooit een probleem geweest dat u zo klein bent,' zeg ik om hem te provoceren.

Ik kan de verleiding niet weerstaan hem te ergeren. Misschien is dat niet zo professioneel van mij – ik ben zelfs een beetje kinderachtig –, maar zelden kreeg ik de kans zo'n machtig iemand te vernederen. Het is een genoegen waaraan ik me niet kan onttrekken.

'Eerlijk gezegd niet, nee. Ik weet dat iedereen dat denkt, het beeld van Napoleon of Hitler staat ons nog vers in het geheugen, maar het is een absurde simplificatie.' Natuurlijk geloof ik hem niet, maar ik laat hem verder gaan. 'Ik herinner me dat ik als kind op maandag altijd vooraan stond in de rij voor de ceremonie ter ere van de vlag, maar dat vond ik niet erg, ik was er heel trots op. Mijn postuur leverde me voordelen op die de anderen niet hadden. Ik stond vooraan in de rij en daarom besliste ík wanneer en waarheen we ons zouden bewegen...

Sindsdien is het leiden van mensen voor mij iets natuurlijks geworden. Ik zal niet ontkennen dat ik me op andere momenten wel eens ongemakkelijk heb gevoeld, vooral tegenover vrouwen, maar uiteindelijk is het me gelukt me eroverheen te zetten... Ik heb altijd geweten dat ik mijn aantrekkingskracht langzaam zou opbouwen, en ik was nooit ongeduldig. Hoewel het me jaren heeft gekost voordat er rekening met me werd gehouden, wist ik dat de mensen uiteindelijk om me zouden vechten wanneer ik hun had laten zien waartoe ik in staat was... En zo is het inderdaad gegaan... Wat zal ik u zeggen? Ik heb een volstrekt *normaal* leven gehad. Ik heb me nooit gefrustreerd gevoeld door mijn uiterlijk. Per slot van rekening is het niet je eigen schuld dat je de genen hebt die je hebt, nietwaar? Ondanks alle vernederingen en alle blijken van minachting, ben ik nooit voor de verleiding bezweken medelijden met mezelf te hebben... Ik heb bijvoorbeeld een heel levendig beeld van degene die voor het eerst de spot met me dreef. Ik moet vijf of zes zijn geweest, want ik was me aan het voorbereiden op mijn eerste communie. Ik zat op een van de banken achter in de kerk op mijn beurt te wachten, toen een oudere jongen naar me toe kwam (een uit de *zesde*, zoals we toen nog zeiden) en de draak met me begon te steken. Ik hoorde zijn grappen en provocaties aan en voelde geen woede en geen verdriet. Hoe wreed zijn woorden ook waren, ze raakten me niet eens,' – alleen een lichte tic in zijn linkeroogglid verraadde dat hij zenuwachtig was. 'Waarom zou ik me beledigd voelen? Welnee, ik had zelfs een beetje medelijden met hem omdat hij zich zo moest bevestigen. Híj had een probleem met zijn gevoel van eigenwaarde, ik niet. Ik vond die arme kerel zielig... En merkwaardigerwijs heb ik hem onlangs teruggezien...'

'Herkende u hem na al die jaren?' val ik hem eindelijk in de rede.

'Gezichten en namen vergeet ik *nooit*,' zegt hij nadrukkelijk. 'Zodra ik zijn achternaam op de audiëntielijst zag staan, wist ik dat hij het was... Hij is nu een belangrijke ondernemer. Hij was blijkbaar net het slachtoffer geworden van fraude en had mijn hulp nodig bij nieuwe onderhandelingen over zijn schulden...'

'En heeft u hem geholpen?'

'Voor wie ziet u me aan, dokter?' glimlacht hij. 'Ik ben wel goed, maar niet gek... Zoals advocaten zeggen: *de wet is hard, maar het is de wet.*'

Oventic, Chiapas, 6 januari 1989. Ik had nog nooit zulke ogen gezien. Zwart, diep, onpeilbaar, vol stille waardigheid. De jongen was vast niet ouder dan achttien, maar zijn zelfverzekerdheid en zijn verontwaardiging waren als die van een volwassen man. Hoewel hij nooit onbeleefd tegen ons was, was er nooit enige sympathie in zijn ogen wanneer hij ons aankeek: we stonden blijkbaar aan zijn kant want we hadden vanuit Mexico-Stad honderden kilometers gereisd met als enige doel te helpen de moord op zijn broer op te helderen, maar ja, wij waren *blanken* – en, nog erger, intellectuelen – en daardoor plaatsten we ons direct in de rijen van zijn vijanden.

'Ik snap het niet,' verweet Zark hem opeens, 'u denkt dat wij uw tegenstanders zijn, terwijl we alleen maar de moordenaars van uw broer willen vinden.'

Santiago Lorenzo, die zijn woede inhield, reageerde vrijwel direct.

'Weet u hoe vaak hier al mensen uit de hoofdstad zijn geweest om ons hulp toe te zeggen?' Hij balde zijn vuisten. 'Was het maar waar dat we van beloftes en goede wil konden leven, dan zouden we nu rijk zijn, meneer. Wij zijn het beu. U drieën bent de ergste: u komt hier voor een paar dagen, u loopt met uw goedheid te koop, u denkt dat u alles begrijpt en verdwijnt dan weer heel tevreden. Vervolgens zegt u dat u experts bent in onze problemen. En het slot van het liedje is, zoals altijd, dat u ons gewoon vergeet...'

Monsiváis en ik knikten, terwijl Zark en Aréchiga het voor het eerst in hun lange carrière van onenigheid met elkaar eens leken te zijn: ze waren allebei even diep beledigd en liepen weg, elk in een andere richting, elk vastbesloten zijn doorwrochte hoofdartikel te schrijven en het zo snel mogelijk naar *Proceso, Vuelta* of *La Jornada* te sturen.

'Hoe kunnen we dat soort lui vertrouwen?' zei Santiago tegen Monsiváis en mij. 'We zijn niet achterlijk, heren. We weten wie we voor ons hebben.'

'Waar doelt u op?' vroeg ik.

'Op die heren die net zijn weggelopen. Sommigen van ons hier kunnen heel goed lezen, al zou je het niet zeggen. Een van de heren, degene die die kant op liep,' Santiago wees naar het pad naar links, 'die meneer dus, heeft in de krant geschreven dat de laatste verkiezingen een toonbeeld van eerlijkheid zijn geweest. Als ze eerlijk waren geweest, had ik mijn broer niet hoeven te begraven! En dan zou Salinas geen president zijn.' Onze mond viel open. 'Dus waarom zouden we geloven dat u echt de schuldigen wilt vinden?'

'In de commissie zitten mensen met verschillende standpunten,' legde Monsiváis hem uit, 'dat is de rijkdom van de democratie. Dan kan later niemand zeggen dat er met onze conclusies geknoeid is.'

'Ik heb altijd bewondering gehad voor u tweeën, geen twijfel aan. Maar u moet begrijpen dat ik u niet kan geloven. U niet en niemand niet.'

Santiago had gelijk. Waarom zouden wij anders zijn dan de honderden politici die het ene tegen hen zeiden en het tegenovergestelde deden? Of die presidentskandidaten die hun dorp alleen in verkiezingstijd bezochten, de mensen dwongen op de PRI te stemmen en hun de sterren van de hemel beloofden om vervolgens nooit meer terug te komen? Of die intellectuelen die de democratie en de transparantie zo hard verdedigden, maar niet aarzelden zich te verrijken op kosten van de regering? We namen afscheid van hem met een gevoel van bitterheid. Als we hem echt wilden helpen moesten we iets concreets doen. Het mocht geen herhaling worden van hetzelfde bedrog. We mochten hem niet alleen woorden geven.

In de loop van de volgende twee dagen – we bleven twee weken in Oventic – spraken Monsiváis en ik met alle mensen in het dorp. We ondervroegen niet alleen de verschillende politieke figuren, maar zorgden er ook voor de meningen van kinderen, vrouwen en oude mensen te horen... De waarheid moest verborgen zitten in die warboel van stemmen en in de getuigenissen die we beetje bij beetje uitsponnen, ervan overtuigd dat we de losse eindjes aan elkaar konden knopen.

Ons enthousiasme verminderde gaandeweg. Hoewel de inwoners van Oventic niet weigerden met ons te praten – het cliché van de gastvrijheid van de mensen op het land werd letterlijk nageleefd –, was het duidelijk dat ze er niet over peinsden ons iets compromitterends te zeggen. Door een perverse mengeling van angst en voorzichtigheid werden zij ervan weerhouden ons eerlijk hun mening te geven. Santiago had het opnieuw bij het rechte eind: waarom zouden ze iemand de schuld geven als ze wisten dat wij spoedig zouden vertrekken en hen niet konden beschermen indien nodig? Het was onbegonnen werk. Een onzichtbare barrière scheidde onze werelden. Het waren te veel jaren van wantrouwen, te veel jaren van haat en rancune om in één klap te worden weggevaagd.

Een van de onaangenaamste momenten van ons verblijf in Oventic was de ontmoeting die we hadden met Miguel Alba en Camilo Montes. Sinds onze komst hadden die twee ambtenaren ons voortdurend in de gaten gehouden en bemoeiden ze zich ongegeneerd met alles wat we deden. Daarom hadden we hun ondervraging tot het laatste moment uitgesteld. Toen ze ons in het gemeentehuis – een eenvoudig leemstenen huis dat als kantoor was ingericht – ontvingen, was het direct duidelijk dat ze ondanks hun geslijm absoluut niet van plan waren mee te werken.

'In Tuxtla en Mexico-Stad denken ze maar dat het hier allemaal doodsimpel is,' beklaagde Alba zich terwijl hij ons een glaasje brandewijn aanbood. 'Maar het is hier vreselijk. U heeft ons dorp gezien. We zijn fatsoenlijke mensen, het probleem is dat niemand aandacht aan ons schenkt. Als we meer geld hadden zou dit soort dingen niet gebeuren. Dan hadden de mensen meer verwachtingen, hoe zal ik het zeggen, meer zin om vooruit te komen. Maar nu is dit allemaal geen klap waard. De mensen zijn gefrustreerd. U heeft het gezien. En daar komen zuippartijen en ruzies van…'

'Waar heeft u het over?' vroeg Aréchiga.

'Over de drank natuurlijk… Een glaasje kan geen kwaad. Vindt u deze mezcal trouwens niet verschrikkelijk lekker? Het is een kwestie van niet te veel drinken, want als je te veel drinkt…'

'Daarom drink ik niet,' viel Camilo Montes hem in de rede. 'Een politieagent kan zich dat niet veroorloven…'

'Camilo heeft helemaal gelijk,' ging Alba door. 'Als je zat bent doe je de stomste dingen… Als Tomás die avond niet zoveel had gedronken zouden we die tragedie niet hebben gehad…'

'Probeert u te insinueren dat Tomás Lorenzo de avond dat hij vermoord werd te veel had gedronken?'

'Hoezo insinueren,' beet Montes hem toe. 'Hij was ladderzat…'

'Waarom staat dat niet in het rapport?' vroeg ik.

'Ja zeg, zou u het leuk vinden als ze dat van uw broer wisten? Santiago, de broer van Tomás, vroeg of we discreet wilden zijn…'

'Eens zien of ik het goed begrepen heb,' zei Monsiváis terwijl hij opsprong. 'U beweert dat Santiago u vroeg een essentieel gegeven voor het onderzoek te verbergen…'

'Om zijn lieve moedertje doña Inés niet de stuipen op het lijf te jagen,' vervolgde don Miguel. 'Dat plezier moesten we hem toch zeker doen? Doña Inés is al heel oud, stelt u zich even voor dat die ook zou sterven… Daarom wilden we er niks over zeggen en over dat andere ook niet…'

'Dat *andere*?' Dit was de basstem van Zark.

'Ja, dat van de vrouw van Aniceto.'

'Aniceto?' herhaalde Zark met zijn bekende slimhcid.

'Aniceto Cruz, de man van Lupita.'

'Ik kan het u beter meteen vertellen,' sneed Montes hem de pas af. 'Tomás was een goeje kerel, maar hij had één zwak punt… Nou ja, eigenlijk twee als we de drank meerekenen… U begrijpt wel wat ik bedoel… Die avond dronk hij een paar glaasjes te veel en toen ging hij naar Lupita…'

'Wat trouwens een fantastisch wijf is, neemt u me niet kwalijk dat ik het zeg,' vulde de burgemeester aan.

'Naar het huis van Aniceto zelf… Die arme kerel is uiteindelijk overal achter gekomen. Zou u soms niet kwaad geworden zijn?' vroeg hij op mij wijzend.

'U beweert dat Tomás door Aniceto Cruz is vermoord om een kwestie met zijn vrouw!' zei ik, kwaad wordend.

'Het probleem is niet wat ik u vertel of wat u wilt geloven…'

'Maar hoe weet u verdomme dan wat er gebeurd is?'

'Kijkt u eens, meneer, dit is een klein dorp.'

'En waarom heeft u die Aniceto niet gearresteerd?' zei Aréchiga met helderziende blik.

'We zouden niets liever gewild hebben, maar die arme kerel heeft vorige week een ongeluk gehad.'

'Wat?'

'Die stommeling was zijn pistool aan het schoonmaken en toen is het per ongeluk afgegaan. Hij ruste in vrede…'

'Houdt u ons voor de gek?' Monsiváis had hem bijna een klap gegeven.

'Wij wilden u het verhaal van het begin af aan vertellen, maar u gaf ons niet de kans. Het is jammer dat u zoveel tijd hebt verspild, maar u heeft tenminste wel kunnen genieten van de gastvrijheid van ons mooie dorp, of niet soms?'

We waren razend en verlieten onmiddellijk het gemeentehuis van Oventic. Ongelooflijk het cynisme waarmee de autoriteiten een politieke moord in een dorpsroddel veranderden. Hun versie van de feiten leek zó uit een erbarmelijke soap te komen. Wat moesten we doen? Eerst maar eens een rapport schrijven voor de procureur en voor de media. Alba en Montes verdienden het allebei in de gevangenis te eindigen.

Ik was zo verontwaardigd dat ik niet eens met mijn collega's mee ging eten in onze tijdelijke herberg. Ik had behoefte aan een wandelingetje om in mijn eentje mijn frustratie te verstouwen. Ik kwam op het idee Santiago een bezoek te brengen. Ik had hem niets te zeggen – ik kon alleen mijn onmacht met hem delen – maar ik vond dat ik hem minstens mijn excuses moest aanbieden. Toen we bijna aan het eind van ons gesprek waren, was Santiago zo moedig – of zo onvoorzichtig – me te onthullen dat hij en zijn broer deel uitmaakten van een groep inheemse mensen die vastbesloten waren het leven in de bergdalen van Chiapas te verbeteren en zich daarom organiseerden ten behoeve van de allerhoogste missie: zich niet te laten regeren.

'Daarom hebben ze hem vermoord,' snikte hij. 'Maar wij zeggen nu: *basta*.'

Deze weinige woorden waren de beste les die ik mee terugnam van mijn reis naar Lacandona. Nadat ik Santiago had gehoord, moest ik denken aan wat mijn leermeester Michel Foucault had gezegd: 'Sommige bewegingen zijn onhoudbaar: namelijk die waarbij een man, een groep, een minderheid of een heel dorp besluit niet langer te gehoorzamen maar zijn leven op het spel te zetten tegenover een macht die volgens hen onrechtvaardig is. Want er bestaat geen macht die dat tegenhoudt.'

ANÍBAL QUEVEDO, 'De moord op Tomás Lorenzo, III', *Tal Cual*, maart 1989

Ik zal de financiële situatie van *Tal Cual* op dit moment in één bijvoeglijk naamwoord samenvatten: *rampzalig*. Sinds het oktobernummer zijn onze advertentie-inkomsten vrijwel nihil. Het is niet zo dat we vroeger een benijdenswaardig stevige financiële positie genoten, maar dankzij enkele trouwe adverteerders konden we ons aan het eind van de maand tenminste drijvende houden. Na het nummer dat gewijd was aan de aardbeving, kregen we geen enkele factuur te onzer gunste meer binnen. De inkomsten van de verkoop van losse exemplaren en de schaarse abonnementen (die niet boven de honderd uitkomen) zijn niet voldoende om zelfs maar de salarissen te garanderen van de drie medewerkers die dag en nacht voor deze onderneming werken (de opmaker, Josefa en ikzelf). Als deze situatie voortduurt, kunnen we binnenkort de elektriciteitsrekening niet meer betalen.

De regering heeft ons de oorlog verklaard. We hebben geen enkel bewijs waarmee we deze bewering kunnen staven (de burgemeester van deze stad heeft ons zelfs voorgedragen als kandidaten voor de 19 september-medaille voor maatschappelijke verdiensten), maar de kranen die ons vroeger van geld voorzagen, blijven nu dicht. De verklaringen zijn altijd dezelfde: op dit moment moet het geld gebruikt worden voor de wederopbouw van de stad. Kunnen we dit excuus aanvaarden? Eerlijk gezegd niet. Als de regering en de ondernemers ditzelfde principe ten aanzien van alle media toepasten, zouden we de consequenties nemen, maar we weten dat ze miljoenen *pesos* hebben bestemd voor een reclamecampagne om hun imago op te poetsen na hun verschrikkelijke gedrag tijdens de aardbeving. Wat kunnen we doen? Als we geen drastische maatregel nemen, kunnen we het februarinummer niet meer naar de drukkerij sturen.

***

'Aníbal, wat hebben elkaar lang niet gezien!' Hoe ik ook probeer me hem te herinneren, zijn gezicht zegt me niks. Ik zou bijna durven zweren dat ik deze kerel met zijn reusachtige jukbeenderen en zijn bedrieglijke manier van doen nog nooit heb gezien; maar hij houdt broederlijk een arm om me heen geslagen sinds hij me uit de Librería Francesa midden in de Zona Rosa zag komen. 'Je gaat me toch niet vertellen dat je niet meer weet wie ik ben,' zegt hij verwijtend. Omdat hij het zo beleefd doet, verberg ik mijn schrik. 'Gefeliciteerd met het werk dat jullie doen in *Tal Cual*, Aníbal, wat fantastisch, Mexico had al heel lang zo'n tijdschrift nodig. Trouwens, ik heb nog een paar gedichten die ik je zou willen sturen, het zou een eer zijn met jullie te mogen samenwerken, als jij ze aardig vindt natuurlijk.' Ik heb er nog steeds geen flauw idee van hoe hij heet, maar ik antwoord toch maar: 'Ik zal ze met grote belangstelling lezen. Stuur ze me alsjeblieft zo snel mogelijk toe.'

De week daarna ontvang ik een enorm pakket waar zijn verzamelde werk in zit. Nu weet ik tenminste wel hoe hij heet: Mario Montano, maar ik herinner me nog altijd niet wanneer ik hem heb leren kennen. Helaas zijn de gedichten verschrikkelijk. Hij belt me dagelijks op en vraagt wat ik ervan vind en wil weten welke gedichten ik heb gekozen om in het tijdschrift te plaatsen. Ik houd hem aan het lijntje en vraag Josefa hem een antwoord te sturen. Enkele weken later ontdek ik een van zijn wanproducten in het maartnummer van *Tal Cual*. 'Het is niet zo slecht,' zegt Josefa. 'Bovendien heeft Montano net een heel lovende kritiek op jouw laatste boek geschreven. We willen niet dat er nog een Pérez Avella door de wereld dwaalt.'

BRIEF VAN CLAIRE

Mogadishu, Somalië, 30 juli 1986

Lieve Aníbal,

Je weet niet hoe jammer ik het vind dat we elkaar de laatste maanden zo weinig hebben geschreven, maar Anne en ik hebben al die tijd aan één stuk door gereisd. Ze is net acht geworden en ondanks mijn schaarse middelen is het me toch gelukt een feestje voor haar te organiseren. Je had haar moeten zien met de taart die ik voor haar had gemaakt met wat maïsmeel. Acht jaar! Ongelooflijk, hè? Hoe lang is het geleden dat jij en ik elkaar voor het laatst hebben gezien? Ik kan het niet eens uitrekenen. Ik weet dat de verwijdering voor jou niet gemakkelijk is geweest, en vergeef me als deze nieuwe afwezigheid je opnieuw pijn doet, maar je kent me goed genoeg om te weten dat ik geen andere uitweg had: als ik een idee in mijn hoofd heb moet ik het tot zijn uiterste consequenties uitvoeren. Jij hebt me toch gezegd dat dit een van mijn karaktertrekken is? Ik weet niet wat Anne ervan vindt dat ze zo'n wispelturige moeder heeft, ik hoop alleen dat de onevenwichtigheid die ze van mij zal erven bij haar minder overheersend zal zijn dan bij mij en dat zij meer kansen zal krijgen om gelukkig te worden. Dat probeer ik tenminste alle dagen, zelfs wanneer ik me totaal wanhopig voel... Zoals je ziet spreek ik mijn verbittering al hardop uit; ik schaam me niet meer voor mijn tranen, maar ik wil niet dat die moedeloosheid me verlamt. Er zijn te veel mensen afhankelijk van mij en ik mag hen niet teleurstellen. Ik geloof niet dat ik in de loop der jaren rijper ben geworden – het lijkt erop dat jij en ik onze pubertijd nooit te boven zullen komen –, maar ik word tegenwoordig wel sneller moe... Nou ja, ik wil je niet belasten met mijn twijfels, Aníbal: jij moet vechten met je eigen problemen... Ik geloof dat het een geweldig idee van je is geweest om je bij de oppositie aan te sluiten voor de verkiezingen van 1988, vooral nu links in staat lijkt zijn verdeeldheid te vergeten om een hoger doel te bereiken ('de PRI uit Los Pinos verdrijven,' zoals je zegt). Op grond van wat je me vertelt begrijp ik dat het bewind volledig in verval is, en hoewel ik niet over de nodige elementen beschik om te beoordelen of de dissidenten in staat zullen zijn een echt verbond te sluiten, twijfel ik er geen seconde aan dat het de moeite waard is... Helaas zitten Anne en ik te ver weg, en hoewel jij me brieven en krantenknipsels blijft sturen over de situatie in Mexico, krijg ik nauwelijks een beeld van wat er aan de hand is. Maar ik wens je hoe dan ook het beste toe. Eindelijk begin je het succes te krijgen dat je verdient; jaloezie of rancune zullen jou nooit kunnen tegenhouden. Ik ben ervan overtuigd dat *Tal Cual* een belangrijke plaats zal innemen in het veranderingsproces in jouw land.

CLAIRE

Dinsdag 4 april 1989

In de hele stad spreekt men bij het natafelen met evenveel genoegen over hetzelfde *petit scandale*: de ongehoorde ontmoeting van Aníbal Quevedo en de president van de republiek ten huize van JA. Ik heb het bericht door diverse bronnen bevestigd gekregen: hoewel het gesprek niet bijzonder hartelijk verliep heeft AQ het niet gewaagd de hoogste gezagsdrager van het land een klinkende klap in zijn gezicht te geven, zoals hij een journaliste van *Proceso* beloofde na de verkiezingen. Kennelijk heeft onze voorbeeldige intellectueel *engagé* zich als een heer gedragen: per slot van rekening waren ze niet op straat of bij een officiële gelegenheid, maar bij een gemeenschappelijke vriend thuis. Het zoveelste bewijs dat wij Mexicanen nooit onze zelfbeheersing verliezen (of dat wij experts zijn in de schone kunst van de hypocrisie). Logisch dat buitenlandse politicologen de subtiliteiten van het Mexicaanse politieke systeem onmogelijk kunnen begrijpen!

Het is de moeite waard te noteren dat de ontmoeting tussen deze bijzondere personages volgens mijn naspeuringen allesbehalve toevallig was. Boze tongen – en dat zijn *alle* tongen in het literaire wereldje – beweren dat JA deze intrige heeft georganiseerd zonder een van beide partijen vooraf te waarschuwen. Ik geloof het niet. Het is mogelijk dat Quevedo niet wist dat de president onverwacht op het feest zou verschijnen, maar het lijdt voor mij geen twijfel dat JA onze *hoogste leider* had ingelicht over de mogelijke aanwezigheid van een van diens felste critici. Maar er is nog een derde mogelijkheid, die ook niet onzinnig klinkt: dat de president zelf aan JA heeft gevraagd een koud buffet te organiseren met als enige doel Quevedo daar tegen te komen. De machiavellistische inborst van onze nationale leider kennende lijkt deze optie me niet onwaarschijnlijk.

Om welke redenen zou de president deze operatie hebben bedacht? Er komen steeds meer geruchten. De een beweert dat hij altijd de confrontatie aangaat met zijn vijanden; een andere versie wijst echter in de richting van een officieel complot om het toch al tanende prestige van links in Mexico nog verder omlaag te halen. Volgens mij is er een nog voor de hand liggender reden: zoals iedereen weet maakt AQ samen met EZ, CM en JA zelf – wie zou deze macabere combinatie bedacht hebben? – deel uit van een commissie die de opdracht heeft onderzoek te doen naar de dood van een aanhanger van Cárdenas in Chiapas (een gedrochtelijk Russeltribunaal *à la mexicaine*). Sinds januari plaatst AQ een serie 'ideeënreportages' (de term is van Foucault) in zijn blad – dat overigens, moet ik eraan toevoegen, slechts door anderhalve man en een paardenkop wordt gelezen –, waarin hij de regering en met name de PRI ervan beschuldigt de moordenaars te dekken.

Behalve dat je van iemand als AQ kunt zeggen dat hij een serieus man is, moet ik toegeven dat hij een van de weinige intellectuelen is die het waagt enkele beschamende waarheden hardop uit te spreken. Hoewel de meeste van mijn vrienden van *Vuelta* hem een clown vinden, voel ik toch sympathie voor hem. Laatst had iemand het tijdens ons redactie-overleg over dat befaamde feest bij JA thuis. Met zijn karakteristieke boosaardigheid beperkte Octavio zich tot de opmerking: 'Die Queve-do is een dwaas en een stalinist. Ik weet niet welke van die twee het ergst is.' Bilo Sheridan voegde daar met zijn radio-omroepersstem aan toe, elk woord op zijn tong proevend: 'Tot overmaat van ramp lijdt die arme kerel aan een degeneratieziekte: hij is lacaniaan.' Als mijn vader geen psychoanalyticus was geweest had ik ook om deze grap gelachen.

Hoe het ook zij, volgens mijn informanten – mijn vroegere kamera-den van de communistische partij van Mexico, die aanhangers van Salinas zijn geworden – was het gesprek tussen AQ en de president alleszins de moeite waard. Quevedo beschuldigde hem ervan verantwoordelijk te zijn voor alle problemen in het land. Aangemoedigd door de drank (of door zijn 'gebruikelijke krankzinnige onvoorzichtigheid', zoals een getuige preciseerde) verwees hij naar dingen als de verkiezingsfraude van vorig jaar, de beroemde 'val van het systeem' en de aanhangers van Cárdenas die vermoord waren sinds zijn machtsovername. Hoewel het moeilijk is vertrouwen te stellen in iemand die, zoals ik, eerst communist was en daarna neoliberaal, lukte het de president volgens een andere aanwezige om zijn verantwoordelijkheid op tamelijk elegante wijze te omzeilen. Niet ingaand op het thema van de verkiezingen, zei hij tegen AQ dat hij zich ook grote zorgen maakte om het politieke geweld en dat hij het werk van de commissie die zich met het geval Tomás Lorenzo bezighield, van nabij volgde.

'Meneer,' verweet Quevedo hem (hij weigert hem met *president* aan te spreken), 'er valt geen commissie in te stellen voor elke moord die door ontevreden PRI-aanhangers wordt gepleegd. Uw regering is schuldig aan al die moorden tot het tegendeel wordt bewezen.' Ik moet toegeven dat die AQ kloten heeft ondanks dat hij psychoanalyticus is. De president onderscheidt zich daarentegen door zijn gebrek aan vriendelijkheid (en door zijn perversiteit). Hij verloor zijn zelfbeheersing niet en beloofde Quevedo dat iedereen die zijn onderzoek zou belemmeren, van welke partij hij ook mocht zijn, het volle gewicht van de wet zou voelen. Verder zei hij dat als de commissie de geringste aanwijzing van medeplichtigheid van de kant van de autoriteiten zou ontdekken, hij er persoonlijk garant voor stond dat de verantwoordelijke zijn straf kreeg. 'Beloftes zijn niet voldoende, meneer,' hield AQ aan, 'we hebben concrete feiten nodig.' Onze hoogste leider vroeg hem geduld te hebben. 'Geeft u mij één enkel bewijs en ik zal me aan mijn woord houden.'

De president lachte listig en begon, onder het voorwendsel dat hij een dringend telefoontje moest plegen, afscheid te nemen van de andere gasten (onder wie zich de helft van de vroegere linkse beweging van Mexico bevond). Op het laatst had hij nog tijd om naar AQ toe te lopen en ten overstaan van iedereen tegen hem te zeggen: 'Ik hoop u spoedig weer te zien, dokter. Dit gesprek met u is heel nuttig geweest. Ik dank u voor uw vertrouwen. Ik begrijp dat u twijfels heeft over het handelen van mijn regering, maar ik verzeker u dat ik vastbesloten ben tegen alle verzet uit het verleden in, dit land koste wat het kost te veranderen. Het enige probleem is dat ik niet overal zelf bij kan zijn. Ik heb mensen nodig zoals u die met me samenwerken aan de modernisering van Mexico zonder hun eigen ideeën op te geven. Ik vraag u niet mijn vriend te worden, maar wel dat we doorgaan met onze dialoog.' Dat was blijkbaar alles. Of althans bijna. Want in een onbewaakt ogenblik lukte het de president nog net voordat hij vertrok Quevedo de hand te drukken.

Deze anekdote zou overdreven kunnen klinken – weer zo'n mythe rond de macht in Mexico – als ik kortgeleden niet zelf bij een vrijwel identieke scène aanwezig was geweest. Het ging in dat geval echter om een feestje bij EZ thuis... en toen waren wij de eregasten.

Vier

DE STEM VAN DE STEMLOZEN

In een dorp in het oerwoud van Lacandona in Chiapas, 14 maart 1989.
Twee en een halve maand na mijn eerste bezoek aan deze nederzetting
in Las Cañadas keer ik in een andere stemming naar Oventic terug. Je
kunt niet zeggen dat de situatie aanzienlijk verbeterd is, maar de fede-
rale autoriteiten hebben tenminste woord gehouden, en hoewel de
burgemeester en de politiechef niet worden berecht voor obstructie
van de rechterlijke macht, zijn ze gedwongen hun baan op te zeggen. Ik
herhaal: het is geen grote vooruitgang – sinds januari schiet het onderzoek niet op en is de kans om de moordenaar van Tomás Lorenzo te
vinden nog even gering als indertijd –, maar toegegeven, het is een bescheiden bewustwording van de kant van de macht.
    Ditmaal maak ik de reis alleen en heb ik mijn collega's er niet van op
de hoogte gesteld. Vermoedelijk zullen zowel Ernesto Zark als Julio
Aréchiga woedend zijn als ze deze bladzijden lezen, maar ik wilde niet
het risico lopen dat mijn bedoelingen werden verpest door hun ach-
terdocht. Santiago was heel resoluut – je moet alleen komen, waarschuwde hij me – en ik wilde hem niet teleurstellen. Terwijl ik hier op
deze anonieme plek word vastgehouden om op nieuwe instructies te
wachten, is het gevoel van gevaar bijna bedwelmend; het is heel op-
windend me voor te stellen dat ik me buiten de wereld bevind, weg van
mijn dagelijks leven. Het oerwoud slokt me beetje bij beetje op. Het
was me nog nooit gelukt me één te voelen met de natuur – stadsmens
die ik ben –, maar nu word ik langzamerhand deel van het landschap,
als een achtergelaten boomstam. Hoe lang zou ik hier al bewaakt worden door deze inheemse man die weigert me zijn naam te zeggen? Zo'n
vijf uur, reken ik uit, hoewel het door het vocht dat mijn laarzen binnendringt veel langer lijkt.

Santiago had me aangeraden niet te wanhopen. 'Je moet niet bang zijn,' waarschuwde hij, 'want de geur van paniek trekt giftige insecten aan. De tijd is hier anders dan in de stad. Na vijfhonderd jaar wachten ben ik eraan gewend geen haast te hebben.' Ik probeer zijn raad op te volgen en concentreer me op het ontcijferen van de geluiden van de nacht – ik stel me krekels voor, kleine en grote cicades, misschien een toekan of een tapir –, in de overtuiging dat ze geheime muziek verbergen. Na een poosje word ik wakker door plotseling piepende remmen; ik zie het silhouet van een jeep die op ons afkomt. De inheemse man begeleidt me zwijgend naar de achterkant van de wagen.

'Neemt u me niet kwalijk,' zegt hij terwijl hij me een blinddoek voorbindt.

We rijden weg. Gevangen in de dubbele duisternis lijkt de tijd nog trager te verlopen.

'Is het nog ver?' vraag ik aan de chauffeur.

'Nee, nee...'

Na een traject dat onmogelijk te onthouden is, stopt de jeep eindelijk. Mijn begeleider haalt voorzichtig mijn blinddoek weg, maar door de nevel kan ik niets op meer dan een meter vóór me onderscheiden. Een gelige mist bedekt de ingang van een houten hut die pal tegen een kleine heuvel is gebouwd.

'Welkom!' hoor ik een doordringende stem enthousiast zeggen. 'Kom alsjeblieft verder, dokter. Welkom in de armste staat van het land, welkom in het ellendigste en meest vergeten deel van Mexico!'

Ik zie de arendsneus van mijn gesprekspartner amper in het zwakke schijnsel van een olielamp; hij blijft op zijn stoel aan een houten tafel achter in het vertrek zitten; de helft van zijn gezicht is bedekt met een dunne baard en zijn ogen glinsteren in het licht. Zonder omhaal reikt hij me een kop koffie aan. Door de hete vloeistof verdwijnt mijn stijfheid langzaam maar zeker. Intussen legt hij een pakje tabak op tafel en stopt zorgvuldig zijn pijp.

'Rook je?'

'Nee.'

Aan zijn accent te horen komt hij uit het noorden.

'Waar kom je vandaan?' waag ik het hem te vragen. 'Uit Monterrey?'

'Nee, dokter,' antwoordt hij met volle overtuiging. 'Ik kom hier uit het oerwoud.'

'Bedankt dat je me wilde ontvangen.'

'Welnee, man, ik moet jou bedanken.' Hij barst plotseling in lachen uit. 'Ik beschouw mezelf als een van je aandachtigste lezers.'

'Echt waar?'

'Ik citeer enkele van jouw boeken in mijn proefschrift... Ik heb filosofie gestudeerd aan de universiteit van Mexico. En weet je wie mijn favoriete filosoof is?' Hij heeft er lol in de spanning enkele minuten aan te houden. 'Louis Althusser... Spijtig wat die arme man is overkomen...'

'Ja, verschrikkelijk,' zeg ik instemmend. 'Louis is nooit *normaal* geweest, maar niemand had gedacht dat hij zoiets vreselijks zou doen... Wat een treurig lot.'

'Weet je hoe het nu met hem is?'

'Nee, nee,' zeg ik ontwijkend. 'Een van mijn medewerksters heeft nog wel contact met hem, maar na de dood van zijn vrouw durfde ik niet meer bij hem op bezoek te gaan...'

Deze toevalligheid verdrijft ons wederzijdse wantrouwen; door herinneringen op te halen aan Althussers tragedie ontdekken we het netwerk van geestverwanten dat ons met elkaar verbindt. In de daaropvolgende minuten praten we over de oude filosoof en moordenaar, diens theorieën en dwalingen, zijn relatie met Latijns-Amerika, zijn vriendschap met Marta Harnecker en Fernanda Navarro en zijn banden met Cuba. Het is een onwaarschijnlijke situatie: twee intellectuelen die midden in het oerwoud van Lacandona zitten te discussiëren over het repressieapparaat van de staat en over de culturele revolutie... We zijn al uren aan het praten wanneer we bij het onderwerp komen dat ons zorgen baart.

'En hoe gaat het met de zaak van Tomás?'

'Niet zo goed,' beken ik. 'We doen wat we kunnen. Zoals je weet zijn de plaatselijke autoriteiten afgezet, maar desondanks is het onderzoek niet erg opgeschoten. De mensen zijn nog steeds bang om te praten.'

'Natuurlijk zijn ze bang om te praten!' zegt hij opgewonden. 'Ik hoef jou niet nog eens te vertellen wat mijn mensen hebben doorgemaakt, dokter.'

'Jouw mensen?'

'Dat zei ik toch al, ik ben nu een van hen.'

Zijn toon bevalt me. Zijn woorden bevatten een dosis heldhaftigheid die ik sinds mei '68 niet meer heb gehoord.

'Mag ik vragen hoe je hier terechtgekomen bent?'

'Naar de kelder van huize Mexico kom je te voet, zonder schoenen, op rubberen sandalen of op laarzen. Als we consequent waren, zouden we moeten aanvaarden dat alle wegen naar deze hel leiden...'

'Het verbaast me dat je het oerwoud van Lacandona hebt gekozen, er wordt gezegd dat alleen inheemsen kunnen overleven in dit ruige gebied...'

'Dat is nu juist het probleem. Al ben je hier geboren en getogen, er komt een moment dat je door het bos wordt afgewezen als door een vrouw, en er is niets aan te doen. Om het bos ervan te overtuigen dat het jou moet aanvaarden, moet je er middenin wonen. In een dorp wonen is niet genoeg, je moet een inboorling worden.'

Hij blijft op die felle, elegische toon tegen me praten en beschrijft verontwaardigd de ellendige omstandigheden waarin de bewoners van Las Cañadas leven. Hij kent de statistieken van de armoede uit zijn hoofd en kruidt ze met een snufje marxistische theorie. Tot slot suggereert hij dat er in Chiapas alleen iets kan worden veranderd door gewapende strijd.

'In tegenstelling tot wat er in andere delen van het land gebeurt, heb je hier niets aan redenaties. We zijn hier al te veel jaren vergeten, dokter. Het systeem moet volledig worden veranderd en dat lukt niet zolang de PRI en die usurpator in Los Pinos blijven zitten.' En dan zegt hij met een parafrase op Foucault, die hij ook nauwkeurig heeft bestudeerd: 'Het is mijn taak mijn mensen te laten zien dat je je tegen de macht kunt verzetten, dat je manieren kunt vinden om je niet te laten regeren...'

Hij voegt eraan toe dat híj niet wil dat er meer geweld komt – wat hij wil is dat de inheemse bevolking zich bewust wordt van het onrecht –, maar de onderdrukking van de kant van de regering en de grootgrondbezitters is zo zwaar dat hij geen andere uitweg ziet.

'Sinds de verovering heeft de haat zich hier genesteld,' gaat hij verder. 'Vroeg of laat zal Chiapas ontploffen.'

Ik houd mijn adem in. De woorden van deze *blanke* filosoof die liever bij de inheemsen woont, geeft me weer vertrouwen in de toekomst; hij heeft afgezien van een behaaglijke universitaire carrière en zich in dienst gesteld van de gemarginaliseerde bevolking. Om in zijn onderneming te slagen bedient hij zich van een nieuwe taal waar de clichés van het marxistische jargon uit verbannen zijn; en omdat hij al zoveel jaren de welluidende klanken van de talen van de inheemse mensen hoort, van de Tzeltal, de Tzotzil, de Tojolabal en de Chol, is het accent van deze stedeling veranderd, zijn taal klinkt poëtisch en ouderwets – gelardeerd met beeldspraak – en heeft zijn verleidingskracht teruggekregen. Maar niet alleen dat, zijn retorische energie is niet verstoken van literair talent.

'Je zou moeten schrijven...' raad ik hem enthousiast aan.

'Wat moet ik schrijven?'

'Wat je me verteld hebt. Gebruik dezelfde toon. Dezelfde stijl. Je grammatica stamt regelrecht af van de inheemse manier van praten.'

'Vind je?'

'Natuurlijk. Die mensen kennen de kracht van hun eigen taal niet. Jij kunt ze helpen die over te brengen, jij kunt uit hun naam spreken. Ik weet waarover ik het heb: jij moet de stem van de stemlozen worden.'

We nemen afscheid met een omhelzing en voor voelen dat er geen herhaling zal zijn. De sluier van de vroege ochtend daalt neer op de bossen. Ik weet niet wat de bestemming van deze man is, maar wel dat de tijd dringt, zoals hij me zelf heeft gezegd. Alleen een radicale verandering in de regeringspolitiek zal kunnen voorkomen wat nu onafwendbaar lijkt: het begin van een inheemse opstand in het zuiden van ons land.

ANIBAL QUEVEDO, 'De moord op Tomás Lorenzo, IV', *Tal Cual*, april 1989

BRIEF VAN CLAIRE

Lagos, Nigeria, 10 augustus 1988

Lieve Aníbal,

Hoewel we amper de kans hadden elkaar te spreken – we werden ingehaald door de snelheid van de gebeurtenissen –, wil ik je zeggen dat ik het heerlijk vond je weer te zien en nog heerlijker dat het in je eigen land was. Toen ik naar Afrika terugvloog vond ik het jammer dat we elkaar niet onder gunstiger omstandigheden hadden teruggezien, maar daarna vond ik het ook eigenlijk beter: we hebben elkaar in mei '68 leren kennen tijdens een demonstratie in het centrum van Parijs, en daarom was het misschien logisch dat we elkaar twintig jaar later tijdens net zo'n demonstratie ontmoetten, al was het ditmaal in Mexico-Stad. Terwijl we samen naar het Zócalo optrokken, waar Cuauhtémoc Cárdenas zijn presidentscampagne zou afsluiten, had ik het gevoel dat de tijd niet voorbijgegaan was en dat jij en ik, ondanks alle misverstanden, nog dezelfden waren als indertijd. Ik voelde me zo gelukkig dat ik moest blijven stilstaan. Ik keek uit mijn ooghoeken naar je en voor het eerst was de merkwaardige band tussen ons tastbaar. Weet je dat ik, toen ik werd gevraagd waarneemster bij de verkiezingen te zijn, het eerst aan jou dacht? Je kunt je niet voorstellen hoe zenuwachtig ik was toen we elkaar troffen bij de persconferentie waar Cárdenas sprak over de moord op zijn medewerkers en de dreigementen aan zijn adres... De situatie was zeer ernstig en toch voelde ik me beschermd doordat jij in de zaal zat. En hoewel je na afloop mee moest lopen met de kandidaat, kwam je eerst mij begroeten. Je hoefde niets te zeggen: alles wat we waren kwijtgeraakt kregen we op dat moment terug. Ik denk nog altijd vol ontroering aan die rumoerige dagen, de massameetings, de lange werkdagen voorafgaande aan de verkiezingen en de eindeloze uren na het sluiten van de lokalen. In die dagen toen 'het systeem viel' en de regering haar fraude pleegde, begreep ik dat er misschien nog een kans voor ons was. Ik geef toe dat het een absurde gedachte was. Het land kraakte in zijn voegen en terwijl de spionnen van de PRI de computers manipuleerden, verkiezingsbiljetten verbrandden en een cybernetische staatsgreep pleegden, moest ik de hele tijd aan ons denken... Toen ik jou daar zag staan terwijl je de gruweldaden van al die bloedzuigers aanklaagde voor de internationale pers, sterker dan ooit in je rol als raadgever van Cárdenas, voelde ik niets dan bewondering voor je. Het was een openbaring. Ik wil teruggaan naar Mexico zodra jullie klaar zijn met de strategie voor het burgerverzet. Jarenlang ben jij mij overal naartoe gevolgd om aan mijn zijde te strijden; nu is het mijn beurt om met jou mee te gaan.

CLAIRE

Er glijdt gedempt licht door de gordijnen naar binnen en het strijkt neer op de stevige, witte meubels; de krommingen in de lakens rijzen voor mijn ogen op, ongenaakbaar als bergketens. Het bed is een landschap dat ik uit mijn hoofd ken. Nu ik weer bij bewustzijn ben voel ik me niet gelukkiger of minder verloren. Moet ik vreugdesprongen maken omdat ik mijn hoofdpijnen of verkoudheden weer terug heb? Een vriend vertelde me dat de buren die me na de botsing hebben gered me niet eens herkenden. Dit is naar mijn idee het definitieve bewijs dat mijn tegenstanders succes hebben geboekt: niemand herinnert zich mij meer. En als mijn geschriften ook vergeten werden? En als de mensen op grond van mijn schaarse academische vorming zouden geloven dat ik niet anders heb gedaan dan de geschiedenis verdraaien, de filologie verpesten en de linguïstiek vervalsen? En als de hele wereld op het laatst zou denken dat ik een bedrieger ben?

Dit idiote ongeluk heeft me teruggevoerd naar mijn kindertijd. Terwijl ik op de verpleegster wacht die me mijn pilletje van twaalf uur komt brengen, keer ik terug naar het trage geluk in de jaren dat ik in Bayonne woonde, de armen van mijn moeder, de vochtige stoepen… Mijn moeder was er altijd trots op dat ze een mager, maar gezond kind op de wereld had gezet, tot de ziekte zich in de nacht van 10 mei 1934 in al haar wreedheid op me stortte, geheel bereid altijd bij me te blijven. Sindsdien was ik een *ander* mens, een zwak mens balancerend op het randje van de dood. Aan bed gekluisterd door een kapotte linkerlong – ademhalen was een wonder – lag ik eindeloze uren in stilte te dromen over de kinderen in de buurt die lekker buiten waren. Het is niet toevallig dat de term waarmee een zieke het best wordt beschreven *patiënt* is: wij tbc-lijders doen niet anders dan geduldig wachten tot de ziekte verdwijnt of zich terugtrekt, en in de tussentijd moeten we de zware leegte van de uren verdragen…

Ik verveelde me. Terwijl ik daar uitgeput op net zo'n bed lag als dit, dacht ik dat het voorgeborchte wel zoiets moest zijn als deze dode en grenzeloze tijd. In deze desolate toestand ontdekte ik dat de literatuur mijn beste medicijn was; zonder boeken was het me nooit gelukt te overleven. Door het lezen herleefde ik. Net als de bourgeois die ik verafschuw, heb ik er sindsdien behoefte aan alle momenten van de dag te vullen met dit idiote en verrukkelijke vermaak. Mijn voorkeur voor details komt dus niet voort uit een speciale devotie voor boeken, maar is een erfenis uit mijn kindertijd. Dat ik tegenwoordig urenlang een zinnetje of een alinea kan bestuderen komt doordat ik gruw van vrije tijd… Volgens Nietzsche is de ledigheid de moeder van alle psychologie; in mijn geval was het de moeder van de lectuur. Lettergrepen waren voor mij net kleine kleibolletjes, die ik langzaam vorm gaf door de scherpe kanten glad te maken. Vandaar dat algemene theorieën of systemen me nooit hebben geïnteresseerd: grote filosofische constructies vond ik even saai als dorre zondagmiddagen. Ik schonk liever aandacht aan de kruimels en de fragmenten, de piepkleine stukjes waaruit de subtiele machinerie van de kosmos is opgebouwd. Ik kon middagenlang bezig zijn met het uit elkaar halen van horloges, niet om te ontdekken door welke wetten ze werden geregeerd, maar om de perfectie van hun raderwerk te bewonderen.

Ik ken geen andere vrede dan de routine. Ik haat onverwachte dingen, geschreeuw, chaos. Omdat mijn grootste genoegen bestaat uit het wandelen langs de oevers van de Seine, het instuderen van een sonate van Schumann of verstrooid de knie van een vriend strelen, kan ik niet bevatten dat iemand de voorkeur geeft aan de ontregelingen als gevolg van de hartstocht of aan de bruutheid van vechtpartijen. Ik heb net zo'n hekel aan revolutionairen als aan afgewezen geliefden, aan oproerkraaiers als aan ongeduldige mensen, aan burgers die altijd ontevreden zijn met zichzelf als aan mensen die niet alleen kunnen zijn. Waarom laten ze me niet met rust? Ik heb ze gesmeekt me niet lastig te vallen, maar ik hoor de hele tijd de stemmen van die niet-bezige collega's die per se bij me langs willen komen. Stop die herrie! Ik wil niemand zien! Ik zou graag langzaam verdwijnen, zonder schelle klanken of gegil. Een dood zoals het leven waarnaar ik altijd heb verlangd: zacht, etherisch, ingehouden. Want zo ik niet overleden ben na de klap maar weer bij kennis ben gekomen en kennelijk weer ben opgeleefd, was het om naar dit bed terug te keren waar ik over alle tijd beschik die ik nodig heb om mijn eigen dood te bestuderen, de ware dood van de auteur.

Heb ik ergens spijt van? Van talloze, onbenoembare verleidingen. En misschien van het feit dat ik geen roman heb afgemaakt. Gedurende mijn hele carrière ben ik bezig geweest met het schrijven van een opzet voor een roman of met me er een voor te stellen – romans van anderen in het geheim te begeren –, en verborg ik mijn jaloezie achter theorieën en neologismen, voelde ik me voldaan wanneer ik de fictie van anderen de grond in had geboord. Ik ben belachelijk! Terwijl het nageslacht aan Balzac zal terugdenken omdat hij *Sarrazine* heeft geschreven, zal mijn postume roem verbonden zijn aan het vierendelen van dat kleine meesterwerk... Waarom heb ik dat gedaan? Waarom ben ik een schrijversbeul geworden? Zoals de arts die zijn uiterste best doet terwijl hij sectie pleegt op de hersens van een lijk, heb ik me verlustigd aan het wroeten in kunstwerken om dichter bij het talent van hun scheppers te komen. Het is geen toeval dat ik zo veel over de teksten heb gezegd en zo weinig over degenen die ze gemaakt hebben: mensen van vlees en bloed leken me altijd minderwaardige schepsels die zich erop lieten voorstaan de eigenaars van hun bladzijden te zijn, terwijl ze niet eens in staat waren de talrijke betekenissen ervan te doorgronden. In tegenstelling tot hen kon ik wel de smaak van hun oneindige schoonheid proeven.

De straf voor mijn arrogantie stemt overeen met de omvang van mijn zonde. Onder het voorwendsel 'me te helpen met ademhalen' heeft een botte chirurg een paar uur geleden een tracheotomie bij me uitgevoerd. De arme kerel had niet in de gaten dat ik uiteindelijk toch zou stikken, wat hij ook zou doen, zoals mijn longen op die verre tiende mei in 1934 al hadden aangekondigd. Het verschrikkelijke is dat hij me door me te opereren van mijn stem heeft beroofd. Zonder stem ben ik niets! Hoe kan ik hem nu vervloeken? Hoe kan ik klagen over het einde van de liefde? Hoe kan ik die roman schrijven waarnaar ik zo heb verlangd? In plaats van me te redden heeft die arts mij de doodstraf opgelegd... Het is al laat. Ik hoop dat mijn broer terugkomt met het bandje van Bach waar ik hem om heb gevraagd. Opgesloten in mijn stilte heb ik er behoefte aan voor het laatst naar die muziek te luisteren.

ANIBAL QUEVEDO, 'De laatste dag, III',
Tal Cual, september 1989

Memoriaal van de afbraak, door Aníbal Quevedo (Planeta, 1986). Mag iemand de gevoelens van een natie ongestraft manipuleren louter en alleen om zijn persoonlijke ambities te bevredigen? Aníbal Quevedo denkt van wel. Nadat hij alle genres heeft geprobeerd – kapotgemaakt –, heeft hij nu een stap gezet op het drassige terrein van de 'ideeënreportage'. Helaas is dat precies het enige wat in dit pamflet ontbreekt: een idee. Van het begin af aan weten we waar hij op uit is: ons ervan te overtuigen dat de PRI schuldig is aan al onze tegenspoed. Nu blijkt dat zelfs de aardbeving van '85 de schuld is van de regering. In de moeilijke tijden die dit land doormaakt is het laatste waar we behoefte aan hebben ophitsing tot haat of ongehoorzaamheid, zoals die in dit boekje beschreven staat. Het volstaat niet meer alleen het slechte proza van Quevedo aan de kaak te stellen, ook zijn immoraliteit moet worden gelaakt.

JUAN PÉREZ AVELLA, 'Het beste en het slechtste van het jaar', *Nexos*, december 1986

OPROEP TOT INZENDING VAN PAPERS

De afdeling Filosofie en Letteren van de UNAM, de Universiteit van Mexico, en de Nationale Raad voor de Cultuur en de Kunsten, het Secretariaat voor Buitenlandse Betrekkingen en het tijdschrift *Tal Cual* roepen alle geïnteresseerden op deel te nemen aan het zomercolloquium 'De tegenslagen van de revolutie', dat van 3 tot en met 7 juli 1989 in Mexico-Stad zal worden gehouden. Ieder die geïnteresseerd is in deelname aan deze cursus wordt verzocht een *abstract* van de inhoud van zijn paper, plus een kort biografisch overzicht op te sturen naar het secretariaat van het colloquium, ter attentie van mevrouw Josefa Ponce. De officiële opening zal op 3 juli plaatsvinden in aanwezigheid van de rector en vertegenwoordigers van de organiserende instellingen. Het belangrijkste onderdeel van het colloquium, de lezing van dr. Aníbal Quevedo met als titel 'De kunst om zich niet te laten regeren', voorafgegaan door enkele woorden van dr. José Córdoba, de secretaris van het kabinet van de president, zal op 8 juli plaatsvinden en worden uitgezonden door Canal 11 van de Mexicaanse televisie. Het programma met alle activiteiten zal vanaf september voor het publiek beschikbaar zijn.

UNAM-*krant,* 3 mei 1989

SESSIE OP 4 AUGUSTUS 1989

Het kost me steeds meer moeite hiernaartoe te komen. Hoewel mijn bezoeken een routine beginnen te worden, lukt het me niet mijn ongenoegen te overwinnen. Zal de analyse me echt iets kunnen onthullen dat ik nog niet weet? Zal ik de mechanismen van de macht er beter door leren begrijpen? Of zal ik alleen zijn handlanger worden? Het is idioot: in feite wil hij niet beter worden en ben ik niet van plan hem te helpen. Wat doen we dan wel? We spelen een partij schaak. Een soort geestelijke opgave, een uitdaging. Waarvoor? Dat is de hamvraag.

Ditmaal draagt hij een roodfluwelen ochtendjas, bijna net zo een als Lacan altijd droeg. Ik vind dat hij vreselijk op Mickey Mouse lijkt wanneer die zich verkleedt als tovenaarsleerling. Het zou me niet verbazen als hij zo meteen bevelen begint uit te delen aan de bezems.

Zoals altijd valt hij met de deur in huis.

'U heeft gelijk, dokter, ik heb altijd de eerstgeborene willen zijn.' (Ik ontdek voor het eerst een teken van bezorgdheid in zijn blik, een zekere droefheid, een schaduw van melancholie). 'Dat wil niet zeggen dat ik problemen heb gehad met mijn oudste broer, maar ik vond wel dat hij de natuurlijke rol van gids voor zijn jongere broertjes op zich had moeten nemen. Het probleem is dat hij meer een, hoe zal ik het zeggen, *artistiek* temperament heeft, en dat hij zich er nooit om heeft bekommerd ons als voorbeeld te dienen... Als kind was hij dol op poëzie en hij heeft zelfs een paar verhalen geschreven; ik geloof dat hij er zelfs ergens een heeft gepubliceerd. En als je daar zijn zwak voor vrouwen bij optelt... Goed, ik heb hem altijd bewonderd, hij was veel spontaner dan ik, veel opener en aardiger, en hij had een groot gevoel voor humor. Hij heeft een enorm *charisma.* Je kunt niet kwaad op hem worden. Uiteindelijk vergeef je hem alles wat hij doet. Mijn vader was tegen mij heel onbuigzaam, maar hem vergaf hij altijd al zijn streken. Hoewel we in veel opzichten op elkaar lijken, zijn we als de twee kanten van dezelfde medaille.'

'Kortom, u moest de lege plaats van uw oudste broer innemen,' zeg ik provocerend.

'Zoiets, ja. Ik heb u al verteld dat ik altijd eenzamer en bedeesder was. Hoewel hij het lievelingetje was moest mijn vader mij uiteindelijk aanwijzen als zijn politieke erfgenaam. Ik weet niet of ik die positie echt wilde, maar in elk geval heb ik nooit de gelegenheid gehad me die vraag te stellen. Mijn vader wenste dat een van zijn zonen zijn carrière in de publieke sector zou voortzetten. In onze pubertijd dacht iedereen dat mijn oudste broer de hoogste posities zou gaan innemen, maar zoals u ziet heb ik die verantwoordelijkheid op mijn schouders gekregen...'

'En hoe vatte híj die rolwisseling op?'

'Eerlijk gezegd heel goed. In het begin dacht ik dat hij jaloers zou zijn, maar sinds ik mijn ambt heb aanvaard, heb ik geconstateerd dat ik me vergiste. Hij is vrijwel onzichtbaar voor me geworden. Hij gaf de voorkeur aan een bescheiden positie om mij geen moeilijkheden te bezorgen. Het is een daad van enorme generositeit, waar ik hem natuurlijk dankbaar voor ben.'

Het is duidelijk dat hij zijn ware zorgen niet onthult, ondanks zijn uiterlijke rust. Hij weet dat zijn broer, in tegenstelling tot de rest van de mensen, de enige persoon op de wereld is die hij nooit onder controle zal krijgen.

INTERVIEW MET JOSEFA PONCE

JP. In 1981 won François Mitterrand de verkiezingen. Na talloze mislukte pogingen was dit de eerste keer sinds de stichting van de Vijfde Republiek dat een linkse coalitie het presidentschap veroverde. Ondanks hun argwaan jegens politici namen Michel en Aníbal deel aan de feestelijkheden. In een interview met *Libération* was de filosoof niet zuinig met zijn lof aan het adres van de socialistische partij en rechtvaardigde hij zelfs de mogelijkheid dat een onafhankelijk schrijver met de nieuwe regering zou samenwerken. Naar zijn mening kon links een nieuw soort band scheppen tussen regeerders en geregeerden, niet een van onderwerping maar van werk: we moesten ontsnappen aan het dilemma altijd *voor* of *tegen* steun aan een regering te moeten zijn, zonder dat dit betekende dat we haar hele beleid aanvaardden. Je kon tegelijk samenwerken en kritisch zijn; steun en terughoudendheid konden hand in hand gaan.

Zoals te verwachten was, waren de wittebroodsweken van korte duur. In december gebruikten de troepen die trouw waren aan generaal Jaruzelski fors geweld tegen de arbeiders van Solidarnosc op de werven van Gdansk, in het noorden van Polen. Het bericht wekte over de hele wereld verontwaardiging bij progressief links, maar tegen de verwachtingen in veroordeelde Mitterrands minister van Buitenlandse Zaken het gebruik van geweld niet; hij beperkte zich tot de uitspraak dat het om een intern Pools probleem ging en dat de Franse regering er niet over peinsde te interveniëren. Toen ze deze beslissing vernamen voelden de intellectuelen van links zich bedrogen en verraden. De socioloog Pierre Bourdieu en ook Foucault zelf kwamen op het idee een manifest op te stellen dat later in *Libération* werd gepubliceerd en waarin ze strenge kritiek spuiden op de socialisten. Zoals Foucault al vreesde kon worden vastgesteld dat de overwinning van links uiteindelijk alleen tot een stoelendans binnen de politieke klasse had geleid en niet tot een ware verandering in de manier van regeren.

Sindsdien werd het groeiende aantal ondertekenaars van het manifest van Bourdieu en Foucault door allerlei mensen rond Mitterrand gediskwalificeerd. Zelfs ogenschijnlijk verzoeningsgezinde ministers als Lionel Jospin en Jack Lang vlogen hun critici naar de strot. De laatste beschuldigde hen er woedend van dat zij zich 'inconsequent gedroegen als typische structuralisten'. De verschillen tussen beide partijen werden scherper. Precies zoals hij vroeger in het geval van Iran had gedaan, stelde Michel een plan op om Solidarnosc te helpen. Maar hij was zo verontwaardigd dat hij er zelfs over dacht samen met Didier Eribon een boek te schrijven waarin hij tot in de kleinste details uit de doeken zou doen hoe teleurgesteld hij was in de socialistische partij, die amper verstand had van 'de kunst van het regeren'. Als links zelf niet eens te vertrouwen was, was het idee om met de macht samen te werken en zich er tegelijkertijd tegen te verzetten, misschien een onuitvoerbare waanvoorstelling. Uiteindelijk brak Foucault definitief met de socialisten; hij heeft ze hun verraad nooit vergeven. Teleurgesteld trok hij zich steeds verder uit het openbare leven terug. In die tijd werd zijn gezondheid al ondermijnd door zijn ziekte en maakte hij zich drukker om zijn intieme leven dan om zijn relatie met de politiek. Deze terugtrekking had grote invloed op Aníbal. Tot dan toe had deze zich met sterk uiteenlopende studies beziggehouden, van de psychoanalyse van Lacan tot de kunstkritiek, van het marxisme van Althusser tot de semiotiek van Barthes, en van de culturele revolutie tot het burgerlijke verzet. Maar sinds hij in Parijs was aangekomen en tegen die vrouw was aangelopen, had hij zich niet meer om zichzelf bekommerd. Door de verandering die zich bij Michel voordeed werd hij gedwongen met andere ogen naar zichzelf te kijken. Dankzij zijn leermeester bespeurde Aníbal voor het eerst de mogelijkheid om zichzelf te regeren, *op een andere manier* te voelen en te denken.

Vijf

Brazzaville, Kongo, 10 april 1989

Lieve Aníbal,

De duivel is dus aan je verschenen! De boze heeft een val gezet en je bent er onherroepelijk in gelopen. Dat de macht gebruikmaakt van dit soort strategieën verbaast me niet, maar wel dat zoveel intellectuelen zich corrumperen bijna zonder dat ze het in de gaten hebben. Jou is het tot nu toe gelukt aan zijn verleidingen te ontsnappen – je hebt geen idee hoe blij ik ben met jouw standvastigheid –, maar met vele anderen is het niet zo gegaan. Het geval van Julio Aréchiga, die samen met jou in de commissie zat, lijkt me het allertreurigst. Was hij tot voor kort niet een van de meest scherpzinnige en briljante critici van Mexico en ook nog een goed schrijver volgens jou? Moet je zien wat er van hem geworden is! Hij leent zich niet alleen voor het spelletje dat de regering speelt, maar hij is ook nog verontwaardigd wanneer iemand hem dat kwalijk neemt... De halsstarrigheid van de regeerders verbaast me ook; ze weten dat het hun nooit zal lukken jou te kopen en toch provoceren ze je met subtiele kunstgrepen. Het is een volmaakt voorbeeld van wat Foucault de microfysica van de macht noemde; maar zo te horen wil jouw president blijkbaar een echte *macrofysica* creëren. Hij zag er geen been in een feestje te organiseren louter en alleen om jou te leren kennen, en hij zal zich heus niet inhouden wanneer hij voor je staat.... Vertel eens: hoe is hij in het echt? Net zo'n onbeduidend mannetje als op de televisie? Vertel me alsjeblieft ook of hij je een kleffe handdruk gaf of een stevige en zelfverzekerde. Keek hij je strak aan of dwaalden zijn ogen alle kanten op terwijl hij tegen je praatte? Wilde hij jou zijn kracht of zijn hartelijkheid tonen? Of alle twee tegelijk? Klonk zijn stem rustig en afgemeten, of ironisch of kortaf? Zweette hij, rook hij naar parfum, probeerde hij een of andere tic te verbergen...? Hoe was hij gekleed, elegant of informeel? Bracht hij een cadeautje mee voor de gastheer? Wilde hij je aanvallen, zette hij zijn ideeën uiteen of beperkte hij zich ertoe naar jouw kritiek te luisteren, terwijl hij zijn woede inhield en zich verzoeningsgezind opstelde? Wat at hij, hoeveel dronk hij, verontschuldigde hij zich een enkele keer om naar het toilet te gaan...? Neem me niet kwalijk dat ik je deze vragen stel, Aníbal, maar ze zijn essentieel. Wanneer je door de duivel in verzoeking wordt gebracht, is het minste wat je kunt doen je concentreren op alle details, een afweging maken van zijn attributen, zijn zwakke punten... Alleen als je hem grondig bestudeert en het je lukt zijn gedachten te raden, heb je kans hem te overwinnen. Je hebt geen idee hoe hij me intrigeert! Vanaf de eerste keer dat ik hem op de televisie zag tijdens zijn opgewonden eedaflegging in het Congres – hij kon zich nauwelijks concentreren door het geschreeuw van de afgevaardigden van de oppositie –, zag ik dat hij een *gevaarlijke* man is. Geloof me, Aníbal, al glimlacht hij tegen je en doet hij zich aardig voor, al wekt hij door zijn lelijkheid en zijn kleine postuur de indruk ongevaarlijk te zijn, al is hij vriendelijk en straalt hij een en al sympathie uit, je moet niet uit het oog verliezen dat hij er alleen maar aan denkt jou te vernietigen. Op die dag, toen de voorzitter van het congres hem de presidentiële sjerp probeerde om te doen en de oppositiepartijen zijn toespraak saboteerden, is hij zijn laatste restje nederigheid kwijtgeraakt... In tegenstelling tot andere politici zal hij mensen die hem vernederd hebben nooit vergeven. Hij heeft in de loop van zijn leven te veel geleden om die belediging te kunnen tolereren. Nu hij de absolute macht heeft hoeft hij zich niet meer te verschuilen. Hij zal niet rusten voordat hij wraak heeft genomen op iedereen die een vraagteken zette bij zijn legitimiteit. En jouw spotternijen zal hij ook niet vergeten, Aníbal, daar kun je zeker van zijn. Misschien groet hij je eerbiedig, prijst hij je met een opmerking over een van je boeken of vraagt hij je zelfs om een advies, maar hij zal je nooit vergeven. Vergeten ligt niet in zijn aard. Weet je wat hij wil? *Jou verleiden.* Satan vernietigt de stervelingen niet door hen te martelen, maar door hen aan hemzelf gelijk te maken. De middeleeuwse theologen wisten wat ze zeiden. Wanneer je de Vijand in het gezicht hebt gezien, zijn adem hebt ingeademd, zijn tong hebt aanschouwd, heb je zijn huid aangeraakt... *Vade retro*! Ditmaal heb je het er met succes afgebracht, je hebt hem behendig bestreden en dankzij de kracht van je geloof weerstand geboden aan zijn tactiek, maar dat betekent niet dat je gered bent. Van nu af aan zal hij van geen wijken weten; hij zal je tot je laatste snik achtervolgen. Ter voltooiing van zijn beheksing zal hij doen waar hij het best in is, waarvoor hij geschapen is en waarvoor hij het best is toegerust: hij zal je verblinden met zijn macht. Macht verblindt altijd, Aníbal. *Altijd*. Net als het licht. Vergeet niet dat Lucifer een gevallen engel is. Hij kent onze aard en onze zwakheden, hij is ons vleesgeworden beeld aan de andere kant van de spiegel. Jouw president was in zijn jeugd ongetwijfeld ook een vurige idealist die het systeem *van binnenuit* wilde veranderen en zijn verlangen naar gerechtigheid met ons delen. Hij is zo'n messianistische leider die ervan overtuigd is een soort missie of bestemming te vervullen en er daarom van uitgaat dat al zijn inspanningen zullen worden bekroond met roem... Pas goed op jezelf, Aníbal, want de Tegenstander heeft jou als doelwit gekozen en van nu af aan zal hij je niet uit het oog verliezen. Het is voor hem heel gemakkelijk mensen zoals wij in zijn klauwen te krijgen. Wij, die dag in dag uit ons best doen ons niet te laten regeren, worden gefascineerd door het soort macht dat híj bezit. Het doet er niet toe dat jij en ik de tegenovergestelde weg hebben gekozen. Ik weet waar ik het over heb: Lacan, Debord, Pierre, Proletarisch Links, Castro, de guerrilla... Vind je het niet heel makkelijk het patroon te herkennen dat ik heb gevolgd? Mijn wil om tegen de onderdrukking te vechten was even groot als mijn behoefte me eraan te onderwerpen... Daarom raad ik je aan jezelf zo goed mogelijk te beschermen. Zie hem niet, hoor hem niet, kom niet te dicht bij hem in de buurt. Ontwijk hem. Zijn blik kan je verslinden. Vergeet het niet, Aníbal: de macht is de grootste verleiding. Want in wezen begeren wij die evenzeer als hij.

CLAIRE

P.S. Het besluit is genomen. Ik kan nog niet precies zeggen wanneer we in Mexico aankomen, maar het duurt niet lang meer. Anne vindt het een heel leuk idee jou terug te zien. *Ik ook.*

Ciudad Universitaria, Mexico-Stad, 6 juli 1989. De organisatoren van het zomercolloquium 'De tegenslagen van de revolutie' hebben vanochtend een koude douche gekregen. Het colloquium, dat georganiseerd wordt door de UNAM, de raad voor cultuur CONACULTA en het tijdschrift *Tal Cual*, zal op de vierde dag om acht uur 's avonds worden afgesloten met een lezing door de psychoanalyticus Aníbal Quevedo. Octavio Paz, de directeur van het tijdschrift *Vuelta*, heeft een verklaring afgelegd die veel storm doet opwaaien in onze intellectuele kringen. Toen hem werd gevraagd naar de reden van zijn afwezigheid tijdens het colloquium, verklaarde Paz dat hij de uitnodiging die Quevedo hem vermoedelijk had toegestuurd, nooit had ontvangen, maar dat hij die ook niet zou hebben aanvaard als hij hem wel had gekregen.

'Wat kan het belang zijn van een ontmoeting waartoe door één persoon wordt opgeroepen met als enige doel reclame te maken voor zichzelf?' vroeg de dichter zich af. 'Ik zou het niet erg vinden als iemand besloot zijn geld uit te geven om zichzelf een hommage te brengen, maar ik vind het onaanvaardbaar dat een schrijver openbare fondsen aanwendt om zijn imago te verbeteren,' voegde de schrijver van het boek *Posdata* eraan toe. 'Dit is geen daad van ijdelheid of schaamteloosheid, maar van laaghartigheid. Ik begrijp niet dat de universiteit en de raad voor cultuur hun medewerking verlenen aan deze klucht. Wij burgers betalen geen belasting om één enkele groep te bevoordelen.' Toen hem werd gevraagd wat zijn oordeel was over Aníbal Quevedo, antwoordde Paz: 'Als hij een greintje waardigheid bezat, zou deze heer eens aan een grondige zelfkritiek moeten beginnen. Hij is een typisch voorbeeld van de hond die in de hand van zijn baasje bijt. Of anders gezegd: terwijl hij met zijn rechterhand vurige artikelen tegen de regering schrijft, ontvangt hij met zijn linkerhand geld van diezelfde regering waar hij zoveel kritiek op heeft.'

Een van de oorzaken van deze polemiek is gelegen in de diepe rivaliteit tussen de verschillende groepen intellectuelen in dit land. De reacties op deze ruzie zijn heel uiteenlopend. Toen hem naar zijn deelname aan het colloquium werd gevraagd, antwoordde Carlos Monsiváis: 'Ik heb de uitnodiging aanvaard, omdat ik, zoals u weet, aan alle colloquia meedoe. Maar eerlijk gezegd ben ik er, met een parafrase op Groucho Marx, eigenlijk alleen in geïnteresseerd deel te nemen aan bijeenkomsten waarvoor ik niet ben uitgenodigd.'

Volgens Enrique Krauze, Christopher Domínguez en Guillermo Sheridan, allen medewerkers van het tijdschrift *Vuelta*, is de houding van Quevedo en 'zijn marionetten' daarentegen het bewijs voor de 'typische incongruentie bij links' en voor hun gebrek aan visie bij het organiseren van dit soort activiteiten. 'Wij zijn al een jaar bezig met het organiseren van een ontmoeting die echt pluralistisch is. Daar zullen enkele van de meest fervente tegenstanders van de totalitaire staat aanwezig zijn, ware verdedigers van de vrijheid en de democratie van over de hele wereld. Natuurlijk zullen wij geen steun zoeken bij de regering, maar bij de privé-sector. Televisa is heel geïnteresseerd om aan dit project mee te doen.'

Maar Héctor Aguilar Camín, de directeur van het tijdschrift *Nexos*, vindt dat 'samenwerking tussen openbare en privé-instellingen normaal is in elk democratisch systeem. Ondanks het feit dat ik geen bijzondere sympathie voel voor Aníbal Quevedo (ik heb ook geen uitnodiging voor zijn colloquium ontvangen), vind ik het niet nodig een storm in een glas water te veroorzaken.' Hij maakte tevens bekend dat zijn tijdschrift van plan is komende winter een colloquium voor intellectuelen te organiseren en hij sluit niet uit dat hij steun zal ontvangen van de UNAM en CONACULTA.

Tot nu toe hebben de universitaire autoriteiten en de woordvoerder van de raad voor cultuur gezwegen. Uit naam van het tijdschrift *Tal Cual* verdedigde Josefa Ponce de positie van de organisatoren. 'Wij hebben een forum georganiseerd dat tot nu toe in Mexico ongeëvenaard is. Enkele van de allerbelangrijkste intellectuelen en academici van de hele wereld zijn voor vijf dagen naar Mexico-Stad gekomen om hier hun standpunt over democratische veranderingen uiteen te zetten. Zoals elk van hen zal kunnen bevestigen bestond hier totale vrijheid van meningsuiting. Gezamenlijk hebben we een feest van de kritiek op gang gebracht. We zijn heel tevreden met het resultaat. Het is logisch dat andere groepen jaloers op ons zijn: het is ons gelukt samen te werken met de macht zonder onze onafhankelijkheid te verliezen. Misschien is dit het begin van een nieuwe verhouding tussen regeerders en geregeerden, een die zal worden bepaald door werk en niet door onderwerping. We moeten ontsnappen aan het oude dilemma om altijd *voor* of *tegen* te moeten zijn. Dit was het beste bewijs dat steun en terughoudendheid hand in hand kunnen gaan.'

La Jornada, 7 juli 1989

SLECHTSTE BOEK VAN HET JAAR

Het onrecht jegens Cárdenas, door Aníbal Quevedo (Siglo xxi, 1987). Voor het tweede achtereenvolgende jaar presenteert de Mexicaanse psychoanalyticus zich nadrukkelijk als politiek commentator. En voor de tweede keer faalt hij en levert hij ons een bot en ijdel boekje. Er is geen enkele redenering, analyse of theorie van enig gewicht in te vinden, alleen hoogdravende loftuitingen voor zijn vrienden en grove, afkeurende woorden aan het adres van zijn tegenstanders. Het enige opvallende is dat Quevedo, in plaats van de kandidatuur van Cuauhté-moc Cárdenas voor de presidentsverkiezingen van het volgend jaar te verdedigen, zich van een positie in het toekomstige kabinet wil verzekeren. Dit pamflet bewijst dat onze geëngageerde intellectueel bij uitstek er alleen op vooruit wil gaan.

JUAN PÉREZ AVELLA, 'Het beste en het slechtste van het jaar', *Nexos*, december 1987

UIT HET AANTEKENINGENSCHRIFT VAN ANÍBAL QUEVEDO

Toevallig kwam ik een paar dagen geleden de tekst van een Mexicaanse filosoof genaamd Emilio Uranga tegen. Ik had direct het gevoel dat zijn schitterende stijl en de kracht van zijn argumenten zelden worden geëvenaard in onze taal. Ik moet bekennen dat ik tot dan toe niets over hem wist en vandaar dat ik besloot wat onderzoek te doen naar zijn leven en zijn werk, omdat ik hem graag wilde leren kennen en omdat ik hem, zo hij nog leefde, wilde uitnodigen iets voor *Tal Cual* te schrijven. Door navraag te doen bij de andere medewerkers van het tijdschrift kwam ik erachter dat hij als jongeman in Europa had gestudeerd en deel uitmaakte van een groep Mexicaanse denkers die zich, geïnspireerd door Husserl, *Hiperión* noemde. Gefascineerd door deze ontdekking zocht ik verder in archieven en bibliotheken en vond nog meer werk van zijn hand, de meeste dingen even krachtig en subtiel als het eerste stuk dat ik van hem las. In diezelfde tijd vertelde iemand me dat een filosoof, Emilio Uranga, adviseur was geweest van president Gustavo Díaz Ordaz en dat hij zich had ontpopt als een van de felste critici van de studentenbeweging van '68. Zou het mogelijk zijn dat *mijn* Emilio Uranga, de redelijke, heldere en erudiete filosoof die ik had gelezen, ook de *andere* Emilio Uranga was, de handlanger van de tiran die bevel had gegeven tot de slachtpartij op het Tlatelolcoplein? Het antwoord op deze vraag was hier in Mexico voorspelbaar. Hij was het.

***

De extra financiële injectie die ik *Tal Cual* heb kunnen geven blijkt een groot succes te zijn. We hebben deze maanden als uitgeverij met dezelfde vrijheid gewerkt als altijd, onze kritiek op de macht is verdubbeld en we hebben niet de minste extra druk van de kant van de regering ondervonden. Josefa had gelijk: mijn illustere patiënt heeft uiteindelijk woord gehouden. We kunnen onszelf alleen maar gelukwensen met deze financiële onafhankelijkheid omdat we hierdoor nieuwe projecten op stapel kunnen zetten. Opeens openen zich talloze perspectieven voor onze kleine onderneming. Van het begin af aan is de leuze van *Tal Cual* geweest: 'Op een andere manier denken'. Om consequent volgens dit verlangen te handelen, moeten we nog verder gaan. Ik denk aan verschillende wegen. In de eerste plaats een noodzakelijke stap: de oprichting van de uitgeverij *Tal Cual*; vervolgens de productie van een radioprogramma en tot slot een televisieserie, die ik tijdelijk *Een Mexicaanse eeuw* heb gedoopt en waarin een terugblik zal worden gegeven op de intellectuele geschiedenis van Mexico vanaf de revolutie van 1910. Achteraf gezien heeft Josefa weer gelijk: ieder nadeel heeft zijn voordeel.

JP. In 1984 viel Foucault flauw in de keuken van zijn huis in de rue Vaugirard. Hij had al een paar keer last gehad van zijn ziekte, maar toen realiseerden we ons pas hoe ernstig het was. Het was een verschrikkelijke ontdekking. Samen met de jonge schrijver en fotograaf Hervé Guibert gingen Aníbal en ik snel bij hem op bezoek in de kleine kliniek in het xve arrondissement.

'Je denkt altijd dat je in bepaalde omstandigheden wel weet wat je moet zeggen, maar woorden blijken uiteindelijk tekort te schieten,' fluisterde de filosoof vanuit zijn bed terwijl hij op zijn lippen beet.

Foucault lag op sterven. Zijn hele lichaam, dat steeds magerder werd, schudde van het hoesten, hij werd verteerd door migraineaanvallen en het kostte hem grote inspanning adem te halen... Hij realiseerde zich heel goed dat hij zijn *Histoire de la sexualité*, waarvan de eerste twee delen *L'usage des plaisirs* en *Le souci de soi* bijna van de persen kwamen, nooit zou kunnen voltooien. U kunt zich niet voorstellen hoe treurig het was om hem in La Salpêtrière, waar hij later heen werd gebracht, in bed te zien liggen. De laatste jaren dacht hij dat het hem zou lukken de aids de baas te worden zonder zich te hoeven onderwerpen aan de door de artsen verordonneerde kwellingen, maar op het laatst moest hij zich aan hen overgeven, hoewel de wetenschap al niet veel meer voor hem kon doen. Foucault voelde zich verslagen, niet alleen door zijn eigen gezondheidstoestand maar ook door wat deze ziekte voor de homoseksuelen betekende.

'Een gemeenschap die zoveel heeft gedaan om zich van de onderdrukking te bevrijden en om zich niet te laten regeren, moet nu een beroep doen op de medische autoriteiten, op de machtsspelletjes, op de echte spelletjes,' jammerde hij. 'Het is absurd. Het is verschrikkelijk...'

Hoewel hij er tamelijk rustig uitzag vocht hij uit alle macht om in leven te blijven. We moeten niet vergeten dat hij een aanhanger van Nietzsche was en dat hij zich daarom niet door de dood zou laten overwinnen zonder terug te vechten...

Voor Aníbal waren het helse dagen. Nadat ze hun meningsverschillen en wederzijdse wantrouwen hadden overwonnen, waren de filosoof en hij alweer jarenlang gelijkgestemde zielen en waren ze onafscheidelijk geworden. Ik weet niet hoe intiem ze met elkaar waren, maar hun temperamenten leken erg op elkaar. Allebei werden ze geobsedeerd door de macht en de waarheid en allebei wijdden ze hun laatste krachten aan het zoeken naar zichzelf, om te weten wie ze waren en erachter te komen waarom ze zo leden onder wat ze waren… Neemt u me niet kwalijk dat ik moet huilen, meneer.

Aníbal bezocht Foucault opnieuw enkele uren voor zijn dood. Beide vrienden praatten wat, lachten, drukten elkaars handen. Het was zo treurig! Aníbal heeft me nooit verteld wat de laatste woorden waren die zijn vriend tegen hem zei… Algauw nam hij afscheid; hij wist dat hij hem nooit meer zou zien. Om ongeveer één uur 's middags werd Foucault klinisch dood verklaard. Aníbal wilde liever niet naar het ziekenhuis terug, maar vroeg me of ik met hem meeging een wandeling maken. We wandelden een paar uur in stilte, en toen liet ik hem in de Jardin de Luxembourg achter, een van zijn lievelingsplekken; ik wilde hem niet storen in zijn rouw. Zoals Michel zelf had voorspeld, oog in oog met de dood is de rest stilte.

De volgende dag brachten alle vrienden van Foucault, onder wie ikzelf, hem de laatste eer. Al heel vroeg verzamelden we ons op de achterste binnenplaats van La Salpêtrière. Na enkele minuten te hebben gewacht hoorden we dat iemand hardop enkele passages voorlas uit *L'usage des plaisirs*… Ongelooflijk! Pas na enkele seconden herkenden we de stem van Gilles Deleuze, die een van zijn beste vrienden was geweest maar van wie hij de laatste tijd afstand had genomen.

'Wat zou de waarde zijn van de inspanning om te willen weten, indien het ons alleen was vergund om zo kennis te vergaren en niet ook, in zekere zin en voorzover mogelijk, de wartaal van degene die weet?' fluisterde Deleuze. 'Wat is de filosofie anders dan het kritische werk van denken over zichzelf? En als het, in plaats van te rechtvaardigen wat al geweten wordt, zou bestaan uit te weten te komen hoe en in hoeverre het mogelijk is op een andere manier te denken?'

Aníbals oogleden trilden. Ik geloof dat hij net als ik in tranen zou zijn uitgebarsten als hij niet opeens vlakbij het luide jammeren van een vrouw had gehoord. Dat was *zij*. Daar stond ze, naast Bernard Kouchner. Ze was net uit Afrika aangekomen om bij de rouwceremonie aanwezig te zijn. Ze hield een meisje bij de hand van zes jaar, met lichtblond haar, dat niets begreep van het verdriet om haar heen. Ze wankelde. Aníbal duwde me opzij en ging naar hen toe. Van enige afstand – ik heb haar nooit in mijn nabijheid geduld – zag ik hoe ze elkaar traag omhelsden. Zij snikte schaamteloos en Aníbal troostte haar, terwijl het kind met haar grote, waterblauwe ogen toekeek… We trokken ons langzamerhand terug. Niemand van ons was uitgenodigd voor de begrafenis die de familie Foucault op het kerkhof van Vendeuvre had georganiseerd. Aníbal en die vrouw liepen naast elkaar zonder iets te zeggen, nauwelijks naar elkaar kijkend, verenigd door de dood. Het meisje en ik volgden hen op enkele meters afstand, geëscorteerd door Jean Daniel, de oude Georges Dumézil en Pierre Boulez.

Niet lang hierna ging er een duister gerucht door het Franse intellectuele wereldje. Het was een ondergrondse, boosaardige, angstaanjagende roddel. Volgens deze zwarte legende had Michel vanaf 1983, toen hij al wist dat hij met het HIV-virus was besmet, in San Francisco herhaaldelijk de toiletten bezocht om anderen expres te besmetten. Een monsterlijk lasterverhaal. Aníbal en die vrouw besloten er alles aan te doen om de belediging te weerleggen; ze schreven ingezonden brieven, lieten zich interviewen door de media, gaven lezingen, publiceerden artikelen… Zoals te voorzien was duurde het niet lang voor hun lichamen zich met elkaar verstrengelden. Door hun liefde voor de filosoof kwam de tragedie in een stroomversnelling en werden ze voor het laatst met elkaar verenigd.

DE GEWOONTEN VAN DE MACHT

Paleis van Covián. Mexico-Stad, 4 april 1989. De staatssecretaris van Binnenlandse Zaken heeft de afspraak een aantal keren verzet. Zijn jonge assistent met zijn neutrale stem lepelt steeds dezelfde verklaring op: 'Het spijt de secretaris zeer dat hij u niet kan ontvangen, maar hij wordt door een uiterst dringende zaak beziggehouden; hij zal zich persoonlijk met u in verbinding stellen om een nieuwe datum te bepalen.' We aanvaarden de verontschuldiging zonder protest; maar bij de volgende opschorting klinkt die ons al minder overtuigend in de oren: uren na het telefoontje verschijnt de glimlachende secretaris – wiens gezicht trouwens niet geschapen is voor glimlachjes – op de televisie, hij staat naast de president van de republiek ter gelegenheid van de opening van een seminar over het vrijhandelsverdrag met de Verenigde Staten en Canada, dat Mexico binnenkort zal ondertekenen. De derde afzegging is werkelijk niet te rechtvaardigen; ons geduld met de secretaris is op. Hoewel we nog van mening verschillen – ten minste één commissielid blijft erbij dat we ons tot het laatst 'fatsoenlijk dienen te gedragen' –, spreken we af een stuk te publiceren in *La Jornada* waarin we ons beklagen over de onverschilligheid van de autoriteiten ten aanzien van ons werk. De pers is het beste antivirus tegen de regeringsverlamming: binnen twee uur nemen we de honingzoete verontschuldigingen van de secretaris in ontvangst; hij nodigt ons uit op zijn kantoor te komen wanneer het ons het beste schikt.

'Het schikt ons nu meteen het best,' zetten we hem onder druk. 'We willen niet dat de belangstelling voor deze zaak verloren gaat.'

'U zegt het maar, heren.'

We melden ons allemaal tegelijk in de vroegere villa van Bucareli*. Foucault had gelijk: de autoriteit functioneert als een labyrint: voordat we het kantoor van de secretaris kunnen vinden wordt ons door een cohorte van secretaresses en lagere ambtenaren naar onze naam gevraagd, er worden lijsten nagekeken, er wordt telefonisch om officiële toestemming gevraagd of gewacht op de bevestiging ervan door superieuren voordat we naar het volgende niveau worden doorgestuurd. De ene deur na de andere, de ene ambtenaar na de andere: ze lijken allemaal op elkaar, ze zijn allemaal even hartelijk en met zijn allen maken ze de luidruchtige machinerie waarin de microfysica van de macht is onderverdeeld, steeds groter.

'Ja, juffrouw… Ja, meneer… Ja, ja en nog eens ja…' antwoorden we elke keer weer. 'We hebben een afspraak met de secretaris… Ja, hij heeft hem zelf met ons gemaakt… Ja, nu.'

Ondergeschikten zijn panisch voor vergissingen en kijken wel uit zelf een beslissing te nemen; geen van hen laat zich echter voor bureaucraat uitmaken – dit woord is in ons land een scheldwoord geworden – of aanvaardt de beschuldiging dat ze orders uitvoeren waarvan ze de duistere aard niet kennen. Na een halfuur van draaierijen brengt een lakei ons naar de laatste wachtkamer in het gebouw. De zwartlederen

* Antonio María de Bucareli y Urzúa, 1717-1779, de zesde onderkoning van Nieuw Spanje in Mexico. (noot v.d. vert.)

365

stoelen en het monumentale portret van Zapata dat boven ons hoofd hangt, zijn een bewijs van de goede smaak van meneer de secretaris en vormen een tegenwicht voor de opeenvolging van onbeduidende landschappen die in de kantoren van zijn ondergeschikten hangen. Dit decor is een voorbode van de schittering van de macht: de ruimteverdeling is niet toevallig, maar laat zien hoe de macht wordt verdeeld, vervluchtigt, zich verspreidt... Als de secretaris eindelijk opdaagt is ons déjà-vu-gevoel sterker dan ooit, niet omdat we zijn gezicht al zo vaak op de televisie of in de krant hebben gezien, maar omdat de autoriteit altijd op zichzelf lijkt.

Onze gastheer, een vroegere legerkolonel, is een van de meest gerespecteerde en gevreesde mannen van het land. Tientallen jaren was hij de rechterhand van verschillende presidenten en doorstond hij met een mengeling van glibberigheid en hardheid de wederwaardigheden van elke periode. De dikke plukken grijs haar op zijn wandbeenderen en zijn voorhoofd bezorgen hem een aura van slimheid dat zijn leeftijd verbergt. Hij draagt een grijs, double-breasted pak dat elegant is maar niet te opvallend, en een lila zijden das. De gouden manchetknopen in de manchetten van zijn roze overhemd vormen zijn enige concessie aan de welstand, nog afgezien van de perfecte rechte lijn van zijn snor. Om een definitie te geven van zijn karakter moge het voldoende zijn te zeggen dat hij chef van de geheime dienst was in de slechtste jaren van de guerrilla in Mexico. Zijn positie als éminence grise die de taak had de stabiliteit van het land te handhaven, heeft hem niet verhinderd vriendschapsbanden aan te knopen met mensen van het formaat van Fidel Castro, *of all people*. We moeten zijn karakter echter ook weer niet verkeerd interpreteren: ondanks zijn toewijding aan het leger is hij geen potentiële tiran van het soort dat in andere landen in Latijns-Amerika heeft huisgehouden. Voor hem is zijn rang een soort vermomming; hij heeft nooit op de voorgrond willen treden, maar is altijd een nauwlettende bewaker van de macht gebleven.

'Komt u binnen, heren...'

Hij doet zelf de dikke houten deur open die toegang geeft tot zijn werkkamer. Elk detail van de inrichting lijkt zorgvuldig te zijn uitgekozen: het mauve van het vloerkleed, de gedempte verlichting in de hoeken, de meubels van Italiaans ontwerp, het zware bureau op de achtergrond, de plotselinge kleurigheid van de schilderijen, de uitgebreide collectie handboeken over het recht, keurig op een rij op de planken, de militaire onderscheidingen en diploma's en het alomtegenwoordige kale hoofd van de president van de republiek, die in de gaten houdt wat er allemaal gebeurt. We hebben het gevoel dat we niet in de kamer van een politicus zijn, maar in een notariskantoor. Zijn autoriteit is echter overal voelbaar.

'Wilt u iets drinken?' vraagt hij terwijl hij op het knopje van een afstandsbediening drukt, misschien wel het treffendste symbool van zijn macht.

Er verschijnt onmiddellijk een bediende in wit jacquet die ons water, koffie en frisdranken aanbiedt.

'Of wilt u liever een glaasje tequila?'

De secretaris heeft zelf in de gaten dat hij iets te ver gaat, dus dringt hij niet aan en laat dan maar glazen water inschenken. Intussen gaan we aan een tafel met een doorzichtig glazen blad zitten.

'Het is jammer dat ik u vanochtend niet kon ontvangen, maar u begrijpt dat een ambtenaar niet over zijn eigen tijd beschikt,' legt hij ons uit op een toon die allesbehalve als een verontschuldiging klinkt. 'Ik sta tot uw dienst, heren.'

Door de archaïsche beslistheid van zijn woorden probeert hij ons te laten voelen dat hij zich niet als een van de onzen beschouwt; we moeten niet vergeten dat meneer de secretaris vooral een militair is en dat hij er meer aan gewend is geheime rapporten te schrijven dan te laten zien dat hij goede manieren heeft. Voor hem blijven we een stel brutale burgers. Monsiváis en ik, die zijn gedachten niet kennen, hebben besloten vanaf het eerste moment duidelijk te maken wat onze bedoeling was en te weigeren een aangepast babbeltje te houden.

'Wij zijn diep verontwaardigd over de arrogante houding van de landelijke en lokale autoriteiten ten aanzien van de moord op Tomás Lorenzo,' zeg ik op berispende toon. 'Het werk van onze onderzoekscommissie is niets waard zolang de regering de obstakels die een serieus onderzoek verhinderen, niet uit de weg ruimt...'

De oude wolf bekijkt me zonder een spier te vertrekken; zoals alle politici doet hij al tientallen jaren alsof hij naar de uiteenzettingen van anderen luistert – die eindeloze hoeveelheden anderen die hem om hulp, tussenkomst, oordeel, autoriteit en troost vragen –, terwijl hij alleen maar van die mensen af wil om zich te kunnen concentreren op wat hem echt bezighoudt: de nauwgezette uitvoering van zijn verordeningen.

'Ik wilde het ook zo snel mogelijk over deze zaak hebben,' valt hij me in de rede.

Hij ziet in dat Monsiváis en ik de oorlogszuchtigsten zijn van de groep en hij probeert ons zelfvertrouwen te ondermijnen. Hij wil ons duidelijk maken dat hij de richting van het gesprek bepaalt; dat hij het woord geeft of ontneemt; dat hij en hij alleen het monopolie op de waarheid heeft... In de volgende minuten ondervraagt hij ons om de beurt alsof we de beklaagden in een rechtszaak zijn; hij hoeft amper enige druk op ons uit te oefenen om aan te tonen dat we elkaar tegenspreken. Hoewel we vóór het gesprek een scenario hebben ingestudeerd, is het waar dat we het op het meest essentiële punt nog niet met elkaar eens zijn. Onze gastheer herkent onze punten van onenigheid en speelt ons volgens de typische strategie van *verdeel en heers* tegen elkaar uit. Bijna zonder enige inspanning, alleen door als een handige poppenspeler aan de draadjes van het gesprek te trekken, lukt het hem ons aan het ruziën te krijgen. Het is begrijpelijk dat het door zijn goede werken nooit iets is geworden met de guerrilla in Mexico.

We voelen ons alle vier even geïrriteerd; ieder van ons denkt dat het de macht is gelukt de anderen te verleiden of om te kopen. Het lukt mij bijna niet mijn kalmte te hervinden. Ik wou dat ik de moed had hier in de werkkamer van meneer de secretaris de smerige manipulaties aan de kaak te stellen, die door zijn equipe in gang zijn gezet om te voorkomen dat wij achter de waarheid zouden komen. Het interesseert hem niet wie Tomás Lorenzo heeft vermoord – misschien weet hij het of heeft hij een vermoeden, maar het kan hem totaal niet schelen –, het enige wat hij wil is dat wij, die er genoeg van hebben de geëngageerde intellectueel uit te hangen, ons zo snel mogelijk uit de voeten maken, dan kan hij zich voor de zoveelste keer in zijn lange carrière laten bijschrijven als conflictbeheerser. Het zou voor hem als verantwoordelijke man voor de binnenlandse politiek de grootste triomf zijn als hij ervoor kan zorgen dat er niets gebeurt. Of wanneer hij de president althans kan laten geloven dat er niets aan de hand is.

Precies op het moment dat hij ontdekt dat we alle moed verloren hebben, slaat de secretaris zijn meesterslag. Hij heeft de zaak geheel in de hand, tovert een aas uit zijn mouw en zet ons met de rug tegen de muur.

'Heren, ik moet u iets meedelen,' roept hij opeens uit om de spanning op te voeren. 'Het Openbaar Ministerie van de staat Chiapas heeft enkele uren geleden de veronderstelde moordenaar van Tomás Lorenzo aangehouden.'

We zijn stomverbaasd. *Een paar uur* geleden? Dat betekent dat hij het van het begin af aan wist, maar dat hij heeft gezwegen om ons voor gek te zetten.

'En wie is de man?' vraagt Monsiváis, die zich niet laat intimideren.

Meneer de secretaris neemt de tijd alvorens naar zijn schrijftafel te lopen om het dossier voor te lezen. Hij bladert erin voordat hij het ons laat zien.

'Eens zien,' zegt hij, de woorden proevend. 'Volgens dit verslag is de naam van de vermoedelijke dader Santiago Lorenzo, de broer van de overledene.'

'Onmogelijk!' roep ik opgewonden.

'Het staat hier allemaal in. Er zijn blijkbaar twee getuigen die het hebben gezien, dat verklaren ze althans. Hij heeft het uiteindelijk zelf ook toegegeven. Zoals mijn leermeesters van de rechtenfaculteit van de San Ildefonso-universiteit al zeiden, een bekentenis is de koningin van de bewijzen, heren,' zegt hij en hij gebruikt zijn juridische kennis om de spot met ons te drijven. 'Ik kan u verzekeren dat de ondervraging strikt volgens de regels van de wet en in het bijzijn van vertegenwoordigers van twee non-gouvernementele mensenrechtenorganisaties plaatsvond. Als u wilt kunt u het zelf vaststellen.'

ANÍBAL QUEVEDO, 'De moord op Tomás Lorenzo, v',
Tal Cual, mei 1989

SESSIE OP 30 AUGUSTUS 1989

Ik ben het beu. Ik kan niet met deze farce doorgaan. Vandaag moest ik me op de vloer van de auto, die mijn patiënt elke donderdag naar me toe stuurt, verstoppen om de journalisten te ontwijken die voor de deuren van Los Pinos geposteerd staan. Wat zouden mijn 'compagnons de route' zeggen als ze wisten dat ik regelmatig op bezoek ga bij de man die mijn grootste vijand zou moeten zijn? Hoe zou ik hun mijn

incongruentie moeten uitleggen? En hoe zou ik aan de openbare mening moeten uitleggen dat het mogelijk is kritiek te hebben op de
macht en tegelijkertijd te proberen die macht te begrijpen? Ik heb
mijn besluit genomen: vandaag zal onze laatste sessie zijn. Ik neem te
veel risico in deze onderneming.

Ik sta hem niet eens toe op de divan te gaan liggen, ik confronteer
hem er liever rechtstreeks en zonder angst mee.

'Eerlijk gezegd geloof ik dat u tegen me liegt,' zeg ik berispend. 'Ik
weet niet of u deze analyse serieus neemt of hem alleen maar gebruikt
om mij van uw politieke motieven te overtuigen.'

'Uw woorden verbazen me, dokter.' Ik word misselijk van zijn be-
leefheid. 'Aan het begin hebben we afgesproken dat onze verhouding
strikt professioneel zou zijn, en ik heb er nooit aan getwijfeld dat het
zo was. Ik heb me helemaal voor u opengesteld en elke vorm van censuur vermeden, omdat ik vertrouwen heb in uw therapeutische talent.
Denkt u dat ik u zoveel aspecten van mijn privé-leven zou hebben onthuld als ik van plan was u te bedotten? Zo onvoorzichtig ben ik niet en
zo stom ook niet. Dus eis ik van u dat u evenveel vertrouwen in mij
stelt als ik in u.'

'Het spijt me, maar ik kan niet doorgaan met de behandeling,' corri-
geer ik hem. 'Onze belangen raken steeds onoverkomelijker met elkaar in conflict. Buiten het paleis zijn we vijanden, vergeet u dat niet.'

'Ik heb uw hulp nodig, dokter. Ik zou nooit een andere analyticus
durven raadplegen. U bent die enige die me kan begrijpen. Alleen tegenstanders zijn in staat elkaar te kennen.'

'Daar ben ik niet zeker van,' antwoord ik. Hij probeert het te verbergen, maar in zijn binnenste koestert hij een enorme agressie jegens
mij. Iedere keer als hij iets tegen me zegt, bedreigt hij me. 'U heeft me
zelf bekend dat u geen vergiffenis kunt schenken. Als u denkt dat iemand u iets heeft aangedaan, rust u niet voordat u hem heeft vernietigd. Anders dan bij andere leiders, komt bij u het verlangen naar
macht niet voort uit een sublimatie van het libido; u streeft niet naar
algemene erkenning, geld, roem of onsterfelijkheid, maar naar de vernedering van degenen die vroeger minachting voor u hadden…'

'Uw woorden baren me zorgen, dokter. Ik had gedacht dat u door
uw contact met de politiek gevoeliger was geworden, maar ik heb me
blijkbaar vergist.' Hoewel zijn stemgeluid met slechts enkele decibel-

len toeneemt, schrik ik me dood van de kilte ervan. 'Moet ík u aantonen dat de politiek de voortzetting van de oorlog is, maar alleen met andere middelen? De *oorlog*, dokter, niet meer en niet minder. Dat hebt u toch zelf meegemaakt! Het is geen psychoanalytisch probleem. De slechtste regeerders zijn degenen zonder geheugen...'

'Het spijt me, mijn besluit staat vast.'

'U denkt er dus over mij te verlaten.' Zoals gewoonlijk klinkt er geen woede, teleurstelling of verbittering in zijn stem door, alleen autoriteit. 'Zoals u wilt. Bedenkt u alleen wel dat ik, zoals u zelf heeft gezegd, nooit vergeet. Houdt u daar ernstig rekening mee.'

UIT HET ONGEPUBLICEERDE DAGBOEK VAN
CHRISTOPHER DOMÍNGUEZ

Maandag 10 juli 1989

Het zou niemand behoren te verbazen dat schrijvers een mateloos groot ego hebben; wie de literatuurgeschiedenis ook maar vluchtig heeft bekeken, zal zich realiseren dat overmatige ijdelheid de gemeenschappelijke noemer is van grote kunstenaars. Het zou hun niet al te zwaar moeten worden aangerekend: de stakkers torsen over het algemeen zo veel fouten en manies met zich mee dat we hen met rust zouden moeten laten tijdens hun kalme, dagelijkse bewondering voor de spiegels. Vandaar dat het me verveelt het eeuwige geklaag over de arrogantie van romanschrijver A, de trots van dramaturg B of de valse bescheidenheid van dichter C te moeten aanhoren. En wijzelf dan? Ik zie niet in dat het nodig is een auteur zwart te maken omdat hij – hoe inferieur zijn talent ook moge zijn – in het openbaar zijn oneindige liefde voor zichzelf tentoonspreidt. Maar AQ gaat alle perken te buiten. Hij heeft een hommage voor zichzelf georganiseerd waaraan alleen zijn bewonderaars, vertalers, uitgevers en vrienden deelnemen om aan te tonen dat zijn talent eindelijk wordt erkend in ons land.

Dit incident zou slechts een van de vele gevallen van borstklopperij zijn die zo typerend is voor onze intelligentsia – waar ik, nogmaals, respect voor heb –, als we deze gril niet met ons allen subsidieerden. Wij betalen voor een feest, maar hij was niet zo beleefd ons ervoor uit te nodigen. Zijn mateloosheid is eerder lompheid: als hij zo onbeschaamd was dit spektakel te organiseren, had hij op zijn minst zijn tegenstanders moeten uitnodigen. Niet om redenen van eclecticisme of pluralisme, maar om in het spel te blijven. Doordat hij dit niet heeft gedaan en zichzelf als outsider, met behoud van de privileges van de *mainstream*, wil presenteren, heeft AQ zich slechts de toorn van de buitengesloten intellectuelen op de hals gehaald. Dat wil zeggen van de overige vijfennegentig procent. Het enige wat ik met zekerheid kan zeggen is dat hij voor straf nooit meer zo'n verjaardag zal krijgen. Daar zullen wij wel voor zorgen.

Zes

Parijs, 7 augustus 1989

Lieve Aníbal,

Ik had je gewaarschuwd. Zodra je positie als kritische intellectueel veiliggesteld zou zijn, zou de macht onherroepelijk achter je aan komen. Zoals je zelf hebt gemerkt, begonnen je vijanden jouw prestige op alle fronten, financieel, ethisch en professioneel, af te breken en binnenkort zullen ze zich met je privé-leven gaan bemoeien. Waar ik het meest verontwaardigd over ben is het feit dat de andere Mexicaanse intellectuelen zich niet aan jouw kant scharen. Door hun stilte worden zij handlangers van de regering. Het is ongelooflijk! De afgunst kent geen grenzen... O, Aníbal, ik zou nu zo graag bij je willen zijn. Zoals ik het zie, zijn de vijandelijkheden nog maar net begonnen. Bereid je op het ergste voor: een drastische vermindering van je inkomsten, welig tierende lasterpraatjes, algemene minachting van de kant van je collega's en het einde van de solidariteit van de mensen die je tot voor kort als je vrienden beschouwde. Houd alle flanken in de gaten. En neem me niet kwalijk dat ik in herhalingen verval, maar let goed op de manoeuvres van Josefa. Jij hebt haar een macht toevertrouwd die haar capaciteiten te boven gaat, en er is niets gevaarlijkers dan een simpele ziel met macht... Ik maak me zorgen over je. De ellendelingen zullen er alles aan doen om jou op de knieën te krijgen; op subtiele zowel als op grove wijze zullen ze druk op je uitoefenen en je geen greintje rust gunnen, net zo lang tot ze je fysiek en geestelijk kapotgemaakt hebben en je kunnen afpakken wat voor jou het kostbaarst is: je tijdschrift. Laat het niet gebeuren. Jouw missie staat op een veel hoger plan dan hun gebetenheid of hun slechtheid. Je kunt hen overwinnen. Hoe? Door te volharden in de taken die je jezelf hebt opgelegd: de onafhankelijkheid, de kritiek, de wil je te verzetten... Door het voorbeeld van Foucault te volgen: het belangrijkste is dat je jezelf regeert door het risico te nemen anders te zijn dan de anderen en jouw uitdaging voort te zetten tot het einde... Intussen bereiden Anne en ik ons erop voor naar je toe te komen. We waren een paar uur geleden al klaar met pakken. Omdat we altijd nomaden zijn geweest, hebben we bijna geen materiële bezittingen – aan hoeveel steden heeft mijn dochter zich in deze jaren al moeten aanpassen? –, dus het ontmantelen van het vroegere huis van mijn grootvader heeft ons bijna geen moeite gekost. Ik wil niet op de dingen vooruitlopen en je ook niet beloven dat ons verblijf in Mexico definitief zal zijn, maar ik weet tenminste wel dat deze reis anders zal zijn dan de andere. Ditmaal is het geen vlucht, maar sluit ik gewoon een etappe af en ben ik bereid aan een nieuw avontuur dicht bij jou te beginnen.

Tot heel spoedig,

CLAIRE

DE STILTE

Gevangenis Cerro Hueco, Chiapas, 6 april 1989. Toen Michel Foucault de wreedheden beschreef die in de achttiende eeuw in de Franse gevangenissen werden bedreven, moet hij een beeld in zijn hoofd hebben gehad dat sterke gelijkenis vertoonde met deze hel in Chiapas. Als onderdeel van zijn werk voor de Informatiegroep Gevangenissen bezocht de Franse filosoof tientallen strafinrichtingen, maar ik ben ervan overtuigd dat hij nooit zo'n zwijnenstal heeft betreden als deze. Cerro Hueco is geen penitentiaire inrichting, maar een deel van de onderwereld, een non-plaats die gebouwd is om de ellendige bewoners zelfs nog het allerlaatste restje vertrouwen te ontnemen. Drugshandelaars, pooiers, dieven, oplichters, moordenaars en aanranders wonen daar door elkaar en worden gecontroleerd door een groep verdorven bewakers die in dezelfde ongezonde situatie verkeren als de gevangenen. In cellen van twee bij drie zit een half dozijn mannen opgepropt, veroordeelden en nog niet veroordeelden door elkaar alsof het verschil een onbeduidend detail is. En ze zijn onzichtbaar voor de verdedigers van de mensenrechten die geen stap over de drempel van dit gebouw durven te zetten. Hoewel het niet erg aannemelijk is dat dit gebouw, toen het geopend werd, een modelgevangenis was is het nu veranderd in een kookpot van ellende als gevolg van verwaarlozing en overbevolking. Hoewel de autoriteiten ons per se de vooruitgang willen laten zien die in deze zestig jaar is geboekt – een recreatiezaal en de uitbreiding van de ziekenboeg –, behoort dit hol toch echt niet tot de twintigste eeuw.

Wie kan het lot van deze paria's in de armste streek van Mexico nou wat schelen? Als het niet zo'n treurig spektakel was, zou je erom kunnen lachen. Binnen is geen spoor meer te bekennen van de negentiende-eeuwse opzet om het leven van de delinquenten zo te ordenen dat ze weer in de maatschappij terug konden komen; er is ook niets meer over van de koepel van Bentham en diens verlangen hun gedrag zorgvuldig te bestuderen. En in Cerro Hueco is niemand erin geïnteresseerd, oppassers noch cipiers en de autoriteiten al helemaal niet, te *kijken* naar wat er achter deze door de salpeter aangevreten muren gebeurt. Het lijkt meer alsof de autoriteiten deze stuurloze levens met één pennenstreek willen uitwissen, ontkennen en uit het oog verliezen om geen onrust te stoken in het goede geweten van de mensen die buiten die muren wonen, van de schande gevrijwaard. Ik betreur het dat ik niet over voldoende ruimte beschik om gedetailleerd verslag te doen van de in dat hol heersende barbaarsheid: de lijst van gevallen van corruptie en machtsmisbruik is zó lang dat je een heel boek nodig zou hebben om alle leed op te sommen.

Als Foucault gelijk had met zijn aanklacht dat er in de Franse gevangenissen geen gerechtigheid bestond, zou zijn verontwaardiging over wat hier gebeurt geen grenzen kennen: voor de gevangenen van Cerro Hueco bestaat geen andere waarheid dan die van de macht. In tegenstelling tot wat je zou denken, heerst hier niet eens de wet van de sterkste en is er evenmin sprake van anarchie of pure willekeur; integendeel, er bestaat een ingewikkeld systeem van rechten en plichten, taken, fouten en straffen, dat met voorbeeldige strengheid wordt toegepast. Elk segment van het dagelijks leven heeft de juiste sanctie, in dit rijk waar alles een prijs heeft: sigaretten, drank, vrouwen, het voedsel en zelfs de kans om te overleven... In geen enkele andere maatschappij functioneert het kapitalisme zo efficiënt: zeg me hoeveel je hebt en ik zal je zeggen wie je bent. Met geld koop je alles, behalve de vrijheid. Ons is verteld dat sommige gevangenen over een individuele cel, televisie, geluidsapparatuur, airconditioning, boeken en merkkleding beschikken. Als je de juiste prijs betaalt kun je Caribische prostituees, Spaanse wijn en Iraanse kaviaar krijgen. Zoals in elke beschaafde gemeenschap is het belastingsysteem hier ook sterk ontwikkeld: de gevangenen zijn verplicht te betalen ter ondersteuning van de schaduwinstituties in deze miniatuurmaatschappij, om privileges te kunnen ontvangen zoals medische zorg of persoonlijke veiligheid. Een gevangenis is net als krankzinnigheid een vergrootglas: het reproduceert en vergroot de afwijkingen van het normale. Net als buiten zijn er binnen de gevangenis rijken en armen, geluks- en pechvogels, slimme en domme lui... Het enige probleem is dat, in tegenstelling tot buiten de muren, een afwijkende mening onmogelijk is. De tot het uiterste geprikkelde gevangenisdirectie overheerst het bestaan van de individuen volledig en vernietigt hun vrije wil. Je wordt voortdurend meedogenloos en zonder adempauze geregeerd door die Grote Ander, tegenover wie geen verdediging mogelijk is. Daarom zijn gevangenissen altijd onmenselijk. En daarom is Cerro Hueco, misschien de ergste gevangenis van allemaal, de laatste plaats op de wereld waar je terecht zou willen komen.

'We willen hem vandaag nog zien,' eisten we enkele uren geleden van meneer de secretaris toen die ons onthulde dat Santiago de vermoedelijke schuldige was. 'We willen niet wachten tot ze hem weer gaan martelen of nog erger...'

De secretaris toverde opnieuw zo'n apathische glimlach tevoorschijn: weer was hij onze verlangens voor – Weber zei al dat macht het vermogen is het gedrag van de anderen te voorspellen –, en hij kondigde ons aan dat hij reeds de nodige maatregelen had getroffen zodat we direct naar Chiapas konden afreizen.

'De president heeft me instructies gegeven u een klein vliegtuig namens de procureur-generaal van de Republiek Mexico ter beschikking te stellen om u naar de gevangenis in Cerro Hueco te brengen,' antwoordde hij zelfvoldaan.

Enkele uren later stappen we in het gevlekte vliegtuigje dat ons door de lucht, die cynisch genoeg wit is, naar het andere uiteinde van het land brengt. De turbulenties en de wind waardoor we worden geteisterd in de buurt van Tuxtla Gutiérrez, de hoofdstad van de staat Chiapas – en die ervoor zorgen dat er dagelijks tientallen vluchten worden uitgesteld –, vormen de volmaakte metafoor voor onze omzwerving. Zodra we geland zijn brengt een patrouille ons via een smalle weg naar de deuren van de gevangenis.

We arriveren zo onverhoeds in Cerro Hueco dat de autoriteiten geen tijd hebben gehad om het verval te camoufleren. De directeur is een gedienstig kaal mannetje dat weigert de verantwoordelijkheid op zich te nemen voor de schending van de mensenrechten die zich dagelijks voor zijn ogen afspeelt. Doctorandus Arévalo presenteert zich nadrukkelijk als een slachtoffer van de omstandigheden, een anonieme held wiens pluim niet wordt bezoedeld hoewel hij het lot van de mensen in dit moeras bestiert. Na een officiële begroeting laat hij ons in een dor en kaal kantoor, niet veel anders dan een cel, waarvan we met moeite kunnen geloven dat het het zijne is. Hij waarschuwt ons voorzichtig dat de gouverneur hem een paar minuten geleden pas van ons bezoek op de hoogte heeft gesteld.

'Zoals u zelf zult kunnen zien vertoont deze strafinrichting, waarover ik het bewind mag voeren, grote gebreken. Er is meer dan zevenenzestig procent overbevolking.' Hij drukt zich meer uit als een hotelhouder dan als een gevangenisdirecteur. 'Dit is ons grootste probleem, heren, maar dat neemt niet weg dat we nog grotere en veel ernstigere problemen hebben... Drugsverslaving, homoseksualiteit en geweld. Daarom ben ik blij met uw komst. Misschien kunt u de aandacht trekken van de autoriteiten zodat die ons met een beetje geluk het nodige geld sturen om de bewakers hun loon van de vorige maand uit te betalen...'

Om ons te bewijzen dat hij niet liegt, loopt doctorandus Arévalo op zijn tenen naar een archiefkast en komt terug met een dik dossier dat hij ons overhandigt alsof het zijn laatste gedichtenbundel was. Hij probeert ons er de hele tijd van te overtuigen dat zijn huidige baan ver beneden zijn kunnen is. De statistieken die hij ons laat zien zijn inderdaad angstaanjagend: zestig procent van de gevangenen bestaat uit inheemsen die beschuldigd worden van vergrijpen in verband met grondverdeling of godsdienstige verschillen (de laatste jaren is de

377

evangelische gemeenschap sterk uitgebreid als gevolg van de activiteiten van zendelingen uit de Verenigde Staten).

'De armoede is de moeder van alle kwaad,' legt Arévalo ons uit alsof hij iets geniaals zegt. 'Maar goed, het is toch niet zo dat u alleen hiernaartoe bent gekomen om de aandacht van de pers te trekken, nietwaar? Ik ben echter heel bang dat u een vergeefse tocht hebt gemaakt. Ik verklaar me nader: ik heb er geen enkel bezwaar tegen, echt geen enkel, dat u een onderhoud heeft met Santiago Lorenzo. De gouverneur heeft me duidelijke instructies gegeven... Er is alleen een klein probleempje en dat is dat hij weigert met wie dan ook te praten... En wij kunnen hem niet dwingen.'

'Niet te geloven!' zeg ik opgewonden. 'Wat een cynisme!'

'U hoeft niet te schreeuwen, mijn beste meneer, ik leg u alleen uit hoe de situatie is. Ik weet het niet, maar de bewijzen zijn zo onomstotelijk...'

'Welke bewijzen?'

'Nou, de getuigenverklaringen.' Arévalo schraapt zijn keel. 'Het gaat om niemand minder dan de neef en de zwager van de aangehouden man. En natuurlijk zijn eigen woorden. Maar goed, het is niet mijn taak om hem te beoordelen, maar die van de rechter...'

De farce neemt uitzinnige proporties aan. Zoveel straffeloosheid is ondraaglijk!

'We gaan niet weg zonder met hem te hebben gesproken,' oordeelt Monsiváis.

'Ik heb u al gezegd dat hij met niemand wil spreken. Wat kan ik eraan doen? Gaat u maar met zijn advocaat praten...'

'*U moet hem overhalen,*' beveel ik, 'u bent hier de directeur.'

De man denkt enkele seconden na; het besluit is al tijden geleden genomen en niet door hem, maar hij moet het doen voorkomen alsof hij ons een gunst verleent.

'Vooruit dan maar, heren, ik zal zien wat ik kan doen.' Hij pakt de telefoon en geeft met honingzoete stem opdracht aan een van zijn handlangers. 'González, breng Santiago Lorenzo naar kamer C... Ja, naar kamer C... Ook al wil hij niet... Ja...' Hij hangt op en voegt eraan toe: 'Ik vraag u alleen of u met één tegelijk naar binnen wilt gaan, veiligheidsregels...'

Na een gespeelde stemming word ik gekozen. Per slot van rekening ken ik Santiago beter dan de anderen. Mopperend laat luitenant González me in kamer C. De enscenering doet in geen enkel opzicht aan een film denken: er zijn geen ramen waar je maar van één kant doorheen kunt kijken, geen intercoms en zelfs geen gewapende cipiers voor de deur. Alleen een grote, bijna lege gaanderij. Achterin, in de schaduw verborgen, zie ik een menselijk silhouet. *Hij* is het.

ANÍBAL QUEVEDO, 'De moord op Tomás Lorenzo, VI',
Tal Cual, juni 1989

AANGEKONDIGD ONTSLAG

Mexico-Stad, 14 augustus 1989. Miguel Hinojosa Lara, de verantwoordelijke man voor de speciale projecten van de Nationale Raad voor Kunst en Cultuur, heeft vanochtend zijn ontslag ingediend. Volgens het bericht van de persdienst van deze instelling bezette hij zijn post sinds januari van dit jaar. Tot gisteren was Hinojosa Lara belast met de coördinatie van het werk van de raad en dat van openbare en particuliere instellingen. Hinojosa Lara was een van de organisatoren van het zomercolloquium 'De tegenslagen van de revolutie', in samenwerking met de UNAM en het tijdschrift *Tal Cual*. Volgens Hinojosa Lara heeft hij om strikt persoonlijke redenen ontslag genomen en heeft het niets te maken met de lastige vragen die over hem werden gesteld door een grote groep intellectuelen, aangevoerd door Octavio Paz.

La Jornada, 15 augustus 1989

SLECHTSTE BOEK VAN HET JAAR

Overpeinzingen over Dulcinea, van Aníbal Quevedo (Ediciones Tal Cual, 1988). Ik weet echt niet wat ik over dit vreemde boek moet zeggen. Mijn intuïtie zegt me alleen dat het, net als alle andere boeken van deze auteur, heel slecht moet zijn.

JUAN PÉREZ AVELLA, 'Het beste en het slechtste van het jaar',
Vuelta, december 1988

JP. 'Het is zover.' Aníbal hoefde er niets meer aan toe te voegen, want ik begreep zijn ongeduld. Zoals ik u al heb verteld, meneer, was er een soort telepathie tussen ons; ik kon zijn gedachten al raden voordat hij ze had geformuleerd. Zo ging het op die 26 juni 1985 ook; de woorden, *het is zover*, waren voor mij genoeg om te beginnen met het plannen van onze terugreis naar Mexico.

Na de dood van Foucault hield Aníbal het geen dag langer uit in Parijs, de stad die hij zo had liefgehad en die hem nu voorkwam als een dichtbevolkte woestijn. Om nu door dezelfde buurten te wandelen als waar hij met zijn leermeester doorheen had gewandeld, leek hem ondraaglijk; hij voelde de behoefte het verdriet dat de bruggen over de Seine, de lokalen van het Collège de France of de omgeving van Montparnasse hem bezorgden, zo snel mogelijk te elimineren. Binnen een week had ik alles geregeld: ik kocht de vliegbiljetten, organiseerde de verhuizing, zette de eerste stappen om voor Aníbal een onderzoeksplaats aan de universiteit te regelen en vond ook nog het huis in de wijk Chimalistac waar hij tot de dag van zijn dood heeft gewoond.

Zodra hij in Mexico-Stad aankwam, zette Aníbal zich met hart en ziel in voor het grote project dat hem sindsdien zou bezighouden: de oprichting van een tijdschrift dat het puikje van het universele denken zou samenbrengen. In dit blad zouden kritiek en literaire schepping, psychoanalyse en politiek, contemporaine kunst en wetenschap met elkaar moeten samenleven; zijn doel was de andere culturele tijdschriften in het land in belang en kwaliteit te overtreffen. Zoals altijd wanneer Aníbal een idee had, moest ik het werk doen. Hoewel hij in die tijd geen onbekende meer was, kun je ook niet zeggen dat de Mexicaanse intellectuele wereld haar deuren wijd voor ons openzette. Maar omdat het verhaal de ronde deed dat hij een goede vriend was van Foucault, werd hij toen toch al door een kleine groep bewonderaars als een cultauteur beschouwd, en zij wilden onmiddellijk met ons samenwerken.

Sindsdien werd Aníbal aan de ene kant door enkele leerlingen bewonderd, maar aan de andere kant geminacht door de meeste van zijn generatiegenoten. Deze schizofrene situatie heeft een groot stempel op zijn laatste jaren gedrukt, omdat hij niet bij machte was onderscheid te maken tussen zijn vrienden en zijn vijanden, en omdat hij ook niet kon begrijpen wie hem met bewondering en wie met afschuw bekeken.

Als uitdaging aan de sceptici werd *Tal Cual* op een prachtige middag in juli in het jaar 1985 geboren, na een intensief gesprek tussen Aníbal en mij. Het was een gedenkwaardige dag. We hadden wat champagne gedronken om zijn intrede in het instituut voor filosofisch onderzoek te vieren, en opeens merkten we dat we al bezig waren de inhoudsopgave van het eerste nummer te bedenken. Aníbal en ik zaten hier met z'n tweetjes, aangeschoten maar helder van geest, in deze kamer op dit vloerkleed de onderwerpen te verzinnen die het begin zouden vormen van dit nieuwe avontuur... Neemt u me niet kwalijk dat ik wat emotioneel word, maar het was een van de mooiste momenten van mijn leven... En zal ik u eens wat vertellen? De naam *Tal Cual* was een idee van mij. Aníbal wilde liever een titel in de trant van *Vuelta* of *Nexos* – hij speelde ook nog met de ludieke naam *Revuelta* –, maar ik waarschuwde hem dat het beter was platgetreden paden te vermijden en onze band met de Franse cultuur duidelijk tot uitdrukking te brengen. Een vertaling van de naam van de publicatie van Philippe Sollers leek ons een even simpel als doelmatig idee. Aníbal was enthousiast... Zó enthousiast dat hij niet aarzelde mij tot redactiechef van het tijdschrift te benoemen.

In het begin kregen we de schokken te verduren die elk pasgeboren bedrijf ondergaat: onverschilligheid van het publiek, vijandigheid van de concurrentie en irritatie van de kant van de macht. Maar zoals bij alle uitdagingen die we samen zijn aangegaan lieten Aníbal en ik ons niet van de wijs brengen. Samen doorstonden we de ergste stormen, bijvoorbeeld toen de regering ons kapot wilde maken vanwege de artikelen die we publiceerden over de aardbeving van 1985, en later toen we de fraude tijdens de verkiezingen van 1988 aanklaagden. In beide gevallen hebben we het er met succes afgebracht. Al waren er mensen die voorspelden dat we spoedig zouden verdwijnen, *Tal Cual* is in weer en wind overeind gebleven.

Ik heb Aníbal nooit zo actief bezig gezien als in die tijd. Misschien kwam het doordat hij naar zijn vaderland was teruggekeerd en er behoefte aan had zijn standvastigheid te bewijzen tegenover de vijandige houding van de meeste mensen, maar hij stortte zich in talloze activiteiten. Zijn nieuwsgierigheid kende geen grenzen, zoals blijkt uit de teksten die hij in die jaren publiceerde; overigens was hij zijn activistentijd niet vergeten en steunde hij alle protestbewegingen tegen de PRI-regering, zoals bijvoorbeeld die van de naaisters of die van de onderwijzers, maar dat verhinderde hem niet analyses te schrijven over de hedendaagse kunst of een nieuwe column te beginnen in *La Jornada*.

Evenals Carlos Monsiváis, met wie hij een bijzonder intensieve vriendschap had, hoewel niet zonder meningsverschillen, was Aníbal alomtegenwoordig; er was geen boek dat door een progressieve intellectueel geschreven was of er stond een nawoord van hem in (de voorwoorden waren van Monsiváis), en geen rondetafelconferentie over psychoanalyse, democratie of mensenrechten waaraan hij niet als voorzitter of gesprekspartner deelnam. Eind 1987 was Aníbal een icoon geworden van Mexicaans intellectueel links, een totem die door zijn coherentie en oprechtheid in staat was leiding te geven aan de opkomende burgermaatschappij, die zich na tientallen jaren van corruptie opmaakte de controle over het land over te nemen.

Het jaar 1988 was een beslissend jaar voor Mexico en voor Aníbal. Als militant lid van het Nationale Democratische Front stond hij gedurende de hele campagne tegen Salinas aan de zijde van Cuauhtémoc Cárdenas en Porfirio Muñoz Ledo. Weinig intellectuelen gingen zo fel tekeer tegen de smerige manipulaties van de PRI als hij, en nog veel minder intellectuelen waagden het zo verwoed en intelligent de spot te drijven met Salinas. In de weken na de verkiezingen, toen de toekomst van ons land op het spel stond – er was in technische zin een ware staatsgreep gepleegd –, was de stem van Aníbal als een baken voor het democratische verzet. Ik herinner me nog dat hij, toen hij een keer was uitgenodigd om in een televisieprogramma over Lacan te spreken, geen seconde aarzelde en voor de verbijsterde ogen van miljoenen verontwaardigde kijkers een pakket verbrande verkiezingsbiljetten op tafel smeet. Was er een beter bewijs voor de reusachtige verkiezingsfraude?

En wat zal ik u zeggen over zijn fantastische werk als lid van de commissie die onderzoek deed naar de dood van Tomás Lorenzo in Oventic? In navolging van Foucault reisde Aníbal enkele malen naar Chiapas waar hij met mensen uit de streek sprak om erachter te komen wat er was gebeurd. De ideeënreportages die hij op basis van deze ervaring schreef, zijn waarachtige voorbeelden van nauwgezetheid, talent en inzet. Wat er ook wordt beweerd, zijn teksten hebben ertoe bijgedragen dat duizenden mensen zich bewust zijn geworden van de ellendige omstandigheden waarin de inheemse gemeenschappen leven. Maar wij Mexicanen hebben geen historisch geheugen en op dit moment herinnert niemand zich meer iets van zijn waardevolle werk. Daarom is zijn einde zo tragisch. Wat de macht met hem heeft gedaan, en neemt u me niet kwalijk dat ik het zo zeg, is een *klotestreek*. Naar aanleiding van zijn meningen over het geval van de gebroeders Lorenzo, die hij in *Tal Cual* heeft gepubliceerd, opende de PRI-regering een barbaarse jacht op hem en zag ze er geen been in zijn prestige te ruïneren. De repressieve instituties van de staat zaten net zo lang achter hem aan tot hij de kluts kwijt was… En weet u hoe zijn collega's reageerden? In plaats van hem te verdedigen scholden ze hem uit en plooiden zich daarmee naar de wil van de machthebbers. Zo simpel was het: links en rechts spanden samen zodat hij alleen kwam te staan, overgeleverd aan de willekeur van de president. En die klootzak rustte niet voordat hij zag dat Aníbal was geruïneerd, vernederd en uitgekotst…

Alsof dit nog niet genoeg was heeft die vrouw hem definitief gek gemaakt. Aníbal voelde een ziekelijke fascinatie voor haar. Honderden keren heb ik hun correspondentie doorgenomen om te proberen te begrijpen waarom hij haar liefhad. Vergeefs. Waarom koos hij voor haar? Legt u me dat eens uit, meneer. *Waarom*? Neemt u me deze uitbarsting niet kwalijk. Soms kan ik mijn irritatie niet bedwingen. Als ze hem nou nog had gesteund toen alles begon in te storten! Maar nee, dat stomme mens had geen vertrouwen in hem! Ze had hem beloofd hem tot het laatst te zullen steunen, maar na een week vertrouwde ze hem al niet meer op zijn woord. Ik ben daarentegen altijd naast hem blijven staan. *Altijd*. Weet u hoeveel jaar ik zijn manies en humeuren heb verdragen? Hoeveel jaar ik voor hem heb gezorgd? Mijn hele leven, meneer. En weet u wat ik ervoor heb gekregen? *Niets*. Die vrouw heeft hem van me afgepakt, en toen ze genoeg van hem had, dankte ze hem voorgoed af.

Waarom keert iedereen mij opeens de rug toe? Wat weten zij ervan? Elke lezer van *Tal Cual* kan constateren dat we onze onafhankelijkheid hebben behouden, zonder beperkingen. Ik heb geen enkele vorm van censuur geaccepteerd. Is dat niet onze grootste verdienste? Waarom willen ze me dan lynchen? Dezelfde mensen die me vroeger elke dag belden om te vragen of ik hun producten wilde publiceren – zoals die Mario Montano – gooien nu stenen naar me. Opeens zijn zij de zuivere zielen die verontwaardigd zijn over mijn *troebele manipulaties*, terwijl iedereen weet dat *zij* er al tientallen jaren economisch op vooruit zijn gegaan dankzij deze machthebbers, dat *zij* van hun politieke connecties gebruik hebben gemaakt om allerlei soorten gunsten te krijgen, dat *zij* op allerlei staatssecretariaten en regeringskantoren salarissen en compensaties ontvangen in ruil voor de berichten die ze in de kranten zetten. Waar ik met mijn verstand niet bij kan is waarom de mensen hun roddels geloven. Waarom nemen ze hen serieus en verhinderen ze mij me te verdedigen? De reden is heel simpel: omdat het in een land als het onze altijd handig is een zondebok te hebben; die leidt de aandacht af en laat de negatieve krachten vrijkomen. Als er nu tenminste nog een scheidsrechter was die zou zeggen: wie zonder zonde is werpe de eerste steen…

***

Ik beken: ik ben bang. Uit de verte op de duivel schelden, vergiftigde pijlen op hem afschieten vanuit de veilige verschansing van de kritiek is één ding, maar tot het binnenste van de Hades – van zijn bewustzijn – doordringen en hem recht in zijn gezicht uitdagen, is iets heel anders. Dat heb ik gedaan en nu moet ik ervoor boeten. Ik heb de sessies stopgezet omdat die me niets onthulden wat ik niet zelf al wist of van tevoren al vermoedde – het grote mysterie van de macht ligt juist in het gebrek aan mysterie –, maar door dit te doen heb ik mezelf blootgesteld aan zijn woede. Het is mijn eigen schuld. Ik kan niet zeggen dat ik niet wist welk gevaar me boven het hoofd hing – Claire heeft me herhaaldelijk gewaarschuwd –: ik wilde de uitdaging per se aanvaarden en heb me naar zijn muil laten leiden. Het is te laat om het te betreuren: de subtiele machinerie van de macht is in werking gezet. Het noodlot heeft zich voor de zoveelste keer voltrokken. Nu moet ik besluiten wat ik ga doen: een verbond met hem sluiten en mezelf verraden of zijn woede tot het einde weerstaan.

MICHEL FOUCAULT, CYNICUS

Is dit de *waarheid*? En ben *ik* dit? De cirkel sluit zich, gedwongen door een retoriek van de hartstocht die mijn krachten te boven gaat, en uiteindelijk keer ik naar het uitgangspunt terug. Zou ik al die beproevingen en gevaren alleen hebben doorstaan om naar deze plaats terug te keren? Meer dan twintig jaar geleden betrad ik voor het eerst van mijn leven de smalle gangen van La Salpêtrière, ervan overtuigd dat ik daar in de kelders de waarheid zou vinden waarnaar ik zo verlangde. Welke waarheid? De mijne, natuurlijk: de waarheid van de abnormalen en de maniakken, de waarheid van de gekken en de misdadigers, de waarheid van de opstandigen... Ik begroef me in de ondergrondse archieven en hernieuwde daarmee de straf van mijn ongelukkige soortgenoten. Klemgezet door al die geschiedenissen, die ook mijn geschiedenis waren, door die eindeloze variëteit aan lijden, deliriums, hallucinaties, processen en dood, waagde ik het een beeld van mezelf samen te stellen zonder een beroep te hoeven doen op de kwellingen van de biecht.

En nu, drie decennia later, keer ik terug om rekenschap af te leggen voor het tribunaal dat ik hier zelf heb ingesteld. Het is zo belachelijk te sterven in de eerste persoon! Betekent sterven niet dat we het persoonlijke voornaamwoord, dat ons te boven gaat, de verkeerde kant op sturen, ophouden met oordelen en meningen spuien en de geheimen vergeten die we niet eens echt kennen? Ik heb het zo vaak herhaald dat mijn paniek een gemeenplaats is geworden: ik wantrouw psychoanalytici en priesters, leermeesters en onderwijzers, artsen en politici... Zij doen niets anders dan over je regeren om je te dwingen te onthullen wat je bent; uitgaande van de oude slogan die kennis onherroepelijk met macht verbindt, doen ze alsof ze *je willen leren kennen* om je later gemakkelijker te kunnen overheersen. Pas op! Voorbeeldige individuen zijn niet degenen die zich aan anderen blootgeven – beklagenswaardige exhibitionisten –, maar degenen die zichzelf uitvinden.

Daarom schaar ik me liever aan de zijde van de eerloze troep die bestaat uit gekken, misdadigers en perverselingen. Is deze opsomming niet duidelijk genoeg? Waarom kies ik hen uit? Waarom voel ik me zo goed in gezelschap van marginalen en overlopers? De psychologie is niet voldoende om mijn motieven te verklaren; het zou nergens goed voor zijn de zonden uit mijn kindertijd, de woede van mijn ouders of de eenzaamheid van iemand die zich anders voelt op te graven. Als ik de vraag stel is het niet om een antwoord te krijgen, maar om te raden waarom ik naar deze plaats ben teruggekeerd en waarom de reis me zo'n pijn doet.

Ken uzelve. De oude slogan van het orakel van Delphi diende als voorwendsel ter aanmoediging van een eindeloze hoeveelheid zoektochten en autobiografieën: verwijder je van de wereld en zijn afleidingen, vergeet de wet en het universum van de anderen en concentreer je op het enige wat van belang is: *jouw* waarheid. Laten we aan Socrates denken. Wat doet de bejaarde filosoof wanneer hij geconfronteerd wordt met dit bevel? Hij verpest de jeugd met zijn raadgevingen, hij houdt dialogen met de medemens, roept de ratio en de gerechtigheid aan... In plaats van het orakel te gehoorzamen gooit hij diens raadgevingen in de war en sticht, zonder het te beseffen, het ambt van biechtvader. Pas later, wanneer hij eindelijk besluit de dood in de ogen te zien, is hij in staat *in extremis* te begrijpen dat het door de goden uitgesproken vonnis over hem zal worden voltrokken nadat de laatste proef is afgelegd – na het aanvaarden van zijn eigen offer. Pas wanneer hij de gifbeker met dolle kervel drinkt, kent Socrates zichzelf. Iets dergelijks gebeurt met de Heilige Antonius in de woestijn. De heremiet verlaat zijn gelijken en onderwerpt zich aan die pijnlijke ascese omdat hij denkt dat hij daarginds op het brandende zand dat zijn hielen doet verkalken, onder de meedogenloze hemel die hem amper troost schenkt, en gesmoord door de honger en de hitte, zichzelf zal kunnen vinden. Aan zijn lot overgelaten hoort niemand zijn geroep en heeft niemand mededogen met zijn weeklagen. Daarom verschijnt de duivel aan hem. Om uit de hel te ontsnappen moet hij zijn kwelling verdragen om bij de waarheid te kunnen komen. Net als de rest van de mensen zal de Heilige Antonius pas weten wie hij is nadat hij heeft gezondigd.

De cynici, die wijsgeren naar wie niet werd geluisterd, begrepen het nog beter. Volgens hen heeft alleen degene die zich in het duister stort er recht op het licht te zien. Diogenes vertegenwoordigt de opstandige, de mens die zich nooit onderwerpt en zich nooit laat regeren. Naakt en razend aarzelt hij niet Alexander de Grote te bespotten, masturbeert hij in het openbaar op het plein, verheerlijkt hij kannibalisme en incest en levert hij zich schaamteloos uit aan de razernij... Diogenes is de gek: de mens die de wereld afwijst en zich alleen om zichzelf bekommert. Hij is de enige filosoof die het orakel van Delphi keurig gehoorzaamt. Ik wilde, net als hij, me verzetten tegen de machthebbers, de normen uitdagen, mijn lichaam aan de gevolgen van de pijn onderwerpen, genot zoeken in de duisternis, de grenzen overschrijden, langs de rand van de helderheid van geest scheren door me in onmatige redeloosheid onder te dompelen. Na veel oefenen en praktiseren, erken ik dat dit mijn weg was; het is geen goede en geen slechte weg, maar het is de mijne, ik heb er geen spijt van en ik houd hem niet meer verborgen. Zou dit mijn *waarheid* zijn? En zou *ik* dit zijn? De cirkel sluit zich. Zou ik al die proeven en al die gevaren alleen hebben doorstaan om naar deze plaats terug te keren? Meer dan twintig jaar geleden betrad ik voor het eerst van mijn leven de smalle gangen van La Salpêtrière, ervan overtuigd dat ik daar in de kelders de waarheid zou vinden waarnaar ik zo verlangde. Welke waarheid? De mijne natuurlijk: de waarheid van de abnormalen, de maniakken, de waarheid van de gekken en de misdadigers, de waarheid van de opstandigen...

ANÍBAL QUEVEDO, 'De laatste dag, IV',
Tal Cual, oktober 1989

Zeven

BERICHT VAN DE DIRECTEUR

Op 26 december 1988, enkele maanden na de zo bekritiseerde landelijke verkiezingen van vorig jaar, werd Tomás Lorenzo, de politieke leider van de Cárdenasaanhangers in Chiapas, vermoord in de gemeente Oventic in de staat Chiapas. Op verzoek van de nieuwe procureur-generaal van de republiek werd de volgende dag een commissie van intellectuelen ingesteld die als opdracht had onderzoek te doen naar dit geval. Op 7 april 1989 werd Santiago Lorenzo aangehouden door de plaatselijke autoriteiten van de staat Chiapas als vermoedelijke moordenaar van zijn broer. Op 20 mei van dit jaar hebben wij, de leden van de commissie, met een meerderheid van drie stemmen tegen een, besloten onze werkgroep te ontbinden om de gerechtelijke autoriteiten de kans te geven hun werk te doen zonder druk van buitenaf. Wij hopen dat zij in volledige vrijheid het vonnis kunnen uitspreken.

ANÍBAL QUEVEDO, 'De moord op Tomás Lorenzo, VII',
Tal Cual, juli 1989

PRESIDENT BETAALT ZES MILJOEN AAN ANÍBAL QUEVEDO

Mexico-Stad, 1 oktober 1989. Volgens documenten die *Proceso* in handen heeft gekregen, heeft de schrijver en psychoanalyticus Aníbal Quevedo zich teruggetrokken uit de commissie die onderzoek deed naar de moord op de militante Cárdenasaanhanger Tomás Lorenzo, nadat hij van de regering minstens zes miljoen peso heeft ontvangen voor een *adviseursbaan* van onbekende aard. Zoals kan worden vastgesteld op de foto's die de afgelopen dagen in het dagblad *La Jornada* zijn gepubliceerd, heeft de directeur van *Tal Cual* de laatste weken viermaal via de achterdeur de presidentiële residentie Los Pinos betreden. Sindsdien zijn de twijfels over de ware motieven van zijn ontslag slechts toegenomen.

De afgevaardigde van de partij van Cárdenas, Luciano Mendoza, die enkele weken geleden het Congres vroeg om een grondig onderzoek te doen naar deze zaak, bevestigt dat de relatie tussen Quevedo en de president 'tegennatuurlijk, verward, tweeslachtig, onduidelijk, duister en onrechtmatig' is. Naar zijn mening behoort de burgermaatschappij de inhoud van hun gesprekken te kennen. 'Het is bepaald verwarrend dat een linkse intellectueel opeens de moord op een van onze militante leden is vergeten,' merkte hij op, 'en dat we vervolgens niet alleen ontdekken dat hij om middernacht de president bezoekt – wat op zich al voldoende zou zijn om grote argwaan te wekken –, maar dat hij enorme hoeveelheden geld ontvangt van zijn *vriend*. Ik vraag met de grootste nadruk: wat verbergen die twee in godsnaam?

Proceso, 6 november 1989

INTERVIEW MET CARLOS MONSIVÁIS

Geloofde u hem?

CM. Natuurlijk! Quevedo was mijn vriend, een volstrekt integere man. Er was voor mij geen reden om aan zijn woord te twijfelen! Toen hij uit de cel kwam waar Santiago zat, zag hij er ontredderd uit. Ik vroeg hem onmiddellijk wat er aan de hand was en hij antwoordde verslagen dat Santiago geweigerd had met hem te praten. Dat was alles. Ze hadden hem natuurlijk gemarteld...

Maar waarom is de groep dan ontbonden? Zou het niet logischer zijn geweest dat u druk was blijven uitoefenen op de autoriteiten om de zekerheid te hebben dat Santiago een eerlijk proces kreeg?

CM. Dat vond ik ook, maar we konden het niet met elkaar eens worden. Uiteindelijk kwamen we tot de conclusie dat ons optreden als groep verder zinloos was. Vandaar dat ik besloot de strijd in mijn eentje voort te zetten.

En vond u het dan niet vreemd dat een geëngageerd man als Quevedo de zaak zo plotseling opgaf?

CM. Dat heb ik u al gezegd, de commissie functioneerde niet. Ik weet zeker dat Aníbal vastbesloten was door te gaan met de verdediging van Santiago, maar toen barstte opeens die storm van beschuldigingen tegen hem los. Om Santiago te helpen moest hij eerst zijn eigen naam zuiveren.

U denkt niet dat Quevedo onder druk werd gezet om het onderzoek af te breken?

CM. Natuurlijk niet! De regering heeft geprobeerd hem in diskrediet te brengen en ze heeft niet gerust voordat hij kapot was. Zijn geest is gebroken. Ik kan niet zeggen of hij echt een nauwe band had met de president, maar wel dat Aníbal zich nooit zou hebben verkocht. Ik geloof nog steeds dat hij het slachtoffer is geworden van een samenzwering die door de hoogste regionen van de macht op touw is gezet.

UIT HET ONGEPUBLICEERDE DAGBOEK VAN
CHRISTOPHER DOMÍNGUEZ

Woensdag 8 november 1989

Het is en blijft prozaïsch – en treurig, moet ik zeggen – dat Aníbal Quevedo in ongenade valt op hetzelfde moment dat er grote onrust heerst in het sovjetrijk, waarmee het einde van het totalitaire communisme lijkt te worden aangekondigd. Na meer dan zeventig jaar over de geest van duizenden individuen in de hele wereld te hebben geregeerd – en tot alle mogelijke utopieën te hebben opgeroepen die al snel kleine hellen bleken te zijn –, beleeft het revolutionaire idee zijn laatste dagen. Er ligt nog geen eeuw tussen de overwinning van Lenin en de hervormingen van Gorbatsjov en in die periode absorbeerde revolutionair links niet alleen alle hoop op vrijheid en sociale gerechtigheid voor duizenden mensen, maar vormde deze beweging tevens de natuurlijke ruimte voor het hele kritische intellectuelendom. Deze traditie staat nu op het punt ter ziele te gaan. Na meer dan zeventig jaar waanzin begint de wereld weer bij zinnen te komen.

Misschien is het zo gegaan met Aníbal Quevedo. Of liever gezegd met ons, die zijn zaak bekijken met een mengeling van tevredenheid en medelijden, melancholie en gruwel: de voorbeeldige intellectueel van links Mexico is ook maar een gewoon mens. Een arm mens. En dan schreeuwen we allemaal sadistisch: 'De koning is naakt!' Quevedo is geen held van het vaderland en geen onschuldige ziel! Quevedo heeft geen zuiver geweten! Door zijn wandaden en leugens aan het licht te brengen bewijzen wij, zijn tegenstanders, dat Quevedo de verborgen en alomtegenwoordige corruptie, die typisch is voor ons politieke systeem, altijd heeft aanvaard ondanks zijn heldhaftige vertoog, zijn verknochtheid aan nobele zaken en zijn beproefde fatsoen.

In Mexico kun je alleen een kritische intellectueel zijn als je in zekere mate deelneemt aan de strategieën van de macht. Alleen wie het inwendige van het systeem kent – en van zijn vruchten profiteert – beschikt over de nodige wapens om zich als rebel voor te doen en serieus te worden genomen door de openbare mening. Voor de ware *outsiders*, de ware verlichte geesten, is geen plaats in onze maatschappij: op den duur veranderen zij in publieke vijanden, in *caudillos*, in dictators, in guerrillero's of in het ergste geval in gewone misdadigers. Daarom is het moeilijk te weten te komen of Quevedo inderdaad een intieme verhouding had met de president, of hij smeergeld van de regering heeft aangenomen of dat hij het slachtoffer is geworden van een samenzwering; het enige wat we met zekerheid kunnen zeggen is dat hij zijn onafhankelijkheid vergat en een onmisbaar onderdeel werd van het systeem dat hij uit alle macht probeerde af te breken.

Waaraan is hij schuldig? Aan het feit dat hij de president probeerde op te kikkeren en daarvoor overdreven goed werd betaald? Volgens de informatie die *Proceso* publiceerde zijn het inderdaad exorbitante bedragen en dat maakt hem ongetwijfeld verdacht. Aan een misdrijf? In ieder geval maakte hij een ethische fout. Dat is het probleem: niemand zou het vreemd vinden als een andere intellectueel een intieme verhouding had met onze *hoogste bevelhebber* – in feite zijn er tientallen schrijvers en academici die vaker op bezoek komen in Los Pinos dan Quevedo –, maar dat een man van links deze intimiteit vóór zich houdt is onvergeeflijk.

Zoals ik al zei, het is en blijft prozaïsch – en pijnlijk, zelfs voor een oude communist als ik – dat de val van Aníbal Quevedo in dezelfde tijd plaatsvindt als het debacle van het ware socialisme. Ik probeerde mijn gevoelens van ontroostbaarheid te delen met andere medewerkers van het tijdschrift *Vuelta*, maar alleen Paz – mijn oude 'compagnon de route' – deelt mijn zorgen. De geschiedenis van deze eeuw is de geschiedenis van een reusachtige teleurstelling. Deze ineenstorting betekent het zo felbegeerde einde van de waanzin. Na talloze inspanningen kan worden vastgesteld dat de revolutie, zoals velen van ons al hadden opgemerkt, een fiasco was. Achter de goede bedoelingen, het verlangen de wereld te verbeteren en de passie voor de utopie, ging altijd een totalitaire verlokking schuil. *Altijd.* Iedere keer dat links via democratische of revolutionaire weg aan de macht kwam, bewees het zijn ongeschiktheid om te regeren, zijn ideologische tekortkomingen en zijn neiging tot corruptie. Misschien doet rechts het niet beter – dat doet het inderdaad *veel* slechter –, maar het probeert ons in elk geval niet in te palmen met zijn verhalen over ethische zuiverheid.

Ik geef toe: ik zou blij moeten zijn dat de Berlijnse Muur op instorten staat, maar ik voel opeens een koude rilling. Ik erken dat revolutionair links een waardeloze troep is, maar toch betreur ik zijn overlijden. Ik ben bang dat ik me, als het helemaal zou verdwijnen, eenzamer, onbeschermder en nog meer verweesd zou voelen. Ik veracht al die opscheppers die zich verrijkt hebben in naam van idealen waar ze al niet meer in geloofden, en tegelijkertijd heb ik medelijden met ze. Misschien komt dat wel, hoewel ik het nooit zou durven bekennen, omdat hun koortsdroom nog altijd het beste deel van mijzelf is.

Denkt u dat Quevedo tegen de andere commissieleden heeft gelogen?

JA. In het licht van de gebeurtenissen daarna is dat inderdaad mijn conclusie. We komen misschien nooit te weten wat Santiago Lorenzo die dag tegen Quevedo zei, maar voor mij lijdt het geen twijfel dat deze laatste ons heeft bedrogen.

Heeft u daarom het initiatief genomen om de groep te ontbinden?

JA. Wat voor zin had het een groep te behouden waarin we elkaar niet meer konden vertrouwen? Voor het land betekende het verlies van tijd en geld. Het was veel beter de rechters onpartijdig hun werk te laten doen.

Denkt u dat Quevedo op dat moment dus partijdig handelde?

JA. Ik ben bang van wel. Of dat kun je althans afleiden uit de latere beschuldigingen tegen hem. Het zijn te veel toevalligheden, vindt u niet? Quevedo trok zich uit de zaak terug en een paar maanden later onthulde de pers dat hij reusachtige bedragen had ontvangen van de regering, waar hij zo veel kritiek op had. Ik geloof dat de feiten voor zichzelf spreken…

SLECHTSTE BOEK VAN HET JAAR

Het einde van de waanzin, van Aníbal Quevedo (bezorgd door Jorge Volpi, Seix Barral, 2003). Dat ontbrak er nog maar aan: een postume Quevedo! Alsof we niet genoeg hadden aan de boeken die hij in de loop van vier decennia heeft gepubliceerd, krijgen we nu deze imitatie voorgeschoteld door *doctor* Volpi. Alleen een middelmatige schrijver als hij kon op het idee komen de onuitgegeven teksten van de in 1989 overleden Mexicaanse psychoanalyticus te verzamelen en te annoteren; het lijdt geen twijfel dat ons armzalige intellectuele leven nog altijd wordt beheerst door de markt, vooral in deze tijd van intensieve –

en steriele – globalisering. Binnen deze context wil Volpi bewijzen dat Quevedo een 'onbegrepen voorloper' was, terwijl de man in werkelijkheid nooit meer dan een gewone oproerkraaier is geweest zonder intellectueel gewicht.

Zijn uitgevers kondigen deze pil aan als een 'Frans boek dat in het Spaans is geschreven'. Misschien omdat er in elke alinea wel clichés staan in die beide talen. Voor de zoveelste keer krijgen we het verhaal te horen van het gevaarvolle leven van een linkse Latijns-Amerikaanse schrijver in Parijs. Het verhaal brengt ons via een reeks avonturen, het ene nog onwaarschijnlijker dan het andere, bij zijn gedwongen terugkeer naar Mexico alwaar een voor de hand liggende – en bedrieglijke – kroniek van ons politieke en culturele leven wordt geschetst. Je zou een grenzeloos geduld moeten hebben om vast te stellen welk hoofdstuk het slechtst is: de psychoanalyse van Fidel Castro (!), de onhandige inval van Quevedo in het Chili van Allende – een vergelijking maken met het schitterende *Nocturno de Chile* van Roberto Bolaño zou een belediging zijn voor het verstand –, zijn filosofische ontmoeting met de onvermijdelijke *subcomandante* Marcos in het oerwoud van Lacandona of zijn kleingeestige portretten van vooraanstaande figuren uit onze letteren. Tot overmaat van ramp denkt de auteur dat hij, door mij als personage in zijn boek op te voeren – met een naam die natuurlijk niet mijn echte naam is – aan mijn dolkstoten zal ontkomen. Hij heeft het geheel gekruid, dat wel, met afgrijselijke doses zwarte humor, obscene grappen, knipoogjes naar zijn vrienden, ijdele vergelijkingen met Cervantes – zijn onmatigheid kent geen grenzen – en onuitstaanbare metaliteraire knipoogjes, waardoor de verwarring die op deze bladzijden heerst alleen maar groter wordt. En alsof dit nog niet genoeg is, draagt Volpi's beroerde uitgave er in het geheel niet toe bij Quevedo's stijl te appreciëren.

Wat wil de auteur met een boek als dit? De balans opmaken van de betreurenswaardige rekenfout die wij kennen als de linkse beweging? De grootspraak van het project is gelijk aan zijn mislukking. Wie zo onvoorzichtig is dieper in dit boek door te dringen zal er niet wijzer of minder verveeld uitkomen, alleen maar teleurgestelder. Teleurgesteld door het geringe belang van het boek, het pathetische einde van de hoofdpersoon en al die dromers die ooit hebben geprobeerd de wereld te veranderen. In tegenstelling tot de Cid blijft Aníbal Quevedo ook na zijn dood de ene veldslag na de andere verliezen. Gelukkig is *Het einde van de waanzin* zijn laatste nederlaag. Tenzij een werkloze lezer nog een manuscript uit zijn archief tevoorschijn haalt. Na hem twee decennia lang te hebben bevochten, zou ik bijna wensen dat het zou gebeuren.

JUAN PÉREZ AVELLA, 'Het beste en het slechtste van het jaar',
El Ángel in: *Reforma*, 30 december 2003

INTERVIEW MET JOSEFA PONCE

JP. Het was allemaal gelogen, meneer. Een reusachtige samenzwering heeft Aníbal de dood in gedreven. Ik hoop dat die aasgieren tevreden zijn! Als een waterval kwamen de rampen over hem heen. In oktober barstte het schandaal van het adviseursschap van de president los en werd het plotselinge einde aangekondigd van de commissie die onderzoek deed naar de moord op Tomás Lorenzo. Deze twee feiten hadden niets met elkaar te maken, maar de ongelukkige samenloop van omstandigheden ontketende de ergste verdachtmakingen, waar de ontelbare vijanden van Aníbal dankbaar gebruik van maakten. Het was verschrikkelijk, meneer. Ze beschuldigden hem ervan dat hij zich aan de regering had verkocht, dat hij zijn lezers had verraden en een van de vele hovelingen van de president was geworden... Het is altijd hetzelfde in dit land: de waarheid is niet van belang, de mensen zijn alleen geïnteresseerd in samenzweringen, geruchten en goedkope roddels. Het is hier een paradijs voor de sensatiepers en de roddelrubrieken. Een idioot hoeft maar op het idee te komen iemand zwart te maken, of er barst al een orkaan los, en in plaats van de aanklager te vragen bewijzen te leveren, zoals in elk beschaafd land zou gebeuren, moet hier de aangeklaagde zijn onschuld bewijzen...

Zoals u weet heeft de geachte afgevaardigde nooit bewezen dat Aníbals omgang met de president onwettig was, maar de openbare mening herinnert zich deze *achterklap* niet, meneer, en wel het veronderstelde oneerbare gedrag van het slachtoffer, van Aníbal dus. Ongelooflijk! We leven in een omgekeerde wereld: de brave borsten belonen de schuldigen en maken de onschuldigen zwart. Alle beschuldigingen waren vals. Zo Aníbal vóór het opheffen van de commissie stemde, was dat niet omdat hij zich wilde plooien naar de plannen van de machthebbers, maar omdat het hem echt het beste leek. Hij heeft nooit zijn plichten verzaakt wat betreft de verdediging van de inheemse gemeenschappen in Chiapas; integendeel, hij heeft als een van de eersten zijn mond opengedaan om de marginalisering en de ellendige toestand van dat verre deel van ons land aan te klagen; maar de autoriteiten zeiden toen dat hij een leugenaar was en links vond dat hij overdreef. Enkele jaren na het begin van de revolutie van de *zapatistas* is bewezen dat Aníbal gelijk had. Tegenwoordig is het nogal makkelijk om je in gezelschap van de opstandelingen te vertonen – bekijkt u alleen die irritante foto's van Claire en madame Mitterrand met subcomandante Marcos –, maar in 1989 waren Aníbals teksten voorspellend en ook nog riskant.

Het verbaast me niet dat ik in linkse kringen als *persona non grata* word beschouwd sinds zijn dood: ik moet erop wijzen dat zijn vroegere kameraden de eersten zijn geweest om hem zwart te maken. Tot op de dag van vandaag gedragen ze zich als stalinisten en doen iedereen die het niet met hun ideeën eens is een proces aan, alsof de Berlijnse Muur niet was gevallen. Ze hebben nooit gemerkt dat de koude oorlog voorbij is en dat zij de verliezers zijn. Idioten! Het is niet mijn schuld dat wij ons in tegenstelling tot hen wel aan de nieuwe omstandigheden hebben weten aan te passen. Nou ja, hun geblaf is niet zo belangrijk. Het enige wat ik betreur is dat Aníbal zich in zijn laatste levensdagen zo alleen heeft gevoeld doordat zijn kameraden hem minachtten en vernederden.

En nu vraagt u mij hoe ík me voel, meneer? Het is al een paar jaar geleden dat Aníbal uit ons leven is verdwenen, maar ik kan nog steeds niet accepteren dat hij niet meer onder ons is. Mijn werk voor het tijdschrift en de Stichting geeft me wat afleiding, maar er gaat geen dag voorbij zonder dat ik aan hem denk. Mijn hart wordt verteerd van verdriet. Weet u, Aníbal was alles voor me en ik was alles voor hem: zijn secretaresse, zijn factotum, zijn vertrouwelinge en zelfs iets meer dan een vriendin... Het is zinloos het te ontkennen, meneer; als hij weer eens verpletterd thuiskwam doordat die vrouw hem had laten zitten, was ik er altijd om hem te troosten... Hij heeft het vleselijke verkeer dat ons verbond nooit erkend, maar eigenlijk vormden we een heus echtpaar. Aníbal was de enige man in mijn leven en ik was zijn enige vrouw… *De enige,* hoort u?

Weet u waardoor ik wist dat hij van me hield? Toen ik ontdekte wat hij allemaal heeft gedaan om mijn relatie met Louis kapot te maken. Ik heb het hem nooit verweten, integendeel, het leek me een duidelijk bewijs van zijn genegenheid. Hoewel hij het nooit heeft toegegeven, kon Aníbal het niet uitstaan dat een andere man me benaderde; dat was logisch, want ik kon ook niet tegen zijn passie voor die vrouw. Ze was hem niet waard. U weet het: Claire was – en is – onverdraaglijk. *En ze heeft nooit van hem gehouden.* Ik voel me er totaal niet schuldig over dat ik haar bij hem vandaan heb gehouden… Ik zweer u dat ik u de archieven van Aníbal alleen heb getoond opdat u met eigen ogen kon zien dat hij tot het allerlaatste moment eerlijk is geweest. Ondanks de beschuldigingen van zijn vijanden was hij in de eerste plaats psychoanalyticus en wilde hij absoluut het beroepsgeheim bewaren waartoe hij verplicht was, al was het schadelijk voor hemzelf. Ik had nooit gedacht dat ze zou terugkomen om de kwitanties te stelen en al helemaal niet dat ze de schaamteloosheid had die aan de pers te geven. Ziet u wel? Die ongelukkige Aníbal deed twintig jaar lang niets anders dan haar zijn trouw bewijzen, en toen hij haar het meest nodig had, heeft zij hem verraden.

Het is natuurlijk onmogelijk om erachter te komen wat er die middag is gebeurd. Aníbal wilde alles doen om haar zijn onschuld te bewijzen. Eén woord van die vrouw was genoeg geweest om hem te redden, en dat mens heeft geweigerd! Het heeft nu geen zin meer erover te ruziën of Aníbal is overleden door een ongeluk of dat het om zelfmoord ging. Wat mij betreft heeft die vrouw hem vermoord. En hiermee nog niet tevreden, had ze niet eens de moed de gevolgen ervan te aanvaarden. Onder bescherming van de non-gouvernementele organisaties die verondersteld worden over de mensenrechten te waken, verliet zij samen met haar dochter het land met medeweten van de autoriteiten. Het lijdt voor mij geen twijfel. Die vrouw moet boeten voor zijn dood!

Mexico-Stad, 11 november 1989. De tragische dood van Aníbal Quevedo op 10 november jongstleden, blijft tegenstrijdige reacties oproepen
in de Mexicaanse maatschappij. Sommige mensen beschuldigen hem
ervan niet alleen een bedrieger te zijn maar ook een misdadiger, terwijl
andere hem als een van de belangrijkste Mexicaanse intellectuelen van
de twintigste eeuw beschouwen.

[...] Tijdens zijn begrafenis gisteren op de Jardínbegraafplaats in
deze stad, waren talloze persoonlijkheden uit de culturele en politieke
wereld van dit land aanwezig, onder wie de president van de republiek
in eigen persoon, die volgens sommige geruchten professionele hulp
kreeg van de overleden psychoanalyticus. In een verklaring tegenover
de media aarzelde de president niet doctor Quevedo 'een van de dap-
perste en integerste mannen van het land' te noemen.

[...] Na afloop van de plechtigheid kondigde de directeur van uitgeverij Fondo de Cultura Económica de publicatie aan van het verzamelde werk van Quevedo in acht delen, dat zal worden verzorgd door
Christopher Domínguez, literair criticus van het tijdschrift *Vuelta*.

La Jornada, 12 november 1989

MEMORANDUM D.D. 22 DECEMBER 1989

Door: Josefa Ponce, directeur
Voor: de redactieraad van de uitgeverij

Nu de tragische gebeurtenissen van de laatste weken achter de rug zijn,
wil ik u danken voor het blijk van vertrouwen daar u mij de verantwoordelijkheid voor het tijdschrift *Tal Cual* heeft gegeven. Ik zie mijn
werk als de natuurlijke voortzetting van de idealen van onze betreurde
Aníbal; zijn strijd zal worden voortgezet en als verantwoordelijke persoon voor deze nieuwe etappe zal ik mijn best doen de integriteit, de
rebellie en de kritische geest die hem altijd hebben gekenmerkt, in ere
te houden. Om dit te bereiken kunnen we ons niet neerleggen bij de
dadenloosheid uit het verleden; daarom heb ik de criticus Christopher

Domínguez uitgenodigd het hoofdredacteurschap van het tijdschrift op zich te nemen. Onze eerste taak zal zijn het uiterlijk en de inhoud van ons tijdschrift te moderniseren. We hebben besloten het aantal pagina's dat is gewijd aan literatuur en moderne kunst – de twee grote hartstochten van de oprichter van ons blad – uit te breiden, zelfs als we daarmee het risico lopen dat het karakter van *Tal Cual* wat minder politiek wordt. Natuurlijk betekent dat geen beperking van onze onafhankelijkheid, maar dat we al onze krachten moeten inzetten voor een taak die ons nog dringender lijkt: een bijdrage te leveren aan de professionalisering van de kritiek in ons land.

Tot slot moet ik u ook nog meedelen dat de president van de republiek mij eveneens heeft benoemd tot presidente van de nieuwe Quevedostichting. Zoals u weet zal de voornaamste missie van deze instelling bestaan uit het beheer van de bibliotheek en de archieven van onze oprichter, en uit de verspreiding en bestudering van zijn oeuvre. Daarom help ik u eraan herinneren dat voor de reproductie van elke door hem geschreven pagina toestemming gegeven moet worden door de Stichting, teneinde zijn nagedachtenis zo goed mogelijk te behoeden. Om een voorbeeld te geven van enkele van onze activiteiten voor de komende maanden, mag ik u erop wijzen dat in mei een colloquium zal worden gehouden onder de titel 'Octavio Paz en Aníbal Quevedo', en dat in september de winnaars van de eerste *Tal Cual*-prijs voor Conceptuele Kunstkritiek bekendgemaakt zullen worden.

GETUIGENVERKLARING

Op 11 november 1989, te 07.15 uur, verscheen voor mij, drs. GERARDO LAVEAGA RENDÓN, ambtenaar nummer tweeënveertig van het Openbaar Ministerie, CLAIRE BERMONT [sic], van Franse nationaliteit, paspoortnummer 39879848-A, om een verklaring af te leggen als getuige van het overlijden van ANDRÉS ANÍBAL QUEVEDO CIFUENTES, op diezelfde dag te 05.20 uur in zijn domicilie, calle Galeana nummer 35, in de wijk Chimalistac. Getuige verklaart dat zij de laatste twintig jaar nauwe betrekkingen heeft gehad met de heden overledene en dat ze op het punt stond met haar dochter naar diens huis te verhuizen. Getuige verzekert dat de heden overledene de laatste weken werd geplaagd door een reeks problemen die verband hielden met zijn werk en dat hij daarom door het minste of geringste zeer geïrriteerd raakte. Sinds vorige maand begon getuige het vermoeden te krijgen dat de relatie die de heden overledene onderhield met de regering, en waarover hij hard werd aangevallen in de pers, een grond van waarheid bevatte. Getuige bevestigt geen aandacht te hebben geschonken aan de beschuldigingen en door te zijn gegaan met haar verhuisplannen. Desalniettemin verklaart getuige dat ze documenten heeft ontdekt die compromitterend waren voor de eerbaarheid van de heden overledene, hoewel ze weigert de inhoud van genoemd materiaal te onthullen voordat haar advocaat haar heeft geadviseerd. Getuige verklaart dat ze na een telefoontje te hebben gekregen van de heden overledene, ermee instemde hem thuis te bezoeken. Toen getuige zich om ongeveer vijf uur in de middag bij het huis van de heden overledene meldde, bevond de man zich in een staat van enorme opwinding, zijn handen trilden en hij sprak met gebroken stem. Toen getuige hem probeerde te kalmeren, werd de heden overledene buitengewoon agressief. Getuige meende bij de heden overledene een staat van 'paranoïde angst' vast te stellen, hoewel ze bekent niet over de benodigde psychologische vorming te beschikken om haar uitspraak te kunnen staven. Na een verhitte discussie van een halfuur wilde getuige vertrekken om te voorkomen dat de ruzie uit de hand zou lopen; de heden overledene gebruikte fysiek geweld om haar tegen te houden. Getuige verzekert dat de heden overledene de deur blokkeerde en haar dwong te blijven door haar met een pistool te bedreigen. Getuige bekent dat de heden overledene haar dwong de volgende tien uur te luisteren naar een gedetailleerd overzicht van zijn leven. 'Het was net of hij er behoefte aan had te biechten,' zegt getuige. Volgens haar getuigenis deed de heden overledene zijn uiterste best haar te overtuigen van zijn onschuld wat betreft de beschuldigingen van corruptie die tegen hem waren gepubliceerd. In de woorden van de getuige was de heden overledene 'volledig geobsedeerd' door het idee dat zij 'zijn waarheid' moest accepteren. Volgens de mening van getuige vertoonde de heden overledene echter geen spoor van krankzinnigheid, integendeel, het kwam haar voor dat hij 'helderder was dan ooit'. Wat er vervolgens gebeurde is volgens haar heel moeilijk te verklaren als gevolg van de staat van opwinding waarin zij zelf verkeerde. Er moet worden gewezen op het feit dat getuige vele jaren lang aan verschillende neurologische kwalen heeft geleden die haar geheugen aantasten. Getuige herinnert zich alleen dat ze van een moment van onoplettendheid van de heden overledene gebruik-maakte om aan zijn aandacht te ontsnappen en naar de buitendeur te rennen; maar hij stortte zich op haar en slaagde erin haar tegen te houden. Er ontstond een worsteling en getuige verklaart dat ze buiten bewustzijn is geraakt, misschien als gevolg van een slag tegen haar hoofd; toen ze weer bij kennis kwam, zag ze het lichaam van de heden overledene op de grond liggen, hij lag bewegingloos en kalm met open ogen naar het plafond te kijken. Toen ze over de eerste schrik heen was, belde getuige de politie.

Vooronderzoek N°4/354/736/89

BRIEF VAN CLAIRE

Mexico-Stad, 9 november 1989

Aníbal,

Ik schrijf je deze regels enkele uren voordat ik in het vliegtuig naar Parijs stap. In het begin dacht ik dat het minder pijnlijk zou zijn als we in stilte zouden vertrekken, zonder verklaringen of opwinding – Anne begon jou juist heel aardig te vinden –, maar ik werd door gewetenswroeging overmand: het was opeens een ondraaglijk idee jou opnieuw te confronteren met mijn afwezigheid. Het zal ook niet makkelijk zijn deze brief op jouw bureau achter te laten: hoewel ik het nooit durfde toe te geven, vertrouwde ik er in wezen altijd op dat de toekomst aan ons was. Dronken van mijn eigen wil, grillig en onverantwoordelijk als ik was, heb ik ons verlangen jarenlang proberen te prolongeren, uit te stellen of op de lange baan te schuiven, in de geheime hoop dat we later, als we bijna oud of dood waren, een laatste kans zouden krijgen. Wat een onzin! De toekomst is hier en tegen mijn verwachtingen in hebben we elkaar alleen maar pijn gedaan. Tot overmaat van ramp heb ik mijn onafhankelijkheid niet weten te behouden en waagde ik het jou te bezitten. Jij was er zelf verbaasd over en vroeg me naar de reden: waarom nu, waarom na al die jaren, waarom na al dat verdriet? Ik weet het niet, of ik wil het niet weten: misschien omdat ik een voorgevoel had van ons einde. Nu geef ik toe dat ik me vergist heb: ik had mijn werk in Afrika nooit moeten opgeven om naar Mexico te komen; ik wist dat je een moeilijke periode doormaakte en dat je mijn steun nodig had, maar ik had nooit gedacht dat mijn vertrouwen in jouw oprechtheid zou worden ondermijnd door de bewijzen tegen jou. Hierdoor begreep ik dat jij niet anders bent dan de anderen, Aníbal. Ik weet niet of jouw medeplichtigheid met de macht vrijwillig is of het gevolg van een misstap of een samenzwering: het idee dat je bent overgelopen kan ik eenvoudig niet verdragen. Als ik was gebleven om jouw versie van de zaak aan te horen, zou je me er misschien van hebben overtuigd dat je, om in een systeem als het Mexicaanse te kunnen overleven, niets anders kon doen dan je onderwerpen aan de regels. Daarom weiger ik naar je te luisteren. Ik herinner me jouw laatste woorden: 'Mijn geweten is vrij en helder,' zei je. En vervolgens: 'De mensen moeten weten dat ik geen slecht mens ben geweest, dat ik geen gek en geen dief ben en dat ik me niet heb verkocht, maar er zijn te veel losse eindjes, te veel betrokkenen en te veel belangen, ik moet voorzichtig te werk gaan. Het is niet meer zoals vroeger, Claire, toen we jong waren en in de revolutie geloofden. Tegenwoordig moeten we realistisch zijn om vooruit te komen en door te gaan met onze strijd.' Toen je klaar was, werd ik bevangen door een eindeloos gevoel van onbehagen; zonder dat je het merkte had je zojuist je idealen verraden, de idealen waarvoor we al meer dan twintig jaar streden: in plaats van aan te vallen, verdedigde je je; in plaats van je te verzetten, onderhandelde je... Begrijp me niet verkeerd: misschien is jouw beslissing redelijk, maar ik weiger die te delen. Ik ben de dolle, de gewelddadige, de rebelse meid, weet je nog? Ik hoor stemmen. Ik blijf altijd op voet van oorlog. En ik doe nooit concessies. Het spijt me, Aníbal: in tegenstelling tot jou denk ik er niet over de waanzin op te geven.

CLAIRE

Atlanta, januari 2000 – Parijs, januari 2003

Tabula gratulatoria

Ik had dit boek nooit kunnen schrijven zonder Blanca, zij heeft de woorden leven ingeblazen.

Verder zou ik de volgende personen willen danken voor hun hulp, goede raad of betrokkenheid: Jesús Anaya, Sylvie Audoly, Basilio Baltasar, Guillermo Cabrera Infante en Miriam Gómez, Maricarmen Cárdenas, Ricardo Chávez Castañeda, Sandro Cohen, Adrián Curiel en Carolina de Petris, Aura E. Curiel, Christopher Domínguez Michael, Fabienne Dumontet, Benita Edzard, Carlos Fuentes en Silvia Lemus, Luis García Jambrina, Celina García Keller, Adolfo García Ortega, Nahir Gutiérrez, Pere Gimferrer, Robert Goebel, Claude Heller en Adela Fuchs, Vicente Herrasti, Gabriel Iaculli, Antonia Kerrigan en Ricardo Pérdigo, Luis Lagos, Gerardo Laveaga, Paty Mazón, Florence Olivier, Ignacio Padilla en Lili Cerdio, Pedro Ángel Palou en Indira García, Sergio Pitol, Elena Ramírez, Tomás Regalado, Carmen Ruíz Barrionuevo, Guillermo Sheridan en Aurelia Álvarez Urbajtel, Martín Solares en Mónica Herrerías, René Solis, Eloy Urroz en Lety Barrera, Andrew Wylie en mijn broer Alejandro.

Aan mijn psychoanalytica Viviana Saint-Cyr dank ik mijn kritische toenadering tot het werk van Jaques Lacan, en ook vele andere bladzijden in dit boek. Aan Ana Pellicer haar onuitwisbare vriendschap en het feit dat ze mij inzage heeft gegeven in haar waardevolle studie over de Cubaanse intelligentsia in de jaren zestig. En Guadalupe Nettel dank ik voor haar geduld bij het corrigeren van de laatste versie van dit boek.

Tijdens mijn verblijf als *visiting writer* aan de Emory University in Atlanta, heb ik een groot deel van het onderzoek voor dit boek kunnen uitvoeren, en ik dank Carlos Alonso, Carl Good, Ricardo Gutiérrez Mouat, Rocío Rodríguez en de andere collega's van de afdeling Spaans voor hun gastvrijheid in het voorjaar van 2000. Mijn erkentelijkheid gaat tevens uit naar Leticia Clouthier en mijn collega's van het Instituto de Mexico in Parijs, want zonder hun inspanning had ik nooit de tijd gehad om dit project te voltooien.

Ik zou hier graag willen vermelden dat de meeste boeken van de Franse structuralisten door de dichter Tomás Segovia zijn vertaald voor de Mexicaanse uitgeverij Siglo XXI, die indertijd onder leiding stond van Arnaldo Orfila. Hun werk kon kort na verschijning in het Frans in het Spaans worden gelezen.

Ik kan het niet laten tot slot een deel van de *teksten* op te sommen die mij tot deze tekst hebben gebracht:

Jorge Aguilar Mora, 'Sobre cómo Aníbal Quevedo irrumpió una tarde en el seminario de Roland Barthes' (Over hoe Aníbal Quevedo op een middag de werkgroep van Roland Barthes binnenstormde), *unomásuno*, 14 november 1989

Jean Allouch, *Marguerite ou l'Aimée de Lacan*, EPEL, Parijs, 1990

Louis Althusser, *L'avenir dure longtemps* en *Les faits*, Stock-Imec, Parijs, 1992

idem, *Lettres à Franca*, Stock-Imec, Parijs, 1998

idem, *Lire 'Le Capital'*, Maspero, Parijs, 1965

idem, *Écrits sur la psychanalyse*, Stock-Imec, Parijs, 1993

idem, *Écrits philosophiques et politiques*, 2 dln., Stock-Imec, Parijs, 1994-1995

idem, *Pour Marx*, Maspero, Parijs, 1965

Didier Anzieu (Épistemon), *Ces idées qui ont ébranlé la France*, Fayard, Parijs, 1968

idem, *Une peau pour des pensées*, interview met G. Tarrab, Clancier-Génaud, Parijs, 1986

Julio Aréchiga, 'Las elecciones del 6 de julio de 1988 fueron las más limpias de la historia' (De verkiezingen van 6 juli 1988 waren de meest smetteloze van de geschiedenis), *Excélsior*, 20 juli 1988

Félix de Azúa, 'Albert Girard y el fin del Arte' (AG en het einde van de kunst), *El País*, 18 mei 2003

Basilio Baltasar, ed., *Aníbal Quevedo ante la crítica* (AQ kritisch bekeken), Bitzoc, Mallorca, 2003

Jorge Baños Orellana, *L'écritoire de Lacan*, EPEL, Parijs, 2002

Roland Barthes, *Oeuvres complètes*, Éric Marty red., 3 dln., Seuil,
  Parijs, 1993
Jean Baudrillard, *Oublier Foucault*, Galilée, Parijs, 1977
Maurice Blanchot, *Michel Foucault tel que je l'imagine*, Fata Morgana,
  Parijs, 1986
Christophe Bourseiller, *Vie et mort de Guy Debord*, Plon, Parijs, 1999
Alfredo Bryce Echenique, *La vida exagerada de Martín Romaña* (Het
  buitensporige leven van MR), Anagrama, Barcelona, 1994
Louis-Jean Calvet, *Roland Barthes*, Flammarion, Parijs, 1990
Ricardo Chávez Castañeda, *Yo fui alumno de Aníbal Quevedo* (Ik was
  een leerling van AQ), ENEP-Acatlán, Mexico, 2003
Catherine Clément, *Vie et légendes de Jaques Lacan*, Grasset, Parijs,
  1985
Roger Crémant (Clément Rosset), *Les matinées structuralistes*,
  Laffont, Parijs, 1969
Guy Debord, *La société du spectacle*, Bouchet-Chastel, Parijs, 1967
Gilles Deleuze, *Foucault*, Éditions de Minuit, Parijs, 1986
idem, *Présentation de Sacher-Masoch*, Éditions de Minuit, Parijs, 1967
idem, en Félix Guattari, *L'Anti-Oedipe*, Éditions de Minuit, Parijs, 1972
François Dosse, *Histoire du structuralisme*, 2 dln., La Découverte, 1992
Oswald Ducrot, *Qu'est-ce que c'est le structuralisme? Linguistique*,
  Seuil, Parijs, 1968
Fabienne Dumontet, 'Tel Quel et Tal Cual', *Le Monde des livres*, Parijs,
  8 oktober 2003
Pascal Dumontier, *Les Situationnistes et Mai 1968*, Gérard Levovici,
  Parijs, 1990
Didier Eribon, *Michel Foucault*, Flammarion, Parijs, 1989
idem, *Michel Foucault et ses contemporains*, Fayard, Parijs, 1994
Michel Foucault, *Histoire de la folie à l'âge classique*, 2de druk, Gallimard, Parijs, 1972
idem, *Les mots et les choses*, Gallimard, Parijs, 1966
idem, *L'Archéologie du savoir*, Gallimard, Parijs, 1969
idem, *L'ordre du discours*, Gallimard, Parijs, 1971
idem, *Moi, Pierre Rivière, ayant égorgé ma mère, ma soeur et mon
  frère...*, Gallimard-Juillard, Parijs, 1973
idem, *Surveiller et punir*, Gallimard, Parijs, 1975
idem, *La volonté de savoir*, Gallimard, Parijs, 1976

idem, *Le souci de soi*, Gallimard, Parijs, 1985

idem, *L'usage des plaisirs*, Gallimard, Parijs, 1985

idem, *Dits et écrits*, 2 dln, Gallimard, Parijs, 2001

Pierre Fougueyrollas, *Contre Lévi-Strauss, Lacan et Althusser*, Savelli, Parijs, 1976

Carlos Fuentes, 'Aníbal Quevedo, o la Crítica de la lectura' (AQ of de kritiek van het lezen), *El País*, 13 november 1989

Gonzalo Garcés, *El futuro* (De toekomst), Seix Barral, Barcelona, 2003

Adolfo García Ortega, *Aníbal Quevedo y España* (AQ en Spanje), Ollero y Ramos, Madrid, 2003

Jean-Guy Godin, *Jaques Lacan, 5, rue de Lille*, Seuil, Parijs, 1990

Alain Greismar, Serge July en 'Erline Morente', *Vers la Guerre Civile*, Parijs, 1967

Gérard Haddad, *Le jour où Lacan m'a adopté*, Grasset, Parijs, 2002

David Halperin, *Saint Foucault*, Oxford University Press, Oxford, 1995

Hervé Hamon en Patrick Rotman, *Génération*, 2 dln., Seuil, Parijs, 1988

Vicente Herrasti, *Gorgias y Foucault*, Planeta, Mexico, 2003

Anselm Jappe, *Guy Debord*, Tracce, Pescara, 1993

Antonia Kerrigan, 'Por qué no quise representar a Aníbal Quevedo?' (Waarom wilde ik AQ niet representeren?), *Qué leer?*, Barcelona, maart 2003

Mustapha Khayati, *De la misère en milieu étudiant considérée sur ses aspects économiques, politiques, psychologiques, sexuels et notamment intellectuels et de quelques moyens pour y remédier*, s/e, 1966

Enrique Krauze, 'El melodrama mexicano de Anibal Quevedo' (Het Mexicaanse melodrama van AQ), *Vuelta*, Mexico, december 1989

Julia Kristeva, *Les Samouraïs*, Fayard, Parijs, 1990

idem, *Sens et nons-sens de la révolte*, Seuil, Parijs, 1999

Jacques Lacan, *Écrits*, Seuil, Parijs, 1966

idem, *Séminaires* (meerdere dln.), J.A. Miller, red., Seuil, Parijs

idem, *De la psychose paranoïaque dans ses rapports avec la personnalité*, Seuil, Parijs, 1975

Sybille Lacan, *Un père. Puzzle.* Gallimard, Parijs, 1994

Gerardo Laveaga, 'La muerte de Aníbal Quevedo fue accidental' (De dood van AQ was een ongeluk), *Boletín del Instituto Nacional de Ciencias Penales*, INACIPE, Mexico, mei 2003

David Macey, *Michel Foucault*, Hutchinson, Londen, 1993

Greil Marcus, *Lipstick Traces*, Cambridge, 1989

Éric Marty, *Louis Althusser, un sujet sans procès*, Gallimard, Parijs, 1999

James Miller, *The Passion of Michel Foucault*, Simon & Schuster, New York, 1993

Jean-Claude Milner, *Le périple structural*, Seuil, Parijs, 2002

Carlos Monsiváis, 'La triste figura de Aníbal Quevedo' (De droevige figuur AQ), *La Jornada*, 14 november 1989

Guadalupe Nettel, *Structuralisme zen*, Actes Sud, Arles, 2003

Ignacio Padilla, *Cómo ser marxista y católico* (Hoe marxist en katholiek te zijn), Jus, Mexico, 2003

Pedro Ángel Palou, ed., 'La correspondencia de Aníbal Quevedo y Juan Gavito' (De correspondentie tussen AQ en JG), Secretaría de Cultura del Estado de Puebla, Puebla, 2003

Octavio Paz, 'El otro Buscón' (De andere Buscón), *Vuelta*, Mexico, december 1989

Ana Pellicer, *Los mexicanos* (De Mexicanen), voorwoord Enrique Vallano, Lengua de Trapo, Madrid, 2003

Juan Pérez Avella, *Olvidar a Quevedo*, (Q vergeten), eigen beheer, Mexico, 1989

Gérard Pommier, *Louis du Néant. La mélancolie d'Althusser*, Aubier, Parijs, 1998

Aníbal Quevedo, *Obra Completa* (Verzameld Werk), Christopher Dominguez, red., 8 dln., FCE-Fundación Aníbal Quevedo, Mexico, 1990-1994

Jacques Rancière, *La leçon d'Althusser*, Gallimard, Parijs, 1974

Marc Reisinger, *Lacan, l'insondable*, Les empêcheurs de penser en rond, Parijs, 2001

Pierre Rey, *Une saison chez Lacan*, Laffont, Parijs, 1989

Philippe Roger, *Roland Barthes, roman*, Grasset, 1999

Elisabeth Roudinesco, *Lacan. Esquisse d'une vie, histoire d'un système de pensée*, Fayard, Parijs, 1993

Alberto Ruy Sánchez, 'La erótica del pensamiento: la desnudez de Aníbal Quevedo y Roland Barthes' (De erotiek in het denken: de naaktheid van AQ en RB), *unomásuno*, zaterdag 17 november 1989

Moustapha Safouan, *Qu'est-ce que le structuralisme? Psychanalyse*, Seuil, Parijs, 1973 idem, *Lacaniana*, Fayard, Parijs, 2001

Stuart Schneiderman, *The Dead of an Intellectual Hero*, New York, 1983

Guillermo Sheridan, 'Contra Lacan, Barthes, Foucault, Althusser, Quevedo, Volpi y todos los demás' (Tegen L, B, F, A, Q, V en alle anderen), *Letras Libres*, april 2003

Martín Solares, *El París de Aníbal Quevedo. Viajes en metro por una capital intelectual* (Het Parijs van AQ. Metroreizen door een intellectuele stad), Tusquets, Mexico, 2003

Philippe Sollers, *Femmes*, Gallimard, Parijs, 1983

Susan Sontag, *Barthes*, Farrar & Strauss, New York, 1982

Tzevan Todorov, *Qu'est-ce que le structuralisme? Poétique*, Seuil, Parijs, 1973

Eloy Urroz, *Elogio de mi diván* (Lofdicht op mijn divan), Colibrí, Mexico, 2003

Raoul Vaneiguem, *Traité de savoir-vivre à l'usage des jeunes générations*, Gallimard, Parijs, 1967

René Viénet, *Enragés et Situationnistes dans le mouvement des occupations*, Gallimard, Parijs, 1968

François Wahl, *Qu'est-ce que le structuralisme? Philosophie*, Seuil, Parijs, 1973

François Weyergans, *Le pitre*, Gallimard, Parijs, 1973

Inhoud